LE VOLEUR DES STEPPES

DU MÊME AUTEUR

La Mer au fond du monde. Roman.
  Montréal : Paulines, Jeunesse-pop 71, 1990.
La Requête de Barrad. Roman.
  Montréal : Paulines, Jeunesse-pop 73, 1991.
La Prisonnière de Barrad. Roman.
  Montréal : Paulines, Jeunesse-pop 76, 1991.
La Taupe et le Dragon. Roman.
  Montréal : Québec/Amérique, 1991. (épuisé)
  Beauport : Alire, Romans 025, 1999.
Le Jour-de-trop. Roman.
  Montréal : Paulines, Jeunesse-pop 85, 1993.
Le Voyage de la sylvanelle. Roman.
  Montréal : Paulines, Jeunesse-pop 88, 1993.
La Mémoire du lac. Roman.
  Montréal : Québec/Amérique, 1994. (épuisé)
  Beauport : Alire, Romans 044, 2001.
Le Secret des sylvaneaux. Roman.
  Montréal : Paulines, Jeunesse-pop 93, 1994.
Le Prince Japier. Roman.
  Montréal : Paulines, Jeunesse-pop 98, 1995.
La Peau blanche. Roman.
  Beauport : Alire, Romans 006, 1997.
  Lévis : Alire, GF 002, 2004.
Cœur de fer. Recueil.
  Le Plessis-Brion : Orion, Étoiles vives, 1997.
L'Aile du papillon. Roman.
  Beauport : Alire, Romans 028, 1999.
Les Sources de la magie. Roman.
  Beauport : Alire, Romans 054, 2002.

Le Voleur
des steppes

Joël Champetier

ALIRE

Illustration de couverture : GUY ENGLAND
Photographie : POTHIER PHOTO

Distributeurs exclusifs :

Canada et États-Unis :
Messageries ADP
2315, rue de la Province,
Longueuil (Québec) Canada
J4G 1G4
Téléphone : 450-640-1237
Télécopieur : 450-674-6237

France et autres pays :
Interforum editis
Immeuble Paryseine, 3,
Allée de la Seine, 94854 Ivry Cedex
Tél. : 33 (0) 4 49 59 11 56/91
Télécopieur : 33 (0) 1 49 59 11 33
Service commande France Métropolitaine
Tél. : 33 (0) 2 38 32 71 00
Télécopieur : 33 (0) 2 38 32 71 28
Service commandes Export-DOM-TOM
Télécopieur : 33 (0) 2 38 32 78 86
Internet : www.interforum.fr
Courriel : cdes-export@interforum.fr

Suisse :
Interforum editis Suisse
Case postale 69 – CH 1701 Fribourg – Suisse
Téléphone : 41 (0) 26 460 80 60
Télécopieur : 41 (0) 26 460 80 68
Internet : www.interforumsuisse.ch
Courriel : office@interforumsuisse.ch
Distributeur : OLS S.A.
Zl. 3, Corminboeuf
Case postale 1061 – CH 1701 Fribourg – Suisse
Commandes :
Tél. : 41 (0) 26 467 53 33
Télécopieur : 41 (0) 26 467 55 66
Internet : www.olf.ch
Courriel : information@olf.ch

Belgique et Luxembourg :
Interforum editis Benelux S.A.
Boulevard de l'Europe 117, B-1301 Wavre – Belgique
Tél. : 32 (0) 10 42 03 20
Télécopieur : 32 (0) 10 41 20 24
Internet : www.interforum.be
Courriel : info@interforum.be

Pour toute information supplémentaire
LES ÉDITIONS ALIRE INC.
C. P. 67, Succ. B, Québec (Qc) Canada G1K 7A1
Tél. : 418-835-4441   Fax : 418-838-4443
Courriel : info@alire.com
Internet : www.alire.com

Les Éditions Alire inc. bénéficient des programmes d'aide à l'édition de la
Société de développement des entreprises culturelles du Québec (SODEC),
du Conseil des Arts du Canada (CAC) et reconnaissent l'aide financière du
gouvernement du Canada par l'entremise du Programme d'aide au développement de l'industrie de l'édition (PADIÉ) pour leurs activités d'édition.

Gouvernement du Québec – Programme de crédit d'impôt pour l'édition
de livres – Gestion Sodec.

Dépôt légal : 2ᵉ trimestre 2007
Bibliothèque nationale du Québec
Bibliothèque nationale du Canada

TABLE DES MATIÈRES

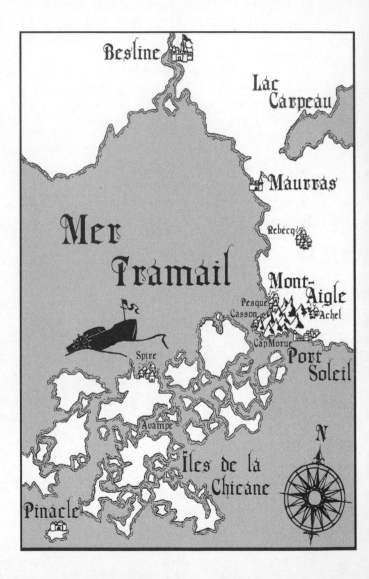

CHAPITRE 1

Quatre lettres à la hauteur du cœur

Personne n'aurait su dire depuis combien de temps l'homme dans la cage avait ouvert les yeux. Allongé sur le flanc, immobile, les jambes repliées, il contemplait une plaine sauvage, étendue jusqu'à l'infini. Un désert de rocaille piqueté de rares buissons.

La nuit tombait.

Le ciel violet devint noir, sauf à l'horizon où une lueur inconstante traçait le contour de nuages.

Un orage approchait.

Des éclairs s'abattirent bientôt sur la terre de roche, le craquement de chaque décharge un peu plus assourdissant que le précédent.

L'homme, qui avait des yeux pour voir, et des oreilles pour entendre, et une poitrine pour sentir la main du tonnerre s'y appuyer à chaque coup, ne s'éveilla pleinement à la conscience que lorsque les premières gouttes de pluie lui éclatèrent au visage.

Cette nouvelle phase de l'éveil s'accompagna d'une sensation de douleur presque infinie. L'homme, recroquevillé dans la cage trop étroite pour lui permettre d'allonger les jambes, tenta de trouver une posture plus confortable. Aucune position ne valait mieux qu'une autre. Tout son être souffrait.

Il gémit comme un enfant abandonné.

Un éclair tomba tout près. Le vent souffla, erratique. L'air sentait la glace et le gravier chaud. La cage oscilla au rythme grinçant du métal contre le métal. Les gouttes éparses se multiplièrent en averse drue.

La cage ballottait maintenant au sein d'un déferlement d'eau et de foudre. Les mains en cornet autour de sa bouche dans un effort instinctif pour capter le plus d'eau possible, l'homme étancha du mieux qu'il put sa soif, le pire des supplices qu'il endurait à ce moment.

La plainte du vent changea de registre. Les éclairs s'espacèrent entre des périodes d'obscurité de plus en plus longues.

L'homme tendit la main pour la refermer sur un des barreaux de la cage. Il tenta de soulever son torse meurtri. L'effort le fit gémir de nouveau, mais il parvint à se redresser malgré tout. Il appuya son front mouillé contre les tiges de métal et se mit à claquer des dents. Il était glacé des pieds à la tête, et pourtant tout son corps brûlait. Dans son esprit, une image étrange se déploya, celle d'un tison ardent plongé dans un bassin. Le rouge du métal incandescent, la fumée d'une fournaise, le sifflement de l'eau. Le bassin devint un torrent qui bascula dans un gouffre sans fond. Au loin, une femme cria, un cri d'horreur et de désespoir. Le cri disparut, avalé par le tumulte…

La vision s'était estompée, remplacée par un vide bruissant. L'homme continua de frissonner, les dents claquantes, son front contre le métal froid.

La cage n'oscillait plus. Le tonnerre s'était tu.

La pluie, par contre, reprit de la force.

Assis en tailleur, l'homme abaissa le visage sur sa poitrine et essuya ses yeux pleins d'eau. La noirceur était absolue maintenant que les éclairs étaient allés s'abattre plus loin. Au fur et à mesure qu'il reprenait ses esprits, il se rendait compte que la douleur qui

embrasait son corps irradiait avec une intensité particulière au milieu de son dos.

L'homme tâta avec prudence son dos nu et découvrit l'endroit d'où sourdait la douleur. Au bas des
côtes, près de la colonne vertébrale, il sentit une plaie
enflée et sensible, couverte d'une croûte. Cet examen
lui permit de comprendre qu'il ne portait pour seul vêtement qu'un pagne détrempé. Une sensation d'inconfort se fraya un chemin malaisé jusqu'à sa conscience :
le vêtement le serrait autour des hanches et des cuisses.
Il aurait fallu qu'il bouge pour se défaire du pagne.
L'effort lui sembla soudain surhumain…

◆

L'homme dans la cage se réveilla pour la seconde
fois, avec le sursaut hébété de celui qui ne s'était pas
rendu compte qu'il dormait.

Il crut avoir crié, puis n'en fut plus trop sûr. Peut-être
n'avait-il que rêvé… Au-dessus de lui, il distinguait à
travers les barreaux un ciel d'un gris boueux.

Le jour s'était levé.

Comme il l'avait fait la nuit précédente, l'homme
s'agrippa aux barreaux de la cage pour se redresser.
Cette fois encore l'effort le fit gémir.

Il eut beau essayer de se contorsionner, il lui était
impossible d'apercevoir la blessure qui le faisait tant
souffrir à la hauteur des reins. Dans la lumière blême
du matin, il étudia son torse nu, ses bras nerveux à la
peau hérissée de chair de poule, ses mains osseuses
aux ongles ébréchés, ses poignets couverts d'une
peau mate sous laquelle glissaient veines et tendons.
Ce qu'il avait pris pour un pagne dans l'obscurité se
révéla être un pantalon court de toile crasseuse, duquel
émergeaient des jambes musculeuses, lacérées d'éraflures récentes et de cicatrices anciennes.

Il fallut que l'homme s'éveille encore un peu plus pour qu'il réalise à quel point il était anormal que son corps lui paraisse aussi étranger. D'où provenait la blessure à son dos ? À la suite de quelles circonstances s'était-il retrouvé, contus et glacé, dans cette cage ?

Une nouvelle source d'inconfort, olfactive cette fois, le fit grimacer. Une odeur répugnante avait été transportée par un caprice du vent. Cela ne dura qu'un instant : la faible brise matinale fit disparaître l'odeur aussi rapidement qu'elle était apparue.

Ignorant la douleur de ses membres roides, l'homme se mit debout pour étudier son environnement immédiat.

Sa tête buta contre le haut de la prison oscillante ; cette dernière était tout juste un peu trop basse pour qu'il puisse se redresser complètement.

L'homme compta deux autres cages, soutenues comme la sienne par une solide potence d'un bois si noir qu'il en paraissait huileux. Les trois potences étaient plantées à égale distance les unes des autres, formant un triangle d'à peu près vingt pieds de côté au centre duquel trois chemins se rejoignaient. À voir la régularité avec laquelle on avait tracé les chemins et placé les cages, l'homme comprit que la disposition des lieux n'était pas le fruit du hasard mais obéissait à un dessein précis.

Deux des chemins se perdaient au loin dans la plaine rocailleuse. Le troisième attirait le regard vers un panorama un peu moins rébarbatif : un ruisseau gonflé d'eau boueuse cascadait jusqu'à un bosquet d'épineux et de fouet-à-lièvre, chemin et ruisseau poursuivant leurs méandres vers de basses collines couvertes d'un maquis gris et noir.

Dans la cage de droite pourrissait un cadavre, source de l'épouvantable odeur de charogne qui avait empuanti l'air quelques instants plus tôt.

Il n'était pas aussi aisé d'apercevoir l'intérieur de la cage de gauche. Des loques multicolores suspendues aux barreaux dissimulaient deux enfants nus, serrés l'un dans les bras de l'autre, instinct de défense contre le froid qui parut parfaitement sensé à l'homme qui frissonnait et claquait des dents dans l'air humide.

Ce dernier prêta une attention un peu plus soutenue à sa propre cage. Les tiges des parois et du toit étaient soudées ensemble, un ouvrage grossier mais solide. Sous la paillasse détrempée, un plancher formé de barreaux plus resserrés était percé au centre d'un trou rond. La bouche noire d'une fosse creusée dans la rocaille sous sa cage confirma à l'homme son soupçon : l'ouverture permettait à l'occupant de se soulager. Il vit aussi qu'une section du plancher était conçue pour pivoter sur elle-même, opération interdite car une barre de métal sous la trappe la retenait fermée.

Ce n'est qu'à ce moment que l'homme comprit qu'il était prisonnier. Que cela lui eût pris autant de temps pour absorber l'évidence illustre l'état de désorientation dans lequel il se trouvait.

À genoux, il glissa la main entre les barreaux, afin de voir s'il y avait un moyen de retirer cette barrure ou de la faire glisser. La tige refusait de bouger. Elle était retenue par une sorte de mécanisme de métal – il n'était pas facile de bien voir à travers les barreaux resserrés du plancher.

Une voix féminine s'éleva dans l'air matinal ; elle s'exprimait dans une langue inconnue.

Dans la cage où l'homme avait cru apercevoir deux enfants enlacés, une jeune femme nue le fixait avec intérêt. La luminosité frileuse du ciel ennuagé révélait les contours d'une femme nubile, petite, au corps bien formé, à la peau mate cuite par le soleil. Son visage fin était percé de grands yeux en amande à la pupille sombre, encadré par une tignasse noire aux torsades crasseuses qui lui atteignaient la taille. L'homme comprit pourquoi il avait cru apercevoir deux occupants dans la cage : la jeune femme possédait quatre bras et quatre mains.

La prisonnière lui adressa encore la parole dans une langue à la cadence heurtée, toute en voyelles ouvertes. À en juger par le ton et l'expression de son visage, il s'agissait d'une question.

— Je ne comprends pas, dit l'homme en se touchant l'oreille.

Le visage de la jeune femme s'éclaira.

— Tu parles l'estran ?

— Si c'est la langue que nous employons en ce moment, oui.

— Surprenant ! Presque aussi surprenant que de te voir vivant ce matin.

L'homme ne répondit rien, mutisme qui fut peut-être mal interprété par son interlocutrice, car elle baissa le visage en une attitude à la fois déférente et dépitée.

— Me trouvez-vous trop familière ? Dois-je vous vouvoyer ? Le registre impersonnel est-il préférable ?

L'homme resta déconcerté autant par la volubilité de la prisonnière que par la nature de ses questions. Des notions instinctives de hiérarchie et de protocole tourbillonnèrent dans son esprit. Une jeune femme de son âge aurait dû se montrer plus respectueuse, à moins d'être la fille d'un supérieur – cette notion même de « supérieur » n'étant pas absolument claire. À ces considérations s'ajouta le fait qu'ils étaient étrangers l'un à l'autre, nus de surcroît !

L'homme eut un geste agacé.

— Adresse-toi à moi comme il te plaît.

La jeune femme agrippa les barreaux avec trois mains et s'y colla le visage pour mieux distinguer son interlocuteur.

— Admets qu'entre prisonniers la forme impersonnelle aurait été un peu pompeuse, non ? Mon nom est Sarouelle.

Elle écarta ses cheveux de son visage et se cambra un peu, ses lèvres gercées soulevées en un sourire taquin. L'homme s'aperçut que la poitrine de la jeune femme arborait deux paires de seins, ceux du haut proportionnés à son ossature, ceux du bas encore plus menus, ce qui expliquait qu'il n'avait pas tout de suite reconnu leur nature.

— Je me demandais quand tu finirais par t'en apercevoir.

L'homme regarda ailleurs, en émettant un vague grognement d'embarras.

— Oh ! Ça ne me dérange pas de me faire regarder, se dépêcha de dire Sarouelle. Pourvu que tu comprennes que je ne cherche ni à t'émoustiller ni à te choquer. J'attends que mes vêtements sèchent, c'est tout.

L'homme demeura un long moment silencieux, les yeux détournés, laissant le temps à une question plus pressante que les autres de surnager dans le tourbillon de son esprit :

— Où sommes-nous ?

Constatant qu'aucune réponse ne venait, il glissa un regard vers la jeune femme. Cette dernière l'examinait avec une moue soupçonneuse.

— Tu es le premier homme que je rencontre dont la première question ne concerne pas mes bras.

Elle ponctua cette remarque de papillonnements de ses mains de droite, puis de celles de gauche, pour ensuite alterner entre les mains du haut et celles du bas ; toutes ces gesticulations faisaient osciller et grincer la cage. Elle émit un rire cristallin.

— Quelle tête tu fais ! Tu n'as pas souvent vu de femmes à quatre bras dans ta steppe, n'est-ce pas ?

— Je ne comprends rien à ce que tu racontes.

— Les gardes qui t'ont enfermé ont dit que tu étais un voleur des steppes.

— C'est possible.

— Aaah, dit Sarouelle avec un regard en biais. On joue les mystérieux.

Elle regarda le cadavre gonflé à l'intérieur de la troisième cage, sous laquelle suintait maintenant un fluide répugnant.

— Entre morts en sursis, les cachotteries, tu sais…

— Je ne joue pas les mystérieux. Je ne sais pas pourquoi on m'a enfermé. Je ne sais même pas mon nom.

Sarouelle le contempla un moment, les paupières mi-closes, son petit nez soulevé de scepticisme.

— Tu as perdu la mémoire ?

— On le dirait.

Elle tendit une main entre les barreaux, son index pointé droit sur la poitrine de son vis-à-vis.

— Je vois quelque chose d'inscrit. Je n'arrive pas à lire d'ici.

L'homme baissa les yeux sur son torse. À son réveil, il avait à peine remarqué les quatre lettres tatouées à la hauteur de son cœur, tant il est vrai qu'à son réveil ç'avait été tout son corps qui lui avait semblé étrange et inconnu.

Il étudia le tatouage, noir sur sa peau brune : Y, A, R, et G.

— Yarg…

L'homme avait parlé à voix si basse qu'il était certes impossible que la jeune femme prisonnière de la cage dressée de l'autre bord de la route ait pu l'entendre. Il répéta, à voix normale :

— Yarg.

— C'est ton nom ?

Il étudia à nouveau le tatouage, s'assurant qu'il avait redressé correctement les lettres qu'il voyait inversées. Yarg. Oui, le mot évoquait un sentiment de reconnaissance… profonde. Intime… Un sentiment qui, de façon inexplicable, le rassura un peu.

— Je pense que c'est mon nom, oui.

— Tu vois ? dit la jeune femme sur un ton de satisfaction qui parut un peu absurde à son interlocuteur. Tu as été rudoyé. On t'a frappé à la tête, et tu as momentanément perdu la mémoire. Ne t'inquiète pas, tes souvenirs vont finir par resurgir.

Yarg ne répondit pas, concentré sur l'effort mental qu'il déployait à essayer de déchirer les voiles tendus entre sa conscience et un passé qu'il devinait pourtant tout près. Un passé tout en mouvements embrouillés, en lumières diffuses, en échos assourdis.

La jeune femme avait raison. Son amnésie n'était que temporaire. Il ne pouvait en aller autrement. Il se rappellerait bientôt non seulement son nom, mais l'ensemble des souvenirs qui font de chaque être un individu distinct des autres. Il se rappellerait bientôt ce que cela signifiait d'être un voleur des steppes, si c'est ainsi que les gardes – gardes dont il ne se souvenait pas plus que du reste – l'avaient présenté à la jeune femme… Sarouelle… Elle s'appelait Sarouelle.

Le soleil du matin avait tenté une timide percée entre deux bancs nuageux. Les rayons réchauffèrent peu à peu les membres glacés de Yarg. Hélas ! le soleil réchauffa aussi la plaine rocailleuse, ce qui affaiblit la brise qui avait soufflé l'odeur du cadavre au loin. Bientôt, les miasmes de charogne furent si épais que Yarg eut l'impression que l'air autour de lui était devenu visqueux, une glaire infecte qu'il lui fallait pourtant continuer à inspirer pour rester en vie.

Sarouelle s'était tue elle aussi. Assise sur la paille de sa cage, elle semblait attendre avec résignation le retour du vent.

Le silence du matin fut brisé par une rafale d'aboiements qui provenait des collines. Une personne dit quelques mots brefs – des ordres, émis par une femme – auxquels le chien répondit par un jappement.

Sarouelle se redressa.

— On nous apporte à manger.

Yarg se leva aussi. Avec l'odeur de charogne, il lui était difficile de déterminer s'il avait faim ou non. Par contre, il était sûr d'avoir soif. Une soif dévorante, car les quelques gorgées de pluie volées pendant l'orage n'étaient plus qu'un souvenir.

Sur la route des collines apparut une solide femme d'âge mûr, vêtue d'une sévère robe noire et d'un capuchon de la même couleur. Un panier à la main, elle avançait d'un pas encore alerte. Un grand chien noir et roux lui tournait autour en montrant tous les signes de l'exubérance canine.

Arrivée à une centaine de pieds du trio d'échafauds, la vieille femme s'arrêta. Malgré la distance, Yarg l'entendit clairement marmonner de dégoût. Le chien, par contre, dressa le museau vers la charogne avec une marque d'intérêt.

La vieille femme reprit sa marche, en répétant quelques ordres de rappel au chien pour qu'il reste sur ses talons. À la hauteur de la cage de Sarouelle, le visage de la vieille se plissa en un masque désapprobateur.

— Encore en train de te montrer le cul ! C'est bien la seule chose qui te plaise, hein ?

— Je m'habillerai quand mes vêtements seront secs.

— Si tu avais un iota de décence, tu aurais gardé tes dessous. Mais que non ! Ça te plaît d'exhiber tes parties honteuses ! Il est dans ta nature perverse d'offusquer les honnêtes gens.

— Je suis ici contre mon gré, dit Sarouelle sur un ton raisonnable. Libérez-moi. Je vous promets de partir si loin que plus une personne honnête de la région ne risquera de contempler la moindre partie de mon corps, honteuse ou pas.

— Ergoteuse !

La vieille cracha à terre, puis vit ensuite Yarg avec un sursaut de surprise presque caricatural.

— Tu devais pas être mort, toi ?

Yarg ne répondit rien, ce qui ne contribua pas à amadouer la nouvelle venue.

— Quoi ? Pas un mot ? Tu parles une autre langue ? Tu es sourd ?

— Ni sourd ni mort.

— Pfah ! Un autre fin finaud ! Faites une belle paire, toi et la putain. Si vous êtes si fins, comment il se fait que vous êtes dans la cage, et moi dehors ? Mmm ? M'ouais, m'ouais… J'ai rien apporté pour toi. On n'apporte pas de vivres à un cadavre.

La vieille ouvrit le couvercle de son panier. Le chien, plus vite que l'œil, plongea le museau à l'intérieur et le ressortit en tenant dans la gueule un objet noirâtre – il fila si vite que Yarg n'eut pas le temps d'en reconnaître la nature.

La vieille poursuivit le chapardeur avec des gestes scandalisés.

— Amos ! Méchant Amos ! Reviens ici ! Allez, redonne ce que tu as volé !

Le chien s'arrêta au-delà de la troisième cage, contrit, mais pas au point de revenir sur ses pas. Il fixait la vieille d'un air surexcité, sautait sur place, l'objet brun-noir fermement tenu entre ses crocs blancs.

— Donne, Amos ! Donne le saucisson !

Le chien baissa les oreilles et finit par lâcher son butin dans la poussière.

— Crapule ! fulmina la vieille en récupérant la pièce de charcuterie poisseuse de bave.

Le chien se roula sur le dos en émettant des gémissements de chiot. La vieille siffla :

— Pas le temps de jouer !

Voyant que sa maîtresse ne s'occupait plus de lui, le chien sauta à nouveau sur ses pattes et, la langue de travers, la suivit en fixant l'objet convoité d'un regard brun larmoyant. La vieille jeta le bout de saucisson dans la cage aux pieds de Sarouelle, puisa dans sa besace une moitié de chou piqueté de moisi, qu'elle glissa aussi entre les barreaux. Pour finir, elle souleva une gourde.

— Ai-je bien entendu ? dit Sarouelle. Vous n'avez rien apporté au nouveau prisonnier ?

— Je ferais l'aller-retour du village deux fois ? Fallait pas que le sermonnaire me dise qu'il était mort ! Allez ! Bois, putain. Je vais pas te tenir cette gourde toute la journée.

La prisonnière prit la gourde et but plusieurs rasades. Elle remit ensuite le contenant à la vieille femme.

— T'as pas tout bu.

— C'est exprès.

Sarouelle ramassa le saucisson, essuya la poussière et la bave du chien avec un des vêtements suspendus à sécher, puis tenta de le partager en deux. La viande était coriace : il lui fallut mordre à pleines dents pour réussir à en arracher un morceau. Une fois le chou séparé lui aussi en deux parties à peu près égales, Sarouelle tendit les demi-portions obtenues à travers les barreaux.

— C'est pour Yarg. C'est son nom. Donnez-lui aussi le reste de l'eau.

La vieille femme en noir se frappa le menton avec le pouce en un geste d'impatience et sans un mot alla porter la gourde et les vivres à Yarg. Ce dernier se précipita d'abord sur l'eau, qu'il but avec tant d'avidité qu'il en resta étourdi de soulagement. Le temps d'un battement de cœur, un sentiment de colère lui gonfla la poitrine et il voulut refuser de rendre la gourde – puis il comprit la futilité de son réflexe et permit à la vieille femme de récupérer le contenant. Sans autre forme de procès, cette dernière quitta les lieux, suivie du chien qui lança quelques regards déçus derrière lui.

Yarg vit que Sarouelle, assise dans la paille, s'était mise à manger le chou et le saucisson dur. Yarg tenta d'en faire autant, mais découvrit que le parfum dégagé par la viande se combinait au remugle de putréfaction qui épaississait l'air. Un spasme lui souleva l'estomac et il lui fallut faire un effort de volonté pour ne pas vomir l'eau précieuse qu'il venait de boire. Il en fut quitte pour manger le chou, dont l'odeur était suffisamment différente de la charogne pour ne pas lui lever le cœur.

— Ne fais pas le difficile, conseilla Sarouelle en voyant qu'il ne mangeait pas tout. Tu vas découvrir que ce n'est pas tous les jours qu'on nous apporte de la viande.

— Je vais attendre que le vent se lève.

La jeune femme hocha la tête.

— Ça pue, hein ? J'ai fini par m'habituer.

Yarg fit un geste exprimant la compréhension. Son frugal repas, et surtout l'eau qu'il avait bue, lui avaient redonné un peu de force.

— Ça fait longtemps que tu es là ?

Sarouelle écarta une longue mèche noire et torsadée de son visage, les yeux au ciel comme si elle faisait un effort de réflexion.

— Au début j'ai compté les jours. Puis j'ai perdu le fil. Plus de cinquante, moins de soixante. Ça te va comme ordre de grandeur ? Ça n'a pas beaucoup d'importance, admets.

Elle posa la main sur quelques vêtements. Constatant qu'ils n'étaient pas encore secs, elle les déplaça de façon à ce qu'ils soient perpendiculaires aux rayons de plus en plus vifs du soleil. Ces manipulations permirent à Yarg de découvrir que le chiffon bleu ciel était un corsage brodé de fil de couleur, le vêtement pourpre une sorte de robe, la pièce de tissu jaune à rayures une culotte aux jambes lacées, chacun de ces vêtements marqué de salissures et d'accrocs.

Maintenant que son corps s'était un peu réchauffé, Yarg comprenait que la jeune femme avait fait montre de bon sens en se déshabillant complètement. Car son pantalon mouillé était glacial sur ses reins et ses cuisses. S'il ne pouvait rien faire pour repousser l'odeur atroce du cadavre ni atténuer la douleur à sa blessure au dos, il comprit qu'il pouvait au moins se débarrasser de cette source d'inconfort là.

Avec des gestes encore un peu gourds, Yarg retira son pantalon. Le tissu encrassé et jauni avait peut-être déjà été blanc. Il le suspendit à sécher puis resta debout, tournant le dos à Sarouelle autant pour offrir son dos aux caresses du soleil que pour soustraire au regard de la jeune femme ses attributs mâles... même si ces derniers ne payaient guère de mine, ratatinés par le froid, dissimulés sous l'épaisseur de poils noirs de son bas-ventre. D'instinct, il savait que tout ce qui lui arrivait était inconvenant et une atteinte à sa dignité.

— Tu as une vilaine blessure au dos. Ça fait mal ?

— Oui.

— On dirait un coup d'épée. Ou peut-être de poignard ?

— C'est possible.

— Tu ne te souviens pas de ça non plus ?

— Non.

— Quand même drôle, cette histoire d'amnésie. Il est vrai que vous menez une vie dure, vous, les voleurs de la steppe. Les gardes de Rebècq qui t'ont amené n'ont pas été très clairs sur les circonstances de ta capture. Normalement, ils auraient dû s'en vanter plus que ça. C'est pas eux qui t'ont fait cette plaie. On voit d'ici qu'elle date de plusieurs jours. Voici ma reconstitution des événements : lors d'une tentative de brigandage, une de tes victimes s'est défendue et t'a enfoncé son poignard dans le dos. Ou tu as été toi-même attaqué par un clan ennemi. Ou il s'agit des séquelles d'un combat rituel : ce sont des choses courantes dans la steppe, paraît-il. La blessure t'a affaibli et t'a rendu moins vigilant. Les gardes du village t'ont trouvé et comme il leur fallait un troisième expiateur, ils t'ont capturé. Tu t'es défendu, ils t'ont rossé trop violemment, ont cru que tu succomberais à tes blessures, ont subi les foudres du sermonnaire du village qui avait demandé une victime vivante : ça sent moins et c'est plus impressionnant pour les voyageurs qui passent par la jonction. C'est donc sans fanfaronnade que les gardes t'ont mis dans la cage. Ça explique tout.

Une sensation qu'il n'avait pas encore ressentie jusqu'alors remua au creux de l'estomac de Yarg. Le spasme bouillonna, monta dans sa poitrine pour ressortir par sa gorge sous la forme d'un rire râpeux et saccadé, chaque quinte accompagnée d'un élancement dans sa blessure.

— Ça explique tout, en effet.

Sarouelle ne parut pas offensée par le sarcasme de son compagnon d'infortune.

— Admets que je t'ai fait rire.

Toujours assise en tailleur, elle tendit les mains derrière elle, s'étira avec un immense bâillement en dressant au ciel ses quatre mamelons noirs. Malgré l'état de délabrement physique dans lequel Yarg se trouvait, les coquetteries de Sarouelle, ainsi que son jeune corps qu'elle exhibait sans la moindre apparence de timidité, commençaient à éveiller en lui une sensation plus primitive et animale que l'amusement.

Il détourna le regard. Le ciel s'était dégagé. Une coupole bleue piquetée de petits nuages compacts surplombait la plaine rocailleuse, à l'horizon de laquelle Yarg aperçut du mouvement.

Des voyageurs venaient d'apparaître. La vue portait loin : leur approche sembla prendre une éternité. Peu à peu, Yarg arriva à discerner qu'il s'agissait d'un homme et d'un enfant, tous deux vêtus d'une tunique grise et de braies. L'homme guidait un mulet harnaché à un demi-fourgon dans lequel une femme était assise au milieu de ballots et de sacs de toile.

Après avoir fixé l'horizon elle aussi, Sarouelle se contenta d'une moue fataliste.

— C'est le meunier. Il ne nous aidera pas.

— Tu as déjà demandé de l'aide pour qu'on te libère ?

— Tu parles d'une question ! Tu crois que ça me plaît de rester dans cette cage ? Je demande à tout le monde qui passe de trouver un moyen de me faire sortir, c'est évident.

— Sans grand succès.

— Tu as tort. J'ai convaincu Janot, l'ancien gardien, de s'enfuir avec moi. Malheureusement, le sermonnaire a organisé une battue avec des chiens. On nous a rattrapés. J'ai été privée de vivres pendant deux jours. Margouille – c'est la vieille qui s'occupe de nous – m'a dit que Janot a été flagellé et démis de son poste. (Sarouelle hocha tristement la tête.) Pauvre Janot… J'avais promis de coucher avec lui, mais nous avons été capturés avant qu'il puisse bénéficier une seule fois de ma gratitude.

Le meunier et sa famille ne s'éternisèrent pas. Masquant de la main son visage plissé de révulsion, l'homme força la mule à accélérer le pas. C'est à peine si le trio regarda Yarg en passant entre sa cage et celle du cadavre. Après avoir engagé le demi-fourgon dans le chemin qui menait vers les basses collines, ils filèrent en ignorant complètement la jeune femme assise à l'intérieur de la troisième cage.

— Cette odeur va nuire à nos efforts pour éveiller la pitié, dit Sarouelle. Si le sermonnaire du village réussissait à trouver un autre expiateur vivant, nous serions débarrassés de l'odeur. J'espère que tu ne me jugeras pas trop sévèrement d'exprimer un désir si égoïste.

Yarg resta perplexe devant une confession si ingénue, exprimée avec une telle équanimité. S'agissait-il d'une forme d'ironie ?

— Tu es un drôle d'oiseau, comme ça, dans ta cage.

— Si j'étais un oiseau, je serais une pie, répondit Sarouelle du tac au tac. Bavarde et le plumage noir.

Elle s'approcha de la paroi de sa cage et étudia son compagnon d'infortune avec un regard pétillant de vivacité.

— Tu ne te souviens pas de ton nom, ni d'où tu viens, ni si tu as déjà vu une femme à quatre bras. Mais tu sais qu'on garde des oiseaux en cage.

La remarque frappa Yarg par sa justesse. Après un instant de réflexion, il marmonna, comme s'il s'excusait :

— L'image s'est imposée à mon esprit. De la même façon que je sais que tu devrais n'avoir que deux seins. Pourtant je suis incapable de me rappeler avoir jamais vu une femme nue avant toi.

Sarouelle émit un gloussement gouailleur.

— Tu serais puceau ? À d'autres !

Yarg fit un geste d'indifférence, et la conversation tomba à nouveau.

À mesure que le soleil se déplaçait dans le ciel bleu, ses rayons devenaient de plus en plus vifs. Non seulement Yarg cessa d'avoir froid, mais il comprit que bientôt ce serait le contraire. Impossible de croire qu'il avait plu la nuit précédente. Loin à l'horizon, à travers le voile mouvant de l'air au-dessus de la plaine de plus en plus chaude, un groupe d'étroites silhouettes apparut. Peu à peu, les contours des silhouettes se précisèrent et Yarg reconnut une petite troupe de cavaliers, précédée par le claquement des sabots sur la terre battue.

Les cavaliers étaient au nombre de sept, suivis par deux bêtes de somme. Yarg, qui comprenait les choses sans pouvoir déterminer à quelle source il puisait ces connaissances, sut que la troupe était menée par cinq soldats – ceux qui avaient le menton rasé, les cheveux courts, vêtus tous les cinq de la même chemise sinople recouverte d'une cuirasse souple, coiffés du même casque de cuir à la visière métallique –, tandis que les deux hommes vêtus d'une simple tunique de cuir grise de poussière étaient des serviteurs, ou des armuriers, ou des mécaniciens, ou tout cela à la fois.

Sarouelle aussi s'était redressée.

— Ce sont des nouveaux, ceux-là... Habillons-nous, on ne sait jamais !

Elle tira sur ses vêtements suspendus, sauta dans sa culotte à rayures jaune, enfila sa tunique et son corsage, chacun de ses gestes faisant osciller et grincer sa cage. Elle noua prestement les lacets qui refermaient son corsage, puis souleva sa tunique pour nouer les jambes de sa culotte juste au-dessus du genou, chaque paire de mains nouant une paire de lacets.

Yarg n'avait que son pantalon à enfiler, encore un peu humide quoique ce ne fût plus aussi désagréable maintenant que le soleil avait attiédi le tissu.

Pendant qu'elle ajustait ses vêtements avec une paire de mains, Sarouelle tentait de mettre un peu d'ordre dans sa chevelure avec les deux autres.

— De quoi j'ai l'air ?

Le premier mot qui vint à l'esprit de Yarg fut « bizarre » et le second, « mignonne ». Chacun de ces qualificatifs lui paraissant aussi peu approprié que l'autre, il préféra se taire.

La troupe des soldats s'était suffisamment approchée pour percevoir l'odeur du cadavre. Les soldats exprimèrent leur dégoût avec force rires et jurons.

— Y a un mort devant et il est pas frais.

— Ou c'est Garillon qui a pété !

L'amusement fit place à la perplexité quand ils virent Sarouelle agitant la main à travers les barreaux.

— Messires ! Messires, délivrez-moi !

— Qu'est-ce que c'est ? Une fille ?

La troupe ordonna aux chevaux de s'arrêter. Un des soldats protesta : ça puait beaucoup trop, il fallait poursuivre la route. Le cavalier qui menait le groupe, peut-être un officier si on se fiait à son col de chemise rouge et au cou-de-pied de ses bottes de la même couleur, ignora son compagnon et fit approcher sa monture de la cage de Sarouelle.

Il interpella cette dernière sur un ton bourru :

— Quelle sorte de créature es-tu ?

— Seulement une jouvencelle qui possède deux bras de plus que le nombre auquel la plupart des gens sont habitués. (Sa voix se brisa.) Braves soldats, je demande votre aide au nom de la justice. Le cadavre que vous voyez là est celui de mon père, riche marchand. Nous avons été attaqués, dépouillés de notre argent et de nos vêtements. Mon serviteur, dans l'autre cage, a voulu me défendre. Regardez : on l'a poignardé.

C'est à peine si l'officier lança un regard à Yarg.

— Ton « serviteur » a une sale tête. Et y a juste une prostituée pour s'habiller comme tu le fais.

Sur le visage de Sarouelle, une expression de tristesse blessée apparut.

— Je ne suis pas une prostituée, messire, mais je saurais vous récompenser pour votre générosité avec les seuls trésors que l'on n'a pas pu me ravir. Sachez que je suis sensuelle et me languis de l'étreinte d'un homme.

La réponse fut accueillie par un concert de joie tapageuse.

— Ho ! Ho ! Voilà qui est bien tourné !

— Vous n'allez pas la laisser se languir ainsi, capitaine ?

Un des jeunes soldats sauta en bas de sa monture et s'approcha de la cage de Sarouelle, sous les encouragements amusés du reste de la troupe. L'officier fronça les sourcils devant ce manquement à la discipline, mais sans émettre d'admonestation formelle.

Le soldat se pencha sous la cage et examina le mécanisme de fermeture. Un des armuriers vint le rejoindre. Après avoir poussé, tiré et secoué un peu, l'armurier fit un geste de dépit.

— Y a une serrure de fer, avec une lame qui fait ressort. Peut-être qu'avec un goujon on pourrait la pousser.

— Ça ne suffirait pas, dit Sarouelle. Il faut une sorte de clé. Forcez la porte avec votre épée !

Le soldat eut un sourire attristé.

— Je te trouve bien jolie, ma petite, mais pas au point d'abîmer ma lame.

— Il suffit ! dit l'officier. Remontez en selle tous les deux. On ne va pas s'encombrer d'une catin.

— Ouais ! maugréa un autre. Et ça pue, ici !

De mauvaise grâce, le jeune soldat et l'armurier reprirent leur place sur leur monture. Sarouelle regarda les cavaliers s'éloigner d'un air déconfit.

— Si l'officier n'avait pas été là, je suis sûre que j'aurais réussi à persuader le jeune soldat. Dommage, quand même. Un si beau garçon.

Yarg s'assit sur la paille maintenant presque sèche. Rester debout avec la tête penchée de côté était inconfortable à la longue.

Sarouelle s'assit à son tour, lissa sa robe, puis s'adossa contre les barreaux, deux mains derrière la nuque, les deux autres caressant les tiges de fer de la cage en un geste désœuvré. Ils restèrent un long moment silencieux, puis Sarouelle s'exclama :

— Un mort et un taciturne. Joyeuse compagnie !

— L'amnésie restreint les sujets de conversation.

— Pose-moi des questions, alors. Je suis volubile, mais pas au point de monologuer dans le vide, quand même.

— Où sommes-nous ?

— Je croyais que je te l'avais dit. Nous sommes tout près de Rebècq, une petite ville sur la route qui traverse la steppe du Nord. Est-ce que ces noms t'évoquent quelque chose ?

— Non.

— Port Soleil ? Casson ? Les montagnes Folles ?

Pour toute réponse, Yarg eut un geste las. Sarouelle soupira avec une mimique un peu théâtrale.

— On part de loin !

— Es-tu vraiment une prostituée ?

— J'ai été instruite dans tout ce qui est relié à la séduction, répondit la jeune femme sans paraître offusquée par le choix de la question. La danse, la musique, l'art de la conversation, la coiffure et la bijouterie, l'alliance des parfums, des vins et des mets ; mais aussi les arts plus sensuels comme le massage, les caresses intimes, et ainsi de suite.

Yarg émit un vague grognement, qui pouvait être confondu avec une expression d'assentiment. Il se redressa, plia et étira ses bras et ses jambes ankylosés, la chaîne de sa cage grinçant dans l'anneau d'acier qui la soutenait. Il contempla avec un espoir diffus l'horizon pierreux, au sud, et les collines pelées, au nord. Les trois routes étaient aussi désertes les unes que les autres.

La jeune prisonnière assise dans sa prison de l'autre côté du chemin ne disait plus rien : pour la première fois depuis son réveil, elle semblait un peu abattue. Yarg sentit monter en lui un sentiment de pitié. Il essaya d'imaginer un commentaire réconfortant, or rien ne lui venait à l'esprit sinon l'impression que toute démonstration de mansuétude serait contre sa nature. N'était-il pas un rude et farouche voleur des steppes ?

Yarg s'assit.

Le silence perdura.

Avec la chaleur du jour, la faible brise s'estompa jusqu'à disparaître tout à fait. L'odeur de charogne revint en force, encore plus éprouvante dans l'air gorgé de chaleur.

Soudain, la cage du cadavre émit un grincement. Yarg tressaillit. Un gros oiseau noir aux plumes ébouriffées s'était posé sur la cage, son œil comme une bille de verre tour à tour fixé sur les deux prisonniers vivants, puis sur celui qui ne l'était plus. Ayant jugé que ni Yarg ni Sarouelle n'étaient en mesure de le tracasser, l'oiseau se glissa entre les barreaux et se posa sur le cadavre gonflé, qu'il picora d'un air dubitatif, puis s'enhardit et attaqua les chairs avec vigueur. Il fut rejoint par deux congénères. Outragé par cette intrusion, le premier arrivé tenta d'éloigner les deux pique-assiettes à grand renfort de cris rauques et de claquements du bec. On lui répondit avec la même vigueur et sur le même ton. L'arrivée d'un quatrième oiseau ne fit que compliquer la danse. Au bout de quelques instants de querelle frénétique, les oiseaux parurent convenir qu'une trêve serait moins épuisante que la poursuite des hostilités. Chacun s'affaira sur une partie du cadavre et le dernier arrivé, suspendu en dessous de la cage, tirait par à-coups vigoureux des lambeaux sanguinolents entre les barreaux.

Yarg contempla l'activité des oiseaux un certain temps, mais bientôt les rayons de plus en plus brûlants du soleil devinrent franchement désagréables. Il éprouva un pincement d'envie envers Sarouelle, qui s'était à nouveau départie de sa robe pour la tendre sur sa cage. La jeune femme s'allongea à l'ombre de son auvent improvisé en suggérant à Yarg de se couvrir de paille pendant les heures chaudes.

— Sinon tu vas brûler, nu comme tu l'es.

Yarg obéit au conseil. Allongé sur le flanc du côté opposé à sa blessure, il s'aperçut qu'il était encore épuisé par ses épreuves, et malgré la dureté des barreaux de fer, malgré la chaleur, l'odeur et le bruit répugnant du festin des oiseaux, il réussit à somnoler et à laisser fuir le temps.

CHAPITRE 2

Où Yarg découvre de première main que la conversation est une des rares sources de distraction pour les prisonniers et autres infortunés de ce genre

Les oiseaux étaient partis au crépuscule. Un vent chaud s'était levé sur la plaine rocailleuse, chaud et âcre de poussière. Qu'importe, tout était préférable à l'épouvantable odeur de charogne. L'estomac de Yarg s'était rappelé à son bon souvenir : il avait dévoré le bout de saucisson qu'il avait conservé tout ce temps. Malheureusement, la viande salée avait décuplé la sensation de soif qui le tenaillait depuis le milieu de la journée.

Yarg en avait été réduit à essayer de déterminer laquelle des sensations était la plus désagréable : la blessure à son dos ou sa bouche épaissie par la soif. Heureusement, avec l'arrivée de la nuit la température s'était faite plus clémente. Il avait pu de nouveau se coucher sur la paille, tournant sur lui-même dans la cage, cherchant une façon d'éviter tout contact entre sa couche et sa blessure. Il avait fini par s'allonger sur le ventre, les pieds relevés, en dégageant la paille à la hauteur de son visage. Il avait posé son front sur un barreau d'acier. Le métal était dur, mais d'une bienheureuse fraîcheur contre sa peau brûlante. Dans cette position qu'il savait un peu ridicule, Yarg parvenait presque à ignorer la blessure à son dos.

C'est parce qu'il s'éveillait fréquemment que Yarg comprit qu'il réussissait à dormir malgré tout. De courts réveils, le temps d'entendre un aboiement lointain, un pleur nocturne et bien d'autres cris de bêtes inconnues. Le temps aussi de se rappeler à quel point il avait soif. Il ne pensait plus qu'au retour du jour, lorsque la vieille femme leur rapporterait à boire. Comment s'appelait-elle déjà? Sarouelle le lui avait dit, mais tout ce que lui avait dit sa compagne était nimbé d'une aura d'irréalité.

Yarg fixa le sol sous la cage. L'obscurité semblait absolue. Il se demanda alors s'il avait bien ouvert les yeux; dans l'état de léthargie qui s'était emparé de lui, un geste aussi peu astreignant que de soulever ses paupières lui semblait néanmoins au-dessus de ses forces.

Le ronflement sourd d'une cascade…

Yarg avait quitté le confinement de sa prison. Il était debout, les coudes appuyés sur un muret de pierre, et contemplait la courbe gracieuse de la rivière qui allait se fracasser en contrebas dans un bouillonnement lumineux, éblouissant. Le temps d'un souffle, Yarg fut conscient qu'il rêvait; mais rapidement il bascula lui aussi dans le monde du rêve. Il avait soif. Il avait tellement soif. Il tendait la main par-dessus le muret. Juste un peu d'eau, dans la coupe de sa main. Mais la surface chatoyante lui était inaccessible. Il monta sur le muret et se pencha le plus bas qu'il pouvait. Il touchait presque à l'eau, mouvante, séductrice. Tu es ridicule, fut sa pensée. De quoi as-tu l'air, la tête à l'envers? Elle est hors d'atteinte… Tu vas le regretter, elle est hors d'atteinte…

Avec l'inéluctabilité des cauchemars, ce fut la chute. Yarg bascula dans un gouffre glacé. À travers le vacarme, il entendit une femme crier, un cri désespéré…

◆

Les membres gourds de froid, l'esprit gourd de soif, Yarg contempla à travers les barreaux de sa cage les nuages de l'aube en train de se parer de couleurs ; d'abord noirs contre un ciel violet, puis bleu-gris sur un ciel rose. Il ne pensait plus à rien sinon à la gourde d'eau qu'allait apporter la vieille femme – Margouille, il se souvenait maintenant de son nom. Il ne pensait plus qu'à Margouille et à la promesse de l'eau.

En attente du lever du soleil, le temps parut s'étirer, aussi monotone que la plaine de rocaille à peine avivée de quelques couleurs terreuses – bistre, ocre, rouille.

Un aboiement au loin. Yarg sentit son cœur s'agiter dans sa poitrine. Le chien de Margouille. L'eau !

Sarouelle s'assit dans sa cage, bâilla voluptueusement en étirant ses bras dans quatre directions différentes, puis écarta ses longs cheveux piquetés de paille de son visage. Sous un regard encore embrumé de sommeil, elle sourit vers son compagnon d'infortune.

Encore vivant ?

Yarg haussa une épaule.

— As-tu recouvré la mémoire ?

— Non.

Yarg considéra les deux questions comme importunes. La jeune femme ne souffrait-elle donc pas de la soif ? Pour lui le supplice occultait toute autre pensée et il n'avait aucune envie de bavarder avec quiconque.

Sa mauvaise humeur ne sembla pas décontenancer Sarouelle, qui ajouta, toujours sur le ton de la conversation :

— Heureusement que Margouille, elle, n'est pas amnésique.

En effet, comme le matin précédent, la vieille femme apparut au détour du chemin de Rebècq, toujours vêtue de noir, tenant le même panier d'osier à la main sous le regard plein d'espoir de son chien. Mais cette fois-ci le panier contenait deux gourdes. Elle tendit la première à Sarouelle, puis l'autre à Yarg, qui la lui arracha presque des mains. Il avala l'eau fraîche avec une avidité bestiale.

Margouille émit un croassement exaspéré.

— Tu vas tout vomir, barbare !

— Elle a raison, dit Sarouelle, qui donna l'exemple en s'accordant une pause après avoir bu quelques gorgées. Ne bois pas tout d'un coup.

Avec un effort de volonté, Yarg abaissa la gourde et reprit sa respiration. Il savait que les deux femmes avaient raison. Lorsque ses mains arrêtèrent de trembler, il fit couler un peu d'eau dans le creux de sa paume, avec laquelle il humecta l'intérieur endolori de ses narines et ses yeux encroûtés de poussière, toilette qui le soulagea presque autant que l'eau qu'il avait bue.

Il vit le quignon de pain sec que la vieille avait jeté dans la cage. Il en mangea la moitié tout en buvant et décida d'instinct de garder le reste pour plus tard.

Yarg tendit la gourde vide à Margouille, qui avait auparavant récupéré celle de Sarouelle.

— Je veux parler à la personne en position d'autorité.

— Je t'écoute.

— Pas toi. Sarouelle m'a dit que tu dépendais d'une autorité supérieure.

— Il fait allusion au sermonnaire, dit Sarouelle.

— Pourquoi que je lui ferais perdre son temps en lui rapportant tes revendications ? Tu veux être libéré, je gage ?

— Oui.

— Tu perds ton temps et ta salive. Le sermonnaire voudra pas.

Yarg n'ajouta rien. La réponse ne le surprenait pas. La vieille femme fit un geste exaspéré puis reprit le chemin du retour en se lançant dans un monologue que son chien fut bientôt le seul à entendre, faute de le comprendre.

Sarouelle contemplait son compagnon d'infortune avec une lueur de compassion dans ses yeux noirs.

— On ne peut pas les acheter avec une promesse de rançon. Crois-moi, j'ai essayé. Regarde autour. Le tracé des routes, la disposition des potences… Le chiffre trois est le symbole de la stabilité, de la protection. Chacune des cages doit être occupée, pour la correspondance cosmique. De préférence par un expiateur vivant, mais un mort, ça semble aller. Je n'ai pas saisi toutes les explications du sermonnaire ; certains des tortillements mystiques étaient assez alambiqués. Je ne suis qu'une femme, après tout.

— Quel est le rapport ?

— Le principe féminin est trop lié à la terre et à la matérialité pour voler dans les sphères les plus élevées de la métaphysique. Enfin, c'est ce qu'écrivent les philosophes.

Yarg gratta sa joue envahie par une courte barbe rêche. Pour l'instant il n'avait ni froid, ni faim, ni soif. Ajoutant à toutes ces considérations le fait qu'une légère brise matinale soufflait au loin l'odeur du cadavre, il en éprouva un contentement qu'il n'avait pas encore ressenti depuis son retour à la conscience.

La seule source d'inconfort était sa blessure au dos, encore très douloureuse. Il toucha la plaie du bout des doigts. Elle devait être infectée pour faire aussi mal – encore une certitude qui s'imposa à Yarg, lui qui ne gardait pourtant aucun souvenir lui permettant de comparer une blessure infectée à une qui ne l'était pas.

— Ta nuit de repos ne t'a pas rendu plus bavard.

— Qu'aurais-je de plus à dire qu'hier ?

— Vu comme ça… Tiens ! Notre meunier retourne à son moulin.

Yarg regarda autour de lui, un peu intrigué de ne voir personne. De quoi Sarouelle parlait-elle? Puis il entendit, aux limites de la perception, le frottement d'un essieu de bois, le pas d'une bête de somme et le cognement irrégulier des roues sur les inégalités de la route. Au détour du chemin de Rebècq apparut le mulet qui tirait vaillamment le demi-fourgon, maintenant débarrassé de ses marchandises, dans lequel avaient pris place le meunier et sa famille. Le groupe ne s'attarda pas plus au retour qu'à l'aller. Seul le garçon fixa les deux prisonniers d'un air désapprobateur; les yeux du meunier et de sa femme ne quittèrent jamais l'horizon en face d'eux.

— Je sais bien que c'est normal que les hommes m'ignorent lorsqu'ils me revoient accompagnés de leur femme légitime, dit Sarouelle avec un filet de tristesse dans la voix. Mais c'est la chose à laquelle j'ai le plus de difficulté à m'habituer.

Yarg lança un regard en biais à sa compagne.

— C'est vrai. Tu es une prostituée.

Pour la première fois, Sarouelle sembla être piquée au vif.

— Je sais ce que les barbares dans ton genre pensent des femmes qui pratiquent ma vocation. C'est le guerrier charriant la mort qui est admiré, tandis que la femme qui soulage et réconforte est traitée avec mépris. Ça donne une idée de vos valeurs!

— Ne te fâche pas.

— Je ne suis pas fâchée!

Sarouelle s'adossa contre les barreaux, où elle s'affaira en silence à extraire les brindilles de paille de ses longs cheveux noirs, une opération qui allait certainement plus vite avec deux paires de mains qu'avec une seule.

La séance de bouderie – car c'en était une – ne dura pas longtemps. La jeune femme glissa vers Yarg un regard par en dessous pour voir s'il regardait toujours dans sa direction ; voyant que c'était bien le cas, elle rejeta ses cheveux derrière ses épaules avec un air de défi.

— C'est rare qu'on réussisse à me faire perdre patience ; c'est un don rare que tu possèdes. Tu sauras que je ne suis pas une prostituée dans le sens primaire que vous donnez à ce mot dans la steppe. Comme la plupart des fillettes abandonnées, j'ai été adoptée et élevée à la Sororité des Affriandes, à Port Soleil, où notre éducation sacralise l'amour et la sensualité. J'ai longtemps pensé que mes parents m'avaient abandonnée à cause de mes quatre bras, et je leur en ai beaucoup voulu, mais j'ai rencontré depuis beaucoup de personnes sans caractéristique physique particulière qui ont aussi été abandonnées à la naissance. Peut-être que mes bras et mes seins n'ont rien à voir dans l'affaire. Je suis peut-être le fruit d'une union clandestine. Ou ma mère est morte à ma naissance, ce qui arrive bien trop souvent, hélas ! J'ai décidé de n'en garder aucune rancune, ni envers mes parents ni envers le sort, car maintenant que j'ai vu un peu le monde, je sais que mon enfance a été choyée. Certains disent qu'une enfance trop protégée prédispose à la mélancolie dans l'âge adulte. Moi, je dis que le contraire est tout autant observable : un enfant conservera des meurtrissures s'il est élevé à la dure. Enfin ! Une chose est certaine, à la Sororité, ma différence n'était pas une cause de rejet. Loin de là : on m'a traitée comme une gemme rare et précieuse, et j'ai la vanité de penser que j'ai su en retour ne pas décevoir les attentes que l'on avait mises en moi. J'ai été une élève studieuse et appliquée, et je suis devenue une des filles les plus appréciées. Dans notre monde où les relations sociales sont si rugueuses et conflictuelles, je dis que c'est une vocation noble. Je mène une vie agréable, tout compte fait. L'art de la sensualité se déploie plus facilement dans le luxe que dans le dénuement. Ni moi ni aucune de mes sœurs n'avons été forcée de communier avant d'en exprimer le désir, ou avec un homme qui nous déplaisait. Ça aurait contrevenu aux principes des Affriandes, d'une part, et, d'autre part, je ne conçois pas qu'un homme de Port Soleil eût pu éprouver du plaisir à forcer une femme sans son consentement. Maintenant que l'âge et les aléas de la vie m'ont fait connaître d'un peu plus près la brutalité du monde, je me rends compte à quel point j'ai été privilégiée de naître dans une ville aussi sophistiquée et cosmopolite. J'ai découvert depuis que le reste du monde était généralement plus fruste et brutal. Holà ! Ne t'avais-je pas prévenu que j'étais volubile ? Veux-tu que je me taise, maintenant ?

Yarg sentit un rictus étirer ses lèvres asséchées.

— Je ne suis attendu nulle part.

La jeune femme se donna une chiquenaude sur le bout du nez, geste que Yarg ne sut pas interpréter.

— Faut bien que je te raconte ma vie, puisque je suis la seule qui peut le faire. J'essaie de ne pas être trop bavarde, promis. Où en étais-je ? Ah oui ! Je suis devenue la favorite d'un riche marchand de Port Soleil. Il m'a emmenée avec lui lors d'un voyage de négoce. J'étais bien d'accord : jamais je n'avais voyagé si loin au nord des montagnes Folles. Nous étions une joyeuse bande, une fois les serviteurs, les gardes du corps et d'autres amuseurs dans mon genre mis à la queue leu leu. Malheureusement, une épidémie de suinte sévit dans la région où nous nous trouvons. Nous nous sommes réfugiés à l'auberge de Rebècq. Ici, où la suinte est endémique, les gens sont immunisés – une autre façon de dire que tous ceux qui auraient pu en mourir l'ont déjà fait –, mais pour les étrangers comme nous, les conséquences ont été terribles. Quelle affreuse maladie ! Nous n'avons été que deux à survivre : Urbain – c'est un serviteur – et moi. Dans quel état ! Affaiblis et dépossédés – des bandits ont profité de notre état d'anéantissement pour voler tout ce que nous possédions –, nous n'avions plus un picaillon pour payer l'auberge et le soigneur. Le tenancier n'était pas un mauvais bougre : il a accepté de se faire payer en nature.

— Je vois.

— Pfff ! Tu ne vois rien du tout. Je fais allusion à mes talents d'acrobate, de musicienne et de danseuse. La femme du tenancier aurait vu d'un mauvais œil une autre interprétation de « payer en nature ». J'ai monté un spectacle. Jongler avec six balles, une chanson drôle, une chanson d'amour, quelques danses. Il n'est pas dans ma nature de me vanter, mais je prétends que les habitants de Rebècq ont rarement l'occasion d'assister à des spectacles de cette qualité. Ma danse lascive, surtout, a suscité beaucoup d'intérêt. J'admets qu'à la fin des spectacles il est arrivé que j'accueille dans ma chambre un ou deux spectateurs pour des activités plus intimes – ça me permettait de rembourser plus rapidement mon écot –, alors je peux concevoir que certaines concubines légitimes de ces visiteurs aient pu s'en offusquer.

Sarouelle fit un geste aérien, puis reprit :

— J'ai peut-être manqué un peu de jugement ici. Quoi qu'il en soit, un soir, en pleine représentation, choisissant comme pour un fait exprès les derniers instants de ma danse lascive – je n'étais pas tout à fait nue, entends-moi bien, mais les quelques banderoles et faveurs de soie que je portais ici et là ne pouvaient sans doute pas être qualifiées de vêtements... – à ce moment, donc, le sermonnaire de Rebècq s'est présenté à l'auberge à la tête d'une troupe de gardes pour m'arrêter. Urbain s'est interposé. Oh là là ! Les gardes lui ont fait subir un catissage en règle. Nous nous sommes retrouvés ici, moi dans cette cage, et Urbain dans celle que tu occupes. Le sermonnaire s'est ensuite lancé dans une harangue qui n'en finissait plus. C'est là qu'il a expliqué le sens derrière la disposition des cages, la mystique du chiffre trois, tout ça. Je t'ai déjà rapporté la conclusion de sa diatribe : aucun expiateur ne sort vivant de sa cage. Pauvre Urbain ! La suinte l'avait affaibli, les coups des gardes l'ont achevé. Je ne te fais pas la liste des prisonniers que j'ai vus mourir, tu voulais une histoire courte. Qui plus est, je commence à avoir la gorge sèche, à bavarder comme ça. Je termine avec un souhait : essaie de me survivre, car ça finit par être démoralisant de vous voir agoniser l'un après l'autre.

À ce moment, un froissement d'ailes noires agita l'air attiédi : un des oiseaux de la veille se posa sur la troisième cage, à croire qu'il avait attendu que Sarouelle se taise pour se présenter. Comme le jour précédent, il examina d'un œil aussi noir que suspicieux les deux prisonniers, pour ensuite se laisser tomber entre les barreaux vers le cadavre en putréfaction. Il fut rapidement rejoint par ses trois acolytes, faisant bénéficier Yarg d'une répétition de la querelle et du répugnant festin du jour d'avant.

Le vent était tombé, de toute façon, et l'air au-dessus de la rocaille s'était à nouveau épaissi d'un remugle douceâtre qui soulevait le cœur, affaiblissait les membres, étouffait les pensées…

◆

Yarg s'éveilla, confus. C'était la nuit. Trop engourdi pour remuer, il chercha à repérer la position de ses membres pour en déduire où il était. Sa mémoire, la mémoire de ses côtes, de ses genoux, de ses épaules, lui présentaient en une succession rapide et floue plusieurs des lieux où il avait dormi ; des murs invisibles changèrent de place autour de lui, des pièces insubstantielles tourbillonnèrent dans les ténèbres ; il imagina des couloirs, des antichambres, des draperies, il entendit des rires avinés et des soupirs de femmes, le hennissement d'un cheval et le martèlement d'une forge ; il sentit sur son front le vent tiède de la nuit, la fumée piquante d'un feu de camp, des volutes d'air brûlant…

Cette évocation tournoyante ne dura que le temps d'un respir. Yarg fut ramené à la dureté du réel, à la brûlure de la soif, à la douleur de sa blessure, à son amnésie, à son dénuement.

À sa cage.

Il s'aperçut que tous les spectres évoqués par son esprit enfiévré n'avaient pas disparu. Les soupirs féminins perduraient.

Il écarquilla les yeux. Dans le ciel nocturne ennuagé, une lune aux trois quarts pleine apparaissait furtivement, ourlant les nuages d'un liséré d'argent.

Les soupirs – des gémissements, plutôt – provenaient de Sarouelle. Elle s'agitait doucement, recroquevillée au milieu de sa cage. Yarg hésita : était-elle la proie d'un cauchemar ou souffrait-elle d'un mal plus grave ? Et même si c'était le cas, que pouvait-il y faire ?

Il demanda, le plus doucement possible, pour ne pas la réveiller si elle ne faisait que rêver :

— Est-ce que ça va ?

Les gémissements s'interrompirent aussitôt, et malgré l'obscurité Yarg put voir que la jeune femme avait tressailli.

— Ça va. Et toi ?

— J'ai eu l'impression que tu gémissais.

— Ah oui… Comment dire ? Je me caressais. Voilà.

— Tu as mal quelque part ?

Après une pause, la voix s'éleva à nouveau, avec une pointe de moquerie.

— C'est donc vrai que tu ne te souviens plus de rien ? Je me *caressais*. De la manière qu'un homme me caresserait. Tu comprends ?

Yarg fut envahi par un mélange d'embarras et d'agacement.

— Je crois comprendre. Désolé.

— C'est moi qui suis désolée de t'avoir réveillé. (Une autre pause.) Si tu veux m'accompagner, je peux te raconter une histoire érotique.

La proposition laissa Yarg quelque peu incrédule. Sarouelle faisait preuve d'une surprenante vitalité, pour une personne enfermée dans une cage, assoiffée et la peau cuite par le soleil et les intempéries ! L'image de son jeune corps délié surgit dans son esprit, tel qu'il l'avait vu le premier matin, avec ses quatre mamelons noirs dressés avec insolence dans l'air frisquet…

Malheureusement, la fraîcheur de la nuit refroidit ses ardeurs. Après avoir tant sué pendant le jour, il frissonnait maintenant. Inutile de chercher refuge sous la paille : le contact glacé du métal aurait été encore plus désagréable.

— Une autre fois, dit Yarg.

Il se coucha en chien de fusil, les bras croisés contre sa poitrine. Dans cette position, il cessa bientôt de frissonner et attendit le retour du sommeil, mais celui-ci semblait s'être enfui pour de bon. Au bout de ce qui lui parut une éternité, il entendit un grincement de chaîne rouillée de l'autre côté de la route. Sarouelle poursuivait-elle ses efforts d'autostimulation ?

— Yarg ? Tu entends ça ?

Le timbre de la voix de la jeune femme était différent de tout à l'heure ; elle semblait intriguée.

Yarg redressa la tête. C'est à peine s'il pouvait distinguer le noir des barreaux contre l'obscure voûte nuageuse.

— Je n'entends rien.

— Justement. La nuit est anormalement silencieuse. À part ce bruissement… Qu'est-ce que c'est ?

Yarg voulut répondre « Quel bruissement ? », mais la question mourut sur ses lèvres. Il tendit l'oreille, sans respirer. Sa compagne avait raison. Un son étrange montait de la plaine, un bruissement crépitant, presque inaudible.

— Ça vient de partout, dit Sarouelle dans un chuchotis qui parut absurde à Yarg, à croire que cela aurait dérangé quiconque qu'on les entende. Oh... Oh, grands dieux ! Qu'est-ce que c'est que ça ?

La lune réapparut entre les nuages et saupoudra la plaine d'une pincée de lumière argentée.

Yarg sentit ses cheveux se dresser sur la nuque.

Juste sous leurs cages un tapis mouvant avait couvert la plaine et la route.

Yarg se leva d'un coup, réaction instinctive pour s'éloigner le plus possible de la surface grouillante, composée d'une multitude infinie et frétillante d'insectes. C'étaient leurs innombrables pattes qui causaient ce bruissement, un son qui semblait incroyablement faible pour Yarg qui pouvait maintenant juger de la quantité d'insectes défilant sous eux. Car le tapis vivant se déployait aussi loin que son regard pouvait pénétrer.

— Qu'est-ce que c'est que ça ? répéta Sarouelle, qui paraissait maintenant plus intriguée qu'effrayée.

— Ne compte pas sur moi pour t'éclairer.

— On dirait des chenilles. Tu as vu leur taille ? Ah ! Mais je comprends... C'est le fléau qui est revenu. (Son rire tinta comme une cloche dans le bruissement de la nuit.) Pendant un instant, j'ai eu peur.

Le changement d'attitude de Sarouelle étonna Yarg. Le spectacle révélé par la lumière de la lune l'avait rempli pour sa part d'un sentiment d'effroi d'une nature différente de celui qu'il avait éprouvé lorsqu'il s'était rendu compte qu'il était prisonnier.

— Tu sais de quoi il s'agit ?

— Je reconnais le phénomène. Ce sont de grosses chenilles qui migrent tous les douze ou treize ans. Elles descendent de je ne sais trop quels territoires du nord, et viennent infester Port Soleil et toute la côte de la mer Tramail. Je n'étais pas vieille, mais je me rappelle très bien la dernière migration. On nous interdisait de sortir de la Sororité, mes sœurs et moi.

— Sont-elles dangereuses ?

— Elles ne piquent pas ni rien, si c'est ce que tu veux dire. Mais elles mangent toutes les récoltes, elles rentrent dans les maisons par la moindre fissure, elles effraient les chevaux qui n'aiment pas les sentir sous leurs sabots. De répugnantes pestes ! Et elles puent ! C'est à cause du cadavre qu'on ne les a pas senties.

Pendant un certain temps, Sarouelle et Yarg contemplèrent le phénomène de la nature, silencieux, puis Yarg sentit ses paupières se fermer de lassitude malgré la fraîcheur de la nuit. Il se recroquevilla de nouveau sur le flanc pour reprendre son sommeil interrompu, ayant constaté qu'on finit par s'habituer à tout, même à l'étrange et à l'extraordinaire.

CHAPITRE 3

Qui traite de la manière dont Yarg et Sarouelle seront libérés de leur cage, et du grand nombre d'incidents subséquents à cet événement

La soif et la fraîcheur de l'air avaient réveillé Yarg très tôt le matin suivant. Toujours allongé sur le flanc, il attendait patiemment le retour de Margouille, de son chien et, surtout, de sa gourde d'eau, lorsqu'il crut apercevoir un mouvement sur la route de l'ouest.

Yarg s'assit lourdement, frotta la glaire poussiéreuse de ses yeux, puis cligna plusieurs fois des paupières. Sarouelle lui avait expliqué que la route de l'ouest menait à la côte de la mer Tramail au bout de quelques jours de marche dans la steppe. C'est de cette direction que venait le trio de marcheurs. Des hommes, grands et costauds, coiffés de chapeaux à large rebord. Et armés, à en juger par les tintements métalliques qui s'entendaient d'ici – Yarg devina aussi que la tige qui battait contre la cuisse d'un des marcheurs de l'aube était une épée dans son fourreau. Leur harnachement était trop hétéroclite pour des soldats d'une troupe régulière. Ce pouvait être des mercenaires, ou alors une bande armée errante qui avait déserté – des certitudes qui semblaient parfaitement naturelles à Yarg, comme s'il était resté dans son esprit un lit adapté aux contours de chacun des concepts qui avaient fui, ceux-ci pouvant s'y allonger de nouveau à leur aise lorsqu'ils se représentaient à sa mémoire.

Les trois hommes, muets jusque-là, émirent en s'approchant des maugréements dégoûtés. Ils se bouchèrent le nez et s'entre-regardèrent avec une expression offusquée. Yarg, qui s'attendait à ce que les trois se dépêchent de traverser le carrefour triangulaire pour fuir la pestilence, avec sans doute un regard intrigué vers Sarouelle qui venait elle aussi de se réveiller, fut surpris de constater qu'ils s'arrêtaient devant sa cage à lui.

Le plus vieux des trois hommes souleva la visière de métal de son chapeau, révélant un visage carré, plissé et noirci comme du cuir. Après avoir contemplé Yarg, il dévoila d'impressionnantes dents jaunies en un sourire dépité.

— Bah ! Nous nous sommes fait raconter des sornettes. Celui-là est à moitié mort…

Il regarda ensuite Sarouelle des pieds à la tête.

— Et l'autre, une gamine à quatre bras qui n'a que la peau sur les os…

— Vraiment ! Je ne suis plus une gamine !

Le vieil homme étudia de nouveau Yarg, ses pupilles ocre frémissant d'un air calculateur sous d'épaisses paupières verruqueuses.

— Comprends-tu ce que je dis ?

— Oui.

— Lève-toi, que je te voie mieux.

— Pour quoi faire ?

— Parce que je suis un vendeur d'esclaves, et que si tu arrives à me convaincre que je peux avoir un bon prix pour ta misérable carcasse, je vais te sortir de là. Je révise ma première impression : tu es moins abîmé que je pensais.

— Ces grands maigres sont plus coriaces qu'ils en ont l'air, ajouta un de ses comparses sur un ton sentencieux.

Le vieux fit un geste fataliste.

— Ce serait vexant d'avoir marché jusqu'ici pour rien. Allez ! ouvrez-moi ça.

Le plus costaud des trois exhiba une grosse pioche à la pointe émoussée. Il enleva son chapeau et son plastron de cuir, prit le temps de trouver un point d'impact où il pourrait frapper avec efficacité, calcula ses distances puis, avec un ahan profond, abattit la pioche à toute volée. L'acier tinta contre l'acier. La cage de Yarg fut violemment secouée, mais la trappe tint bon. Le troisième trafiquant arrêta le balancement de la cage pour permettre au costaud de frapper à nouveau. Au troisième coup, la trappe du plancher s'ouvrit dans un ferraillement sonore.

Sonné par les coups et encore ankylosé par la fraîcheur nocturne, Yarg se laissa glisser maladroitement par la trappe. Son dos blessé frotta durement le rebord métallique. Il tomba à genoux à côté de la fosse d'aisance, en hoquetant de douleur. Le vieux l'aida à se relever avec une sollicitude grognonne.

— C'est vilain, ce que tu as au dos. Ne me fais pas regretter de t'avoir libéré.

Yarg réussit à rester debout, le cœur au bord des lèvres, mais néanmoins heureux de pouvoir se redresser de toute sa hauteur sans se cogner la tête. C'est à peine s'il se rendit compte qu'un de ses libérateurs était en train de lui lier les deux chevilles avec une corde tout juste assez longue pour lui permettre de marcher.

— Emmenez-moi aussi ! supplia Sarouelle en tendant la main à travers les barreaux de sa cage.

— Qu'est-ce qu'on fait de la fille ? demanda le costaud à la pioche.

Le vieux fit la grimace.

— Les femmes, c'est toujours compliqué.

— Elle peut intéresser un souteneur, proposa le jeune. Quatre bras, c'est pas tous les jours qu'on voit ça.

— J'ai aussi quatre seins ! clama Sarouelle, qui détacha avec fébrilité son corsage pour prouver ses dires. Je chante ! Je danse ! Je maîtrise de nombreux arts

érotiques, que je pratiquerai volontiers pour votre bénéfice… Mais je vous en prie, messires, libérez-moi
vite, car la gardienne de Rebècq va arriver bientôt !

Les trois hommes restèrent songeurs un moment.
Le vieux replaça sa visière de métal avec un geste
agacé, puis fit un grand mouvement du bras exprimant
la fatalité.

— Ma générosité me perdra…

◆

Moins de deux lieues à l'ouest du carrefour, les
trafiquants d'esclaves avaient installé un camp le long
de la route, dans un affaissement rocheux au fond
duquel coulait une étroite rivière aux eaux rouge vin.
Deux tentes se dressaient de guingois, derrière lesquelles attendaient patiemment deux baudets et un
grand cheval bai. En demi-cercle autour d'une marmite
noircie, une douzaine d'hommes en haillons étaient
couchés en plein air sur des couvertures brunes de
crasse. Debout à l'écart, deux autres en cuirasse légère
les surveillaient. Un troisième s'était posté tout en
haut de la paroi rocheuse, là où la vue portait le plus
loin.

Le camp assoupi s'éveilla à l'arrivée de Yarg, de
Sarouelle et de leurs trois libérateurs. Le regard des
gardes armés glissa rapidement sur le grand homme
maigre pour se fixer sur la curieuse créature féminine
qui l'accompagnait. Les hommes en haillons aussi se
redressèrent, leurs mouvements accompagnés de tintements métalliques. Yarg vit que ces hommes – aussi
sales et échevelés qu'il devait l'être lui-même à leurs
yeux – étaient tous retenus à une chaîne par un collier
de fer autour du cou.

Dans l'air matinal flottait l'odeur âcre de braises
refroidies, à laquelle se mêlaient des effluves de levure
et de nourriture bouillie. Yarg sentit son estomac

gronder et ses genoux faiblir : toute odeur qui n'était pas celle de la charogne équivalait au plus exquis des parfums.

Un des trafiquants accueillit son chef avec un sourire aussi jovial qu'édenté.

— Une esclave de charme ? On diversifie nos activités ?

— Au lieu de braire des âneries, fixe-leur à chacun un collier. La fille reste avec moi. Attache le maigre avec les autres. Il s'appelle Yarg. Il dit qu'il a perdu la mémoire.

— Voyez-vous ça !

— Vrai ou pas, je m'en astique le bras de potence. Va leur chercher à boire. Et à moi aussi, tant qu'à y être : j'ai chaud.

— Nous avons faim aussi, ajouta Sarouelle.

Le chef des trafiquants fit un geste vif.

— Tu es une esclave maintenant. Tu te tais, à moins qu'on t'adresse la parole.

Sarouelle baissa la tête.

— Je n'ajouterai qu'une chose avant de me taire. La première fois que je me suis enfuie, le sermonnaire de Rebècq a rassemblé ses chiens et ses miliciens pour nous rattraper, mon libérateur et moi.

— Mouais… On traversera le gué arrivés à la rivière.

L'Édenté alla puiser deux gourdes plongées au frais dans la rivière. Il en donna une à son chef, et l'autre à Sarouelle, qui but goulûment avant de la passer à Yarg, qui crut défaillir d'extase en avalant l'eau vinaigrée. L'Édenté permit aux deux esclaves de boire encore une rasade, puis il leur fit signe de le suivre.

Il les fit asseoir sur la roche à côté d'une petite enclume.

— Penche-toi et ne bouge pas, dit-il à Yarg. À moins que tu veuilles que je frappe à côté.

Le trafiquant leur verrouilla à coups de marteau un collier de fer autour du cou. L'opération se fit sans trop de douleur, ce qui témoignait de la longue pratique du mécanicien. Le plus déplaisant pour Yarg fut le bruit aigu des coups près de la tête, ce qui le laissa à moitié assourdi.

L'Édenté enleva ensuite la corde autour des chevilles de Yarg et lui ordonna d'apporter l'enclume. Yarg obéit. Lui et Sarouelle furent conduits auprès du feu de camp où les esclaves les regardèrent approcher en silence. Le trafiquant attrapa la chaîne rouillée, bien assez longue pour permettre d'y ajouter deux esclaves de plus. Il ordonna à Yarg de poser l'enclume et de se pencher à nouveau au-dessus. Encore quelques coups de marteau près de l'oreille : Yarg sentit son sang s'échauffer et c'est tout juste s'il réussit à se retenir d'arracher le marteau des mains de l'Édenté pour lui en faire connaître un autre usage. Heureusement, le travail était fini : Yarg était maintenant attaché à la chaîne en compagnie des autres esclaves.

Le trafiquant se préparait à attacher Sarouelle lorsque le chef s'interposa.

— T'es sourd ? Je t'ai dit que la fille restait avec moi.

— Vous m'avez dit de lui mettre un collier ! grogna l'autre, mécontent d'être admonesté devant tout le monde.

— Juste au cas où elle ne serait pas accommodante. (Il adressa un large rictus jaune à Sarouelle.) Mais tu vas être accommodante, n'est-ce pas ? Tu n'oublies pas que je t'ai libérée ?

— Je ne l'oublie pas, maître. Je préfère l'esclavage à la mort. Je ne crois pas qu'il soit nécessaire d'enchaîner Yarg non plus.

— Ma confiance a des limites. Allez ! On mange et on lève le camp.

Les trafiquants firent un signe à leur compagnon posté dans les hauteurs. Il devait avoir faim lui aussi à en juger par la promptitude avec laquelle il accourut. Sans s'embarrasser de protocole, le chef et ses hommes de main s'assirent en compagnie des esclaves autour du feu de camp, à même la roche. Un des trafiquants souleva le couvercle de la marmite, dans laquelle un brouet d'orge et de malt avait mijoté toute la nuit. Il remplit à la louche des courges évidées, qu'on fit circuler. La seule concession à la hiérarchie fut de servir le chef en premier, puis les gardes, puis Sarouelle, qui fut la seule à dire merci. Finalement, Yarg et les autres esclaves reçurent aussi leur pitance.

L'épais brouet encore chaud parut un festin à Yarg et il l'avala sans se préoccuper des quelques cloportes malchanceux qui avaient cuit avec le reste. Après avoir raclé avec la main l'intérieur de la courge, il constata qu'il n'était pas complètement rassasié, mais il préféra observer le comportement des trafiquants avant d'en réclamer plus.

En attendant de connaître leurs noms, il les baptisa mentalement le Chef, le Guetteur, l'Édenté – qu'il aurait tout aussi bien pu appeler le Forgeron –, le Jeune, le Costaud et le Cuisinier.

Le Cuisinier demanda à ses compagnons qui en voulait encore. La plupart tendirent leur bol pour une seconde portion. Aucun des esclaves ne releva le fait que le Cuisinier ne s'était pas adressé à eux. Yarg non plus ne dit pas un mot.

Le Chef fit un geste de son bol vers Sarouelle.

— Tu peux en prendre encore.

— Je suis aussi une esclave. Je suis embarrassée de profiter d'un traitement spécial devant les autres.

La réponse amusa les trafiquants, mais irrita le Chef.

— C'est moi qui décide ce qui est embarrassant ou pas. Tu auras plus de valeur si tu te remplumes un peu. Je te donne la permission d'en prendre encore et je voudrais bien entendre quelqu'un contester ma décision !

C'est un fait que personne ne la contesta, ni du côté des trafiquants ni du côté des esclaves. La jeune femme déposa néanmoins son bol vide à ses pieds et dit qu'elle n'avait plus faim.

Les trafiquants terminaient leur second bol de brouet lorsque la paroi rocheuse réverbéra des aboiements. Une troupe bigarrée apparut à l'est : une demi-douzaine d'hommes en armes et en uniformes plus ou moins dépenaillés, certains tenant en laisse un gros chien dont la couleur et la forme rappelèrent à Yarg la bête qui accompagnait Margouille.

La troupe était menée par un personnage à l'allure fort particulière avec son ample cape rayée et un chapeau pointu d'une hauteur remarquable. L'effet d'ensemble aurait été plus dramatique s'il n'avait pas été obligé de soutenir son couvre-chef d'une main pour éviter que celui-ci ne bascule. En effet, avec la montée du soleil, un vent chaud soulevait maintenant la poussière et couvrait les eaux rouges de la rivière d'un réseau de friselis.

— C'est le sermonnaire de Rebècq, murmura Sarouelle.

L'homme au chapeau pointu, qui avait mené ses hommes d'un pas alerte, ralentit pour prendre la mesure du groupe qui déjeunait dans l'encaissement rocheux. Les miliciens qui l'accompagnaient ralentirent de même en retenant du mieux qu'ils pouvaient les chiens en train de s'étrangler de rage à la vue de leur proie. Le sermonnaire et ses hommes s'arrêtèrent, mécontents, pour tenir un bref conciliabule. Un des miliciens fut envoyé comme porte-parole – un porte-parole qui ne semblait pas trop apprécier le rôle qu'on venait de lui confier.

Autour de Yarg, les trafiquants s'étaient tous redressés, la main sur leur épée, à part le Chef, qui continuait de manger comme si de rien n'était. C'est à peine s'il daigna lever la tête lorsque le milicien de Rebècq jugea qu'il était assez rapproché pour que sa voix couvre le vacarme des aboiements.

— Je... Le...

Le porte-parole s'aperçut qu'il bredouillait. Il se redressa un peu, pointa un doigt vindicatif en direction de Sarouelle et Yarg :

— Par ma voix s'exprime le très noble et très saint sermonnaire de Rebècq, protecteur de la vérité, de l'ordre et de la foi, que vous voyez là-bas derrière moi...

Le Chef regarda le groupe, une expression d'indifférence sur son visage couleur de vieux cuir.

— Celui qui tient son chapeau ?

— C'est cela même. Il vous ordonne de nous remettre sur-le-champ cette contemptible créature assise parmi vous. Ainsi que cet homme, ici, celui qui est presque nu.

— Je n'aime pas beaucoup être dérangé quand je mange, mais (le vieux trafiquant répéta le geste fataliste que Yarg lui avait vu faire précédemment) les affaires sont les affaires. Va dire à ton sermonneur que je l'invite dans ma tente. Je suis convaincu que nous conviendrons d'un prix qui fera l'affaire de toutes les parties. Soyez prévenus : je n'accepte que l'or, l'argent ou la monnaie frappée récemment ; inutile de me proposer une lettre de crédit, une traite au porteur ou quoi que ce soit de cette nature.

Le porte-parole resta une seconde interdit puis, sans un mot, il tourna les talons. Il était impossible d'entendre un mot à travers les aboiements des chiens, mais il fut clair que le sermonnaire n'apprécia pas la réponse transmise par son envoyé. Ce dernier accorda une oreille attentive, quoique un peu sceptique, aux imprécations du noble et saint personnage, puis il revint devant le groupe des trafiquants, cette fois nettement sur la défensive.

— Voici la réponse de mon maître... dont je ne suis que l'instrument. Il refuse de discuter le moindre arrangement financier. Il vous somme de nous remettre les deux expiateurs, en priant que votre cupidité et votre arrogance n'aient pas trop de conséquences cosmiques sur Rebècq et ses habitants.

Le regard qui luisait maintenant sous les paupières tavelées du chef des trafiquants aurait métamorphosé un basilic en pierre.

— Le soldat qui met à exécution le commandement de son capitaine ne fait pas moins que le capitaine même qui le commande.

Le milicien de Rebècq cligna rapidement des paupières.

— Je ne comprends pas le sens de votre…

— J'entends par là que la matinée est avancée et qu'une longue route nous attend. L'obligation de me lever et d'aller enfoncer mon épée jusqu'à la garde dans la bouche vérolée de ton sermonneux m'astreindrait à un exercice que je peux m'éviter puisque toi, tu es tout près et que ta bouche conviendrait tout aussi bien à ma lame.

Le milicien n'avait pas attendu la fin de la réponse du chef des trafiquants. Poursuivi par quelques rires, il fila se rapporter au sermonnaire, avec qui il entama une discussion fébrile. S'il n'en avait tenu qu'au sermonnaire, les miliciens de Rebècq se seraient lancés à l'attaque. Sentant le vent tourner, le chef des trafiquants fit un signe discret à ses hommes.

Les cinq trafiquants se déployèrent en exhibant leurs armes, le pas assuré, la mine arrogante. Le Costaud avait récupéré sa pioche, avec laquelle il fit quelques moulinets.

Yarg regardait tour à tour les deux parties en présence, le cœur battant. Les miliciens de Rebècq, après avoir évalué leurs adversaires d'un regard torve, se consultèrent entre eux, pour reprendre lentement le chemin du retour, ayant grand-peine à contenir les chiens, aussi déçus que le sermonnaire de la tournure des événements.

Les cinq trafiquants retournèrent rejoindre leur chef, assez satisfaits de leur prestation.

— Merci, maître, dit Sarouelle.

Le visage de vieux cuir du chef des trafiquants se plissa en un masque sardonique.

— Tu ne me remercierais pas si tu savais à quel vil prix je t'aurais vendue. Bon ! On s'est assez amusés ce matin.

Le Chef se leva et ordonna de lever le camp. Pendant que les uns faisaient tomber les tentes, le Cuisinier vida le reste du gruau sur une partie de la roche relativement propre. Le temps d'un souffle, Yarg fut choqué qu'on jette la nourriture au lieu de la partager entre les esclaves ; mais aussitôt il comprit que ce n'était nullement le cas. Le Cuisinier ajouta de la farine au gruau et mélangea le tout jusqu'à ce que le mélange forme une boule solide, boule qu'il sépara en une douzaine de pains qu'il put ainsi ranger dans un sac de cuir.

De sa propre initiative, Sarouelle empila les bols, puis s'empara aussi de la marmite et des ustensiles, qu'elle alla nettoyer à la rivière sous le regard à la fois goguenard et approbateur du Cuisinier.

Obéissant à un ordre de l'Édenté, les esclaves se mirent debout. Même si Yarg n'avait pas voulu suivre le mouvement, la chaîne à son cou lui aurait rappelé son nouveau statut. Le trafiquant ramassa les couvertures. Il en lança une à Yarg, que ce dernier attrapa par réflexe.

— Mets-toi ça sur les épaules. Le soleil tape dur dans le désert.

La couverture était rugueuse et exhalait une odeur d'urine, mais Yarg n'en était plus à une indignité près. Il reconnut de mauvaise grâce que sa situation s'était malgré tout améliorée depuis son réveil dans la cage.

Il sentit une main effleurer son avant-bras. Son voisin le long de la chaîne, un homme plus jeune que lui, petit mais musculeux, à la tête ronde envahie par une chevelure et une barbe très frisées, lui fit un clin d'œil en chuchotant :

— Moi, c'est Janiel. Toi, c'est Yarg, hein ?

— Tu as bien entendu.

— C'est ta compagne, la mignonne à quatre bras ? demanda Janiel, son sourire complice révélant un trou là où il lui manquait une incisive.

— Est-ce qu'on a le droit de parler entre nous ?

— Bien sûr que non ! Faut en profiter pendant qu'ils sont occupés.

Janiel fit un geste du menton vers les trafiquants qui pliaient la toile des tentes, rassemblaient les poteaux ou nouaient les couvertures en un ballot. Toile, couvertures, équipement et marmite : tout fut attaché sur le cheval et les baudets, les trois bêtes étant aussi placides les unes que les autres.

Quand ils furent prêts à partir, le chef des trafiquants but une rasade d'eau vinaigrée, remit son chapeau, ajusta sa visière métallique et conclut le tout avec un « Hep ! » en direction des esclaves.

Les prisonniers se mirent en marche avec une soudaineté qui prit Yarg par surprise. Il faillit tomber, tiré par la chaîne qui reliait le collier de Janiel au sien. La secousse se transmit aux autres le long de la chaîne, ce qui mérita à Yarg des regards assassins de ses compagnons, et des insultes de la part des trafiquants.

— Regarde nos pieds, souffla Janiel. Gauche, droite, gauche, droite…

Yarg ne tarda pas à s'ajuster au rythme de marche ; et il valait mieux qu'il en soit ainsi, car le choc initial lui avait arraché la peau à la jonction du cou et des clavicules, si bien que le moindre mouvement du collier générait une brûlure. Heureusement, il avait les mains libres, ce qui lui permettait de soulever le collier d'une main, tout en retenant de l'autre la couverture sur ses épaules. Au moins trois des prisonniers devant lui n'auraient pas pu faire de même, leurs poignets étant entravés par de lourdes menottes retenues à la taille par une ceinture en maillons d'acier.

Les esclaves marchèrent jusqu'au milieu du jour, enfilés comme des figues mises à sécher, surveillés par les trafiquants armés de piques et d'épées. Le Chef guidait la troupe, monté sur le cheval ; les deux baudets fermaient la marche.

Sarouelle avait tenté de s'approcher de Yarg pour lui tenir compagnie, mais le Chef avait aperçu la manœuvre et avait ordonné à sa prisonnière de ne pas s'éloigner de sa monture. La jeune femme n'osait pas désobéir ; tout au plus lançait-elle de temps en temps un regard compatissant vers la file.

La route de l'ouest était monotone, sans relief. Yarg avait l'impression de faire du surplace au milieu d'un désert de pierraille. Une seule rencontre ponctua la matinée : un quatuor d'artisans qui s'empressèrent d'écarter du chemin leurs mulets chargés de bagages pour laisser toute la voie libre à cet inquiétant équipage.

Finalement, le Chef leva un bras vers le ciel sans nuages.

— Repos.

Ni les trafiquants ni les prisonniers ne protestèrent.

Le Chef descendit de sa monture et désigna l'endroit où il voulait que les esclaves s'assoient. Ceux-ci obtempérèrent en maugréant : en plein soleil, la rocaille était brûlante. Yarg essaya de déterminer s'il valait mieux s'asseoir sur sa couverture ou garder cette dernière sur ses épaules. Il choisit la seconde solution : la roche se refroidirait sous lui, alors que personne ne pouvait espérer que la chaleur du soleil diminue à ce moment du jour.

De l'eau vinaigrée fut servie. Le Cuisinier rompit en morceaux à peu près égaux les pains de gruau confectionnés plus tôt le matin et les distribua à la ronde. Le Chef et ses hommes eurent droit en plus à des languettes de viande séchée. La seule parmi les esclaves à se faire offrir cette friandise fut Sarouelle. Cette fois-ci, elle ne refusa pas la marque de favoritisme et mordit dans le morceau de viande noircie sans se préoccuper du regard envieux que lui lançaient plusieurs des esclaves.

— Est-ce qu'on peut parler un peu ? demanda Janiel.

— Non.

Après ce trop bref repos, la troupe se remit en route, le Chef sur son cheval traçant la voie.

À chaque pas que Yarg et ses compagnons faisaient désormais, le paysage autour d'eux méritait de moins en moins le qualificatif de plaine, devenant plus accidenté et plus verdoyant. Des pans de roche jaune striée de bandes grises perçaient la maigre végétation. Après une série de méandres, la route redevint rectiligne, mais pas pour longtemps, car un panorama de collines bloquait le chemin, des collines nues, du même jaune terne que les blocs de roche aperçus auparavant.

Yarg posait un pied devant l'autre, hypnotisé par la régularité de la marche, étourdi par le soleil trop chaud, qui trônait trop haut dans un ciel trop bleu. Il finissait par avoir les mains engourdies à tenir d'un côté la couverture et de l'autre son collier alourdi par la chaîne. Il trouva le moyen de se nouer la couverture autour du cou, opération pendant laquelle le métal du collier frotta cruellement sur ses clavicules endolories. Avec une pensée sardonique, Yarg se rendit compte qu'il en avait oublié la douleur à son dos.

Le soleil fut bientôt masqué par les parois déchiquetées des collines rocheuses. La route s'engagea sur le flanc d'une paroi à pic. Yarg sentit son cœur se soulever en contemplant l'étroite rivière qui serpentait au bas de la falaise. L'eau était noire comme un filet d'encre dans l'ombre du canyon.

Ici la roche était plus foncée, ocre avec des filets blancs et bleu-noir. À l'occasion, on apercevait la touffe verte d'un pin noueux qui avait réussi à prendre racine dans une fissure.

Au détour du chemin apparut la ruine d'un ancien pont, un ouvrage dressé avec audace au-dessus du vide, à demi effondré depuis. Un amoncellement de moellons était visible au fond du ravin, sur lesquels sautillaient des petites chèvres blanches tachetées de roux. Lorsqu'elles s'aperçurent qu'on les observait, les chèvres s'enfuirent en bondissant comme des diabolos.

— Comme elles sont mignonnes ! s'exclama Sarouelle.

Le cri se réverbéra entre les parois rapprochées du canyon : … *omme elles sont mignonnes !… sont mignonnes !… ont mignonnes… gnonnes…*

Quelques trafiquants s'amusèrent de l'enthousiasme de la jeune femme et ajoutèrent que les chèvres n'étaient pas les seules créatures mignonnes dans les parages. Sarouelle sourit pour montrer qu'elle appréciait le compliment. Yarg eut la nette impression que les hommes auraient poussé plus loin les familiarités s'ils n'avaient pas senti peser sur eux le regard glaireux du Chef.

De fait, le vieux trafiquant fit signe à Sarouelle de marcher plus près.

— Et tais-toi.

La jeune femme obéit avec une mauvaise grâce qu'elle ne se préoccupa pas de dissimuler.

Le temps passa. La troupe progressait toujours en silence. Yarg commençait à se demander combien de temps il pourrait marcher sans s'effondrer. Il n'était pas le seul à sentir la fatigue : devant lui, des esclaves commencèrent à trébucher, ce qui chaque fois brisait le rythme et secouait la chaîne et le collier des miséreux.

Même l'Édenté, plutôt jovial jusqu'à ce moment, s'impatienta.

— On est fatigués, nous !

Le Chef leva son visage couleur de vieux cuir vers l'étroite section du ciel au-dessus. Le bleu de la coupole céleste était devenu plus profond, presque violet. À croire qu'il faisait une faveur à ses hommes, il ordonna l'installation du camp.

Avec des grognements de soulagement, les esclaves s'assirent le long de la route. Un endroit en valait un autre : le fond du canyon n'était que roche et caillasse, à l'exception de quelques herbes charnues, presque noires, qui poussaient sur les rives de la rivière quasi asséchée. Pour parfaire le décor, le vent gémissait et soulevait la poussière.

Un serpent apparut entre deux pierres, si bien camouflé par sa robe ocre et bleue que Yarg ne l'aurait pas aperçu n'eût été de son mouvement de reptation. Janiel vit aussi le reptile. Il glapit, la voix aiguë comme celle d'une femme :

— *Un serpent !*

Il se jeta vers l'arrière, tirant brutalement sur le collier de Yarg et sur celui de son autre voisin de chaîne, un grand simple à la lèvre pendante, l'œil mort mais très bleu. Crachant des invectives dans une langue inconnue, le grand simple attrapa Janiel par sa tignasse frisée et se mit à le secouer brutalement. Yarg tenta de s'interposer. Cela lui mérita le premier coup de bâton administré par les gardiens.

Le bâton l'atteignit près de l'oreille. Le canyon tourna autour de lui, vision constellée d'éblouissements. Il entendit des cloches et des sifflements… Lorsque Yarg reprit ses sens, le calme était revenu dans la file des esclaves. Janiel essuyait le sang qui lui coulait d'une coupure au front.

— C'est rien qu'une fileuvre, crétin ! lui postillonnait au visage le Guetteur.

— Regarde-le filer, ton serpent ! dit l'Édenté en riant. Il a aussi peur de toi que toi de lui.

— Crétin ! répéta l'autre, insulte accompagnée d'un autre coup de bâton sur Janiel, puis un dernier sur le bras de Yarg, sans véritable brutalité, presque pour la forme.

— Bon, ça va, grogna le Chef. Au travail.

Les deux trafiquants s'éloignèrent : l'incident était clos. Ils aidèrent leurs compagnons à décharger des bêtes de somme le matériel du campement. Le Jeune défit les ballots de couvertures et alla en jeter une au pied de chaque esclave, le Costaud déplia la toile des tentes, pendant que le Cuisinier allumait un feu sous une marmite qu'il remplit à demi d'herbes, de grain et d'eau.

Le chef des trafiquants participa aux corvées. Il fallait s'activer, la nuit tombait vite dans le canyon. Sarouelle n'était pas en reste : elle butinait d'un trafiquant à l'autre pour prêter main-forte, tenir un cordage, panser les bêtes. Yarg, qui savait tant de choses qu'il ignorait savoir, vit que la jeune femme savait comment soigner le cheval et les baudets.

Le Cuisinier, amusé par la bonne volonté de la jeune esclave, délia une gourde attachée au flanc d'un baudet et la lui tendit :

— Tu veux aider ? Donne à boire à la racaille.

— Avec plaisir.

— « Avec plaisir », pour de vrai ? Le soleil t'a fait chauffer la tête ou tu te moques de nous ?

— L'un n'exclut pas l'autre, fit Sarouelle avec un sourire matois.

Elle apporta la gourde à la file des esclaves, ceux-ci appréciant le fait que ce fût une charmante jeune femme qui se pressait à leur service au lieu d'un des trafiquants. Seul un des costauds menottés la fixa d'un air dégoûté. Une fois la gourde entre ses mains, il marmonna à son voisin quelques mots dans la même langue inconnue que le voisin de Janiel. L'autre hocha la tête d'un air entendu. Les deux esclaves se ressemblaient à ce point que Yarg supposa qu'ils étaient des frères.

— Buvez, messires! les encouragea Sarouelle. À condition d'en laisser quelques gouttes à celui qui est au bout!

En disant cela, elle sourit à Yarg, geste de connivence qui n'échappa pas à Janiel. Après avoir passé entre toutes les mains, la gourde arriva au dernier de la file, en grand danger d'être vide.

Yarg but et faillit cracher de surprise. Il s'était attendu à de l'eau vinaigrée, or l'outre contenait de la bière, âcre et odorante et chaude comme du pissat, mais divinement désaltérante pour qui a respiré du midi au soir la poussière de la route.

Au lieu de repartir ensuite, Sarouelle s'assit à côté de Yarg, sans façon, les jambes croisées, un sourire compatissant au fond de ses yeux noirs. Elle lui caressa tendrement le cou à l'endroit où la peau était à vif.

— Pauvre Yarg. Ça doit faire mal.

Yarg resta immobile, ne sachant trop comment réagir devant cette marque d'amitié de la jeune femme, d'autant plus troublante que, pendant ce temps, à l'insu de tous, elle avait glissé une autre main le long de son dos jusque dans son pantalon. Malgré la faim et la fatigue, son membre viril frémit entre ses cuisses.

— Qu'est-ce que tu fais là? s'insurgea le chef des trafiquants en voyant le manège de Sarouelle. Reviens ici.

La main fine sortit prestement du pantalon de Yarg et la jeune femme se dépêcha d'accourir aux pieds de son maître. Après avoir adressé un regard noir aux esclaves enchaînés, le vieux trafiquant reporta son attention sur la nécessité de monter sa tente, une corvée compliquée par les rafales de vent et la tombée de la nuit. Bientôt la portion de ciel violet au-dessus du canyon devint noire et se piqueta d'étoiles : heureusement, le camp était installé.

Les trafiquants s'assirent en demi-cercle autour du feu, face aux esclaves. Certains mâchaient un morceau de viande séchée. Presque tous fumaient la pipe. Le Chef mangeait un oignon cru. Il l'avait coupé par le milieu ; avec la pointe de son couteau, il défaisait une à une les côtes concentriques et les croquait entre deux bouffées de pipe. Son visage était invisible dans la nuit, à l'exception du reflet des braises dans ses yeux.

Et tout ce temps le vent poussait sa plainte, chaque sifflement ou grondement fondu dans l'écho de ceux qui l'avaient précédé.

— C'est pas gai ici, dit Janiel.

— Demande la permission avant de parler, dit l'Édenté sur le ton de celui qui est las de toujours répéter la même chose.

— Est-ce que je peux parler ?

Le Chef détacha un bout d'oignon, le croqua, avala, puis déclara sur un ton morne :

— Sois bref.

— Je voulais savoir si nous allons arriver bientôt.

— Je vais peut-être te surprendre, mais moi aussi j'en ai ma claque de marcher dans le désert. Et c'est rien comparé à la hâte de ne plus voir ta face de rat.

Quelques rires grinçants suivirent la saillie du Chef.

— Nous sommes à une journée de marche de Maurras, dit Sarouelle. Si la côte de la mer Tramail est bien notre destination…

Elle avait ajouté la seconde phrase un ton plus bas, pour montrer qu'elle était consciente d'avoir parlé sans avoir la permission et qu'elle était morfondue de remords.

— C'est notre destination, convint le Chef en mâchant son dernier bout d'oignon. Maurras est un grand port. On y a toujours besoin de bras. Y a les mines aussi. J'espère que je ne perdrai pas encore d'argent dans l'aventure.

— Voulez-vous que je vous raconte une histoire ? demanda Sarouelle avec une bonne humeur pleine d'entrain qui sembla à Yarg particulièrement incongrue.

— Mais oui ! répondit Janiel.

— On s'en branle, de ton opinion ! siffla le Guetteur. Tais-toi ou je te fais encore saigner du crâne.

— Quel genre d'histoire ? fit le Chef sur un ton de condescendance paternelle.

— J'en connais dans tous les genres. Préférez-vous un chassé-croisé comique ? un conte moral ? un récit d'épouvante ?

Le vieux trafiquant fit la grimace.

— N'importe quoi sauf un conte moral.

Sarouelle commença donc la narration de son histoire :

Dans un pays lointain vivait une femme d'une exquise beauté prénommée Farisia. Elle se maria avec un comte beaucoup plus âgé qu'elle, qui eut la politesse de mourir dans l'année. La jeune veuve hérita d'un titre, d'une fortune, ainsi que du fruit de la trop brève passion de son mari. Son ventre s'arrondit, une fille naquit. L'enfant – qui s'appelait Diore – était aussi jolie que sa mère, et peut-être même plus. Or, le pire des nombreux défauts de la comtesse Farisia était la vanité. Une aussi belle fille que la sienne ne méritait rien de moins qu'un mariage royal, projet dont elle s'imprégna si complètement qu'il lui sembla aller de soi.

Ce n'était pas un projet déraisonnable. L'héritier du royaume, le prince Orléans, était à peine plus âgé que Diore. Mais attention ! la vanité de Farisia ne pouvait se satisfaire d'un simple mariage. Il fallait

que le royaume entier sache que c'était à cause de sa
beauté nonpareille que le prince avait choisi Diore.

La comtesse obtint une audience avec le roi et lui
exposa le plan suivant : toutes les jeunes filles du
royaume en âge de se marier seraient convoquées à
un grand concours de beauté. La gagnante aurait
l'honneur d'épouser le prince Orléans. L'idée plut
au roi, aussi vaniteux que Farisia, et même un peu
plus sot. Aussitôt dit, aussitôt fait. Des hérauts passèrent
par champs et villages pour annoncer la grande nouvelle. Les conseillers du roi l'avaient mis en garde : il
devait y avoir apparence d'impartialité. Aussi ne fallait-
il pas réserver le concours aux filles nobles, mais
également permettre aux filles des marchands, des
artisans – et même des paysans – d'y participer. Bon,
le roi fut un peu agacé par ces complications. Ce
concours n'était bien sûr qu'une mise en scène pour
divertir le peuple. Il n'était pas question que les juges
choisissent une autre jeune fille que Diore.

Comme je l'ai dit, les hérauts annoncèrent le concours par tout le pays, jusqu'à un minuscule hameau
oublié de tous. Là vivait Partembin, un petit noble
depuis longtemps impécunieux, car piqué de philosophie
et incapable de faire preuve de la férocité nécessaire
pour pressurer comme il convient les paysans tra-
vaillant sur ses terres. Depuis la mort de sa femme, il
vivait avec ses trois filles, que l'on disait d'une grande
beauté.

Les deux hérauts accueillirent ces rumeurs avec un
sourire sceptique. Ces « beautés » n'étaient probablement que trois campagnardes de bonne disposition,
au visage rond et aux hanches solides. N'empêche,
ils avaient reçu l'ordre de n'oublier aucun village.
Ajoutons qu'ils n'avaient pas soupé, alors il fallait
bien manger quelque part.

Une fois attablés chez Partembin, les deux envoyés
du roi constatèrent à quel point leur scepticisme avait

été malvenu. Ils ne possédaient pas assez d'yeux pour absorber d'un coup tant de charme féminin, tant de grâce juvénile. La plus âgée des filles n'avait pas dix-huit ans, la plus jeune à peine quinze. Toutes deux avaient les cheveux noirs et soyeux, le visage d'un ovale parfait, des yeux scintillants comme des opales bleues. La cadette était plus ordinaire – un qualificatif que les deux jeunes hommes n'auraient jamais employé si cette blonde gracile, aux lèvres rieuses et au regard doré comme celui d'un chat roux, n'avait pas été assise entre ses deux sœurs pendant le repas.

Les hérauts n'étaient pas au courant des manigances de leur roi avec la comtesse Farisia. C'est avec sincérité qu'ils soulignèrent à leurs hôtes tous les avantages d'un mariage royal. Or, au lieu de s'extasier ou de trépigner d'excitation, comme l'avaient fait jusqu'à présent presque toutes les jouvencelles du royaume, les filles de Partembin accueillirent la proposition avec une déconcertante retenue.

« La beauté s'accommode mal des notions de hiérarchie », proclama l'aînée. « L'arbre est-il plus beau que le nuage ? L'hirondelle est-elle plus gracieuse dans son vol céleste que la perche dans l'eau cristalline du ruisseau ? La bonté illumine le visage le plus contrefait, alors qu'une personne haïe nous répugne jusque dans la façon dont ses paupières s'ajustent l'une sur l'autre. »

Partembin expliqua aux hérauts médusés que sa fille aînée avait hérité son penchant pour la philosophie et les idéaux abstraits, et qu'il doutait que ce concours corresponde à ses aspirations.

« Je ne saurais où trouver le temps de vous accompagner ! » dit la plus jeune. « Demain, j'ai promis d'accompagner Thibaud au marché. Après-demain, Godefroy revient de Blanbec – il sera accompagné de son cousin Martin, qui est, oh ! celui que je préfère entre tous, si seulement il pouvait me regarder. Mais

*son cœur ne bat que pour Euphonie. Je n'ai même
pas mentionné Octave, le fils du bailli…»*

Yarg sourit en compagnie du reste de l'auditoire à
cause de la drôlerie avec laquelle Sarouelle interprétait
chaque personnage de son histoire. Personne ne pouvait douter à l'entendre que la plus jeune des filles de
Partembin était une redoutable coquette habituée à ce
que tous les garçons se plient à ses moindres caprices.

Un des esclaves menottés posa une question incompréhensible. Sans doute s'informait-il de la raison
pour laquelle tout le monde souriait. Janiel lui répondit
dans la langue de ce dernier, mais l'Édenté intervint
avec son manque de tact habituel.

— Vos gueules !

Sarouelle reprit son histoire :

*Partembin profita du fait que sa benjamine reprenait
son souffle pour expliquer que sa vie sentimentale
était bien assez compliquée, qu'il ne voyait pas comment
elle aurait pu ajouter le prince Orléans à l'écheveau
de ses intrigues.*

*Tous les regards convergèrent sur la cadette – elle
s'appelait Romance – qui n'avait pas encore pipé mot.*

*Romance admit qu'elle voulait bien voir le château
et qu'elle trouverait amusant de voir comment un tel
concours s'organisait. C'étaient les seules raisons qui
l'incitaient à accepter de participer, car elle savait fort
bien qu'elle n'était pas la plus belle fille du royaume.*

*« Vous êtes la plus belle que j'ai vue ! » s'exclama le
plus jeune des deux envoyés, qui rougit et bredouilla :
« Si l'on excepte vos sœurs, il va sans dire. »*

*« Alors, la cause est entendue », dit Partembin,
flatté tout de même par la candeur du jouvenceau.*

*Pendant ce temps, au château, dans une des
chambres les plus richement décorées de la tour royale,*

la jeune princesse Ferline, sœur du prince Orléans,
se livrait à son activité coutumière, la bouderie.

« Mon père met le pays cul par-dessus tête pour
déterminer qui en est la plus belle jouvencelle ?
Comment dois-je interpréter ce camouflet ? La réponse
ne se promène-t-elle pas tous les jours sous ses yeux ?
En ma personne ? »

« Votre beauté est célèbre dans tout le royaume, et
même au-delà », répondit sur un ton patient Bonnette,
sa préceptrice et dame de compagnie.

« Je croyais en effet ne pas être dépourvue de
charme », dit la princesse Ferline en étudiant son reflet
dans un miroir. « Pourquoi me refuser le droit de par-
ticiper au concours ? »

« Parce que ce concours a été institué afin de trouver
une épouse pour votre frère aîné », soupira Bonnette.

« Ce concours doit déterminer qui est la plus belle
fille du royaume ! Voilà ce qui a été clamé par tout le
pays ! Si je le remporte – ce qui est loin d'être une
impossibilité, reconnaissez-le –, Orléans n'aura qu'à
épouser n'importe laquelle des stupides blondasses
qui terminera finaliste. »

« Votre père le roi en a décidé autrement : vous ne
serez pas autorisée à vous présenter comme candidate. »

Pour toute réponse, la princesse Ferline éclata d'un
rire moqueur.

— M'est avis qu'elle manigance quelque chose,
celle-là, dit le Costaud d'un air méfiant.

— Nous finirons peut-être par le savoir si vous ne
m'interrompez pas tout le temps, dit Sarouelle, qui
poursuivit :

Quelques jours plus tard, lorsque Romance franchit
les fortifications autour du château, elle trouva une
ville en pleine effervescence, débordée par l'afflux de
jouvencelles venues des quatre coins du royaume,

accompagnées de leur mère, d'un frère plus âgé, d'une marâtre ou de tout autre chaperon. Romance serra la main de son père, presque incapable de contenir son excitation. Comme c'était grand! Que le château était haut! Qu'il y avait du monde!

Sur la grande place, des artisans terminaient l'érection d'une estrade. Avec bien du retard – ce genre d'organisation prend toujours plus de temps que prévu –, un groupe de dignitaires émergea du château et monta sur l'estrade, où l'on expliqua à la population assemblée le processus de sélection. Toutes les jeunes filles présentes étaient invitées à monter dire leur nom et à faire un tour complet sur elles-mêmes devant les jurés de la présélection, qui en choisiraient cent parmi elles.

Sous les applaudissements et les cris approbateurs, les jeunes filles traversèrent l'une après l'autre l'estrade. Certaines rougissaient de timidité, d'autres levaient le nez, hautaines. Certaines riaient. Romance, qui s'était placée dans la file, estima que le nombre des candidates devait approcher les trois cents. Et même si c'est vrai que beaucoup de ces jeunes filles étaient très jolies, elle aurait trouvé un peu vexant de ne pas faire partie de cette présélection.

La foule, qui avait applaudi bruyamment les premières candidates, se lassa peu à peu et c'est presque dans l'indifférence générale que Romance parcourut à son tour l'estrade. À la fin, après consultation avec ses confrères, un des jurés s'approcha de la foule et débita la liste des cent finalistes. Il y eut un peu de confusion lorsqu'on s'aperçut que plusieurs jeunes filles partageaient le même prénom – heureusement, il n'y avait qu'une seule Romance, comme celle-ci s'en rendit compte quand on l'appela.

Les cent candidates furent menées à l'intérieur du palais. Elles eurent à peine le temps de s'émerveiller de la splendeur des lieux; un chambellan les aligna aussitôt sur quatre rangées en face d'une table, derrière laquelle vinrent s'asseoir cinq personnages tous plus vieux, chenus et contrefaits les uns que les autres. Ces savants étaient des sommités au palais ; penseurs, érudits, théoriciens en art et en esthétique – du moins, c'est ainsi que le chambellan les présenta.

Le juge du milieu était grand, maigre comme un roseau, les cheveux rares et gris, avec une paupière secouée de spasmes. C'est toutefois avec une belle voix empreinte de courtoisie qu'il s'adressa aux candidates alignées devant lui.

« Mesdemoiselles, je n'aurais pu imaginer que, dans le royaume, fleurissaient en aussi grand nombre de si délicieuses roses. »

Le chef des trafiquants gloussa en entendant la tonalité compassée employée par Sarouelle, et il fut imité par ses hommes et quelques esclaves. La conteuse fit comme si de rien n'était et poursuivit, toujours avec la voix du juge à la paupière spasmodique :

« Hélas, nous voici arrivés à l'étape, cruelle mais nécessaire, qui nous oblige à ne retenir que vingt finalistes parmi vous. Nous vous prierons, mes distingués collègues et moi, de bien vouloir approcher tour à tour de notre table et de répondre à nos questions. Nous voulons prendre le temps de vous connaître, de nous imprégner de votre beauté dans toutes ses facettes. »

Le hasard avait placé Romance à un bout de la première rangée. Le chambellan lui fit signe d'avancer. Elle aurait préféré ne pas être la première, pour voir comment les autres candidates se comportaient et adapter sa présentation en conséquence. Elle obéit tout de même et se plaça en face des cinq juges, qu'elle salua comme on lui avait appris à le faire devant des notables.

Les juges lui demandèrent de quel comté elle venait, si elle avait des frères et des sœurs, et autres questions auxquelles elle répondit avec concision, ayant déduit qu'avec cent candidates à interroger les juges ne désiraient pas qu'elle se perde en bavardage inutile. Elle retourna ensuite à sa place, bien contente, tout bien considéré, d'être passée aussi vite. Il fut clair pour Romance que plusieurs de ses compagnes ne passeraient pas à travers cet examen plus poussé. L'une avait la voix criarde, une autre fit répéter chaque question, à croire qu'elle était sourde ou lente d'esprit. Une troisième candidate perdit connaissance et les serviteurs durent la transporter dehors respirer un peu d'air frais. Romance trouvait le sort de ces malheureuses bien triste et commençait à ne plus trouver ce concours aussi amusant que prévu.

À la fin de l'épreuve, une collation fut offerte aux candidates en attendant les délibérations des juges.

— Arrête de parler de nourriture, gémit Janiel. C'est cruel.

— Silence !

Plusieurs jeunes filles s'étaient regroupées et commentaient la situation avec des ricanements étouffés et des exclamations théâtrales. Romance en déduisit qu'elles se connaissaient déjà. Un peu esseulée, elle s'approcha d'une table en retrait, où n'était assise qu'une seule candidate, sans doute une paysanne à en juger par la modestie de sa mise.

« Puis-je m'asseoir en votre compagnie ? » demanda Romance.

L'autre hésita, puis fit signe que oui. Elle était décidément timide à voir la façon dont elle cachait son pâle visage derrière ses longs cheveux. Romance se présenta et apprit que sa compagne de table s'appelait Mania. Les deux jeunes filles, ne sachant trop quoi dire, mangèrent en silence jusqu'au moment où une troisième candidate s'approcha de leur table, un sourire suffisant sur ses lèvres pulpeuses.

« Puis-je m'asseoir à la même table que mes futures ennemies ?

— Par quel concours de circonstances pourrions-nous devenir ennemies ? » demanda Romance.

« Pas de fausse modestie », fit la nouvelle venue, qui s'assit avec un clin d'œil entendu. « Je vous observe depuis tout à l'heure. Vous êtes toutes deux assurées de vous retrouver en ma compagnie parmi les vingt finalistes. »

Mania ne répondit rien, mais Romance sourit à son tour, amusée par l'arrogance de la jeune fille.

« Vous aurez bel air si, de nous trois, vous êtes la seule à ne pas être choisie. »

L'autre éclata d'un rire bref et suraigu.

« Ne vous inquiétez surtout pas pour moi, candide amie. Je serai parmi les finalistes. Je m'appelle Diore, souvenez-vous de ce nom. »

— Quelle suffisance ! dit le Cuisinier, qui était suspendu aux lèvres de la conteuse.

— Je commence à être mêlé, dit le Costaud. Diore ? C'est bien la fille de la comtesse ?

— Est-ce qu'elle est au courant des manigances de sa mère ? demanda un esclave.

— On dirait ben, dit un autre, à voir comme qu'elle est dépurative !

— Messieurs, messieurs, laissez-moi poursuivre, intervint Sarouelle. Et gardez en mémoire que la beauté de Diore était incontestable, tout de même. Bon…

Romance se présenta à son tour, et Mania aussi, toujours aussi timide derrière le voile de ses longs cheveux.

Le soir venu, les cinq juges réapparurent. La musique et les conversations cessèrent aussitôt. Ce fut encore le juge à la paupière frétillante qui s'adressa à l'assemblée attentive et nerveuse.

« Oyez, mesdemoiselles, oyez. Ce fut un exercice particulièrement ardu de nous restreindre à vingt finalistes, tant vous êtes toutes exquises. Néanmoins, ployant sous la charge qui nous incombe, mes confrères et moi-même avons finalement sélectionné les jeunes filles suivantes…»

On pouvait reprocher un manque de modestie à Diore, mais pas un manque de jugement. Romance, Mania et elle-même furent toutes trois sélectionnées. Au milieu des cris de joie et des pleurs de dépit, Romance embrassa ses deux compagnes, son cœur gonflé d'émotions contradictoires : le soulagement d'avoir été choisie, la sympathie pour la peine des candidates malheureuses et, tout au fond, un frémissement d'angoisse. Allons ! ce n'était pas possible, il était impensable qu'elle gagne… Mais enfin, si elle gagnait bel et bien… Dans quelle aventure invraisemblable s'était-elle embarquée ? Lui faudrait-il vraiment épouser le prince Orléans ? Un jeune homme qu'elle n'avait même jamais vu ! Quitter le vieux manoir de son père Partembin, abandonner sa campagne tranquille, dire adieu à ses sœurs et venir habiter au château ? Pour devenir reine un jour ? Était-ce vraiment ce qu'elle désirait ?

« Chère Romance, vous êtes bien blême », observa Diore. *« Prévenez-moi si vous pensez vomir, que je m'écarte à temps. »*

Romance se força à sourire.

« C'est la surprise. La surprise et la joie. Vous voyez, je vais maintenant tout à fait bien ! »

« Voilà qui est mieux », dit Diore. *« J'aime voir des gens heureux autour de moi. L'important est de ne pas entretenir de faux espoir pour le résultat final. »*

« *J'essaierai de ne pas me laisser emporter par des rêveries irréalistes.* »

Les vingt finalistes furent logées quatre par chambre. Romance et les autres filles du peuple furent ravies de coucher au château ; seules les filles de la haute noblesse exprimèrent leur dépit de partager une chambre avec des roturières. Comme on peut l'imaginer, toutes ces demoiselles bavardèrent jusqu'à tard dans la nuit, et cela en dépit des admonestations des préceptrices qui les prévenaient que le manque de sommeil ravirait une part de la fraîcheur de leur teint.

Le lendemain, les vingt candidates se levèrent tôt. Une nuée d'habilleuses leur apporta des robes que je ne vous décrirai pas, car je sais d'expérience que ce sont des détails d'une nature à ennuyer un auditoire masculin. On les mena ensuite dans la cour du château pour un déjeuner auquel assistaient le roi, le prince Orléans et toute la cour – dont les cinq juges, placés un peu en retrait à une table surélevée de façon à avoir une vue privilégiée sur les candidates. Les demoiselles ne manquaient pas d'observer le prince à la dérobée. Romance, sans se l'avouer vraiment, fut un peu déçue. Orléans n'était pas laid, mais elle n'était pas certaine d'apprécier cette moue de mépris qui semblait permanente chez lui. Le fait qu'une des jeunes filles autour de lui serait bientôt sa femme ne semblait pas l'émouvoir. Pour tout dire, il avait l'air de s'ennuyer.

« *Je ne vois pas la jeune sœur du prince* », murmura Romance à Diore, sa voisine de table.

« *La princesse Ferline ? Il paraît qu'elle est indisposée et ne veut pas quitter sa chambre.* »

« *Dommage. J'aurais aimé voir à quoi ressemble ma future belle-sœur.* »

— C'est bon, c'est bon ! ricana le chef des trafiquants. On a tous compris que Mania, c'était la princesse Ferline déguisée.

— Ah non, pas moi ! protesta le Costaud. Merci de me gâcher la surprise !

— Vous connaissiez déjà cette histoire, Chef ? demanda le Cuisinier.

— Quand on a entendu un conte, on en a entendu douze. Y a toujours un personnage qui se déguise pour nous berner. Une fille en garçon, un prince en pauvre. Ou le contraire.

— Je peux vous laisser poursuivre, dit Sarouelle.

— Pourquoi pas ? Tu n'es pas la seule à savoir raconter des histoires, tu sais.

— Parfait. Nous vous écoutons.

— Tu es vexée, hein ? Voilà comment ton histoire se poursuit. Comme j'ai dit, Mania, c'est la princesse Ferline qui s'est déguisée. C'est bien ça ?

— Comment le saurais-je ? C'est votre histoire.

Le chef des trafiquants émit un rire éraillé.

— Mâtine ! je savais bien que tu étais vexée… Alors oui, la princesse Ferline s'est déguisée en paysanne pour pouvoir participer au concours malgré l'interdiction du roi.

— Quand même dur à croire que ni ses parents ni son frère ne l'ont reconnue, maugréa le Costaud, encore dépité de la révélation intempestive faite par leur chef.

— C'est parce qu'ils sont aussi crétins que toi ! Ta gueule, maintenant, et écoute. Comme l'a dit la fille, les juges ont reçu l'ordre de faire gagner Diore. Sauf que voilà : y en a un qui finit par reconnaître la véritable identité de Mania. Ou c'est Diore qui s'en rend compte ? Attendez voir…

— Je suis tout ouïe, dit Sarouelle, mielleuse.

— Laisse-moi réfléchir… Non, c'est pas Diore qui la reconnaît, c'est un juge. Y a quand même des limites à être bigleux. Il en parle aux quatre autres. Les voilà bien embêtés tous les cinq. Lèche-culs comme ils sont, ils veulent pas s'aliéner la personne la plus capricieuse du lot, la princesse Ferline. Le lendemain, c'est donc Mania qui est décrétée la plus belle fille du royaume, avec Diore en proche seconde place.

« Le roi, la comtesse, Diore et tous ceux qui trempaient dans la magouille ont la face qui leur tombe de deux pieds, tu parles ! D'autant plus que la Mania en question arrache sa perruque et révèle en riant qu'elle est la princesse Ferline. Aïe ! On ne s'entend plus parler dans la salle de bal. Ça crie, ça chiale. Qu'est-ce que c'est que cette fumisterie ? Le roi s'en mêle. Il expulse sa fille de la liste des candidates. La princesse est furieuse, mais pas autant que la comtesse Farisia. Sa fille Diore gagne le concours, ben oui, mais par défaut, après avoir été humiliée devant toute la cour. Aucune des participantes n'est satisfaite du résultat, et c'est la morale de l'histoire, à savoir qu'une femme, c'est jamais content.

Le chef des trafiquants tira sur sa pipe, avec un hochement de tête définitif.

— Et Romance ? s'étonna le Jeune. Il lui arrive quoi ?

— Qu'est-ce que tu veux qu'il lui arrive ? Elle a pas gagné. Elle retourne chez son père, et c'est tout.

— C'est la seule fille gentille de l'histoire ! protesta Janiel. Ça peut pas finir comme ça !

— Ça peut finir en coup de trique, si tu préfères, dit le chef des trafiquants en retrouvant sa mauvaise humeur. De toute façon, c'est fini les histoires, je vais me coucher.

Il se leva en dépliant avec difficulté ses jambes ankylosées, puis pointa le tuyau de sa pipe vers Sarouelle.

— Viens.

Sarouelle resta immobile comme si elle n'avait pas entendu.

— Allez ! insista le trafiquant. Compte-toi chanceuse de ne pas dormir à la belle étoile.

La jeune femme se leva, ajusta sa robe avec des petits gestes inconséquents, et sans un mot suivit le Chef jusqu'à sa tente.

Parmi ses hommes, il y eut des sourires graveleux et quelques soupirs d'envie, sentiments partagés sans doute par quelques esclaves, mais les désirs et les pensées de ces derniers ne comptaient pour rien ni personne.

Le Jeune, l'Édenté et le Guetteur éteignirent leur pipe et se retirèrent à leur tour dans leur tente. Le Cuisinier et le Costaud restèrent autour du feu, pour surveiller la marmite et les hommes. Ils ne semblaient pas faire preuve d'une grande vigilance, mais Yarg ne voyait pas comment il aurait pu trouver assez d'énergie pour s'enfuir, même si on lui avait retiré son collier. Il s'allongea sur le côté – avec la fatigue, la plaie à son dos était redevenue très douloureuse – et ajusta les couvertures de façon à ce que le vent arrête de s'engouffrer à l'intérieur.

Il était sur le point de s'endormir lorsque des protestations émises par une voix féminine se firent entendre à travers les rafales et le claquement de la toile des tentes. Yarg crut comprendre : « Pas comme ça. » La réponse du chef des trafiquants fut nettement audible : « Obéis ! » Suivirent des cris étouffés, le claquement d'une gifle, un « Non ! » suppliant, auquel répondit une injonction émise par une voix habituée à commander.

Les protestations de Sarouelle diminuèrent de véhémence, pour se transformer peu à peu en soupirs entrecoupés de gémissements aigus.

Les deux trafiquants de garde échangèrent un regard puis émirent tous les deux un rire éraillé qui n'était pas sans admiration.

Le rythme des soupirs et des gémissements s'accéléra. Le tout se termina par un sanglot aigu. Le silence se fit – notion bien relative au fond du canyon dont les parois réverbéraient toujours les mugissements du vent, les claquements de la toile et le grincement des cordages.

Yarg voulait d'abord et avant tout dormir. Mais pour cela il lui fallait repousser les émotions que les cris de Sarouelle avaient suscitées en lui ; de la colère d'abord – en esprit se succédèrent divers plans pour tuer le chef des trafiquants, peu plausibles quoique agréables à imaginer – mais aussi de l'excitation à l'évocation du brutal commerce amoureux qui s'était produit à quelques pas de là.

Il ajusta son pantalon crasseux dans lequel s'était coincé son membre raidi. Ce faisant, il sentit un objet glisser derrière sa cuisse. Yarg trouva à l'arrière de son pantalon une sorte de languette à la texture irrégulière. Comme il faisait noir, c'est à l'odeur qu'il reconnut le bâtonnet : un morceau de viande séchée.

Yarg comprit enfin pourquoi Sarouelle lui avait glissé une main dans son pantalon : elle lui avait donné la moitié de la languette de viande qu'elle avait reçue lors de la pause de la mi-journée précédente.

Prenant garde à ne pas faire trop de bruits de mastication, Yarg mangea la viande séchée, qui ne soulagea que partiellement sa faim et aviva sa soif. Mais il avait appris une chose depuis son éveil à la conscience : les cadeaux du sort étaient trop rares pour qu'il puisse se permettre de les refuser.

CHAPITRE 4

*Où l'on assiste, après bien des péripéties,
à l'arrivée de la compagnie à Maurras*

Le matin, le vent était tombé. Une brume s'élevait dans le canyon jusqu'à la fissure du ciel, à travers laquelle le soleil apparut, rouge comme une grenade. Les trafiquants s'étaient levés et marchaient sans bruit, l'échine courbée comme des bêtes fatiguées.

Yarg entendit un murmure près de son oreille, à peine un souffle.

— Tu es réveillé ?

Il entrouvrit les yeux. Janiel faisait mine de dormir, le visage tout près du sien, le front marqué d'une croûte saignante entourée d'une ecchymose bleuâtre.

— Oui, chuchota Yarg.

— Bien dormi ?

— Mieux que les nuits précédentes.

Les paupières de Janiel s'entrouvrirent d'un cheveu.

— N'es-tu pas supposé avoir perdu la mémoire ?

— Les nuits précédentes dont je parle se limitent à deux.

— C'est pareil, garde la tête froide.

— De quoi parles-tu ?

— Ta petite amie… On a tous entendu. N'essaie pas de provoquer le Chef, ses hommes te battront au sang.

— Ce n'est pas ma petite amie.

Les paupières s'entrouvrirent un peu plus, et un sourire sceptique fleurit au sein de la barbe frisée.

— Ce n'est pourtant pas moi qu'elle est venue câliner hier. J'aurais bien aimé, remarque. Alors quoi, quelle impression ça fait d'avoir perdu la mémoire ?

— C'est… difficile à expliquer.

— Mais tu te rappelles ton nom ? C'est déjà ça. Le reste va te revenir aussi, je suppose. Moi, je viens de Xiances. Est-ce que ça te dit quelque chose ?

— Janiel, ta gueule ! gronda l'Édenté.

Le chef des trafiquants émergea de sa tente, les yeux brouillés de fatigue, mais son visage plissé empreint de la même sévérité hautaine que d'habitude.

L'Édenté regarda son chef une longue seconde avec un sourire salace.

— Tu veux quelque chose ? grogna le vieux.

Son subalterne émit un bref rire, puis s'éloigna en hochant la tête avec une expression mêlant l'incrédulité et l'admiration.

On ordonna aux enchaînés de se lever. Ils furent menés à l'écart pour satisfaire leurs besoins naturels, puis on les ramena près de la marmite exhalant un arôme qui avait de quoi étourdir les affamés.

Sarouelle sortit à son tour de la tente et vint s'asseoir près de la marmite, à côté du Chef. Elle plia sous ses jambes sa jupette froissée, indifférente aux regards goguenards que lui adressaient les trafiquants.

Yarg aussi l'inspectait sans en avoir l'air. Elle avait les yeux injectés de sang, ses longs cheveux noirs étaient encore plus emmêlés que la veille – pour autant que la chose fût possible –, mais sinon elle ne portait aucune marque de coup, ni au visage ni sur aucun de ses quatre bras nus. Pour tout dire, elle semblait plus agacée par l'attention qu'on lui prêtait que traumatisée par les sévices de la nuit précédente.

Yarg sentit une bouffée de mépris : avait-il oublié que Sarouelle était une prostituée ? Il se souvint toutefois du morceau de viande séchée qu'elle lui avait donné la veille, ce qui lui rappela aussi le premier matin de tous, lors de son premier réveil, dans la cage. À cette occasion aussi elle avait partagé sa nourriture avec lui. La honte comprima la poitrine de Yarg, un sentiment qu'il ne trouva pas agréable.

Comme la veille, le Cuisinier distribua des bols taillés dans des courges, fit passer une gourde d'eau vinaigrée à la ronde, puis servit le brouet. Après le déjeuner, les trafiquants démontèrent le camp et les esclaves se remirent en marche pour une pénible répétition de la journée précédente.

Yarg se demanda à combien de reprises ses compagnons avaient vécu cette séquence d'événements. Un questionnement plutôt abstrait : après tout, même si on lui avait expliqué dans quelle contrée lointaine les trafiquants s'étaient procuré leurs esclaves, cela n'aurait rien représenté pour lui.

À la fin de la matinée, la troupe émergea du canyon et avança dans un paysage de plaine complètement différent de tout ce que Yarg avait connu jusque-là.

La roche avait été remplacée par un couvert de végétation, pelée certes, sèche et grise comme de la cendre, mais qui devint plus verdoyante lorsque le mince filet de la rivière venue du canyon se glissa dans le lit plus généreux de la rivière Avette. Une rivière qui se fondrait à son tour dans le fleuve Jaune ; et c'est à l'embouchure de ce fleuve qu'apparaîtrait la ville portuaire de Maurras, leur destination à tous.

Yarg apprit tout cela en entendant les explications de l'Édenté au plus jeune des trafiquants, ce qui lui permit de conclure que le Jeune ne connaissait pas plus que lui les territoires qu'ils traversaient. De savoir qu'il n'était pas le seul à progresser ainsi dans l'inconnu rassura Yarg d'une façon qu'il lui aurait été difficile d'exprimer.

— Repos, dit enfin le Chef.

De la route, une rive herbeuse, parsemée ici et là d'un buisson épineux, descendait à la rivière. On ordonna à la file des esclaves d'en profiter pour se baigner.

— Ça vous fera pas de tort, bande de puants ! fit le Guetteur avec une bonne humeur agressive.

— Parce que toi, tu sens le lilas ? persifla le Cuisinier.

Sarouelle se tourna vers le Chef, les yeux suppliants.

— Je peux me baigner aussi ? Je vous en supplie !

Le vieux trafiquant fit un geste qui ressemblait suffisamment à de l'approbation pour que la jeune femme s'élance à son tour vers la rivière. À la vitesse à laquelle elle se débarrassa de ses vêtements, elle n'avait pas trop de quatre bras.

— Je t'ai pas dit de te déshabiller, bêtasse !

Mais Sarouelle n'entendit pas : elle courait dans les flots avec de grandes éclaboussures, plongea la tête la première, disparut, pour ressortir plus loin en balbutiant des remerciements au sort, aux dieux et au chef des trafiquants.

Les esclaves aussi se baignèrent, leurs entraves ne leur permettant pas la liberté de mouvement de la jeune femme. Comme l'eau n'était guère profonde, ils devaient plier les genoux pour plonger le torse et enfoncer le visage dans les flots gris-bleu de la rivière Avette.

D'un naturel plus flegmatique que Sarouelle, Yarg n'eut pourtant pas de difficulté à comprendre ses transbordements de joie. Il n'avait pas imaginé qu'il existait au monde une jouissance aussi sublime que la fraîcheur de l'eau sur son visage parcheminé par le soleil et la poussière.

Janiel et ses autres compagnons aussi appréciaient la baignade. Le spectacle de Sarouelle assise nue sur les pierres près de la berge ajoutait au charme du moment. Elle s'était mise à frotter ses vêtements sur une pierre plate pour les nettoyer, pendant qu'avec ses autres mains libres elle tentait de démêler ses longues torsades de cheveux noirs.

— Elle a quatre seins, murmura Janiel, quelque peu décontenancé.

— Oui. Comme ses bras.

Janiel regarda Yarg du coin de l'œil, un sourire dans sa barbe mouillée.

— C'est pas ta compagne, mais il s'adonne que tu l'as déjà vue nue.

— Pas un exploit.

Yarg nota que la discipline s'était considérablement relâchée tout à coup. Les trafiquants avaient enlevé leurs bottes ferrées pour se rafraîchir les pieds – certains s'étant même départi de leur casque et de leur cuirasse – et ils portaient autant sinon plus d'intérêt à Sarouelle qu'à leur charge. Si au moins cette dernière avait eu la modestie de faire semblant de ne pas se rendre compte qu'on la regardait : au contraire, elle distribuait sourires et œillades à la ronde.

Rien de cela ne plaisait au vieux chef. Il s'approcha de Sarouelle, qui s'était mise à bavarder avec le Jeune du ton le plus parfaitement naturel.

— À ton poste ! ordonna le Chef au garçon, pour siffler ensuite vers la jeune femme : Tu le fais exprès ? Habille-toi !

La lèvre inférieure ourlée en une moue blessée, Sarouelle enfila ses vêtements mouillés. Pendant ce temps, le Chef ordonna à tout le monde de sortir de l'eau. Il donna comme instruction à l'Édenté d'attacher la jeune esclave avec les autres. Ce dernier se renfrogna, mais il n'osa pas manifester son mécontentement. Il alla chercher ses outils, son enclume et un bout de chaîne, et c'est une Sarouelle fort dépitée qui se retrouva bientôt à la queue de la file, derrière Yarg.

— Ne fais pas cette tête, lui murmura l'Édenté qui, après un regard en coin vers les autres, reprit d'une voix encore plus basse : Ça ferait mauvaise impression que tu arrives à Maurras libre.

Après ces paroles, il alla remettre ses outils dans les sacs portés par les baudets.

Le Chef monta sur son cheval, donna un coup de hanche pour mieux centrer sa selle, puis il fit « Hep ! » en tirant sur les cordeaux. Sa monture se mit en marche.

Les esclaves emboîtèrent le pas.

La troupe devait avoir à peine franchi une lieue lorsque Yarg vit pour la première fois de sa nouvelle vie une maison – une auberge, tel est le mot qui lui vint automatiquement à l'esprit.

De plus près, il comprit que le bâtiment avait été abandonné depuis longtemps. Il s'agissait néanmoins d'un signe qu'ils approchaient de territoires habités, signe qui se mua en preuve lorsque Yarg aperçut dans un repli du terrain un petit village lugubre, où ils déambulèrent bientôt sans que le Chef porte attention aux gestes précipités d'une vieille commère qui se dépêchait d'enlever du chemin son étal de galettes. Yarg aperçut aux fenêtres des visages inquiets ; puis le village fut laissé en arrière.

L'après-midi se poursuivit. L'état de fraîcheur et de bien-être qui avait succédé à la baignade céda peu à peu la place à la fatigue. L'Avette, que la troupe avait suivie tout ce temps, se déversa dans un large méandre qui exhalait un entêtant parfum de vase. À la vue de ces eaux crayeuses à la surface desquelles flottaient de longs filaments d'herbes pâles, Yarg comprit que le nom du fleuve Jaune avait le mérite d'être descriptif.

Au confluent des cours d'eau, la troupe passa devant un manoir décrépit hérissé de coupoles, aussi peu habité que l'auberge aperçue plus tôt.

— C'est la suinte, chuchota Sarouelle derrière Yarg. L'épidémie dure depuis vingt ans au moins. La population est décimée. À Maurras, c'est moins pire. En tout cas, c'était moins pire à l'aller.

Yarg lui lança un regard de biais pour lui faire comprendre qu'il l'avait entendue, mais qu'il n'osait répondre.

Avec l'esprit malicieux qui la caractérisait, la jeune femme se mit à profiter de chaque moment de distraction du trafiquant qui fermait la marche pour asticoter Yarg avec des chiquenaudes sur l'épaule.

Les premières fois, ce dernier tourna la tête, pour découvrir une Sarouelle absorbée par le manège d'oiseaux blancs qui criaient et plongeaient dans les eaux du fleuve, ou par les couleurs des boules épineuses qui poussaient à travers l'herbe. Mais dès qu'il reportait son attention sur Janiel et les autres esclaves devant lui, il ne tardait pas à sentir de nouveau un pincement. Agacé, il s'arrangea pour se retourner juste avant le début d'un autre pincement. Il réussit cette fois à capturer le poignet de Sarouelle.

— Que veux-tu donc ? murmura Yarg entre ses dents.

— Voir si je réussirais à te faire parler.

— Es-tu une enfant ?

— L'amnésique, regarde où tu marches ! cria le Guetteur qui fermait le convoi.

Sarouelle, qui tournait le dos au surveillant, libéra son poignet pour répéter muettement et avec force mimiques les paroles «regarde où tu marches».

Avec un soupir, Yarg reporta son attention vers l'avant et, par la suite, ignora les taquineries de la jeune femme derrière lui. La stratégie porta fruit : au bout d'un certain temps, il l'entendit murmurer : « Que tu es ennuyeux… » mais ce fut la fin des chiquenaudes.

Épidémie de suinte ou pas, le territoire devint peu à peu plus peuplé. Les voyageurs qu'ils croisaient s'écartaient prudemment de la route et regardaient passer l'équipage d'un air désapprobateur.

Au détour du chemin, une troupe de soldats interpella les trafiquants et leur bloqua le passage. Sur un ton habitué à commander, l'officier posa des questions on ne peut plus directes : qui étaient-ils ? où allaientils ? qui étaient ces hommes ? que faisait cette étrange femme parmi le lot ?

Le vieux chef répondit sur un mode à peu près aussi direct et peu protocolaire. À voir la complaisance avec laquelle les soldats acceptaient les réponses du chef des trafiquants, Yarg déduisit qu'ils savaient déjà un peu à qui ils avaient affaire.

L'officier leur fit signe de passer, une moue condescendante sur les lèvres, comme si cette racaille n'en méritait pas tant.

— Dépêchez-vous. Les portes de Maurras ferment la nuit.

— On y sera si on ne nous arrête pas tout le temps, bougonna le vieux.

◆

Le soir venu, une ville apparut. Par-dessus les murailles s'élevait un enchevêtrement de bâtiments étroits aux pignons surélevés et aux toits irréguliers couverts de tuiles sombres : Maurras. Au-delà se déployait jusqu'à l'horizon mauve une plaine scintillante : la mer Tramail.

À la porte de l'enceinte, le chef des trafiquants descendit de son cheval et salua les gardes d'entrée avec bonhomie. La compagnie passa sans encombre. Les trois bêtes de somme furent confiées à un palefrenier entouré d'une marmaille jacassante et dépenaillée. Les adultes se serrèrent la main et échangèrent quelques mots. Le Chef distribua ensuite une piécette à chaque enfant. Aussitôt, les plus grands empoignèrent brutalement les plus jeunes pour leur voler leur pièce de monnaie, forfait accompagné de beaucoup de cris et d'invectives. Loin de rétablir la justice, le palefrenier et les gardes d'entrée se moquèrent des dépossédés en leur rappelant l'iniquité fondamentale de l'existence et en leur suggérant d'apprendre à mieux se défendre pour la prochaine fois.

Obéissant aux indications des trafiquants, la file d'esclaves emprunta une rue étroite enserrée entre de hauts édifices où seule la lumière du midi devait réussir à réchauffer les pavés. À cette heure tardive, il y faisait donc aussi sombre que dans un puits.

Yarg sentit que la rue descendait.

Près des remparts, toutes les boutiques qu'ils avaient longées étaient fermées. Plus bas dans la ville, par contre, de la lumière sourdait des portes entrebâillées, ouvertures d'où émergeaient aussi de la musique rauque, des claquements de tambourin, des cris et des rires aigus. L'air de la nuit nouvelle sentait le sel, la pourriture et, de temps en temps, le fumet douceâtre d'excréments. Un chien aboya tout près ; un autre lui répondit au loin. La troupe s'arrêta devant une solide porte ferrée, au milieu d'un mur aveugle. Le Chef toqua.

— C'est moi ! Ouvrez !

Au bout d'un certain temps, Yarg entendit des grincements et des frottements. La porte s'entrebâilla, révélant une pénombre rougeâtre. Entre la porte et le chambranle se ficha le visage d'un petit homme contrefait, ridé de méfiance sous la lumière d'une lampe tenue contre sa poitrine. La méfiance se métamorphosa aussitôt en déférence.

— Maître Flore ! Vous voici enfin !

— Ben oui. Écarte-toi donc un peu, j'amène du monde.

Obéissant aux ordres, les esclaves entrèrent dans une grande pièce sombre, qu'ils traversèrent dans toute sa largeur pour aller se poster debout, l'un à côté de l'autre, face à une cloison de barreaux de fer qui courait d'un mur à l'autre.

Le sol de pierre était frais sous les pieds de Yarg, et l'air épaissi par des relents d'urine, de sueur et de paille moisie. De plus, il faisait à ce point sombre dans la pièce qu'il était difficile de comprendre ce qu'il y avait au-delà du mur de barreaux. Yarg crut apercevoir d'autres murs avec des barreaux verticaux. Des cellules, alors? Dans ces profondeurs ombreuses, un homme se mit à tousser à rendre l'âme.

Yarg entendit derrière lui le chef des trafiquants ordonner de sécuriser la chaîne « en attendant de décider ce qu'on fera d'eux ». Des bottes ferrées claquèrent sur le sol de pierre, une porte grinça, du métal sonna contre du métal.

— Allumez d'autres lanternes. On n'y voit rien. Hé, Eutorbe! Où vas-tu comme ça?

De l'autre bout de la salle provint la voix chevrotante du petit homme.

— Je vais quérir maîtresse Basane.

— Que vas-tu déranger ma femme à cette heure?

— Oh non, maître Flore, je ne la dérangerai pas. Elle m'a bien instruit du fait qu'elle voulait être immédiatement avertie lorsque vous arriveriez…

Du coin de l'œil, Yarg vit le Chef l'interrompre d'un geste impatient.

— Qu'est-ce qui se passe ici? Où sont tous les bras?

— Ils ont été vendus, maître, expliqua le petit homme avec un rire caquetant.

— Que me racontes-tu là?

— Mais oui, maître. Tous vendus. À bon prix à part ça.

Le petit homme continuait de s'éloigner avec une démarche de travers, à la fois nerveuse et hésitante.

— Maîtresse Basane va vous expliquer. Je vais la quérir.

— C'est ça, grogna Flore, va donc la quérir.

Alors que le petit homme s'éloignait, les bottes ferrées s'approchaient de Yarg, qui regarda l'Édenté refermer un gros cadenas pour retenir à un barreau de fer le segment de chaîne qui reliait Yarg à Sarouelle.

Quelques lanternes supplémentaires, allumées par les trafiquants, commencèrent à repousser un peu les ténèbres.

Yarg vit que ses impressions étaient justes : la salle au-delà du mur de barreaux était constituée d'une série de cellules, désertes pour la plupart ; un unique malheureux gisait à terre dans la cellule du fond. S'il n'avait tant toussé, on l'aurait confondu avec un tas de guenilles.

Yarg ferma les yeux et appuya son front contre les barreaux. Derrière lui, le Chef discutait à mi-voix avec ses hommes : une fois que « maîtresse Basane » aurait vu le nouvel arrivage, ils enfermeraient les esclaves dans les cages et le Chef irait leur payer la tournée au *Varech*.

— Pas de refus, s'exclama l'Édenté.

— Et je vous réglerai votre solde.

— Ça non plus, ce sera pas de refus.

Tout en réussissant par un effort de volonté à rester debout, Yarg était à ce point épuisé que les paroles des trafiquants derrière lui s'embrouillèrent en une sorte de bruissement sonore, comme le grondement d'une chute, à travers lequel surgissaient des échos de tout ce qu'il avait entendu les journées précédentes : *Regarde où tu marches… Tu l'as déjà vue nue… Rien qu'une fileuvre, crétin… Lève-toi donc… Yarg… C'est ton nom ?… Yarg…* Le bruissement s'amplifia en un vacarme torrentiel. Un cri féminin surgit, avalé par le tumulte et le chaos…

Des éclats de voix, réels ceux-là, ponctués de frottements de pas précipités, firent éclater la bulle onirique qui avait emporté Yarg, celui-ci retombant dans la dureté et la puanteur du réel.

À l'autre bout de la salle réapparaissait le petit homme contrefait, suivi par une matrone au visage sévère et à l'opulente poitrine contenue dans une robe corsetée attachée à la hâte.

— Enfin, te voilà ! s'exclamait la femme sur un ton qui entremêlait le soulagement et la désapprobation.

— Ça n'a pas l'air de te réjouir.

— Tu avais dit que tu reviendrais le 15.

— J'avais dit le 15 ou le 16. Nous sommes le 16.

— À la nuit tombée !

Le chef des trafiquants poussa un vaste soupir.

— Femme, je suis fatigué et ce soir je n'ai aucune patience pour les remontrances. Explique-moi ce qui se passe ou retourne te coucher !

— Il se passe… (Maîtresse Basane plissa les paupières et le ton de sa voix baissa vers le grave. Les regards des trafiquants et de quelques esclaves convergèrent vers celle à qui revenait la prochaine réplique.) … il se passe que tu as le génie de ne jamais être à Maurras quand les choses importantes surviennent. Sache que pendant que tu courais la steppe…

— Ben oui ! Je cours la steppe ! Pour m'amuser !

— … pendant que tu courais la steppe, une galère d'une taille inouïe a accosté dans le port. Une sorte de palais flottant affrété par un prince insulaire. Leur chiourme a été décimée par une épidémie de dentre, si bien que le maître d'équipage a parcouru Maurras d'un rempart à l'autre pour y acheter tous les esclaves disponibles.

— À bon prix ! glapit Eutorbe, qui tout ce temps avait trépigné sur place en essayant de placer un mot.

— À bon prix, répéta maîtresse Basane. Payé en or. Mais comme ils n'ont pas pu se procurer tous les bras nécessaires, je leur ai promis que tu serais de retour bientôt. Mais tu tardes et tu tardes et ils appareillent demain ! Une transaction profitable va nous glisser sous le nez, voilà ce qui se passe !

À chaque phrase, la femme s'était approchée d'un pas de son mari, le timbre de sa voix s'était fait plus aigu et son débit plus précipité.

Un long silence suivit, finalement rompu par un lent marmonnement du vieux trafiquant.

— Ils payent en or, tu dis ?

— Sans même négocier. (Elle frappa dans ses mains.) Pensons vite : Eutorbe ! cours jusqu'au port les prévenir que nous avons d'autres bras pour eux.

— Oui, maîtresse, dit Eutorbe qui fila par où il était apparu.

La femme daigna enfin s'intéresser aux hommes enchaînés dans la pièce.

— Combien sont-ils ? Quatorze ?

— Treize.

— Dis-leur de se retourner.

— Bande de crapauds ! beugla l'Édenté. Vous avez entendu maîtresse Basane ? Retournez-vous et montrez-lui le respect qui sied à la femme de votre maître.

Les esclaves obéirent, ceux qui parmi le groupe ne comprenaient pas l'estran ayant depuis longtemps appris à se conformer au mouvement général.

Le nez soulevé avec un air de sublime mépris, maîtresse Basane passa en revue les esclaves alignés devant elle.

— Oui, je vois, la racaille habituelle. Mais qu'est-ce que c'est que ça ? Un enfant ? Faites un peu de lumière, j'y vois mal.

L'Édenté s'empressa de rapprocher une lanterne ; le spectacle ainsi révélé n'améliora guère l'humeur de la matrone, qui regarda son mari d'un air suspicieux.

— D'où sort cette femelle ?

— Elle n'a rien coûté, et lui non plus, expliqua le vieux en englobant Yarg dans son geste. Nous leur avons sauvé la vie. La vérité, c'est que j'ai été bien généreux de les ramener ici.

— Ah! Tu parles d'une trouvaille! Un blessé et une femelle difforme, cacochyme, à la face brune comme une guenon!

— Contrôle ta langue et reprends tes sens, gronda maître Flore. Une fois lavée, coiffée et nourrie, nous en obtiendrons un bon prix de n'importe laquelle des maisons closes du port.

— Absurde! Elle ferait horreur à un marin en rut!

Une succession d'émotions plissa le visage sombre du chef des trafiquants, mais finalement un sourire acide révéla ses grosses dents jaunes.

— Nous laisserons les marins en rut juges de ces considérations. Bon! j'ai entendu assez d'idioties ce soir. Ni moi ni mes hommes n'avons envie de rester toute la nuit à attendre des nouvelles de ton maître d'équipage. Enfermons tout ce monde et nous aviserons lorsque nous aurons des nouvelles. Le *Varech* nous attend.

— Tu repars déjà?

— J'ai soif, imagine-toi donc. Tu n'as qu'à nous accompagner.

— Et qui restera pour accueillir Eutorbe avec des nouvelles du navire? s'insurgea maîtresse Basane.

Le vieux trafiquant leva les yeux au ciel.

— Fais donc ce que tu veux. (Il s'adressa ensuite à ses hommes.) Allez, les gars. Enfermez-moi tout le monde.

Ainsi fut fait. La chaîne d'esclaves fut séparée en trois. Six prisonniers furent enfermés dans une cellule, Yarg et les six autres dans la cellule adjacente, tandis que Sarouelle fut reléguée, seule, dans une cellule tout au fond, « pour éviter les fraternisations inconvenantes », selon la femme du chef des trafiquants.

Yarg, pour sa part, était certainement trop épuisé pour se livrer à quelque fraternisation que ce soit. Le seul ameublement de la cellule était une sorte de bat-flanc sur lequel quatre des hommes purent s'étendre. Les trois autres, dont Yarg, se couchèrent sur la couverture de ce dernier, à même le sol de pierre froid. Serrés les uns contre les autres pour conserver un peu de chaleur, ils s'endormirent malgré l'inconfort suprême de leur position…

◆

… pour se faire réveiller aussitôt par un vacarme assourdissant de timbale de fer raclée contre les barreaux de la cellule.

— Debout, vermine ! Debout ! beuglait une voix rauque en ponctuant le tout d'imprécations et d'insultes. Des acheteurs se présentent !

Yarg était à ce point rompu de fatigue qu'il se serait certainement rendormi instantanément s'il n'avait pas senti la chaîne tirer son collier.

— Allez, Yarg ! souffla Janiel près de son oreille. Debout !

— Laisse-moi…

— Si c'est pas moi qui te pousse, ce sera eux. La différence se calculera en coups de bâton.

Yarg s'assit, l'effort étant accompagné d'une sensation de brûlure sourde au milieu du dos. Janiel lui glissa une main sous l'aisselle pour l'aider à se mettre debout ; une bouffée de rage aveugle s'empara de Yarg, et c'est tout juste s'il se retint de frapper son compagnon.

Une fois debout, la colère qui l'avait consumé se dissipa aussi vite qu'elle était apparue. Il attendit au milieu du cachot, échangeant avec ses compagnons des regards incertains.

Une porte s'ouvrit dans la grande salle. La lumière du matin entra à flots, faisant scintiller la poussière et éblouissant Yarg, qui comprit par le fait même qu'il avait dormi malgré tout.

Des silhouettes se découpèrent dans la lumière. Les bottes ferrées des trafiquants claquèrent sur le sol de pierre.

La porte du cachot fut déverrouillée et on ordonna à Yarg et à ses compagnons de sortir et de se placer en rang devant le mur de barreaux. L'autre cachot fut vidé à son tour de ses six occupants. Maître Flore et sa femme surveillaient les opérations du bout de la salle, vêtus de frais, la mine renfrognée.

Eutorbe apparut, lui aussi engoncé dans un costume dans lequel il ne semblait guère à l'aise, et sautilla avec vivacité vers ses maîtres, les yeux exorbités.

— Le prince ! Le prince accompagne le maître d'équipage !

Le visage de maîtresse Basane s'allongea.

— Tu parles du capitaine du palais flottant ?

— C'est cela même.

— Pourquoi viendrait-il inspecter en personne nos esclaves ? C'est inouï !

— Je rapporte ce que j'ai vu.

Le regard de la femme frémit de panique et elle se mit à ajuster sa robe avec des mains tremblantes.

— Je ne suis pas habillée convenablement !

— Quelle importance ? grogna son mari. Ce n'est pas toi qu'ils sont venus acheter, hélas !

Eutorbe, qui avait glissé un œil dehors, se jeta en arrière avec des gesticulations fébriles, comme si une main invisible le secouait par le collet.

— Ils sont là !

Une délégation de six hommes en uniforme pénétra dans la salle. Eutorbe resta figé sur place, le visage empourpré, puis il sembla reprendre ses esprits et s'inclina devant un des hommes en uniforme en annonçant bien haut :

— Monsieur le maître d'équipage de la *Diamantine*.

Le maître d'équipage salua. À son tour, il présenta au couple de trafiquants un membre de la délégation, un homme particulièrement grand, vêtu d'un riche uniforme noir et bleu cintré à la taille.

— Soyez honoré par la présence du plus-que-noble Fasce le Quatorzième Sublime, capitaine et armateur de la *Diamantine*.

Fasce le Quatorzième Sublime répondit aux salutations avec un regard d'affabilité un peu hautain puis, coupant court aux activités protocolaires, avança vers les esclaves alignés. Malgré ses épaules étroites et une stature que l'on aurait pu qualifier de frêle, il marchait avec assurance, et une aura de force calme irradiait de sa personne, telle une lumière. Sa tête était d'une beauté remarquable – réflexion qui parut étrange à Yarg au moment même où elle lui venait à l'esprit. Jusqu'à présent, la notion qu'il existât des personnes plus belles que d'autres lui avait semblé applicable uniquement aux femmes, pour ne pas dire à la seule Sarouelle. Et pourtant il en était ainsi : le capitaine de la *Diamantine* lui sembla beau avec ses traits réguliers, sa peau claire tachetée d'une myriade de petites particules dorées, ses yeux profonds et très bleus et sa longue chevelure rousse bordée de mèches blanches à la hauteur des tempes.

Ce dernier inspecta distraitement les esclaves – Yarg eut l'impression qu'il ne l'avait même pas regardé – pour se tourner vers Flore et dire sur un ton de condescendance polie :

— Ils me conviennent. Vous réglerez les détails avec mon maître d'équipage.

Maîtresse Basane s'inclina avec tant de vivacité que Yarg pensa qu'elle allait se jeter à plat ventre sur la pierre couverte de paille. Elle dit d'une voix un peu sifflante :

— Il en sera selon votre bon désir, votre excellence. Ce sont tous des hommes de belle capacité, durs à la peine, et vous…

Elle s'interrompit en voyant le maître d'équipage glisser à l'oreille de son capitaine, la main tendue vers Yarg :

— Celui-ci est blessé. Nous le payerons la moitié des autres.

— Votre sublime excellence ! postillonna maîtresse Basane. J'étais justement sur le point de vous prévenir de ce fait. N'allez pas croire que nous tentions de vous…

— Je désire que vous vous taisiez, dit Fasce le Quatorzième Sublime sur un ton qui aurait paru courtois si le contenu des paroles avait été autre. La raison pour laquelle je me suis déplacé est la suivante : votre messager a évoqué une jeune esclave qui possède quatre bras. Où donc est cette personne ?

Du cachot le plus éloigné, au-delà du mur de barreaux, la voix claire de Sarouelle se fit entendre.

— Je suis ici.

Après un instant d'hésitation, maîtresse Basane fit un geste vif en direction de son mari, qui alla libérer Sarouelle pour la ramener au centre de la salle. Cette dernière s'inclina avec une grâce qui jurait avec ses cheveux sales et l'état lamentable de ses vêtements.

— Mes hommages, messires.

— Quel est ton nom ? demanda le capitaine sans se départir de son attitude aussi polie que froide.

— Perlustre, messire.

Yarg et Janiel échangèrent un coup d'œil, mais aucun ne pipa mot.

— Sont-ce vraiment tes bras ? Ou est-ce le résultat d'une forme de magie ?

— Je suis née avec, répondit en toute simplicité la jeune femme, sans paraître le moindrement du monde impressionnée par la qualité du groupe. Que ce soit à la suite d'une opération magique, je ne saurais le dire, car je n'ai pas connu mes parents. Je possède aussi quatre seins.

— Encore une caractéristique remarquable. Je désire les voir.

La jeune femme défit son corsage pour répondre aux désirs de son interlocuteur. Le capitaine de la *Diamantine* hocha la tête d'un air entendu, comme si la vue des seins menus confirmait une hypothèse qu'il avait élaborée avant même de les voir. Il donna à Sarouelle – à moins que ce ne fût Perlustre ? – la permission de se recouvrir, puis se tourna vers le couple des trafiquants.

— Cette jeune femme m'accompagnera aussi.

Maîtresse Basane, le visage congestionné de fureur depuis qu'on lui avait ordonné de se taire, avala un grand coup avant de répondre, mais le ton de sa voix était parfaitement contrôlé lorsqu'elle expliqua que la conformation exceptionnelle de cette esclave, sa grâce juvénile ainsi que la prestance de son maintien avaient attiré l'attention de plus d'un tenancier de maison close de Maurras.

— Nous avons même déjà reçu un dépôt, ajouta la femme du trafiquant, mais comme tout ce qui a trait aux questions financières, nous accepterons toute contreproposition sérieuse.

Le visage du maître d'équipage s'assombrit devant ce tissu évident de mensonges, mais Fasce le Quatorzième Sublime parut au contraire s'en amuser.

— Quel est ton prix ?

— Huit jougs.

— Nous sommes dans les terres sauvages. Devrons-nous conclure cette affaire avec des rituels propitiatoires ? demanda le capitaine de la *Diamantine* avec une ironie mordante. Égorger une génisse ? Boire du lait caillé ?

— Nous ne sommes pas des gens si compliqués, dit Flore. Il suffit de payer.

— Tout cela est fort bien.

Sur ces paroles, le maître d'équipage produisit une bourse et paya la somme convenue au couple de trafiquants, ceux-ci arborant le sourire incrédule de qui se croit en train de rêver.

Yarg et tous ses compagnons d'esclavage furent donc remis aux quatre autres membres de la délégation de la *Diamantine*, des officiers de grades inférieurs, à en juger par la sobriété de leur costume et la rudesse de leurs manières.

— Suis-nous, dit l'un d'eux en montrant la porte à Yarg. En silence.

Les esclaves, maintenant répartis en deux groupes, sortirent de la bâtisse. Arrivé dehors, Yarg resta un instant aussi ébloui que déconcerté. Il s'était attendu à découvrir Maurras en plein jour, mais la vue ne se prolongeait qu'à quelques pas devant lui, la ville portuaire étant noyée dans une épaisse brume lumineuse. La brume sentait le sel et cent autres parfums inconnus, tous plus agréables à inspirer que la puanteur des cachots.

Guidés par leurs nouveaux surveillants, les esclaves défilèrent le long de ruelles étroites, sur les pavés glissants de rosée et d'autres substances que Yarg préférait ne pas reconnaître. Personne n'eut à marcher longtemps. L'étroit chemin déboucha sur une place publique si vaste que ses limites se perdaient dans le brouillard.

Yarg aperçut plus de monde d'un coup qu'il n'en avait vu depuis son éveil à la conscience. Il y avait surtout des hommes au travail, qui arboraient une grande variété de tenues vestimentaires. Certains, coiffés de bonnets rouges, laissaient traîner jusqu'à terre les pans de longues chemises jaunes ; d'autres portaient des pantalons à rayures glissés dans de courtes bottes ; d'autres encore avaient des uniformes à épaulettes, avec des chapeaux ronds en feutre cintrés par une bande métallique.

Des limbes au-delà du brouillard s'éleva le bruit clair de sabots. Avant même de voir apparaître les cavaliers, Yarg sut que les bêtes étaient au nombre de trois et marchaient au trot enlevé, ce qui lui fut confirmé lorsque le trio apparut enfin.

Yarg crut d'abord qu'il s'agissait des mêmes soldats qui s'étaient arrêtés près de leurs cages, à Sarouelle et à lui, le premier jour de son réveil. Mais lorsqu'ils passèrent devant lui, il constata que ce n'étaient pas eux ; seul l'uniforme était le même.

L'heure n'était pas à la contemplation méditative. Tout ce temps, Yarg, le premier de sa chaîne, devait se conformer au rythme de marche imposé par l'officier de la *Diamantine* devant lui. Ce dernier traversa la place vers un alignement d'immeubles aux contours diffus et aux couleurs atténuées par le brouillard, puis il pénétra dans une sorte de cabanon, avec un signe impatient.

— Dépêchons !

Yarg, Janiel et les autres entrèrent dans le bâtiment et, après avoir difficilement monté un escalier escarpé – opération compliquée en raison de la chaîne –, ils déambulèrent dans les couloirs étroits et sombres d'un vaste immeuble. Yarg aurait été incapable de retrouver son chemin même si sa vie en avait dépendu. Ils pénétrèrent enfin dans une salle chichement éclairée par d'étroites fenêtres donnant vue sur la brume.

Il y avait assez de lumière toutefois pour qu'on ressente un pincement d'inquiétude en apercevant les chaînes, les tables et les chaises au fond percé munies de sangles de cuir, tout cet attirail placé sous des panneaux auxquels était suspendue une variété d'instruments métalliques tout en pointes et en lames acérées.

L'allure des trois occupants qui se trouvaient déjà dans la pièce ne contribua nullement à rassurer Yarg, surtout le plus grand des trois hommes, un géant au

092 ──────────────────────── JOËL CHAMPETIER

visage impassible et brun, son crâne chauve tatoué
d'un motif que Yarg ne pouvait voir sous cet angle.
Comparés au colosse, les deux autres hommes étaient
plus normaux – peut-être même n'auraient-ils pas paru
particulièrement menaçants s'ils n'avaient été chacun
occupé à affûter un rasoir sur une sangle de cuir.

Avec un sourire qui jurait un peu avec le reste,
l'homme du milieu fit signe à Yarg de s'approcher
d'une des chaises percées.

— Assieds-toi.

Comme Yarg hésitait, la main brutale d'un officier
le poussa au milieu du dos.

— Obéis !

Après un rapide coup d'œil à Janiel qui se tenait
encore dans le cadre de la porte, blême d'inquiétude,
Yarg avança, tirant la file d'esclaves avec lui, et alla
s'asseoir sur la chaise. Il n'avait pas quitté de vue la
lame tranchante que l'homme tenait à la main.

— J'ai l'air d'un égorgeur ? gloussa ce dernier. Tu
ne dis rien ? Comprends-tu l'estran ?

— Oui.

— Je vais juste te raser. Moins tu bougeras, moins
ça saignera.

D'abord raidi par l'inquiétude, Yarg réussit à se détendre peu à peu en constatant que le rasoir lui glissait
sur le crâne et les joues sans qu'il en ressente plus de
désagrément que des pincements occasionnels. De
longues mèches noires et graisseuses glissèrent sur ses
épaules et roulèrent sur sa poitrine.

— Un beau crâne-à-la-fesse, commenta le barbier
sur un ton gouailleur. Inutile de brailler : ce sont les
ordres du chirurgien de bord. Et sois prudent avant de
médire sur son compte. Parce que ce chirurgien de
bord là, eh ben, c'est moi.

Une fois Yarg complètement chauve et glabre, on
lui ordonna de céder sa chaise au suivant dans la
chaîne. Il lui fallut ensuite enlever son pantalon. Le

second barbier jeta le haillon puant au loin, puis ordonna à Yarg de monter sur une table basse pour se faire raser aussi la toison pubienne, « qu'est rien qu'un nid à morpions de toute façon ».

Finalement, Yarg descendit de son perchoir. Pendant que Janiel – méconnaissable sans sa barbe et son épaisse chevelure bouclée – se faisait à son tour raser le milieu du corps, le géant au crâne tatoué approcha une longue pince du cou de Yarg pour faire sauter le maillon qui retenait son collier à la chaîne.

Par gestes, le colosse fit signe à Yarg de le suivre à l'autre bout de la pièce, où il lui fit comprendre de s'asseoir sur un banc devant un panneau hérissé de goujons auxquels pendaient des douzaines de chaînes d'une facture moins grossière que celle qui avait retenu la troupe des esclaves jusque-là.

Le colosse en sélectionna une qui mesurait à peu près quatre pieds, puisa un maillon ouvert dans un bocal de verre et, avec sa grosse pince, relia la chaîne au collier que Yarg avait conservé tout ce temps. L'opération se fit en un tournemain ; le colosse abandonna Yarg pour aller libérer Janiel, qui attendait après avoir subi l'ignominieuse tonsure.

Yarg ne fut pas laissé à lui-même longtemps : le maître d'équipage était entré dans la salle pendant ce temps et s'approchait de lui en fronçant les sourcils d'un air qui parut plus attentionné que vraiment sévère.

— Montre-moi ta blessure.

Yarg tourna sur lui-même.

— Assieds-toi ici et attends, dit le maître d'équipage. Le chirurgien va venir te soigner quand il aura fini.

Assis à l'écart, Yarg en fut quitte pour assister au travail des barbiers et du colosse mécanicien, en se demandant tout de même si leurs nouveaux propriétaires allaient penser à leur donner à manger. Son dernier repas, constitué de brouet, datait du matin précédent.

Un des esclaves qui ployait sous des entraves supplémentaires essaya de résister à la tonsure. Il se débattit en postillonnant d'une voix rauque des injures incompréhensibles. Yarg trouva cette rébellion aussi futile que tardive étant donné que le prisonnier avait supporté stoïquement les épreuves du voyage et de l'incarcération. Quoi qu'il en soit, le géant au crâne tatoué souleva le récalcitrant par le cou pour le secouer dans un grand bruit de chaînes, le tout accompagné d'un grognement bestial.

Yarg ne fut certainement pas le seul à être intimidé par l'aura de brutalité primitive qui émanait du colosse, car une fois le rebelle assis de force sur la chaise, tout étourdi, plus personne ne fit mine de s'opposer à quoi que ce soit. Cela lui permit toutefois de découvrir le tatouage incrusté sur le crâne du colosse : un cheval de bataille puissamment harnaché, cambré sur ses sabots de derrière, les naseaux crachant de la fumée. Ou du feu.

Ce fut le seul incident. Bientôt, les douze compagnons esclaves de Yarg se retrouvèrent alignés contre le mur, semblables dans leur état de confusion et de nudité. Ils portaient tous au cou une chaîne identique à celle de Yarg, toutes terminées par une sorte de plaque carrée percée d'un trou.

Le maître d'équipage vint se placer devant la file, les bras croisés, les jambes un peu écartées, et les harangua dans ces termes :

— Même s'il y en a parmi vous qui ont déjà été galériens, oubliez tout ce que vous pensiez savoir de la vie en mer. La *Diamantine* n'est aucunement comparable aux rafiots primitifs sur lesquels vous avez pu croupir dans une de vos misérables existences antérieures. Vous découvrirez à son bord un univers d'ordre, de travail et de respect de l'autorité. Tout manquement à la discipline et au respect des ordres sera châtié avec promptitude, sévérité et justice. L'intendance vous procurera l'uniforme qui sied à votre rang, le plus humble, il va sans dire, mais qui devrait néanmoins vous remplir de fierté, car vous êtes au service du plus-que-noble Fasce le Quatorzième Sublime, prince parmi les princes. La pratique étant la plus diligente des préceptrices, je n'en dis pas plus. Ceux parmi vous qui auront pris à la légère mes paroles, et la résolution avec laquelle je les ferai appliquer, seront les premiers à comprendre à quel point je n'ai fait qu'exposer la vérité. En marche !

Contrits et un peu abasourdis, les douze ci-devant compagnons de Yarg sortirent de la salle, escortés par le maître d'équipage et ses officiers. Janiel lança un bref regard vers Yarg avant de disparaître à son tour.

— Bon ! fit le chirurgien en s'approchant de Yarg. À toi, maintenant. Il paraît que tu es blessé ?

— Euh...

Le chirurgien demanda à Yarg de venir s'allonger sur une des tables situées près des fenêtres. Ce dernier n'aurait peut-être pas obéi avec autant de promptitude s'il n'avait senti peser sur lui le regard noir du colosse.

Une fois allongé à plat ventre, Yarg sentit les mains du chirurgien tâter et explorer la plaie à son dos – bien que l'acte fût douloureux, l'homme semblait faire attention à ne pas être inutilement brutal.

— Mais, mais, mais... ce n'est pas joli du tout, dit le chirurgien sur le ton de reproche que l'on adresse à un enfant indiscipliné. C'est infecté, mon pauvre ami. Il va falloir aller voir ça de plus près...

L'aide-barbier et le colosse immobilisèrent les quatre membres de Yarg avec les sangles de cuir fixées à la table. Ce dernier se laissa faire, pris par surprise, mais un sentiment de panique l'envahit lorsqu'il aperçut du coin de l'œil le chirurgien affûtant une lame étroite sur sa courroie de cuir.

— Attendez !

Il tenta furieusement de se libérer, mais comprit en un éclair de lucidité nauséeuse que les sangles de cuir en avaient tenu bien d'autres avant lui.

— Du calme ! fit le chirurgien sur un ton paternel. Ce n'est qu'une trivialité.

— Je préfère…

Yarg reprit son souffle, le cœur battant.

— Je préfère ne pas être attaché.

— Pour me sauter à la gorge en pleine opération ? Je sais à quel point les durs à cuire dans ton genre ont le sang vif. Plus vite nous commencerons, plus vite ce sera terminé. Va ! Mords là-dedans.

Le second barbier, qui faisait office d'aide-chirurgien, glissa une épaisse languette de cuir entre les dents de Yarg. Aussitôt celui-ci mordit avec force dans le cuir, en sentant une épouvantable brûlure fuser du point le plus sensible de son dos. À chaque incision de sa chair par le rasoir, Yarg se disait qu'il était impossible de ressentir une pire douleur ; immanquablement, l'incision suivante lui démontrait qu'il avait eu tort. Il se mit à trembler, un gémissement coincé dans la gorge, le corps collant de sueur. Il aurait voulu supplier le chirurgien d'arrêter cette torture, qu'il aurait préféré endurer pour le reste de sa vie le désagrément, si mineur en comparaison, qu'il supportait depuis son retour à la conscience. Mais pour être capable de parler, de supplier, il aurait fallu qu'il puisse d'abord être capable de desserrer les dents.

— Eh oui, ça fait mal, dit le chirurgien sur un ton presque joyeux. C'est pire à cause de l'infection, tu comprends.

L'aide fut mis à contribution : il écarta les lèvres de la plaie avec une pince. Yarg eut l'impression qu'on lui arrachait les viscères du dos.

— Tu es chanceux qu'un homme de l'art sache drainer toute cette sanie. Tiens ! Je l'aperçois. (Un ton

plus bas, le chirurgien s'adressa à son assistant.) Vois
cette petite pointe noire. C'est de l'acier. Éponge
encore un peu. Donne-moi la pince… Pas celle-là, la
petite… Voilààà…

Yarg sentit une brûlure infinie dans les profondeurs
de son corps, une atroce sensation d'arrachement
combinée à la plus extatique des impressions de soulagement.

Sa tête retomba lourdement sur la surface de bois
de la table, puis il sentit une main consolatrice se poser
sur son épaule.

— Voici la cause de ton tourment, mon ami.

Les yeux pleins d'eau, le souffle plus lent et plus
profond, Yarg contempla une petite pièce d'acier triangulaire tenue au bout d'une pince ensanglantée.

— La pointe d'un poignard, ou je ne m'y connais
pas. Une lame trempée, qui a cassé en frappant de
biais la jonction de la vertèbre et de la côte. Ha! Ha!
On se sent mieux avec ça hors du corps, n'est-ce pas?

Yarg hocha doucement la tête et cracha la sangle
de cuir. Il sentit qu'on lui nettoyait les flancs avec des
linges humides, pendant que le chirurgien suturait la
plaie: une douleur à ce point insignifiante qu'il ne
valait même pas la peine d'y prêter attention.

Finalement, il fut détaché et le colosse l'aida à
s'asseoir sur la table d'opération. Avec un sourire
paternel, le chirurgien lui tendit un verre de terre cuite
dans lequel il avait vidé le contenu d'une bouteille
pansue.

— Bois.

Yarg obéit: le vin épicé fut encore une brûlure,
mais exquise, cette fois, un embrasement d'anis et de
cardamome qui le réchauffa des lèvres jusqu'au milieu
de la poitrine.

— Repose-toi un peu. Profites-en. À bord de la
Diamantine, tu n'auras pas souvent le temps de pa-
resser.

Yarg écoutait à peine. La démarche chancelante, il obéit aux instructions du colosse et alla s'allonger sur une couchette au fond de la pièce. C'est à peine s'il se rendit compte qu'on couvrait son corps nu d'une couverture : il s'était déjà évanoui.

CHAPITRE 5

Qui traite de la vie que mènent Yarg et ses compagnons esclaves à bord de la Diamantine

C'est la faim qui réveilla Yarg. La faim, et l'étrangeté de tous ces bruits qui semblaient sourdre des murs autour de sa couchette, et du plafond, et du plancher. Une sorte de ronflement continu, sourd, âpre, ponctué de vibrations et de cognements, certains se conformant à un rythme, les autres à une distribution plus aléatoire. De temps à autre, un appel bref, émis par une voix autoritaire, se mêlait à l'ensemble.

Lorsqu'il avait entendu les claquements des sabots de trois chevaux invisibles dans le brouillard – était-ce le matin même ? –, Yarg avait deviné la nature du bruit avec facilité. Or, le ronflement et les coups qu'il entendait en ce moment n'évoquaient aucune image ; au contraire, Yarg eut l'intime conviction que même s'il n'avait pas perdu la mémoire, il aurait été parfaitement incapable de déterminer sa nature et sa source.

— Veux-tu de la soupe ? demanda le chirurgien, qui s'était rendu compte que son patient s'était réveillé.

Yarg réussit à se redresser. Il ressentit un pincement brûlant dans le dos, mais l'intensité de l'inconfort n'était en rien comparable à ce qu'il avait enduré jusque-là. Il regarda autour de lui la pièce au plafond bas, aux murs couverts de chaînes et d'instruments. L'aide-barbier pliait des linges en jetant un œil vers lui. Quant au colosse, il avait quitté la salle. Par les étroites fenêtres apparaissait un ciel très bleu, avec parfois le croissant blanc d'un nuage.

Le chirurgien apporta le bol de soupe sans attendre une réponse formelle. Constatant que le liquide tiède sentait fort bon, Yarg avala le tout d'une lampée.

— Ho ! pas trop vite !

— J'ai faim.

— Je vois ça. Tu en auras d'autre tout à l'heure. Rassure-toi, à bord de la *Diamantine*, la chiourme est convenablement traitée. Enfin, ceux qui se tiennent tranquilles. Je suis allé te chercher un uniforme ; ne me dis pas que je ne suis pas un praticien attentionné.

À la tête de sa couchette, Yarg trouva un pantalon et une chemise grisâtres et rapiécés mais propres. Il enfila les vêtements, un peu trop amples pour lui, mais des lacets étaient prévus à la taille et au col pour les ajuster.

Yarg s'assit à nouveau sur sa couchette, puis fronça les sourcils, soudain perplexe.

— J'ai dormi longtemps ?

— Quelques heures. Il est presque midi.

— N'est-ce pas trop tard pour embarquer ? Je croyais que le navire devait partir ce matin.

Le chirurgien émit un gloussement amusé.

— Tu te penses encore à Maurras ?

Yarg jeta un nouveau regard circulaire autour de lui.

— Ton étonnement est légitime, reprit le chirurgien. La *Diamantine* ne ressemble à aucun autre navire sur la mer Tramail. Ni sur aucune autre mer du monde, j'en suis persuadé. Elle fait plus de deux cents coudées de long et quarante de large. Ce n'est peut-être pas le plus grand navire de l'histoire, parce qu'il est arrivé que certains monarques ordonnent la construction de vaisseaux de prestige. Mais c'est certainement le plus grand qui sert vraiment, et le plus révolutionnaire sur le plan technique… Mais j'ai peur de t'ennuyer, puisque tu ne sembles rien connaître à la navigation.

— C'est vrai.

— Que je t'ennuie ? Ou que tu ne connais rien à la navigation ?

— Les deux.

Le chirurgien sourit.

— Tu as de la repartie, c'est excellent. Pour autant que tu te souviennes que les gardes-chiourme, eux, n'apprécient pas ce trait chez les esclaves.

Yarg fit un geste d'assentiment : cela correspondait aussi à ses observations. Après un instant de réflexion, il demanda :

— Avez-vous déjà traité des malades qui avaient perdu la mémoire ?

Le chirurgien lui adressa un regard par en dessous.

— Je sens que cette question n'est pas innocente.

En quelques phrases, Yarg lui relata les circonstances de son éveil et lui résuma ce qu'il savait de lui-même. Le chirurgien l'écouta attentivement, puis s'approcha et examina sa tête.

— Un choc violent au crâne peut entraîner une amnésie. Voyons un peu… Je ne sens aucune fracture récente. Un voleur des steppes, dis-tu ? Je connais mal ces populations. Tu es ectomorphe, droit, bien ligamenté. Tu as été convenablement nourri toute ta vie. J'aurais pensé que la vie d'un barbare de la steppe aurait été plus rude. Comme ce tatouage, sur ta poitrine. Sais-tu ce qu'il signifie ?

— J'ai supposé que c'était mon nom.

— Mmm… Il est rare qu'on se fasse tatouer son propre nom.

Yarg hocha la tête, un peu las.

— Je m'accroche au peu que je possède.

Le chirurgien examina ses mains et ses avant-bras.

— Tes ongles sont sains. Tu n'as jamais travaillé la terre, c'est sûr. Peu de cals, mais beaucoup de cicatrices.

Il est bien possible que tu sois un voleur, mais un voleur de ville. Un coupe-jarret, quoi. Mais tu pourrais tout aussi bien être un soldat.

En disant cela, le chirurgien sursauta avec une exclamation étouffée : « Oh, oh, oh… » Il fila vers sa table de travail et revint en tenant dans une pince la pointe de poignard qu'il avait extraite plus tôt, répétant à mi-voix : « Oh, oh, oh… »

— Regarde bien la pointe de ce poignard, lança-t-il brusquement en plaçant la courte lame d'acier à quelques pouces du nez de Yarg. Que vois-tu sur les flancs ?

Yarg prit la pince des mains du chirurgien. La pointe d'acier avait noirci pendant son séjour dans ses chairs ; ce n'est qu'en permettant à la lumière de se refléter sur les flancs de la lame que l'esclave comprit où l'autre voulait en venir.

— On dirait des rayures…

— Des stries. Tracées au burin tout le long de la lame. Voilà pourquoi la pointe s'est cassée : une lame normale aurait plié. Mais pourquoi affaiblir la lame avec toutes ces stries ? N'est-ce pas ce que tu te demandes ?

La réponse se déploya dans l'esprit de Yarg telle une fleur s'ouvrant au soleil du matin.

— Parce qu'on la trempe dans du poison.

— Amnésie n'est pas ignorance ! approuva joyeusement le chirurgien. Oui, ces rayures permettent à la lame de retenir une plus grande quantité de poison. J'avais trouvé surprenant tout ce pus autour d'un si petit corps étranger. N'est-ce pas fascinant de voir tous ces mystères basculer comme une rangée de dominos ? Car tous ces éléments me permettent de te révéler aussi de quel poison il s'agissait : du léthé.

Yarg fit un lent geste de renoncement.

— Je ne connais pas ce mot.

— Normal, c'est un poison peu connu, mais qui a une caractéristique tout à fait pertinente dans le cas qui nous occupe. Ceux qui survivent à l'action du léthé – et il faut posséder une constitution exceptionnelle pour cela –, ceux qui y survivent... souffrent d'amnésie !

Yarg resta sonné un moment. À travers le grondement de machine qui ne s'était jamais interrompu, il sentait la pulsation de son cœur battre dans ses oreilles, lent, et sourd, et pugnace dans sa détermination à maintenir en vie le corps dans lequel il se débattait.

Tout ce temps, le chirurgien ne le quittait pas de l'œil.

— Est-ce que ces informations t'éclairent un peu sur ton passé ?

— Non.

— Le léthé est rare. C'est une arme sournoise, si tu veux connaître mon avis sur la question. Je ne sais pas si tu étais un voleur, mais tu as fréquenté des individus... disons... particuliers.

Sur ces entrefaites entra dans la pièce un homme râblé, le cheveu rare, court et gris, sandales aux pieds, vêtu d'un uniforme qui, s'il n'avait été bleu, aurait été identique à celui que portait Yarg. Une ceinture de cuir lui entourait la taille pour y retenir un bâton, un fouet court et ce qui ressemblait à des clés.

L'homme, malgré son âge, avait une démarche assurée et pleine de vitalité en s'approchant du chirurgien.

— Mes hommages, maître. On m'a demandé de quérir l'homme que vous avez soigné.

Le chirurgien fit un geste fataliste, avec un regard en biais à Yarg.

— Ici prend fin notre conversation, mon ami. Bonne chance !

Le nouvel arrivant étudia Yarg, les yeux luisants sous des paupières mi-closes.

— Debout.

L'ordre était abrupt mais pas brutal, émis sur le ton qu'emploient ceux qui n'ont pas de temps à perdre avec les politesses et les formalités. Comme cette attitude convenait tout à fait à Yarg, il obéit. Le vieil homme demanda ensuite :

— Quel est ton nom ?

— Yarg.

— Je m'appelle Ocieu. Je suis ton superviseur, la personne à qui tu dois t'adresser si tu as des questions. As-tu déjà navigué ?

— Je ne crois pas.

Le visage ridé d'Ocieu se plissa de déplaisir.

— Tu ne crois pas, hein ? J'ai peu de patience pour les finasseries.

— Loin de moi l'intention de m'immiscer dans votre conversation, intervint le chirurgien, mais je confirme que cet esclave a perdu de grands pans de sa mémoire.

Le déplaisir d'Ocieu s'accentua.

— Ça commence bien ! Vas-tu avoir oublié demain ce que je vais te dire aujourd'hui ?

— Non. C'est de mon passé que je ne me souviens pas.

— Écoute attentivement, alors, car ça m'irriterait de recommencer mes explications pour rien. Nous faisons tous les deux partie de la chiourme. Les esclaves comme toi ont des costumes gris, les contractuels comme moi des costumes bleus. Au-dessus de nous, il y a les gardes-chiourme, en uniforme. Tu n'adresses jamais la parole à un garde-chiourme, ni à aucun autre membre d'équipage, compris ? Tu ne réponds jamais à un de ses commentaires, à moins qu'il te pose une question directe. Et dans ce cas, tu réponds sans détour et surtout sans profiter de l'occasion pour exposer un quelconque grief. Voyons si tu m'écoutes : si jamais tu avais à exposer une doléance, à qui tu t'adresserais ?

— À toi seulement.

— À *vou*s seulement, corrigea Ocieu. Tu dois faire preuve de respect envers un contractuel. Encore plus vrai quand icelui est ton superviseur. As-tu mangé ?

— Juste un bol de soupe.

— Commençons par le réfectoire. T'as intérêt à te faire un plan des lieux le plus vite possible : je vais pas te servir de guide pendant six mois.

Ocieu tourna sur lui-même et marcha vers la sortie. Yarg le suivit, mais avant de quitter la pièce, il se retourna pour adresser un signe de remerciement au chirurgien. Ce dernier hocha la tête, une étincelle d'intérêt au fond des yeux.

Toujours à la suite d'Ocieu, Yarg se retrouva dans un couloir au plafond bas percé à intervalles réguliers de lucarnes grillagées par où pénétrait une lumière parcimonieuse. Il avait longé ce couloir en arrivant la veille, sans comprendre qu'il était monté à bord d'un navire.

— Nous sommes dans le corridor principal de bâbord, dit Ocieu. Mais tu n'auras que faire de revenir ici, à moins de te blesser. Le travail qui t'attend a lieu en bas.

Le contractuel lui fit signe de le suivre le long du corridor. Ils croisèrent quelques hommes empressés. Yarg, qui trouvait quand même embarrassant le bout de la chaîne qui lui ballottait entre les jambes, s'inspira de l'exemple des esclaves qu'il croisait : il l'enroula de façon lâche autour de son cou. Il nota par ailleurs que certains esclaves n'avaient pas de chaîne.

Ils croisèrent un homme en uniforme qui ne sembla pas démontrer la moindre intention de s'écarter : ce fut donc à Ocieu et à Yarg de s'aplatir le plus possible contre la paroi de bois sombre pour le laisser passer.

Un escalier apparut, montant avec raideur vers une ouverture dans laquelle se déversait le soleil. Mais le contractuel contourna cet escalier pour lui en préférer un autre qui descendait.

Un étage plus bas, un corridor identique à celui du dessus traversait le navire, mais ici le seul éclairage provenait de lanternes sourdes fixées à intervalles réguliers sur les murs. Yarg suivit Ocieu jusqu'à une porte basse en planches retenues dans un cadre ferré, qu'il ouvrit.

Pendant qu'ils descendaient dans le ventre de la *Diamantine*, l'étrange grondement que Yarg entendait avait crû en intensité ; et le bruit continuait d'augmenter à mesure qu'il suivait le vieux contractuel. Il s'attendait donc à découvrir la source du grondement de l'autre côté de la porte…

Il s'agissait d'une longue pièce étroite au plafond bas, dans laquelle des dizaines et des dizaines d'hommes vêtus de gris, et presque le même nombre vêtus de bleu, mangeaient, assis serrés les uns contre les autres sur des bancs de bois devant des tables basses. Les esclaves mangeaient d'un côté de la pièce, et les contractuels de l'autre, bien que cette discrimination ne fût pas absolue. Deux gardes-chiourme, chacun à un bout du réfectoire, surveillaient tout ce monde, le regard aussi noir et fixe qu'un éclat de verre. L'un des gardes était le colosse qui avait assisté les barbiers plus tôt dans la journée ; son crâne tatoué touchait presque le plafond.

Ocieu fit signe à Yarg d'avancer jusqu'à un guichet percé dans un mur où un contractuel leur donna à chacun une gamelle remplie de soupe, deux épaisses tranches de pain noir, un citron ainsi qu'un pichet en tôle de fer rempli d'une boisson qui devait être de la bière, à en juger par l'odeur dominante qui régnait dans la pièce surchauffée.

Suivant l'exemple d'Ocieu, Yarg glissa le citron et les tranches de pain dans les poches de son pantalon puis, sa gamelle d'une main et le pichet de l'autre, il suivit son guide jusqu'au bout d'une des tables du côté occupé par les esclaves. Ceux-ci se serrèrent de mauvaise grâce pour leur laisser de la place, Yarg ayant la nette impression qu'on l'aurait repoussé s'il n'avait pas été accompagné du contractuel.

— Mange, dit celui-ci en désignant le bol de soupe.

L'ordre n'était pas nécessaire : Yarg trempa ses morceaux de pain dans la soupe et il y découvrit un gros morceau de viande filandreuse, qu'il avala presque sans mâcher tellement il avait faim. Il mordit ensuite dans le citron : l'acidité du fruit lui fit monter des larmes aux yeux. Ocieu, entre deux bouchées, donnait encore des instructions.

— Tu recevras tous les jours une livre et demie de pain, deux bols de bouillon, une demi-livre de viande, parfois du fromage ou du panais ou un citron, selon les réserves. Inutile donc de voler la portion d'un autre, tu serais fouetté pour rien. Pareil si tu accumules des réserves. Trois coups de fouet la première fois ; dix si tu es assez crétin pour recommencer.

La dentition du contractuel étant réduite à une rangée de chicots brunis, il mâchait avec application son morceau de pain bien humecté par le bouillon, puis rinça le tout avec une ample gorgée de bière. Il tendit ensuite un doigt discret vers les deux gardes-chiourme.

— Au fait, ce sont eux qui te fouetteraient. Tu as vu le géant ?

— Je l'ai vu.

— Il s'appelle Panserfio. Mesure bien la taille de ses biceps avant de causer un scandale de quelque nature que ce soit.

Une cloche suspendue à l'une des parois se mit à sonner à toute volée. Un remue-ménage de conversations et de bruits de gamelles envahit le réfectoire alors que les esclaves et les contractuels se levaient et allaient remettre au guichet la vaisselle.

Ocieu se leva sans avoir complètement terminé et fit signe à Yarg d'en faire autant.

— Dépêche-toi !

Pendant qu'il faisait la file devant le guichet, Yarg eut le temps d'avaler le reste de son bouillon et le fond de sa bière ; puis, après avoir redonné la gamelle et le pichet, il se dépêcha de suivre Ocieu à la file des autres membres de la chiourme le long d'un couloir qui résonnait sous les seules semelles des contractuels puisque les esclaves, Yarg comme les autres, marchaient pieds nus.

Yarg ne savait plus dans quelle direction il allait – tous ces couloirs de bois cirés semblaient identiques, éclairés de la même façon par le même type de lanternes fichées à intervalles réguliers dans toutes les directions –, mais il comprenait au moins une chose, c'est que ses pas le menaient vers la source du grondement.

Yarg pénétra avec la chiourme dans une salle au plafond bas comme une cave, et presque aussi sombre. Un remugle puissant le prit à la gorge, mélange de sueur humaine et de poisson pourri. Il lui fallut un certain temps pour prendre la pleine mesure de ce qui l'entourait. La salle occupait toute la largeur du navire, à en juger par la rangée de petites fenêtres rondes sur les deux parois opposées ; et elle était encore plus longue que large. À la vastitude des lieux correspondait un vacarme tout aussi impressionnant que la puanteur, produit par l'activité à laquelle se livraient une centaine d'esclaves et de contractuels assis l'un derrière l'autre sur une série de bancs étroits. Ils évoquaient pour Yarg une multitude de cavaliers en selle, suant et soufflant et agitant de conserve les jambes, tout ceci dans un but qui lui parut tout à fait incompréhensible sur le coup.

Le long de l'espace libre qui séparait deux colonnes de travailleurs, Yarg suivit Ocieu plus profondément dans la salle. À mesure que sa vision s'accoutumait à la chiche lumière qui traversait les hublots, il révisa à la hausse son estimation du nombre d'hommes affairés à la mystérieuse entreprise. Comme c'était l'heure du changement d'effectifs, le va-et-vient ne l'aidait pas dans sa tentative d'évaluation. Il estima toutefois qu'ils étaient au moins trois cents, répartis en une douzaine de colonnes.

Yarg se rendit compte que les contractuels étaient libres de leurs mouvements, tandis que les esclaves étaient retenus à leur place par leur chaîne, dont l'extrémité était fichée dans une sorte de loquet de fer boulonné au plancher. Ces derniers devaient donc attendre qu'un garde-chiourme – ou un contractuel superviseur comme Ocieu – insère une clé dans la ferrure pour libérer la chaîne et leur permettre de quitter leur poste.

Yarg put observer la manœuvre de près lorsque Ocieu libéra un esclave devant lui. Ce dernier hocha la tête pour remercier son superviseur puis, après avoir enroulé sa chaîne sur sa chemise trempée de sueur, quitta la salle sur des jambes un peu chancelantes.

— Prends place, dit Ocieu en montrant la selle de bois noircie par l'usage. Et fais attention au moyeu.

Pour aller s'asseoir sur la selle, Yarg dut enjamber une sorte de poulie tournante munie d'étriers qui lui arrivait au niveau des pieds. La poulie était mue par un axe de fer en rotation – le moyeu – par l'intermédiaire d'un engrenage. Malgré la pénombre, Yarg trouva que l'appareillage témoignait de l'habileté remarquable des artisans qui en avaient forgé les pièces constituantes.

— Donne-moi ta chaîne.

Yarg déroula la chaîne autour de son cou. Ocieu inséra la plaque du bout dans le loquet boulonné au sol. Un cliquetis métallique se fit entendre. Le superviseur vérifia que la chaîne était bien verrouillée, se releva et dit sur un ton impatient :

— Et alors ? C'est pas en me regardant d'un air de poisson crevé que tu vas faire avancer la *Diamantine*. Tu vois les autres autour de toi ? Fais comme eux.

Une tige de bois était fixée à la selle de l'esclave installé devant Yarg. Comme tous les autres, Yarg y appuya les mains puis tenta de glisser les pieds dans les étriers en mouvement. Il lui fallut s'y reprendre : ce n'était pas aussi facile qu'il l'avait cru. Finalement, il réussit à garder ses deux pieds dans les étriers. Il se laissa d'abord entraîner, puis comprit ce que l'on attendait de lui : c'était grâce à la force combinée des jambes de tous les hommes présents que le moyeu tournait.

— Pas plus compliqué que ça, fit Ocieu. Maintenant, regarde devant. Tu vois le vieux en uniforme rouge ?

— Non.

— En avant complètement, près du mur.

Yarg eut envie de répondre que c'est à peine s'il distinguait le mur en question. Or, il ne voulait pas abuser de la patience du superviseur, qui, tout compte fait, ne semblait guère féroce. Il aperçut enfin, debout devant un lutrin surélevé sur une basse plate-forme, un homme d'un certain âge, vêtu de rouge, flanqué de deux hommes plus jeunes.

— Je le vois, maintenant.

— C'est le métreur, et ses assistants. C'est lui qui dicte la cadence. Quand il ordonne d'accélérer, tu accélères. Quand il dit de ralentir, tu ralentis. Quand il te dit d'arrêter, tu arrêtes. Aujourd'hui, il est inutile d'espérer un ralentissement ni un arrêt ; nous sommes au large, les trois vis tourneront à la vitesse de croisière jusqu'aux battures de l'Hydre. Tu seras relevé dans quatre heures. Des questions ?

— Non.

— Parfait. Au travail, alors.

Yarg s'appliqua à pousser sur les étriers pour participer à l'effort général. Ocieu resta à son côté pour examiner sa performance et lui donner de temps en temps un conseil : « Rapproche tes mains, comme ça »,

« Garde le dos droit », « Tu forces pour rien ; suis le mouvement. »

Un des gardes-chiourme s'approcha, un grand empâté au visage clair, la mine débraillée, qui interpella le contractuel avec un sourire persifleur.

— Encore empêtré avec une recrue ?

Ocieu inclina brièvement la tête.

— La dentre nous a laissés à court d'hommes. Il nous faut en former des nouveaux.

— La dentre, oui, oui… Ça fait l'affaire de cette bande de tire-au-flanc que de se porter malade… Il a une sale tête, celui-là. Et c'est quoi, ça ? Il saigne ?

Le garde-chiourme avait contourné Yarg, qui sentit un objet pointu s'appuyer douloureusement sur la partie sensible au milieu de son dos. Il se fit un point d'honneur de ne pas réagir.

Ocieu expliqua que le chirurgien venait de suturer une plaie. L'autre retourna se placer devant Yarg, le visage suffisamment près pour que la fétidité de son haleine soit perceptible malgré le remugle ambiant.

— C'est quoi ton nom ?

— Yarg.

— Yarg ? C'est quoi, ça, Yarg ? C'est la coutume de ton foutu pays de donner des noms crétins aux enfants ?

Yarg sentit le sang lui monter au visage, mais il eut la sagesse de considérer la question comme purement rhétorique et de ne pas répondre.

— Je t'ai à l'œil, en tout cas, poursuivit le garde-chiourme. Blessure ou pas blessure, tu vas forcer comme les autres.

— Tous mes hommes feront leur travail, confirma Ocieu, le visage impassible, même s'il était évident aux yeux de Yarg que les deux hommes se détestaient.

— Aussi bien !

Après avoir grogné une dernière fois « ouais, une sale tête », le garde s'éloigna vers le fond de la salle.

Ocieu resta encore un certain temps à surveiller Yarg, puis, après avoir regardé prudemment autour de lui, s'approcha pour lui glisser sur un ton assez bas pour ne pas être entendu des autres à travers le bruit :

— Lui, c'est Forclas. Tiens-toi loin de lui.

— Pas facile quand on est enchaîné.

— C'est un conseil de nature générale à adapter aux circonstances. Certains gardes sont sévères mais justes. D'autres sont vicieux. Forclas est le pire.

Ocieu s'éloigna, laissant Yarg occupé à effectuer le travail pour lequel le maître d'équipage de la *Diamantine* avait déboursé une généreuse somme en or.

Le rythme n'était pas trop difficile à soutenir. Il lui arrivait bien de sentir quelques élancements dans le dos, mais depuis l'extraction de la pointe du poignard, la douleur avait changé de nature. Auparavant, elle était « anormale » – Yarg n'aurait pas été capable de traduire ce sentiment par la parole, d'autant qu'il avait dû attendre l'extraction du corps étranger pour percevoir l'anormalité comme telle –, tandis que cette douleur résiduelle, par l'entremise d'une sorte de sens caché, animal, était perçue par son corps comme un signe de guérison.

Peu à peu, Yarg cessa de prêter attention aux gestes qu'il faisait pour examiner un peu mieux la salle et ses occupants.

Il chercha d'abord à reconnaître un de ses anciens compagnons de chaîne parmi les uniformes gris, mais comment distinguer un crâne rasé d'un autre dans le crépuscule perpétuel qui régnait au centre de la salle ?

Yarg se tordit le cou vers l'arrière. D'ici il pouvait distinguer les visages des autres forçats. En vérité, le seul compagnon de chaîne qu'il lui aurait fait plaisir de reconnaître était le jeune Janiel puisqu'il n'avait guère eu le temps ni le désir de fraterniser avec les autres.

L'esclave juste derrière, un courtaud aux gros yeux vitreux, lui fit un sourire goguenard.

— Salut !

— Salut.

L'autre essuya du revers de la main la goutte de sueur qui pendouillait au bout de son nez, qu'il avait fort long.

— Moi, c'est Scorbe.

— Moi, c'est…

— Yarg, ben oui. La voix de Forclas porte loin. Comme ça, t'es de Maurras ?

L'homme parlait l'estran – la langue commune à bord –, mais avec un accent guttural qui se démarquait des roulements flûtés et des claquements de langue doux qui caractérisaient l'estran de Sarouelle ou de Janiel. Yarg, qui jugea inutile dans les circonstances de compliquer sa réponse de précisions oiseuses, répondit par un simple « oui ».

— Bienvenue à bord de la *Diamantine*.

Yarg fronça les sourcils.

— Est-ce de l'ironie ?

Scorbe rit franchement.

— Un peu. Attention ! Je vois le morpion qui nous fait les gros yeux. Vaut mieux que tu regardes devant. On bavardera plus tard.

Yarg obéit au conseil de prudence en reportant son regard vers l'avant, pour s'apercevoir effectivement qu'un garde-chiourme le fixait avec un regard irrité. Yarg avait bien saisi à qui le terme « morpion » faisait allusion. Il n'avait pas compris tous les termes employés par Ocieu, toutes ces allusions à des vis ou à des ponts. Yarg savait ce qu'était un pont – un ouvrage servant à franchir un cours d'eau, une route ou un autre obstacle –, mais il ne voyait pas trop ce qu'un pont pouvait faire sur un navire en train de naviguer en pleine mer.

D'avoir cherché en vain Janiel fit resurgir à son esprit son autre compagne d'infortune, qu'il avait un peu oubliée dans la bousculade empressée qui avait suivi leur achat des mains des trafiquants de Maurras. Sarouelle était sûrement à bord, elle aussi. Yarg n'arrivait pas à se souvenir de la raison exacte qu'avait invoquée le capitaine Fasce pour justifier son acquisition. Avait-il donné une raison, d'ailleurs ? Il avait simplement dit qu'il désirait l'acheter – après avoir contemplé avec intérêt ses épaules sveltes et sa double poitrine dénudée.

Pourquoi chercher le lièvre hors du terrier ? L'explication était évidente. Le capitaine de la *Diamantine* avait perçu chez Sarouelle sa prédisposition aux échanges charnels – la jeune femme ne cherchant nullement à tromper quiconque sur ces questions – et il avait décidé de la garder à ses côtés pour soulager son membre viril lorsque bon lui semblerait. Sous ce rutilant uniforme, ce faciès hautain et ce patronyme plus que grandiloquent, le capitaine Fasce le Quatorzième Sublime n'était aucunement mieux, dans son magnificent navire, que Flore le trafiquant au fond de la route du canyon : lui aussi profitait de son pouvoir pour satisfaire ses pulsions.

— Pas si fort, siffla Scorbe derrière Yarg. Ça sert à rien d'essayer de tourner plus vite que tout le monde…

Yarg s'aperçut que son cœur battait lourd et que le sang lui était monté au visage. Docilement, il diminua la poussée qu'il imprimait aux étriers. Il se trouva soudain ridicule de s'échauffer pour un motif aussi futile que le traitement réservé à Sarouelle. S'autoproclamer le protecteur de la jeune femme ? Juste parce qu'ils avaient partagé le même sort pendant quelques jours ? Il sentit un sourire d'autodérision fleurir sur ses lèvres. Quelle étrange rêverie lui venait là, quelle arrogance de s'imaginer le protecteur de quiconque, dans l'état d'asservissement dans lequel il se trouvait présentement, esclave, la chaîne au cou ?

Une heure passa. Yarg finit par calmer ses pensées, et même par trouver son activité essoufflante. Il avait chaud ; de la sueur piquante coulait de son crâne dénudé jusque dans ses yeux. Certains de ses compagnons de travail avaient noué un bandeau de tissu sur leur front pour prévenir ce désagrément. Yarg en était quitte pour s'essuyer fréquemment le visage avec la manche de sa chemise.

Sachant que cela était toléré chez les autres, il s'accordait aussi de temps en temps une très courte pause, juste le temps de reprendre son souffle et de masser ses mollets et ses cuisses devenus douloureux. Il avait aussi appris à déployer moins de zèle : faire tourner l'engrenage était une chose, mais était-il nécessaire d'appuyer avec autant d'énergie ?

Sauf qu'il n'était manifestement pas le seul à penser ainsi, car la cadence ralentissait ! Ce fait n'échappa nullement au métreur, qui donna des ordres à ses assistants, qui eux-mêmes transmirent l'information aux gardes-chiourmes et aux superviseurs contractuels.

La grande salle se mit à résonner sous les invectives des gardes : « Accélérez ! Accélérez ! Faut reprendre la vitesse de croisière ! », le tout ponctué d'une variété d'insultes connues et inconnues de Yarg, mais aussi de coups de trique distribués selon l'humeur des gardes-chiourme. Il ressentit soudain une douleur cuisante derrière la nuque et se tourna rapidement pour apercevoir Ocieu à son côté, mécontent, en train d'agiter une souple baguette de bois sous son nez.

— Plus fort, feignant ! glapit le superviseur. Malheur à toi si je te vois faire une pause tant qu'on n'a pas repris notre vitesse !

La douleur avait gonflé la poitrine de Yarg d'une fureur telle qu'il s'émerveilla d'arriver à la contenir. Les joues en feu, il poussa plus fort sur les étriers.

Quelques secondes plus tard, à l'avant mais pas très loin de Yarg, un esclave ne sut pas faire preuve d'autant de retenue. Asticoté par Forclas – ce dernier lui avait enfoncé à plusieurs reprises la pointe de son bâton dans le flanc –, l'esclave sauta de son siège avec un feulement de rage. Ce n'est qu'en entendant sa voix et les imprécations en une langue inconnue que Yarg reconnut un de ses anciens compagnons, un de ceux qui avaient eu en permanence les poignets retenus par une chaîne.

Forclas bondit vers l'arrière, mais pas assez vite pour empêcher l'esclave de l'agripper par le cou. Le garde-chiourme ne se laissa pas faire longtemps ; il asséna plusieurs coups de bâton au visage de son agresseur. Mais ce dernier tenait bon et secouait en tous sens sa victime. Heureusement pour Forclas, Ocieu et d'autres gardes accoururent pour lui prêter main-forte. Ils tirèrent le duo vers l'arrière jusqu'à ce que l'esclave, retenu par la chaîne, s'étrangle avec son collier puis tombe au sol. Il fut aussitôt submergé par ses assaillants et il dut subir une averse de coups de trique et de coups de pied furibonds. Forclas, surtout, semblait incapable de s'arrêter d'abattre à toute volée son bâton sur le barbare prostré au sol. Sans doute aurait-il fini par le tuer si le colosse au crâne tatoué, apparu d'on ne sait où, n'était intervenu pour séparer les belligérants. Il fallut cependant que le géant rudoie son collègue pour parvenir à ses fins, car ce dernier, le visage fixe et blême, semblant avoir perdu la raison, cherchait constamment à revenir frapper le gisant ensanglanté.

En un geste qui aurait pu être comique dans un autre contexte, le colosse enserra carrément Forclas dans ses bras et le souleva du plancher pour l'éloigner du poste de l'esclave, laissant à d'autres gardes le soin de détacher ce dernier pour le transporter hors de la salle – probablement à l'infirmerie où Yarg avait passé la matinée.

Ocieu, pour sa part, revenait à son poste de surveillance en criant à tous de se concentrer sur leur travail, de ne surtout pas en faire un prétexte pour ralentir.

— Soutenez la vitesse de croisière ! Est-ce qu'il y en a qui n'ont pas encore compris ce qu'entraîne la désobéissance ?

Yarg baissa les yeux. Il avait pu constater de près que le barbare qui avait agressé Forclas n'était pas un être doux ; il n'en restait pas moins que la violence de l'altercation l'avait perturbé.

Il essuya la sueur qui lui mouillait le front, replaça les mains sur les poignées de bois devant lui et s'affaira à maintenir le rythme.

◆

Le reste de l'après-midi passa sans autre événement marquant. La respiration de Yarg était devenue râpeuse, ses jambes brûlantes, ses yeux rougis par la transpiration qu'il ne se donnait même plus le mal d'essuyer. Au point que lorsqu'il entendit le tintement lointain d'une cloche, il n'y prêta aucune attention ; il n'avait plus assez de force pour penser. Mais en voyant de nombreux hommes longer les allées entre les bancs et en entendant le tintement métallique d'une clé qui libérait sa chaîne du verrou au plancher, Yarg comprit qu'il était relevé de son poste.

Le visage d'Ocieu apparut dans son champ de vision – visage dans lequel Yarg voulut bien lire un peu de compassion.

— Tu es capable de te lever ?

Yarg répondit oui, mais le superviseur jugea tout de même prudent de lui donner un coup de main.

— Attention au moyeu. Tu es capable de tenir ?

Étourdi, les jambes molles, Yarg réussit néanmoins à rester debout. Il fut remplacé aussitôt par un contractuel qui échangea une poignée de main virile avec Ocieu pour se mettre à pédaler avec un air à la fois résolu et fataliste.

À ce moment, Yarg sentit une main se poser amicalement sur son épaule. C'était Scorbe, libéré à son tour par Ocieu, qui lui souriait d'un air approbateur.

— Tu vois ? T'as fait ça comme un champion.

Yarg trouva le commentaire sympathique, en dépit du fait qu'il ne se sentait pour l'instant nullement cousu de l'étoffe d'un champion. Il ne put s'empêcher d'étudier son compagnon de la tête aux pieds : du court pantalon de Scorbe sortaient des jambes si musclées qu'elles semblaient hors de proportion avec le reste de son corps.

Ocieu éconduisit Scorbe en lui expliquant qu'il bavarderait une autre fois. Le contractuel montra ensuite à Yarg un petit groupe d'esclaves qui attendaient près de la porte.

— Va m'attendre. J'en libère deux autres et je te rejoins.

Avec l'impression qu'il marchait sur des jambes en coton, Yarg se dirigea vers le groupe d'esclaves et découvrit parmi eux Janiel, qui le salua avec une discrète exclamation de joie : s'il avait perdu barbe et cheveux, son sourire à la dent manquante et la large ecchymose à son front le rendaient reconnaissable entre tous.

Les deux hommes se serrèrent la main.

— J'étais tout au fond, expliqua Janiel dans un murmure de comploteur. Je t'ai reconnu à cause de la tache de sang dans ton dos.

Yarg souleva sa chemise pour montrer sa plaie à Janiel, qui le rassura : ça suintait un peu, mais la suture avait tenu.

Ocieu revint, suivi par deux esclaves. Il fit signe à tout le groupe de le suivre « quelque part où on s'entend penser » et ils longèrent le couloir jusqu'au réfectoire, désert à ce moment de l'après-midi ; là, conformément aux instructions du superviseur, ils allèrent se procurer un pichet de thé avant de s'asseoir autour d'une table pour écouter ses instructions.

— Vous connaissez maintenant la tâche qui vous attend à bord de la *Diamantine*. Buvez et reposez-vous, car dans quatre heures vous y retournerez. Trois séances par jour, trois périodes de repos ; les vis doivent tourner sans interruption lorsque nous naviguons en pleine mer.

Le groupe d'esclaves émit des marmonnements déconfits.

— Courage ! dit Ocieu avec une rugueuse bonne humeur. Dans la Chicane, nous ne pourrons plus avancer la nuit. Jusque-là, il faudra montrer qu'on a du nerf !

Yarg trempa ses lèvres dans le liquide qui avait un peu refroidi : c'était un thé noir, herbeux, épais. Il n'était pas certain de raffoler de cette décoction, mais l'exercice lui avait asséché la gorge.

Ocieu but aussi à son pichet, ostensiblement, comme pour donner l'exemple, puis reprit son discours.

— Les seules boissons autorisées à bord sont la bière et le thé. Buvez de l'eau au tonneau et vous serez fouettés. Pourquoi ? Parce que la cause de la dentre et d'un tas de maladies, c'est des vers infiniment petits qui vivent dans l'eau et vous pénètrent ensuite dans le corps par les boyaux. C'est ce que dit le chirurgien, qui le tient du plus-que-noble capitaine Fasce. Ceux qui ont bu rien que du thé et de la bière ont pas été malades, alors moi, je crois notre chirurgien, même si j'ai eu beau m'arracher les yeux à essayer de distinguer ces fameux vers dans l'eau de la barrique et que j'ai rien vu.

Ocieu se lança ensuite dans une version condensée de la harangue que le maître d'équipage leur avait adressée le matin même. Un concept surnageait au sein du discours, dans toutes ses déclinaisons et per-mutations : « obéissance ».

Le superviseur leur traça ensuite un bref tableau de la structure hiérarchique à bord.

Au faîte trônait Fasce le Quatorzième Sublime. Ses titres de capitaine et d'armateur de la *Diamantine*, le plus remarquable vaisseau à avoir navigué sur la mer Tramail, auraient été plus que suffisants pour lui mériter le respect et l'adoration ; or, c'était aussi un savant dans bien d'autres domaines que la navigation ; pardessus tout, c'était un Héritier, un noble de la plus haute extraction ; sublime était son nom et sublime était sa race, un des rares habitants de Pinacle à quitter de temps en temps la Cité parfaite pour parcourir le reste du monde.

À l'oreille de Yarg, ce panégyrique sonnait comme une leçon apprise par cœur. Il lui vint à l'esprit – peut-être n'était-ce que la manifestation d'une prédisposition au scepticisme – qu'Ocieu ne répétait que ce qu'on lui avait dit, qu'il n'avait jamais connu personnellement la munificence de Pinacle.

Le ton d'Ocieu se fit moins grandiloquent pour le reste du tableau. Les superstructures de la *Diamantine* – le terme désignait les étages surélevés par rapport au pont principal, comme finirait par l'apprendre Yarg – étaient réservées au capitaine Fasce, à ses officiers supérieurs, à ses invités et à ses nombreux serviteurs. Ocieu précisa que ce qui se passait dans ces quartiers supérieurs ne les regardait pas et que, de toute façon, l'accès leur en était rigoureusement interdit. Juste en dessous du pont principal se trouvaient les quartiers de l'équipage – sous-officiers, marins –, et un étage plus bas étaient logés l'intendance et les gardes. Quant aux esclaves, ils se retrouvaient comme il se doit dans la cale, l'ordre des ponts reflétant l'ordre social.

Le groupe des esclaves était d'ailleurs réparti en quatre catégories.

La première comprenait les éléments suffisamment débrouillards et fiables pour se promener sans chaîne. Certains finissaient par être affranchis pour devenir des contractuels. Ocieu faisait partie de cette catégorie. Une fois libéré de sa condition d'esclave, il avait préféré rester à bord de la *Diamantine* – « la seule chose que je sais faire », expliqua-t-il avec prosaïsme.

La seconde catégorie d'esclaves, la plus nombreuse, comprenait les individus qui se contentaient d'obéir aux ordres, de faire leur travail et de ne pas causer d'ennuis. Yarg et ses compagnons feraient partie de cette catégorie jusqu'à ce que leur comportement incite leurs superviseurs à les classer différemment.

Dans la troisième étaient versés tous les individus ayant donné « moins de garantie de retour au bien », autrement dit, dont la conduite laissait à désirer.

— Finalement, conclut Ocieu, y a les incorrigibles. C'est une catégorie que les gardes-chiourme comme Forclas s'acharnent à réduire au plus petit nombre d'individus.

Après ces paroles, Ocieu entraîna son groupe vers un escalier à ce point raide qu'il méritait plutôt le qualificatif d'échelle.

La cale était sombre et il y faisait presque frais. Des lanternes repoussaient la nuit perpétuelle pour révéler le cargo et les réserves qui occupaient le milieu de la cale, le tout solidement arrimé par des cordages. Sur tout le pourtour, d'étroites couchettes en planches avaient été fixées à la membrure, réparties sur quatre niveaux, celles du haut touchant presque le plafond, celles du bas à peine un pouce au-dessus du plancher.

Plusieurs des couchettes étaient occupées ; les contractuels s'octroyaient généralement les second et troisième étages et, comme la plupart des esclaves préféraient l'étage supérieur, malgré son exiguïté, il ne restait plus à Yarg et à ses compagnons que des couchettes du bas.

Janiel trouva deux couchettes libres une à côté de l'autre.

— Ici ?

— C'est bon.

Yarg avait encore les jambes molles de tout ce pédalage. Ajoutée à plusieurs nuits de mauvais sommeil, cette fatigue faisait qu'il était encore moins enclin au bavardage que d'habitude.

Il plia les genoux et roula sur le banc : il avait tellement pris l'habitude de faire attention à sa blessure qu'il resta un instant surpris d'en éprouver si peu de douleur. Ce qui ne signifiait pas qu'il était capable de dormir sur le dos. Pas encore. En chien de fusil, les genoux pointés vers l'intérieur de la cale, Yarg ferma les yeux.

Pendant un certain temps, il prêta attention aux bruits environnants – le crissement des sandales des gardes-chiourme, la toux sèche d'un dormeur, des craquements d'origine inconnue, tout cela enveloppé dans le grondement de l'extraordinaire machine à force humaine, juste au-dessus d'eux, un grondement déjà familier, telle une berceuse.

Yarg s'étonna de se retrouver soudain au milieu de la vaste salle des machines, de nouveau assis en train de pédaler. Un remous de lucidité monta à la surface de son esprit, le temps de s'insurger contre cette vision qu'il savait onirique. Non, il ne voulait pas rêver, pas à ça, en tout cas. Pas à ça… Il y retournerait bien assez tôt… Il voulait dormir, maintenant… Oui, dormir et ne plus penser à rien…

CHAPITRE 6

*Où l'on continue de traiter de la condition
et des occupations de Yarg, ainsi que
de ses compagnons esclaves,
à bord de la* **Diamantine**

Quelle que fût la direction où Yarg regardait, la mer Tramail s'étendait, grise et lisse. Le seul indice que la *Diamantine* ne faisait pas du surplace au centre de l'infini était le sillage que sa progression dessinait sur la surface liquide, qui partait de la poupe pour aller se fondre dans l'horizon brouillé.

C'était Scorbe, l'esclave aux cuisses musclées, qui avait persuadé Yarg et Janiel de monter s'aérer les poumons à la fin de leur troisième quart. Ces derniers, sinon, auraient eu plutôt tendance à avaler un bol de soupe avant de dormir tout l'après-midi afin de soulager leurs jambes douloureuses.

Or Yarg et Janiel avaient découvert, à leur profonde satisfaction, qu'il était permis aux esclaves de sortir respirer l'air libre sur le vaste pourtour dégagé du pont principal.

— Tu as bien fait de nous pousser dans le dos ! s'exclama Janiel avec un sourire réjoui en direction de Scorbe. On peut vraiment sortir ici quand on veut ?

— Tant que tu ne te mets dans le chemin de personne, et que tu n'interpelles jamais un passager ou un membre de l'équipage. Considère-toi simplement comme toléré.

Yarg ne dit rien. Les mains sur la rampe qui couraient tout le tour de la *Diamantine*, il inspira goulûment. C'était bon de respirer un air qui ne sentait ni la sueur, ni l'urine, ni l'épouvantable huile de poisson qui servait à lubrifier tous les engrenages, les moyeux et les chaînes du mécanisme transmettant la force des jambes des esclaves aux trois vis. La caresse de la brise marine sur son crâne nu lui fit presque oublier qu'il était épuisé au point d'avoir l'impression que son corps ne lui appartenait plus.

S'il n'avait pas encore déterminé avec exactitude quel avait été son statut dans le monde avant de perdre la mémoire, Yarg était au moins convaincu de ne jamais avoir été marin. Sinon il n'aurait pas été aussi impressionné par la vastitude de la mer étendue sous ses yeux. Et Scorbe n'aurait pas eu besoin de lui nommer les différentes parties constituantes du navire.

Ainsi, Yarg apprit que la rampe sur laquelle il s'appuyait s'appelait un bastingage, l'avant du navire, la proue, et l'arrière, la poupe, là où la surface grise de la mer bouillonnait sous l'effet des vis qui tournaient dessous.

À la poupe se dressait aussi une structure surélevée que Yarg n'avait aucune difficulté cette fois à nommer : c'était un pilori, où trois esclaves attendaient avec morosité, retenus debout sur la plate-forme par leur chaîne, leur visage et leur torse dénudé rougis par le soleil et les éléments. On reconnaissait aussi dans leur dos le tracé sanglant des coups de fouet. Le plus amoché des trois était son ancien compagnon de chaîne, celui qui avait sauté à la gorge de Forclas. Yarg constata que le barbare était coriace pour avoir survécu à pareille raclée.

Janiel inspira profondément l'air salin à son tour, le visage dressé vers la coupole gris-bleu du ciel, drapée de longs voiles nuageux assez translucides pour distinguer au travers le disque blanc du soleil. Toutefois, le jeune homme semblait déjà rassasié par le spectacle de la nature, et il préféra s'adosser au bastingage pour admirer les superstructures qui s'élevaient au centre de la *Diamantine*. « Un palais flottant » : c'est le terme qu'avait employé maîtresse Basane pour décrire le navire, et Yarg devait convenir que l'expression convenait parfaitement, tant étaient magnifiques et luxueux les trois étages qui s'élevaient en paliers au centre de la *Diamantine*. Sous chaque fenêtre poussaient des fleurs et des arbustes dans des pots. Des boiseries délicatement ouvragées avec des motifs de fleurs stylisées décoraient les parois et tout cela reluisait comme des bibelots cirés à neuf sous le soleil vaporeux. De temps en temps, une silhouette en uniforme apparaissait près de la balustrade du premier étage, puis repartait sans avoir daigné jeter un regard aux esclaves et aux contractuels qui travaillaient ou déambulaient sur le pont principal en compagnie de Yarg, Janiel et Scorbe. De fait, la lumière était trop éblouissante, et l'angle d'observation trop accentué, pour que Yarg réussisse à bien voir de quoi avait l'air l'humanité d'essence plus raffinée qui peuplait cet empyrée : aucune des silhouettes brièvement entrevues ne ressemblait à Sarouelle, en tout cas. Il eut par contre l'impression de reconnaître celle de Fasce le Quatorzième Sublime à une passerelle qui entourait l'étage le plus élevé de tous, mais elle disparut de sa vue presque aussitôt.

— Tu cherches Sarouelle ? fit Janiel avec un clin d'œil appuyé vers Yarg.

Le signe de connivence n'échappa pas à Scorbe.

— Qui c'est, ce Sarouelle ?

— Pas ce. Cette. Sarouelle est la petite amie de Yarg. Elle a été achetée par Fasce en même temps que nous, mais pas pour pédaler. Tu comprendras si jamais tu l'aperçois.

Il ajouta, comme en passant :

— Elle est facile à reconnaître, elle a quatre bras.

Scorbe lança un regard inquisiteur vers Yarg.

— La rumeur parle de la nouvelle favorite du capitaine, une danseuse à quatre bras d'une beauté exceptionnelle. C'est vrai, cette histoire ?

— Ce n'est pas ma petite amie.

— Ta rumeur ne t'a pas rapporté le plus intéressant à son sujet, ajouta Janiel avec un sourire malicieux vers Scorbe.

— De quoi parles-tu ?

— Hé, hé ! L'information, ça se monnaie.

Scorbe gratifia le jeune homme d'un signe que Yarg ne connaissait pas, mais dont l'obscénité était manifeste. Janiel éclata de rire.

Pendant que les trois esclaves examinaient ainsi les superstructures de la *Diamantine*, un air de flûte glissa jusqu'à eux, nettement perceptible malgré le grondement sourd produit par la machine humaine sous leurs pieds. Ils écoutèrent un moment l'air lent et mélancolique, qui fut bientôt accompagné par le tintement clair de clochettes et le battement grave d'un tambour.

Scorbe expliqua que, tous les après-midi, un orchestre jouait de la musique dans un des salons pendant que des serviteurs offraient du thé, des vins rares, des gâteaux et d'autres mignardises au capitaine, à ses officiers supérieurs et à leurs invités.

— Enfin, c'est ce qu'on m'a rapporté. Vous pensez bien que je n'ai jamais été là-haut.

Janiel inspira encore l'air du large, puis fit un geste las en direction de la cale du navire.

— J'ai les jambes mortes. Vu que personne ne viendra me porter de gâteaux ici, je vais aller me coucher un peu avant mon prochain quart.

— Je t'accompagne, dit Yarg.

Scorbe les traita de mauviettes, insulte sans malice que ses deux compagnons ignorèrent en marchant jusqu'au seul escalier reliant le pont principal aux cales que la chiourme avait le droit d'emprunter. Il leur fallait pour cela longer un court passage qui servait de couloir de service aux domestiques.

Au moment où ils allaient entamer leur descente, un diablotin aux longs cheveux noirs surgit d'un renfoncement de la paroi du couloir et, avec la souplesse d'un chat, parcourut en quelques bonds la distance qui le séparait de Yarg.

Ce dernier reconnut Sarouelle juste au moment où elle lui sautait dans les bras. C'est tout juste s'il réussit à ne pas basculer dans l'écoutille ouverte derrière lui.

— Attention !

À quelques pouces du nez de Yarg, une main fine écarta l'abondante chevelure parfumée qui l'aveuglait, révélant le visage réjoui de Sarouelle. Elle embrassa Yarg à pleine bouche, puis ses lèvres se détachèrent pour étudier son visage d'un air critique :

— Tu n'es pas plus content que ça de me revoir ?

— Sa… Sarouelle !

— Ah non ! Je m'appelle Perlustre maintenant.

— Quoi ?

— J'ai changé de nom.

Elle sauta des bras de Yarg pour aller enlacer Janiel, qui accepta volontiers cette effusion.

— Que tu es belle !

— Enfin quelqu'un qui dit quelque chose de sensé !

Si la jeune femme avait changé de nom, elle demeurait incapable de ne pas réagir à un compliment. Elle sautilla en tournant sur elle-même pour leur faire admirer son costume : un pantalon rouge vin, serré, attaché sous les genoux par des lacets, et un corsage crème, coupé droit, duquel émergeaient ses bras couleur de pain cuit, nus jusqu'à l'épaule, affectation que Yarg ne pouvait s'empêcher de trouver un peu provocante… et il en aurait pensé autant même si elle avait eu seulement deux bras. Le mouvement tournant de Perlustre souleva aussi sa longue chevelure noire, lavée et brossée jusqu'à reluire.

— Il y a toute une équipe de tailleurs à bord. J'ai donné mes instructions, et voilà ! Vous vous rendez compte que ça faisait plus d'un mois que je ne m'étais pas vue dans un miroir ? Je me suis fait peur à moi-même !

— As-tu le droit d'être ici ? coupa Yarg en regardant les deux extrémités du couloir, heureusement désert.

— Ça se peut bien que non.

— Alors pourquoi n'es-tu pas restée en haut ?

— J'étais inquiète à ton sujet, grand benêt !

— Et pas au mien ? demanda Janiel sur un ton faussement blessé.

— Qu'est-ce que tu racontes ? Bien sûr que je m'inquiétais pour toi aussi. Ah ! Tu me fais parler pour rien, taquin ! J'essaie de vous apercevoir d'en haut depuis qu'on a quitté Maurras ; mais je ne reconnais plus personne avec vos crânes rasés.

— T'aurais pas pu nous voir, c'est la première fois qu'on met le nez dehors ! s'exclama Janiel.

Yarg fit signe à son compagnon de baisser le ton, pour s'adresser ensuite à la jeune femme, d'une voix à peine plus forte qu'un murmure :

— Tu es donc bien traitée ?

— Pour ça oui. Comme une… (Elle s'arrêta pour réfléchir.) Je dirais qu'on me traite comme une invitée de marque. J'ai une chambre juste pour moi ; du personnel à mon service. Je ne m'attendais pas à ça. J'ai toujours eu l'habitude de faire partie du personnel, en quelque sorte. Mon statut est difficile à cerner. Vu que les officiers sont tous des hommes, je croyais qu'on me demanderait de les gratifier sensuellement. Mais lorsque j'ai signalé ma disponibilité, on m'a fait comprendre que j'étais l'invitée du capitaine Fasce, et qu'à ce titre il aurait été inconvenant que je me livre à ce genre d'activité à bord. En réalité – j'aurais dû commencer par là –, je ne suis même plus une esclave. Curieux, non ?

Yarg resta un moment interdit. C'était curieux, en effet. Il se rendait compte à quel point ses inquiétudes au sujet du traitement de la jeune femme aux mains de Fasce le Quatorzième Sublime avaient été exagérées.

— Et vous deux ? Vous ne m'avez toujours pas dit si ça allait. Vous avez l'air fatigués. (Perlustre toucha l'endroit où la chaîne de Yarg rejoignait son collier.) Vous êtes encore esclaves, c'est ça ?

— C'est ton sort qui est inattendu, pas le nôtre.

Yarg résuma sa situation et celle de Janiel. Les lèvres charnues de la jeune femme firent la moue, une expression que Yarg commençait à bien connaître.

— Je trouve injuste d'être traitée comme une poule de luxe en sachant que c'est vous qui propulsez la *Diamantine*.

— Ce n'est pas injuste, dit Yarg. Tu as retrouvé une situation qui correspond à ton rang.

— Drôle d'argument. As-tu pensé au fait que tu étais peut-être de rang social élevé, toi aussi ?

— C'est vrai, ça, renchérit Janiel. T'es peut-être un noble !

— Je n'ai pas beaucoup eu le temps de penser.

Les yeux noirs de Perlustre s'humectèrent tandis qu'elle leur caressa chacun la joue.

— Pauvres amis…

— Dépêche-toi de remonter avant qu'on t'aperçoive, dit Yarg. Ça risque de t'attirer des ennuis.

À ce moment, le visage de Janiel pâlit, tandis que le sourire de Perlustre s'affaissait. Elle souffla :

— Trop tard…

Yarg suivit son regard. Un garde-chiourme était entré dans le couloir. Et pas n'importe lequel : Panserfio, le colosse muet.

Yarg sentit que son visage à lui aussi se vidait de couleur. Le géant aperçut la jeune femme et, fatalement, trouva sa présence suspecte. Il s'avança vers le trio, les sourcils froncés. Il devait incliner la tête à chacune des solives pour éviter que son crâne tatoué ne s'y heurte, et cette posture à demi penchée faisait battre contre sa cuisse les instruments de sa charge : clés, fouet et bâton.

Yarg banda ses muscles, tout en étant conscient à quel point il serait vain d'engager le combat avec une pareille montagne de muscles.

La stratégie de Perlustre fut tout autre : elle interpella Panserfio avec un sourire soulagé.

— Ah ! En voici un qui peut m'aider !

Panserfio s'arrêta. C'est à peine s'il regardait les deux esclaves : il semblait parfaitement fasciné par la minuscule créature féminine qui le toisait sans manifester la moindre marque de crainte ni de timidité.

— Je suis perdue. Ces deux gentilshommes ont voulu m'aider, mais ils ne semblent pas savoir comment faire pour remonter.

Panserfio fit d'abord « Mmf ». Il étudia Yarg et Janiel, puis reporta son attention sur Perlustre. Comprenait-il ce qu'on lui disait ? Était-il lent d'esprit en plus d'être muet ? Il fit encore « Mmf », pointa l'index en direction de la jeune femme, pour ensuite désigner ce qui les entourait d'un air désapprobateur.

— J'ai bien compris que je ne devais pas être ici ! s'exclama Perlustre. Je ne sais plus comment remonter, voilà le dilemme.

Panserfio, avec l'air de quelqu'un qui en aurait eu long à dire s'il avait pu, finit par s'incliner poliment pour faire signe à la jeune femme de le suivre. Avant de partir, il toisa de nouveau les deux esclaves et leur montra d'un air sévère l'escalier : « Mmf ! »

Yarg et Janiel descendirent sans demander leur reste.

En route vers la cale, l'effroi ressenti quelques minutes plus tôt fit rapidement place à un sentiment de soulagement fébrile, surtout chez Janiel. Il se mit à sauter et à faire semblant de donner des coups de poing au flanc de Yarg.

— Avoue ! Tu peux au moins me l'avouer à moi, ton ami !

— Avouer quoi ?

— Que c'est ton amoureuse !

— Pourquoi reviens-tu toujours là-dessus ? Elle t'a embrassé aussi, non ?

— Pas sur la bouche, hélas ! Ah, Sarouelle... Elle me rend fou avec ses petites fesses de garçon !

Yarg ne put s'empêcher de rire de la frénésie qui s'était emparée de son compagnon.

— Elle s'appelle Perlustre, je te le rappelle.

— Peu importe ! Je l'aime !

Arrivés dans la cale, ils baissèrent la voix pour ne pas déranger les dormeurs, et surtout pour ne pas attirer l'attention des gardes-chiourme. Scorbe leur avait expliqué que la surveillance du dortoir faisait office de punition chez les gardes, ceux-ci trouvant pénibles l'air confiné et la quasi-obscurité perpétuelle qui y régnaient. Aussi fallait-il éviter de tester la patience chez des surveillants *a priori* de mauvaise humeur.

Yarg s'allongea sur la première couchette libre au niveau du sol. Il fut un peu étonné de voir que Janiel s'agenouillait à côté et lui chuchotait dans l'oreille :

— Ça te dérangerait qu'on se serre un peu ?

— Pourquoi ?

— Ça t'a pas émoustillé de te faire embrasser comme ça ?

Yarg repoussa son jeune compagnon.

— Pas à ce point-là.

Janiel poussa un long soupir.

— Ça manque de femmes à bord, faut faire avec ce qu'on a.

— Tu es ridicule, grogna Yarg en tournant le dos à Janiel.

Il fut satisfait de sentir que ce dernier s'éloignait.

Malgré la fatigue qui irradiait de son dos, de ses cuisses et de ses mollets, Yarg ne s'endormit pas aussi rapidement que lors de ses premiers séjours dans la cale. Il se sentait vaguement coupable d'avoir rabroué son jeune compagnon avec si peu de ménagement. D'autant plus que Janiel avait eu tout à fait raison de supposer qu'il avait été tout de même un peu troublé par sa brève rencontre avec Sarouelle... avec « Perlustre », se corrigea mentalement Yarg, en grognant à mi-voix devant cette nouvelle illustration du caractère fantasque de la jeune femme.

À force de volonté, il réussit à repousser de son esprit les images délicieuses et troublantes de quatre bras sveltes, d'une riche chevelure noire contenue par des anneaux sertis de pierres précieuses, et du double puits d'yeux noirs profonds comme un ciel nocturne, scintillants de larmes comme des étoiles reflétées par la surface d'une rivière aux eaux d'obsidienne, denses, profondes, confortées dans leur certitude que la terre qui les a toujours soutenues, et qui les soutient encore, les soutiendra pour l'éternité, aussi loin que s'étendra leur lit, pour découvrir un jour que pendant tout ce temps, qui paraissait pourtant infini, un souffle à l'aune du cosmos, que pendant tout ce temps la fissure attendait, l'abîme grondant, le chaos et la mort...

Yarg se réveilla dans un spasme de tout le corps.

Il avait dormi. Un peu.

Il roula souplement hors de sa couchette, se redressa et resta debout, sa chaîne se balançant silencieusement à son cou. Il scruta la pénombre chaude, puante et vibrante de la cale. Il ne voyait ni n'entendait rien d'inhabituel, et pourtant tout son corps frémissait de tension.

Il enroula sa chaîne sur ses épaules pour qu'elle ne fasse pas de bruit, puis se déplaça, le frottement de ses pieds nus parfaitement étouffé par le grondement de la machine qui continuait de propulser la *Diamantine* à sa vitesse de croisière. Il essaya de reconnaître Janiel parmi tous ces dormeurs ; la tâche lui sembla impossible tant il faisait sombre, et tant les esclaves se ressemblaient dans l'immobilité du sommeil.

Yarg entendit soudain des exclamations étouffées, et des tintements de chaînes entrechoquées. Il contourna une épaisse membrure et aperçut les contours mouvants d'une échauffourée entre deux empilages de barriques. Difficile de bien voir dans l'obscurité : ils étaient quatre à s'empoigner, peut-être cinq. Comme certains des belligérants riaient, Yarg crut que toute l'affaire n'était qu'une chamaillerie et faillit retourner à sa couchette sans s'en mêler. Mais à travers les rires agressifs, il entendit aussi des câlineries désagréablement moqueuses : « Mignon, mignon, laisse-toi faire. » « Mais c'est qu'il frétille, l'animal ! »

On leur répondit par un juron, d'une voix que Yarg crut reconnaître.

— Janiel ? demanda-t-il sans oser trop élever la voix.

Un esclave costaud émergea dans la lumière souffreteuse d'une lampe, le visage congestionné de fureur, le torse nu en sueur, son collier libre de chaîne. Il s'approcha de Yarg en roulant des épaules.

— Mêle-toi de ce qui te regarde.

Fouillant du regard l'obscurité derrière lui, Yarg crut effectivement reconnaître Janiel dans l'esclave de petite taille retenu par trois autres. Et l'avertissement angoissé de ce dernier confirma son identité :

— Attention, Yarg !

— Lâchez-le, dit ce dernier en avançant d'un pas.

L'esclave au torse nu le regarda avec un mélange d'outrage et d'amusement.

— C'est ta femme?

— Lâchez-le. Je ne me répéterai pas.

Un chuchotis irrité surgit de l'ombre.

— Qui c'est, çui-là?

— Un jaloux qui veut pas partager sa femme, expliqua l'esclave en tournant la tête vers l'arrière sans quitter Yarg du regard.

Deux taches pâles papillonnèrent contre le fond d'ombre : un regard écarquillé de colère.

— Décampe, ou tu vas le regretter !

Yarg regarda autour de lui en espérant l'intervention d'un garde-chiourme – il en vit un plus loin, adossé à un pilier, le regard ailleurs. Le temps d'un battement de cœur, Yarg s'étonna du fait que le surveillant n'était pas encore venu lui demander ce qu'il faisait là… pour aussitôt comprendre que ce dernier l'avait évidemment aperçu. Que s'il détournait le regard, c'était sciemment, parce qu'il avait décidé de ne pas se mêler de ce genre d'incident nocturne.

Puisque c'était comme ça…

Lorsqu'il se rappellerait la suite des événements, Yarg en garderait une sensation de dilatation temporelle, combinée à un tout aussi étrange sentiment d'inéluctabilité. Si un acte est accompli indépendamment de sa volonté, son auteur peut-il en être tenu pour responsable ? C'est la question froide et détachée que Yarg se posa lorsque devant lui l'esclave au torse nu se plia en deux sous l'impact d'un coup à l'estomac. Prévoyant à quelle vitesse et selon quel angle l'autre allait s'affaisser, Yarg n'eut même pas à réfléchir pour savoir où et quand frapper pour l'atteindre sous l'oreille.

La tête de son adversaire fouetta l'air et frappa avec un bruit sourd la panse d'une barrique. L'esclave s'écroula au sol, mais Yarg ne s'en occupait déjà plus. Il avait déterminé qu'un seul des trois autres agresseurs de Janiel risquait de lui donner du fil à retordre : celui qui lui avait dit de décamper.

De fait, l'homme l'avait vu approcher et ne fut pas pris au dépourvu comme le premier. Il esquiva le coup de poing que Yarg lui lança au visage et encaissa sans trop de dommage le second. Il leva un genou. Yarg devina plutôt qu'il ne vit le geste, qui visait son bas-ventre. Il l'esquiva du mieux qu'il put. Le coup le frappa à l'aine, une douleur vive mais sans importance.

Yarg enserra un torse musculeux. Il reçut un coup au thorax. Puis un second. Son adversaire était coriace et savait se battre. Yarg redressa vivement la tête. Le choc d'une mâchoire contre son crâne nu lui fit mal. Il sentit un liquide chaud couler sur le côté de sa tête : sang, ou salive, ou les deux entremêlés. Son adversaire s'amollit. Yarg se dégagea, frappa du tranchant de la main : la lumière n'était pas nécessaire pour savoir qu'il avait atteint son adversaire au niveau de la pomme d'Adam. Ce dernier émit le bruit que l'on fait en crachant.

Yarg sentit derrière lui quelqu'un attraper sa chaîne et la lui serrer autour du cou. L'atroce douleur lui donna l'impression que ses yeux allaient lui sortir de la tête.

— Salaud ! siffla Janiel.

La tension de la chaîne autour de son cou diminua. Yarg se dégagea et devina dans l'ombre son jeune compagnon aux prises avec l'étrangleur.

Le quatrième de la bande filait. Sage décision de sa part : les gardes-chiourme avaient maintenant décidé qu'il était temps d'intervenir.

— C'qui se passe ici ?

Une lanterne fit un peu de lumière, tenue par la main du garde qui, l'instant d'avant, feignait de n'avoir rien vu.

Janiel lâcha l'étrangleur de mauvaise grâce, et les deux se regardèrent comme des enfants pris en faute ;

vision rendue encore plus grotesque par leur pantalon à l'un et à l'autre baissé à la hauteur des chevilles.

Yarg, soufflant comme une forge, fixa celui qu'il avait frappé à la gorge, un grand maigre au menton rouge de sang, son regard furibond reflétant la lumière tremblotante de la lanterne. Celui qui avait frappé du crâne une barrique s'était relevé et essayait de faire l'innocent; ce qui n'était pas très convaincant avec son regard vitreux et son équilibre instable.

— C'qui se passe ici? beugla à nouveau le garde.

— Rien, dit Janiel en remontant son pantalon et en enroulant sa chaîne autour du cou d'un air nonchalant.

— Des histoires de cul, hein? Foutue vermine! Allez vous coucher, ou c'est le pilori pour tous!

Les esclaves émergèrent de l'espace en silence, surveillant leurs arrières pour se prémunir autant contre un geste de vengeance d'un adversaire que contre un coup de trique de la part des gardes-chiourme.

Avant de s'éloigner, le grand maigre fit mine de revenir vers Yarg. Ce dernier banda ses muscles. L'autre se contenta d'un signe de tête vers Janiel en exhibant un sourire ensanglanté :

— T'avais qu'à le dire que c'était ta femme.

— Brayane, ta gueule, gronda un des gardes.

Brayane émit un gloussement puis s'éloigna, suivi par ses deux comparses. Le garde s'adressa ensuite à Yarg et à Janiel en pointant son bâton.

— Qu'est-ce que vous attendez? J'veux plus voir personne debout!

Le premier signe du nouveau statut de Yarg à bord de la *Diamantine* fut qu'un des esclaves réveillé par l'altercation céda sans un mot sa couchette du deuxième étage lorsqu'il vit le regard de Yarg se poser sur lui. Encore plutôt sonné, Yarg ne comprit même pas ce qui se passait. C'était par pur hasard qu'il avait croisé le regard de cet esclave particulier.

Janiel fut plus prompt à comprendre. Il fit signe à Yarg de se coucher à cet endroit, en lui montrant que lui-même prendrait la couchette juste en dessous.

Yarg était trop épuisé et déconcerté pour contredire la suggestion : il s'allongea sur la couchette attiédie par le corps du dormeur précédent. Avec l'excitation du combat qui refluait, il ressentait maintenant chaque meurtrissure à l'aine, à la poitrine et au cou, là où la chaîne l'avait cruellement serré, sans oublier la douleur brûlante dans ses jointures éraflées. Il réussit néanmoins à s'endormir, moyennant quelques grognements lorsqu'il effleurait un point sensible.

◆

La session de travail qui suivit fut particulièrement éprouvante pour Yarg, la douleur des contusions se superposant à l'état de fatigue générale causé par le surmenage et le bouleversement de son cycle de sommeil.

C'est pendant la période de repos qui suivit, en pleine nuit, que se présenta le second signe de son nouveau statut au sein de la chiourme. Réveillé bien avant d'avoir dormi ses quatre heures pour aller satisfaire un besoin naturel, Yarg s'aperçut, une fois rendu dans le couloir, que Janiel et Scorbe lui avaient emboîté le pas.

— Je ne vais qu'aux latrines.

— Je me retenais, chuchota Janiel sur le même ton. Je veux pas y aller seul.

— Y a un garde-chiourme.

— Ouais, y avait des gardes dans la cale aussi.

Yarg fit la grimace – son jeune compagnon n'avait pas tort –, puis il s'adressa à Scorbe :

— Quel intérêt as-tu dans notre affaire ?

Le visage de gargouille se fendit d'un sourire.

— Il s'adonne que je suis réveillé. À trois, nous sommes plus forts qu'à deux et, *a fortiori*, qu'à un seul.

— Pourquoi t'afficher de mon côté ?

— Par esprit de contradiction. Et parce que tu me plais.

— Tu veux être ma femme, toi aussi ?

— C'est une proposition ? demanda Scorbe, son sourire démontrant qu'il n'était pas sérieux.

Avec un soupir, Yarg emprunta l'escalier qui montait vers les latrines réservées à la chiourme, une pièce étroite située à flanc de navire, avec un long banc percé d'une vingtaine de trous ovales et surmonté de panneaux pouvant être rabattus si la mer était suffisamment démontée pour refluer à l'intérieur – une occurrence fort rare sur la mer Tramail, selon Scorbe.

Sur le mur en face courait un étroit lavabo dans lequel se déversait un filet d'eau pompé de la mer. On pouvait y rincer des éponges offertes à l'usage commun pour ceux qui désiraient se nettoyer le fondement après leurs besoins. Scorbe avait plus d'une fois exprimé son admiration devant le luxe des installations fournies à la chiourme ; encore une démonstration de la mansuétude du capitaine de la *Diamantine* et de l'esprit novateur de ses concepteurs.

Yarg trouva une place libre entre un contractuel endormi et un esclave qu'il ne connaissait que de vue. Il y avait toujours du monde aux latrines. L'usage voulait qu'on s'y éternise en bavardant avec ses voisins, tout l'art consistant à jauger la patience du garde assis au bout de la pièce sur un tabouret surélevé. Le garde, cette nuit-là, semblait particulièrement nonchalant.

À la satisfaction de Yarg, personne ne semblait d'humeur à socialiser. Il s'affaira en toute tranquillité, bercé par la conversation de Scorbe et de Janiel à l'autre extrémité du banc, et par le ronflement continu du système de propulsion.

C'est l'interruption brusque de la conversation de ses compagnons qui incita Yarg à lever le regard.

Brayane et sa bande venaient d'entrer dans la pièce. Ils s'avancèrent vers Yarg et s'arrêtèrent en face de lui, leurs visages montrant une variété d'ecchymoses, même celui qui s'était enfui à la fin et qui avait dû recevoir quelques coups de Janiel avant l'intervention de son protecteur.

L'esclave à côté de Yarg s'aperçut qu'il était temps de laisser la place, ce qu'il fit avec la plus grande marque de célérité.

Yarg et Brayane se toisèrent en silence un moment.

Le premier cherchait à se convaincre que le surveillant assis sur son tabouret au bout de la salle interviendrait si Brayane et sa bande l'agressaient. Il se souvenait de la harangue du maître d'équipage à leur arrivée, à l'effet que la vie dans le ventre de la *Diamantine* était régie par l'ordre et le respect de l'autorité. Il se rappelait aussi la description de l'ordre hiérarchique de la chiourme qu'avait faite Ocieu. La réalité était moins tranchée. Il avait suffi de quelques trop courtes heures de veille à Yarg pour sentir au sein de la chiourme des courants invisibles, des hiérarchies secrètes, des inimitiés, des allégeances nées du hasard et de l'intérêt.

Rien de cela ne surprenait Yarg. Il n'avait jamais navigué de sa vie, mais il savait que, dans ce genre de situation, il était normal que les hommes se comportent de cette façon.

Avec une arrogance nonchalante, Brayane défit le lacet à sa taille et baissa son pantalon pour prendre place auprès de Yarg. Après l'émission d'une rafale de flatulences, ponctuée d'un long soupir de soulagement, il s'adressa à son voisin de siège.

— Tu fais partie des nouveaux qui viennent de Maurras ?

— Exact.

— Moi, c'est Brayane.

Yarg serra la main tendue, sous le regard croisé des trois comparses debout devant eux.

— Yarg.

— Tu cognes dur, Yarg.

— Je me défends.

— Tu défends aussi tes camarades.

— Faut s'entraider.

— T'as des couilles. J'aime ça.

Yarg ne sut quoi répondre.

— T'es pas bavard non plus, hein ? Ça aussi, j'aime ça.

Yarg ne répondit rien à cette remarque non plus. L'autre, d'ailleurs, se levait déjà et remontait son pantalon. Pendant qu'il attachait le lacet à sa ceinture, il fit un geste de la tête en direction de Scorbe et de Janiel, tous deux figés à l'autre bout des latrines dans l'attente de voir ce qui allait résulter de l'affrontement. Le garde-chiourme aussi s'était redressé sur son tabouret et étudiait attentivement la situation.

— C'est utile d'avoir un type comme toi de son côté en cas de coups durs.

— J'imagine.

Un sourire flotta sur les lèvres bleuies de Brayane, puis il sortit des latrines, suivi de ses comparses.

Yarg se leva à son tour, aussitôt rejoint par Scorbe et Janiel, qui demanda :

— Ça veut dire qu'on a fait la paix ?

— Avec la bande de Brayane, oui, dit Scorbe. Faudra se méfier maintenant de ses ennemis.

— Je n'ai jamais dit que je ferais partie de sa bande, protesta Yarg.

Une étincelle d'amusement scintilla dans le regard globuleux de Scorbe.

— Il parlementait. Tu es devenu un chef de bande, toi aussi.

— Ridicule.

— Nos vies sont régies par des conventions ridicules. Nous sommes tes hommes, maintenant, Janiel et moi. Du moins est-ce ainsi que les autres caïds vont percevoir la situation ; et la perception que nos semblables ont de nous est la seule chose vraiment importante quand on fait partie de la chiourme.

— À bien y penser, je préfère être ton homme que ta femme, dit Janiel.

— Les deux ne s'excluent pas, expliqua Scorbe avec son perpétuel sourire torve.

— Je retourne me coucher, dit Yarg, qui se dépêcha de mettre ses paroles en action, fidèlement suivi de ses deux compagnons.

CHAPITRE 7

De Spire à la Chicane, ou la suite des aventures de Yarg sur les flots de la mer Tramail

Deux jours passèrent après la rencontre de Yarg et de Brayane dans les latrines. La mémoire de l'événement s'estompa après six quarts de travail abrutissant dans la pénombre puante et bruyante de la salle des machines quand le troisième signe du nouveau statut de Yarg se manifesta sous la forme d'une litanie d'invectives que Forclas vint lui postillonner au visage alors qu'il était à son poste de travail.

— Comme ça, t'es un caïd, maintenant ? Tu t'attends à ce que je te laisse m'enfiler l'œil arrière, hein ? J'aime mieux te dire que t'as intérêt à forcer comme les autres, parce que moi, des despotes de latrines dans ton genre, j'en ai vu passer. T'as compris, sale tête ?

Le temps que Yarg réussisse à déterminer si la question était rhétorique ou non, Forclas lui avait déjà asséné un coup de bâton au point le plus sensible du coude. Une onde de douleur foudroyante lui remonta du coude au petit doigt, et il sentit les larmes lui couler sur les joues.

— Je t'ai demandé si t'as compris ! beugla Forclas.

— J'ai compris, maître.

Il fallut un certain temps pour que Yarg retrouve de la sensibilité dans son bras – mais il n'en prit pas prétexte pour arrêter de pousser sur les pédales, car

Forclas le surveillait toujours de près. Finalement, l'antipathique garde-chiourme s'éloigna à la recherche d'un autre souffre-douleur; et Yarg put se permettre de faire un peu moins de zèle.

Il n'éprouvait presque plus de courbatures aux jambes et la douleur de sa plaie au dos avait disparu. Par contre, il était victime d'un état d'épuisement général. Les autres esclaves et contractuels n'étaient guère mieux lotis tant la résolution du métreur était inflexible : la *Diamantine* devait maintenir sa vitesse de croisière tant que les conditions le permettraient. Autrement dit, tant que le navire progresserait en pleine mer.

La bouche pâteuse, la gorge brûlante, les avant-bras tétanisés, la chemise détrempée, les fesses douloureuses, Yarg avait l'impression qu'il ne pourrait plus imprimer une seule révolution supplémentaire au pédalier, que pour cela il devrait transcender toute endurance humaine, que c'était physiquement impossible que...

Une heure passa... et il y réussissait toujours...

Au soulagement de Yarg, le surveillant qui patrouillait l'allée n'était plus Forclas mais le vieil Ocieu, qui semblait s'être pris d'affection pour lui. Ou, à tout le moins, d'une forme d'intérêt. À quelques reprises pendant les périodes de repos, il était venu s'informer si Yarg avait recouvré la mémoire, la question semblant un prétexte pour lui faire part d'une observation utile, ou pittoresque, sur le fonctionnement interne de la *Diamantine*. Pendant ces courts moments, Yarg ne se sentait plus dans une relation d'esclave à maître, plutôt dans celle de protégé à protecteur.

— Courage ! lui dit soudain Ocieu d'un ton bourru. On arrive bientôt à Spire. Pas besoin de consulter une carte pour savoir ça ; suffit de voir l'attitude du métreur pour comprendre que les tours de la ville sont déjà en vue.

La prédiction d'Ocieu ne tarda pas à s'avérer fondée. Le métreur ordonna de ralentir la vitesse d'un tiers ; du jamais-vu depuis que Yarg naviguait.

Une vague de contentement se propagea d'un bout à l'autre de la salle.

Bien d'autres événements inédits se succédèrent alors. Comme le bruit ambiant avait considérablement diminué, Yarg entendait les instructions criées au métreur depuis un pont supérieur. Le métreur fit des signes à des hommes d'équipage apparus dans la salle des machines, qui s'empressèrent vers la partie arrière de la grande salle.

Les trois cents pédaleurs continuèrent de besogner au rythme allégé pendant un certain temps ; puis le métreur fit un geste autoritaire.

— Arrêt complet ! cria aussitôt Ocieu, en même temps que tous les superviseurs à la grandeur de la salle.

Le silence qui suivit sembla irréel aux oreilles de Yarg ; silence fort relatif d'ailleurs, car l'activité des hommes d'équipage à l'arrière de la salle était accompagnée de chocs métalliques et de grincements qui se répercutaient dans toute la structure de la *Diamantine*. Yarg se tordit le cou pour essayer de comprendre la nature du travail effectué ; mais de l'angle où il se trouvait, il y voyait mal. La seule évidence qu'il tira de ses observations fut que le travail avait rapport avec la machine, car entre ses jambes le moyeu vibrait à chaque choc, comme si on tentait de le forcer à adopter un angle auquel il résistait.

— On inverse le sens de rotation de la vis centrale et on désengage les deux autres, expliqua à ce moment Ocieu, qui avait deviné sa curiosité. Pour ralentir le long du quai.

Le superviseur se tut. Les mécaniciens semblaient avoir terminé leur travail, et il guettait les ordres du

métreur. Finalement, en chœur avec les autres surveillants, il cria :

— On reprend doucement ! Plus fort !... Oui !
Comme ça... Moins vite maintenant... Doucement,
doucement... encore un peu... Arrêt ! Arrêt complet !
Nous sommes amarrés.

Un soupir collectif de satisfaction parcourut la salle :
Yarg ne savait pas ce que signifiait le terme « amarré »,
mais à en juger par la prolifération des sourires sur
les lèvres de toute la chiourme, c'était une chose
positive pour eux.

◆

Yarg n'était pas le seul à vouloir profiter de sa
libération pour monter sur le pont à l'air libre : le seul
escalier que les esclaves avaient le droit d'emprunter
se congestionna. Des impatients poussaient et écra-
saient ceux qui les précédaient, des malheureux crièrent
de douleur, un membre ou une partie du corps coincé
dans la cohue.

— Poussez pas ! fulmina Yarg en jetant un regard
courroucé derrière lui.

Il y eut un mouvement de recul parmi ceux qui le
suivaient, et même les contractuels évitèrent de défier
son regard. L'impressionnante carrure de Panserfio se
profila au même moment dans le couloir près de
l'escalier, ce qui contribua encore plus à calmer les
empressés.

Une fois sur le pont principal, Yarg ne put s'empêcher de retenir son souffle, impressionné par le
panorama de collines urbaines qui avait remplacé à
bâbord l'immuable horizon brumeux. C'était comme
si la ville de Spire, une cascade de maisonnettes bis-
cornues imbriquées les unes dans les autres entre
cinq cimes rocheuses, avait surgi des profondeurs de

la mer Tramail pour obliger la *Diamantine* à interrompre sa course.

Il aurait fallu jouer des coudes pour approcher du bastingage donnant sur Spire – d'autant plus qu'une section du pont principal était maintenant interdite à la chiourme. Des hommes d'équipage étaient affairés à installer une sorte de passerelle, à la fois escalier et plan incliné, manifestement destinée à relier la *Diamantine* au quai ; l'opération était rendue compliquée par la hauteur que cela représentait.

En attendant que la nouveauté du spectacle s'émousse, Yarg alla s'appuyer au bastingage opposé, face à la mer. Le temps était bon. Le soleil, au zénith d'un ciel bleu, se brisait en éclats cristallins sur les flots tranquilles. La brise transportait des effluves de poussière, de viande grillée, d'épices inconnues.

Des embarcations considérablement plus petites que la *Diamantine* glissaient doucement sur les flots placides, leurs voiles si hautes et si larges qu'elles semblaient disproportionnées par rapport à leur coque – un sourire d'autodérision fleurit sur les lèvres de Yarg à cette réflexion. Comme s'il avait la moindre compétence sur ce qui était normal ou anormal à ce sujet !

Yarg vit Janiel et Scorbe, qui l'avaient suivi ; tous trois furent bientôt rejoints par Ocieu, qui se curait les dents avec une éclisse de bois, l'air aussi satisfait que les esclaves à la perspective d'un peu de temps libre.

— Est-ce qu'on va pouvoir descendre à terre ? demanda Janiel.

Ocieu émit un bref gloussement condescendant.

— Moi, oui. Vous trois, bien sûr que non.

Le visage lumineux d'espoir de Janiel s'assombrit. Yarg était sur le point de rappeler à son jeune compagnon leur statut à bord, lorsqu'il aperçut du mouvement dans la section du pont interdite à la chiourme. Une fois la passerelle en place et vérifiée pour sa solidité, une noble délégation formée d'officiers en uniformes de cérémonie descendit des étages supérieurs pour l'emprunter. Yarg n'eut pas de difficulté à reconnaître Fasce le Quatorzième Sublime, entouré par un trio de femmes sveltes, richement vêtues et le faciès hautain. Elles avaient toutes trois une longue chevelure sombre, mais aucune n'était Perlustre. Or, au moment exact où Yarg formait ces pensées, cette dernière apparut à la queue de la délégation des notables. Elle avait troqué l'ensemble révélateur qu'elle portait lors de leur rencontre fortuite pour une longue robe cintrée semblable à celles des trois autres femmes.

Janiel, qui sautait sur place pour arriver à voir par-dessus les épaules de tout le monde, pointa fébrilement le doigt en attirant l'attention de Scorbe.

— C'est elle ! C'est Perlustre ! La copine de Yarg.

— Laquelle ?

— La petite aux cheveux noirs… Ne t'ai-je pas dit qu'elle est belle ?

Mais la délégation des officiers et des notables avait déjà disparu. Scorbe haussa une épaule.

— Elle a passé trop vite.

— Elle ne nous a pas vus elle non plus, constata Janiel, encore plus déçu que son compagnon.

— De qui parlez-vous ? s'informa Ocieu.

Janiel rapporta au superviseur ce qu'il connaissait de la relation entre Yarg et Perlustre, étoffant le peu qu'il savait de suppositions audacieuses et de péripéties inventées. Yarg, amusé par le procédé, lui laissa un certain temps la bride sur le cou. Ce n'est que lorsqu'il aperçut le froncement désapprobateur du visage d'Ocieu qu'il commença à regretter le bavardage incontrôlé de Janiel. Il ne fallait quand même pas oublier que le contractuel restait leur maître.

Lorsque Janiel, obéissant aux signes discrets de Yarg, finit par se taire, Ocieu recommença à se curer les dents, puis il reprit la parole sur un ton un peu plus distant qu'à l'accoutumée.

— Yarg a un avantage sur nous. Il ne se laisse pas emporter par des fantasmagories absurdes concernant sa place dans le monde. Il lui suffit de savoir qu'il est maintenant esclave, à bord de la *Diamantine*. Nous devrions nous aussi essayer d'oublier le passé.

— Belle philosophie pour nous dire d'accepter notre statut, dit Janiel.

Ocieu grimaça, concentré sur la difficulté de déloger une fibre coincée entre deux chicots. Il finit par venir à bout du corps étranger récalcitrant, qu'il expulsa avec des crachotements, puis il reprit :

— Il y a des sorts pires que d'être esclave à bord de la *Diamantine*. Même si vous vous mutiniez et que vous réussissiez à retourner dans le village où vous êtes nés, votre fils serait un adulte, votre chien serait mourant et votre femme dans le lit d'un prétendant.

— N'allons pas trop vite ! protesta Scorbe. Ça ne fait même pas deux ans que j'ai été capturé. Aucun de mes fils n'est adulte encore, et si mon chien ne s'est pas fait casser l'échine par une ruade de vache, il doit être encore vivant. (Il fit mine de réfléchir.) Ma femme et un prétendant, ça, ce serait moins surprenant...

La boutade amusa l'auditoire, mais Ocieu ne se laissa pas détourner de son propos.

— Même si le monde que vous avez quitté n'a pas changé, vous seriez quand même déçus. Parce que vous, vous n'êtes plus le même.

— Pas une raison pour ne pas chercher à s'extraire de sa basse condition ! insista Janiel, qui s'échauffait.

— Si j'avais ton âge, c'est ce que je dirais. Mais je parlerais moins fort, si tu veux un conseil.

— J'ignore si j'ai une femme, un fils ou un chien, dit Yarg, songeur. On m'a dit que j'étais un voleur. Puis que j'étais un soldat. Lorsque j'ai repris conscience, je n'avais ni arme ni uniforme en ma possession.

— Il y a un mystère là-dessous, c'est clair, reconnut Ocieu.

Au bout d'un certain temps, les esclaves appuyés contre le bastingage furent rassasiés du spectacle, ce qui permit à Yarg, Scorbe et Janiel d'aller contempler à leur tour les activités portuaires de la ville de Spire.

La première chose que Yarg comprit, c'est qu'il devait renoncer à son projet, vaguement esquissé il est vrai, d'attendre la nuit pour enjamber le bastingage et sauter en bas. Le quai était plus éloigné de la coque qu'il ne l'imaginait. Arriverait-il à franchir l'intervalle sans élan ? Il risquait surtout de tomber dans la rade et de couler à pic, entraîné par le poids de la chaîne à son cou. Et même s'il atteignait le quai, le bruit attirerait l'attention, les gardes de la *Diamantine* le rattraperaient sans difficulté… Yarg ne voyait pas l'intérêt de spéculer sur ce qui se passerait ensuite.

Il se contenta de regarder la foule affairée sous ses yeux, constituée de portefaix, de contractuels, de contremaîtres en uniforme et de bien d'autres hommes et femmes dont Yarg ignorait le rôle dans ce chaos organisé. Il soupçonna que nombre de ces individus étaient simplement des badauds, venus admirer la *Diamantine*. Des enfants figuraient parmi la populace, le nez levé, la bouche béante. Un nourrisson pleurait. Un jeune homme poussait une échoppe fumante au milieu de tout ce monde : c'est probablement de là que provenait l'odeur de viande grillée.

L'estomac de Yarg se contracta. L'ordinaire à bord de la *Diamantine*, quoique abondant, manquait de variété.

Le fait que la *Diamantine* était à quai ne signifiait pas qu'il n'y avait plus de travail à faire. Yarg et Scorbe furent assignés à une pompe au point le plus profond et humide de la cale, pour évacuer l'eau des infiltrations et de la condensation. Les deux hommes soulevèrent et rabaissèrent le long manche de la pompe, un travail harassant à la longue. Scorbe expliqua que la corvée était généralement assignée aux fortes têtes, mais que les superviseurs jugeaient éducatif d'y faire goûter tout le monde.

— Y a des corvées encore moins plaisantes, ajouta-t-il en essuyant l'éternelle goutte de transpiration au bout de son nez. Parfois, le conduit d'une latrine des ponts supérieurs s'engorge. Veux-tu connaître les détails de la procédure pour le déboucher ?

— Non.

À la fin de la journée, les membres de la chiourme recrutés à Maurras furent rassemblés au réfectoire, où ils reçurent de leur superviseur des instructions concernant le nouvel horaire à bord en prévision de l'entrée de la *Diamantine* dans la Chicane, un labyrinthe inextricable d'îles, d'îlots, de récifs et de hauts-fonds qui séparait la partie nord de la mer Tramail de la partie sud.

— C'est sur une des îles du sud qu'est édifiée Pinacle, la ville du palais où réside Fasce le Quatorzième Sublime, expliqua Ocieu sur le ton déférent qu'il affectait chaque fois qu'il mentionnait le capitaine. Le trajet prend plus ou moins six jours, selon les courants, qui sont capricieux. (Le ton du contractuel se fit encore plus respectueux.) Négocier les passages de la Chicane est une activité risquée. La navigation de nuit y est évidemment suicidaire. Tout ça pour dire que désormais vous aurez vos nuits pour dormir. Le jour, vous serez encore à vos postes à trois reprises, deux heures à la fois. Le travail va changer de nature. La force continue sera remplacée par l'écoute attentive et la promptitude à s'ajuster aux ordres du métreur.

Le vieux contractuel avait parlé en estran, la langue commune à bord. Il libéra donc les esclaves qui avaient compris, pour répéter ses instructions dans un langage parlé par une minorité. Yarg avait déjà noté qu'il comprenait cet autre langage, mais c'était la première fois que ce fait le frappait vraiment.

— Quelle est cette autre langue, que je ne savais pas connaître ? demanda-t-il à Janiel.

— Qu'est-ce que tu baragouines ? répondit ce dernier, toujours en estran.

Scorbe, à qui il répéta sa question une fois qu'ils l'eurent rejoint sur le pont, hocha la tête d'un air extrêmement intéressé.

— C'est du prabale. La « langue des clercs ». Non seulement tu sais le prabale, mais tu le parles couramment. Du moins à mon oreille, parce que moi, j'en possède juste quelques rudiments. N'essaie plus de me faire croire que tu es un voleur des steppes.

— J'ai abandonné cette théorie.

— Ouais, ouais, ouais… Tu pourrais être le fils d'un clerc qui n'avait pas de disposition pour le travail intellectuel. Servir un prince à la guerre n'apporte pas beaucoup de richesse, mais compense en mérite et en honneur.

Yarg prit une inspiration, le front caressé par la faible brise vespérale, le regard fixé sur le disque rouge clair du soleil qui touchait presque l'eau, puis il souffla dans un murmure :

— Ça explique mon habileté au corps à corps, et le fait que j'arrive à désigner les pièces d'équipement des cavaliers… Je suis un soldat. De quelle armée ? De quel pays ?

— T'es un Musaphe, on sait au moins ça, dit Janiel.

— D'où te vient cette certitude ? s'étonna Yarg.

— Il suffit de te regarder. Tout svelte et brun, les cheveux et les yeux noirs.

— Perlustre serait donc une Musaphe elle aussi ?

— Évidemment ! Ça alors, tu ne te rappelles vraiment de rien du tout !

— Ça aide pas beaucoup à restreindre les possibilités, fit Scorbe. Y a des Musaphes depuis la rive de la mer Tramail jusqu'aux monts Cathédran. Ils parlent tous estran, plus ou moins. Quant aux clercs, ben, c'est leur langue de profession. Ils l'emploient partout où ils s'installent.

— Tu en sais des choses, marmonna Janiel, moitié boudeur, moitié admiratif.

— J'ai vu le monde, répondit Scorbe avec un haussement d'épaules. Je n'ai pas toujours été un esclave à bord de la *Diamantine*.

— Si tu penses que c'est mon intention de l'être, tu te trompes ! À la première occasion, je me défile !

— En nous abandonnant derrière ?

Yarg, qui avait posé la question par pur esprit de taquinerie, fut surpris de l'intensité émotive de la réaction de Janiel. Il se renfrogna, cramoisi, pour se mettre à bégayer :

— Ce… Ce n'est pas ce que je voulais dire…

Yarg posa une main amicale sur l'épaule de son compagnon.

— Tu es trop sentimental. Si jamais tu trouves un moyen de te libérer, je t'ordonne de le prendre.

Janiel sourit, visiblement un peu embarrassé par sa réaction. Il donna un coup de coude dans les côtes de Yarg.

— Je partirai pas avant d'avoir appris la vérité au sujet de ton identité.

Le soleil plongea dans la mer, et la coupole du ciel se constella d'étoiles. Pendant un moment, Yarg et ses compagnons admirèrent avec envie le panorama nocturne de Spire. L'activité avait à peine ralenti. Sur les quais, des esclaves travaillaient encore à la lumière des torches et des lanternes – un nombre important de ceux-ci étaient affectés à l'approvisionnement de la *Diamantine* –, mais un peu plus loin, sur ce qui avait servi de place du marché pendant le jour, des planches avaient été installées sur des tréteaux pour former des tables autour desquelles la population s'était assemblée pour rire, boire et manger ; tout cela au son des cornets et des tambourins.

Yarg plissa les yeux pour essayer de reconnaître Perlustre parmi la foule des fêtards, mais il renonça presque aussitôt : elle aurait été trop loin de toute façon. Il sentit un frisson de mélancolie lui remonter le long de la colonne vertébrale à contempler une fête à laquelle il ne pouvait pas participer. Il observa plutôt les corps étendus un peu partout sur le pont, sous la surveillance distraite de quelques gardes : nombreux étaient les membres de la chiourme qui profitaient de la douceur de la nuit pour dormir à la belle étoile, ce qui lui semblait une excellente idée. Même que leur trio avait intérêt à se trouver un coin avant que ça devienne carrément impossible.

◆

Toute la chiourme qui dormait à la belle étoile fut réveillée un peu avant l'aube par les superviseurs chargés d'amener un premier contingent de pédaleurs dans la salle des machines. Yarg n'en faisait pas partie. Il aurait donc pu continuer de dormir si l'air du matin n'avait pas été si humide. Le retour du vrombissement des machines n'aidait pas non plus à retrouver le sommeil.

Il se leva et étira ses membres en contemplant la cité de Spire qui rapetissait dans le brouillard clair du matin. Le soleil chassa peu à peu ces brumes paresseuses. C'est toute la côte qui apparut clairement pendant un temps, pour elle aussi s'amenuiser en un horizon bas à la couleur indéfinie.

En regardant de l'autre côté du navire, Yarg distingua bientôt une nouvelle côte. S'agissait-il d'une péninsule qui se serait avancée dans la mer Tramail ou bien d'une autre île de la Chicane ? En lui-même, Yarg fit un geste d'indifférence : en quoi cela lui importait-il ? Il prit le temps de se rendre aux latrines et de manger un morceau dans le réfectoire quasi abandonné, avant de se présenter à Ocieu pour le prochain quart de travail.

Contrairement à ce qu'avait laissé entendre son superviseur, ce retour au supplice des pédaliers ressemblait en tout point à ce qu'il avait connu pendant le voyage de Maurras à Spire : le métreur leur ordonna en effet de maintenir la vitesse de croisière pendant les deux heures du quart.

Aussitôt libérés, Yarg, Janiel et Scorbe remontèrent sur le pont pour constater de leurs yeux la progression de la *Diamantine*. Comme cela s'était produit lors de leur arrivée à Spire, Yarg resta un instant décontenancé de voir, et de si près, une côte rocheuse haute et déchiquetée, comme surgie des flots pour boucher l'horizon à bâbord. À tribord aussi, une petite île flottait sur les eaux troubles – plutôt un îlot, sur lequel poussaient en rangs serrés des arbres filiformes, comme des cheveux sur le crâne d'un léviathan. La couleur même de la mer avait changé : la surface liquide était maintenant mouchetée de taches plus sombres aux contours irréguliers.

Le trio n'était pas le seul à prêter attention à la progression du navire : à la passerelle de l'étage le plus élevé, les navigateurs de la *Diamantine* surveillaient attentivement la voie devant eux. L'un des hommes regardait dans un appareil qu'il pointait dans diverses directions ; il s'agissait d'un petit tube de cuivre, avec des manettes calibrées permettant des ajustements dont Yarg aurait été bien en peine de deviner la nature.

Le navigateur se pencha pour donner des instructions à un homme d'équipage, qui, empressé, disparut de la vue de Yarg.

Bientôt, ce dernier sentit sous ses pieds le vrombissement diminuer de fréquence et d'intensité. La *Diamantine* n'avança plus qu'à une fraction minime de sa vitesse de croisière. D'autres hommes d'équipage se penchaient au bastingage à la poupe et adressaient des signes aux officiers juchés en haut.

Même Fasce le Quatorzième Sublime apparut à côté de ses officiers, toujours aussi fier et superbe, quoique attentif et silencieux.

Yarg comprit que toutes ces mouchetures sombres à la surface du bras de mer entre l'îlot et la paroi rocheuse étaient des hauts-fonds entre lesquels il fallait que le pilote de la *Diamantine* manœuvre. Il n'était pas nécessaire de posséder une grande expérience de la navigation pour comprendre que l'entreprise était délicate. Elle fut néanmoins accomplie sans dégâts, et aussitôt libéré du passage, le navire reprit sa vitesse de croisière.

À force d'observer les flots, Yarg aperçut entre les hauts-fonds un banc de créatures marines, qui se mirent à bondir hors des flots, vives et enjouées, en émettant des caquètements sonores.

— Qu'est-ce que c'est que ça? s'exclama Janiel, qui lui aussi avait aperçu les éclairs du soleil qui se reflétaient sur le dos argenté des créatures.

— Des faufileurs, dit Scorbe. Des hommes-poissons.

— Ils ressemblent plus à des poissons qu'à des hommes, fit Yarg.

— Juste une expression, admit Scorbe avec un sourire en coin. Mais il paraît que ce sont des bêtes futées. La légende veut qu'il leur arrive de sauver de la noyade des hommes perdus en mer.

— Sans blague? s'exclama de nouveau Janiel.

Scorbe éclata de rire en devinant les pensées qui faisaient briller le regard de leur jeune compagnon.

— Avant de te jeter par-dessus bord, sache que d'autres légendes en font des monstres sanguinaires.

— Bah! Avec ma chance, ils me ramèneraient sur un îlot abandonné, et j'aurais l'air fin.

Vers le milieu de son second quart de la journée, Yarg ne fut pas surpris lorsqu'on leur demanda de ralentir le rythme. Il trouva un peu plus surprenant qu'on ordonne presque aussitôt un arrêt complet.

Les hommes chargés des ajustements aux vis apparurent à la course, pour aller inverser le sens de la vis. Puis il y eut un contrordre: la confusion s'ensuivit, pendant laquelle le ton monta entre le métreur et les officiers. À en juger par les regards que s'échangeait la chiourme, Yarg comprit qu'il se passait quelque chose d'inhabituel.

Ocieu regardait l'agitation d'un air désapprobateur, quand il glissa à voix basse à Yarg·

— On a dû prendre le mauvais tournant. La dentre nous a aussi fait perdre des navigateurs expérimentés.

Un officier supérieur descendit rencontrer le métreur. Il y eut un échange à mots couverts; le métreur s'assombrit, protesta. Le ton de l'officier se fit plus dur. Le métreur s'inclina, visiblement mécontent d'avoir été humilié devant toute la chiourme.

Forclas vint asséner une claque de la main sur l'épaule d'Ocieu.

— Pas content, le métreur! dit-il en un murmure audible à vingt pas. Un si noble personnage, qui nous regarde toujours de si haut!

Ocieu approuva avec un sourire de biais; sur ce point, il partageait l'amusement de son collègue.

Le métreur reprit ses instructions. Les mécaniciens inversèrent le sens de la vis. Les trois cents membres de la chiourme pédalèrent, doucement… doucement…

Les engrenages furent à nouveau inversés à grand renfort de craquements et de tintements métalliques.

Yarg, comme tous les autres, pédalait à vitesse réduite, vitesse qu'il maintenait encore lorsque Ocieu réapparut en compagnie des esclaves qui allaient assurer le prochain quart.

— Naviguer dans la Chicane, c'est ça, dit Ocieu en dégageant la chaîne de Yarg avec sa clé.

— Ça fait mon affaire.

— Les navigateurs chantent une autre chanson, fit Ocieu sur un ton fataliste en libérant l'esclave derrière Yarg. Que veux-tu ? À bord de la *Diamantine* comme dans le reste du monde, ce qui fait le bonheur des uns fait le malheur des autres.

Le contractuel continua son avancée dans la longue salle assombrie pour libérer les esclaves à sa charge, laissant Yarg méditer sur les répercussions philoso-phiques de son épigramme.

CHAPITRE 8

Où l'on se retrouve devant la cruauté des hommes de mer, ainsi que devant les formidables et funestes conséquences d'icelle

Après cinq jours dans la Chicane, il devint difficile pour Yarg de se rappeler le temps où l'horizon de la mer Tramail se prolongeait à l'infini dans toutes les directions. Les voies navigables étaient parfois assez larges pour que la *Diamantine* reprenne sa vitesse maximale, mais on apercevait toujours une île au loin, souvent plusieurs. Il n'était pas rare qu'un village d'insulaires borde les canaux les plus étroits. Certains de ces villages auraient même mérité l'appellation de villes portuaires, mais apparemment le capitaine jugeait ces escales sans intérêt, car jamais il ne s'y arrêtait, même pas lorsque le soir approchait et que, de toute façon, l'ancre du navire était déposée sur un haut-fond.

Yarg n'était pas surpris par cette décision du capitaine, car Ocieu l'avait prévenu : la prochaine escale serait Pinacle, la « Cité parfaite ».

Tous les soirs, donc, aussitôt le soleil couché, la chiourme était libre de ses activités, sauf ses membres désignés par les superviseurs pour accomplir diverses tâches jugées trop basses ou harassantes pour les hommes d'équipage.

À leur grand déplaisir, Yarg et Scorbe furent souvent affectés à la pompe au fond de la cale. « Nous avons trop bien travaillé la première fois », avait supposé

Scorbe avec un gloussement. Heureusement, le cinquième soir ils furent presque aussitôt remplacés par
un duo composé de Brayane et d'un esclave inconnu,
tous deux arborant des arcades sourcilières ensanglantées.

De retour sur le pont, Yarg vit une douzaine
d'hommes attachés au pilori et sentit qu'un bruissement de tension animait la chiourme. Une querelle
entre la bande de Brayane et une bande rivale avait
dégénéré en rixe, s'empressa de lui expliquer Janiel.
Résultat : toute la chiourme serait privée de bière le
lendemain. Yarg fit la grimace à la perspective de
n'avoir pour toute boisson que le thé herbeux.

Tous les soirs depuis que la *Diamantine* frayait sa
route dans les dédales de la Chicane, quelques hommes
d'équipage profitaient de leur temps libre pour tendre
des lignes à pêche dans les flots. D'autres lançaient
un filet – en veillant à ne pas s'approcher de la poupe
pour éviter d'emmêler leurs cordages dans les vis de
propulsion.

Les hauts-fonds étaient poissonneux, et la faune
marine, attirée par la lumière des torches tendues au-
dessus des flots, montrait beaucoup de complaisance
à venir mordre les hameçons et à s'entortiller dans les
filets. L'activité combinait l'utile – cela occupait les
hommes – et l'agréable – on faisait griller les poissons
sur des braseros, et quand il y en avait assez, même la
chiourme y avait droit, ce qui changeait agréablement
de l'ordinaire.

La pêche était interdite à la chiourme. Ses membres
devaient se contenter d'observer et de commenter,
privilège dont ils ne se privaient pas, à condition de
respecter la hiérarchie à bord et de ne pas encombrer
les lieux. Les gardes-chiourme restaient donc attentifs,
surtout ce soir après la rixe entre bandes rivales. Le
statuesque Panserfio dominait toute la foule, les bras
croisés, son regard noir reflétant la lumière des torches.

Au-dessus de toute cette activité flottait de la musique venue des étages supérieurs, ponctuée parfois de rires, à travers lesquels Yarg crut reconnaître le tintement haut perché, un peu enfantin, de Perlustre. Ces heures alanguies du soir lui faisaient entrevoir sous un autre jour la perspective de demeurer des années à bord de la *Diamantine*. Ocieu n'avait pas tort de dire qu'il y avait des sorts moins enviables que celui d'esclave à bord du somptueux navire. La courte expérience de la vie de Yarg lui avait au moins appris cela.

Le rire clair de Perlustre descendit de nouveau jusqu'à Yarg : maintenant qu'il avait reconnu sa voix, il avait l'impression de n'entendre qu'elle, malgré la musique et le bavardage des pêcheurs et de la chiourme.

Yarg s'éloigna de la lumière des torches, le cœur soudain serré par un sentiment de tristesse dont il ne comprenait pas l'origine. À l'écart, il contempla la mer, si noire sous les étoiles. L'air calme sentait le sel, l'algue, le poisson grillé. Un désir fugitif, absurde et pourtant douloureux dans son intensité, lui traversa l'esprit : accomplir ce que Janiel n'avait pas osé faire, c'est-à-dire sauter par-dessus bord, plonger chaîne première sous la surface liquide, s'enfoncer dans les flots soyeux, tièdes comme du sang.

Sur le pont de la *Diamantine*, Janiel cria sur un ton surexcité :

— Yarg ! Viens voir ! Viens voir ça !

Ce dernier se secoua, décontenancé comme il l'était chaque fois que son esprit dérivait ainsi. Ces rêveries lui semblaient… inconvenantes. Un homme devait apprendre à se contenir dans la réalité.

Les appels de Janiel faisant partie de cette réalité, Yarg revint vers la poupe. À en juger par l'excitation de la foule sur le pont, les pêcheurs avaient dû attraper une prise extraordinaire. Yarg n'y voyait pas grand-chose avec le mur de dos qu'il avait devant lui.

C'était pire pour Janiel, qui sautait sur place afin d'essayer d'apercevoir ce que les hommes d'équipage remontaient avec force cris et ahans. Yarg entrevit le filet basculer par-dessus la rambarde et entendit la prise s'abattre lourdement sur le pont. Une onde d'étonnement se propagea.

— Un faufileur !

L'exclamation fut ponctuée par un vagissement râpeux, animal. Le cri de la bête s'amplifia, tout en sifflements furieux, et le plancher du pont vibra sous les efforts que l'animal faisait pour se dégager. La foule s'écarta précipitamment, plusieurs des hommes trébuchant parmi les rires et les cris d'excitation : « Un faufileur ! » « Un homme-poisson ! »

Yarg vit enfin l'animal, plus gros qu'il ne l'avait imaginé. Il trouvait décidément l'expression « homme-poisson » trompeuse. La créature marine n'avait pas grand-chose d'humain, avec sa forme fuselée, sa peau grise et luisante, son museau rond et la rangée de crocs qui reflétaient la lumière jaune des lanternes. Possédait-elle des pattes ? Il était difficile de bien détailler la bête à travers le filet qui l'emmaillotait.

Les bonds que le faufileur faisait pour se libérer amusaient beaucoup les marins. Une épreuve d'audace fut improvisée, chacun avançant à son tour pour piquer la bête avec une baguette de bois, ou, plus cruellement, avec un des couteaux qui avaient servi à évider les poissons, sous les rires et les cris rauques venus autant de l'équipage que de la chiourme esclave et contractuelle.

Yarg s'éloigna et rejoignit Scorbe, qui observait aussi la scène, adossé les bras croisés contre le pilier de support d'une balustrade du second étage. Son visage mangé d'ombre s'était plissé en un masque désapprobateur.

Le supplice du faufileur se poursuivait. Entortillée dans le filet rougi de sang, la bête marine continuait de se débattre avec une fureur désespérée, les mâchoires claquantes, répondant aux tourments avec des sifflements furieux. Quelques matamores faisaient exprès de s'avancer à portée des dents acérées, pour sauter *in extremis* hors de portée lorsque le faufileur les choisissait pour cible.

— Oooh !

— Il t'a presque eu !

— Attachez-lui la queue !

Yarg fit signe à Scorbe de s'éloigner à l'autre bout du navire.

— Ça me déplaît.

L'autre obtempéra.

— Pas mon genre d'amusement non plus.

Perlustre apparut à la balustrade, juste à la verticale des deux hommes. Elle agrippa la rampe de ses quatre mains, ses longs cheveux noirs et sa robe constellée de sequins flottant dans la faible brise nocturne. Son regard luisait de surprise outragée.

— Que se passe-t-il ? Arrêtez !

Personne ne l'entendit à travers les hurlements de la bête et les glapissements hystériques des hommes. Perlustre sauta par-dessus la rambarde pour tomber aux pieds de Yarg et de Scorbe. Elle se redressa avec la vivacité d'un chat, bouleversée.

— Que font-ils ?

— Vaut mieux remonter et ne pas se mêler de… Ho ! Mademoiselle, où courez-vous ainsi ?

Scorbe tenta de barrer le passage à Perlustre, mais la jeune femme le contourna, n'ayant d'yeux que pour le forfait qui se commettait plus loin.

— Arrêtez ! C'est odieux !

Il y eut un flottement parmi la chiourme et les membres de l'équipage lorsqu'ils virent s'interposer la « favorite » du capitaine – du moins était-ce ainsi que le ouï-dire à bord la qualifiait, personne ne s'entendant sur son statut véritable. Qu'elle eût quatre bras était un fait reconnu, mais la rumeur voulant qu'elle eût quatre seins alimentait bien des conversations aux latrines, les sceptiques rejetant en bloc le témoignage des anciens enchaînés achetés à Maurras, persuadés que ceux-ci s'étaient entendus pour les faire marcher.

L'intensité des cris baissa encore plus lorsque la haute silhouette de Fasce le Quatorzième Sublime, engoncé dans un rutilant uniforme d'apparat, apparut à son tour à la balustrade.

Bien que l'attention générale se portât sur le capitaine et armateur de la *Diamantine*, Yarg n'avait pas quitté du regard Perlustre, qui s'approchait dangereusement de la bête, allant même jusqu'à tendre ses deux mains droites au-dessus du museau ensanglanté en un geste de réconfort.

— Perlustre ! Non !

Yarg écarta de son chemin les marins et les membres de la chiourme décontenancés et attrapa Perlustre pour la ramener en sécurité. Celle-ci résista.

— Laisse-moi !

— Tu es folle ? Il va t'arracher la main !

— Il a peur !

— Raison de plus !

Du coin de l'œil, Yarg vit une silhouette s'avancer dans la lumière des torches : Forclas, les yeux écarquillés d'outrage, le bâton levé.

— Tu oses la toucher ?

Yarg reçut le coup sur une omoplate.

— Mais vas-tu la lâcher, vermine ?

Un second coup de bâton frappa Yarg à l'occiput. La foule sur le pont, la lumière des torches, la superstructure illuminée des étages supérieurs, tout tourna… Yarg tomba sur le pont, les oreilles tintant sous une cacophonie où s'entremêlaient les supplications de Perlustre, la plaidoirie de Janiel accouru pour protéger son camarade, les insultes des gardes-chiourme, les exclamations des marins, et le vagissement aigu du faufileur qui se débattait de plus belle pour se libérer de ses entraves.

Le temps pour Yarg de reprendre ses esprits, un silence tendu régnait de nouveau sur le pont de la *Diamantine*, telle la corde de l'archer qui attend l'ordre de tirer.

Le capitaine Fasce était descendu sur le pont principal, suivi par le maître d'équipage et deux autres officiers. Marins, contractuels et esclaves s'écartèrent sur leur passage. La musique s'était tue : à la balustrade du deuxième étage, une foule bigarrée et chuchotante s'était assemblée, intriguée par toute cette commotion.

Yarg se dressa sur des jambes amollies pour soutenir le regard du capitaine, le visage impassible entre ses longs cheveux si clairs qu'ils semblaient émettre leur lumière propre, d'une autre nature que la lueur jaune de la rangée de lanternes destinées à attirer les poissons.

L'esclave ne détourna pas le regard – le coup l'avait laissé d'humeur belliqueuse, et il n'avait cure d'être déraisonnable à ce moment –, mais Fasce le Quatorzième Sublime le dépassa sans lui accorder la moindre attention. Il ignora tout autant Janiel, qui tentait d'arrêter le sang qui gouttait de son nez.

C'est à Perlustre qu'il s'adressa, sur un ton de courtoisie parfaite.

— Chère amie, cet endroit ne convient ni à votre rang ni à votre délicatesse. J'espère qu'aucun de ces hommes ne vous a brutalisée.

— Moi, non. Mais ils brutalisent ce faufileur. Je vous en supplie, ordonnez à vos hommes de le libérer.

Le capitaine condescendit à abaisser le regard sur la bête marine.

— Le spectacle manque de raffinement, mais la cruauté fait partie de la nature des hommes.

— Qu'un trait fasse partie de la nature ne signifie pas qu'on doive lui laisser libre cours, fulmina Perlustre, ses quatre petits poings serrés, son corsage étroit soulevé par des inspirations qui ressemblaient à des sanglots contenus. Les faufileurs sont des êtres conscients, pas des bêtes !

Yarg sentit la foule qui les entourait marmonner : à bord de la *Diamantine*, on ne devait pas souvent tancer le capitaine sur ce ton.

Ce dernier contempla le petit bout de femme lui tenant tête avec une ombre d'amusement sur les lèvres.

— Vraiment ?

Il étudia avec un peu plus d'intérêt le faufileur, qui s'était calmé.

— Votre Grâce, intervint un des officiers. Permettez-moi de vous exhorter à la prudence ! Ce sont des bêtes vicieuses !

Le capitaine de la *Diamantine* ne sembla guère troublé par l'avertissement. Il marcha autour du faufileur, suivi dans son déplacement par le gros œil glaireux, comme si la bête comprenait qu'elle avait intérêt à se montrer accommodante.

— C'est la première fois que je vois un faufileur vivant de près. Leur réputation de malfaisance n'est plus à faire. Vous dites qu'ils sont pourvus d'une forme de conscience ?

— C'est un fait établi, dit Perlustre sur un ton catégorique.

— Comprend-il nos paroles ?

— Pas dans toute leur subtilité expressive… mais je suis sûre qu'il comprend que nous discutons de son sort. Regardez comme il se tient tranquille.

— Je l'avais noté, en effet. J'aurais aimé le ramener à Pinacle pour l'étudier à loisir. (Il interrompit d'un geste la protestation qui prenait forme sur les lèvres de Perlustre.) Mais la *Diamantine* n'est pas équipée pour le contenir. Ce sera pour une autre fois.

Fasce s'adressa à son maître d'équipage.

— Rejetez la bête à la mer.

— Il faut d'abord la dégager du filet ! dit Perlustre.

Le maître d'équipage fit un signe au garde le plus rapproché, qui était Forclas.

— Vous avez entendu ?

Il y eut un mouvement général de recul parmi la chiourme derrière Forclas, qui resta un instant silencieux. Sur un ton poli que Yarg ne lui avait jamais entendu employer, le garde demanda s'il ne serait pas plus charitable d'abréger les souffrances de la bête, plutôt que de la laisser mourir de ses blessures dans la mer.

La réponse du maître d'équipage fut coupante : refusait-il d'obéir aux ordres ? À contre-jour de la lumière des torches, le visage de Forclas s'assombrit encore plus. Un rictus féroce naquit dans sa barbe quand il désigna Yarg et Janiel.

— Vous deux. Vous m'aidez.

Les trois hommes s'approchèrent du faufileur, essayant de déterminer le meilleur moyen de s'y prendre pour le soulever.

— Il faut le dégager du filet, insista Perlustre.

— Pas complètement, mademoiselle ! grogna Forclas. Il va nous mordre. Je vais juste lui dégager un peu la tête ; faudra qu'il se débrouille pour le reste…

Mais lorsque le faufileur aperçut la lame près de son œil, il se remit à vagir bruyamment, pris de frénésie. Il fallut encore tout le talent de Perlustre pour réussir à le calmer.

— Vous faisiez partie de ses tourmenteurs ! Forcément, il a peur de vous !

Forclas se tourna vers le maître d'équipage, quémandant son appui.

— Maître ! Vous voyez bien que ça n'a pas de sens !

Une haute silhouette se découpa dans la lumière des torches : Panserfio. Le colosse évalua la situation, l'œil noir, l'air d'une statue, les contours de son visage impassible modelés par la lueur inconstante des torches. Il prit le couteau de la main de Forclas, qui le lui céda volontiers.

Panserfio souleva un bout du filet, le montra au faufileur et, avec des mouvements étonnamment expressifs, en coupa quelques brins. Il s'approcha ensuite de l'animal, en prenant soin de toujours garder le couteau dans son champ de vision. Avec quelques coups précis de sa lame, il lui dégagea le museau, puis une partie de la tête.

Tout ce temps, Perlustre caressait le crâne luisant en murmurant des mots doux.

Panserfio fit signe à Yarg de l'aider à soulever le faufileur encore à moitié emmailloté. Yarg avait du nerf, et le colosse était plus fort encore ; mais le plancher était glissant de sang, l'animal était lourd et commençait à s'agiter. Janiel vint prêter main-forte, mais ils n'arrivaient pas à le faire passer par-dessus la rambarde. La chaîne au cou de Yarg, coincée entre son corps et la bête, lui rentrait douloureusement le collier dans les chairs.

Émettant un immense soupir d'exaspération, ce fut Fasce le Quatorzième Sublime lui-même qui alla aider les trois hommes en train de peiner.

Une fois passé au-dessus du bastingage, le faufileur glissa en dehors du filet, entraîné par son propre poids. Un éclair contre le voile sombre de la mer, un fracas liquide, un jet d'éclaboussures ; l'animal était retourné dans son élément.

— Voilà qui était fort téméraire, votre Grâce, dit un des officiers, si vous me permettez de m'exprimer avec franchise.

Le capitaine de la *Diamantine* écarta la remontrance avec un sourire hautain.

— Je suis un Fasce.

Il s'essuya les mains avec un mouchoir puisé dans une poche de son costume d'apparat, indifférent au fait que celui-ci était maculé de sang, puis, sans se départir de son attitude de suprême courtoisie, offrit son bras à Perlustre.

— Allons nous changer. Un cordial nous attend sous le dais, et nous répondrons aux nombreux commentaires que votre fougue, j'en suis persuadé, aura suscités parmi les passagers.

La jeune femme ouvrit la bouche, la referma, sembla vouloir croiser le regard de Yarg… mais elle baissa le visage en acceptant le bras que lui tendait le capitaine.

Aussitôt les notables disparus dans leurs quartiers, il y eut un bourdonnement général de conversations et de commentaires d'un bout à l'autre du pont. Yarg s'empressa auprès de Janiel qui penchait la tête vers l'arrière dans une tentative d'arrêter le saignement qui avait recommencé de plus belle lorsqu'il avait forcé pour soulever le faufileur.

Ils furent rejoints par Scorbe et d'autres esclaves, mais le babil se tarit à l'apparition de Forclas, qui donna un coup de la pointe de son bâton à Yarg et à Janiel.

Chaque fois qu'il songerait à cette altercation par la suite, Yarg s'émerveillerait du fait qu'il avait réussi à ne pas sauter à la gorge du garde-chiourme.

— Au pilori, vous deux ! dit Forclas. La sale tête aura cinq coups de fouet à l'aube pour avoir mis sa sale main sur une invitée du capitaine !

— C'était pour la protéger ! protesta Janiel.

— Toi aussi, cinq coups de fouet ! Tu vas apprendre à la tenir, ta foutue langue ? Qu'est-ce que vous avez mangé aujourd'hui pour être intenables comme ça ? Au pilori ! Avec les autres enculés !

Yarg eut l'impression que Scorbe allait aussi intervenir, mais d'un geste discret il lui fit signe de ne pas bouger. L'autre se retint, ses yeux globuleux frémissant de colère sous la lumière jaune.

Menés par trois surveillants – dont Ocieu –, Yarg et Janiel montèrent au pilori, où les attendaient déjà Brayane, sa bande et les membres de la bande rivale. On leur retira leur chemise, on leur fixa des entraves aux poignets, les bras dans le dos, puis on tendit la chaîne de leur collier sur une armature, celle-ci étant conçue de façon à ce qu'ils soient obligés de rester debout.

Ocieu participa à la mise aux fers d'un air indifférent. Juste avant de partir, il souffla à Yarg :

— Je peux pas annuler un ordre de Forclas.

Ocieu descendit de l'estrade sans attendre une réponse. Les autres surveillants aussi abandonnèrent à leur tour les punis à leur sort.

De toute façon, le pont se vidait. La soirée avait été riche en événements, mais il fallait néanmoins songer au labeur du lendemain.

Les pêcheurs avaient remonté leurs filets et éteignaient leurs lanternes. Scorbe resta un moment sur le pont, en retrait. Yarg espéra qu'il ne viendrait pas leur parler : toute marque d'attention envers les hommes au pilori était interdite, et il y avait toujours au moins un garde qui avait un œil ouvert.

Scorbe ne poussa pas plus loin l'audace et finit par aller se coucher lui aussi.

Le chuchotis moqueur de Brayane s'éleva dans la nuit.

— Votre problème, mes chers amis, c'est que Forclas risque de vous prendre en grippe.

— Nous étions dans ses bonnes grâces ? ironisa Janiel. J'avais pas remarqué.

Un de leurs compagnons de malheur rappela qu'ils étaient supposés se taire. Même Brayane se conforma au conseil de prudence.

Le silence tomba donc sur le groupe. Au bout d'un moment, Yarg sentit le coude de Janiel appuyer sur sa hanche. Dans l'obscurité, il vit le visage du jeune homme se tendre vers les ponts supérieurs. Yarg regarda dans la direction indiquée. Une silhouette féminine apparaissait dans une des fenêtres, solitaire, pensive.

Une autre ombre apparut. On tira les rideaux. Perlustre – si c'était bien elle – disparut.

Chacun des esclaves punis resta silencieux, retenu par sa chaîne, perdu dans ses pensées.

◆

Les premières heures de la nuit furent inconfortables, sans plus. Mais peu à peu, Yarg se mit à frissonner, le torse nu dans l'air de plus en plus frais. L'inconfort fit place à la souffrance, autant psychique que physique, car au-delà de la douleur aux talons et aux genoux, qu'il pouvait atténuer en déplaçant le poids de son corps d'une jambe à l'autre, il avait surtout l'impression que le temps s'était arrêté, qu'il serait confiné pour l'éternité dans cet enfer nocturne, retenu par le cou à un collier de fer, les épaules endolories par le poids des entraves.

La douleur à l'un de ses talons fut soudain si intense qu'il crut qu'il allait se mettre à hurler.

Un croissant de lune apparut à l'horizon. Yarg fut rappelé au fait qu'il y avait moins d'un mois qu'il était revenu à la conscience, car l'astre nocturne qui se reflétait maintenant sur les eaux de la mer Tramail n'était pas encore aussi avancé dans son cycle que celui qui avait brillé au-dessus de sa cage.

La chaîne de Janiel frotta brutalement contre le support, bruit accompagné d'un « euh ! » hébété.

— Ça va ? murmura Yarg.

— Me suis… Me suis endormi debout…

Janiel marmonna une litanie de jurons, pas tous en estran, puis il finit par se taire à nouveau.

Yarg se rendit compte que sa douleur au talon avait disparu. Qu'en fait il n'avait plus mal nulle part. Il passa le reste de la nuit l'âme embarbouillée par l'apathie. Il n'aurait su dire s'il avait les paupières ouvertes ou closes : son âme était au neutre, le monde était gris.

Les étoiles furent les premières à disparaître de la coupole du ciel. Le croissant de lune demeura plus longtemps visible dans le ciel violet, puis rosé.

Yarg fixait l'horizon sud de la mer Tramail dans la morne lumière matinale. Il n'avait jamais rien contemplé d'aussi calme. Pas une île à l'horizon. Scorbe l'avait prévenu : une fois sortie de la Chicane, la *Diamantine* pourrait filer jusqu'à Pinacle à sa vitesse de croisière. Normalement, ils arriveraient en mi-journée.

Une délégation apparut sur le pont, constituée de Forclas, d'Ocieu, du maître d'équipage, du chirurgien, avec Panserfio qui fermait la marche, un long fouet en cuir à la main, son corps sculptural enveloppé dans une impressionnante cape fuligineuse.

Tous les esclaves furent libérés du pilori, sauf Yarg et Janiel.

Dans l'air frais du matin, Yarg sentit la chair de poule lui couvrir les bras, la poitrine et le dos.

Un frisson d'une tout autre nature parcourut la *Diamantine*. L'eau grise bouillonna à la poupe. Dans la salle de la machine, la chiourme était déjà à l'œuvre. Indifférent au sort de chaque homme qu'il transportait, le navire se mut.

L'horizon s'embrasa : le soleil se levait.

Panserfio monta sur l'estrade, accompagné du chirurgien. Ce dernier examina les deux esclaves et leur glissa dans le creux de l'oreille :

— Gémissez et tordez-vous. Si vous êtes trop stoïques, Panserfio forcera la main. Faut pas décevoir Forclas.

— Ça me fendrait le cœur, murmura Janiel.

— N'en faites pas trop non plus.

Le chirurgien s'adressa plus spécifiquement à Yarg.

— Ta plaie a bien guéri. N'empêche, j'ai instruit Panserfio de ne pas frapper à cet endroit.

— Dépêchons ! s'impatienta le maître d'équipage.

Après avoir posé une main encourageante sur les épaules des deux esclaves, le chirurgien descendit rejoindre le reste de la délégation, autour de laquelle s'étaient rassemblés quelques marins et membres de la chiourme. Du coin de l'œil, Yarg aperçut aussi quelques officiers et notables à la balustrade du deuxième étage.

Il refusa de lever le regard vers la fenêtre où il avait cru reconnaître Perlustre la veille.

Au bout de l'estrade, les pieds écartés, Panserfio évalua la distance qui le séparait de ses victimes. Il roula les épaules pour se réchauffer les articulations. Finalement, il lança le fouet vers l'arrière, le corps arqué en une pose que Yarg ne put s'empêcher de trouver un peu théâtrale.

Les deux esclaves échangèrent un regard. Disparu le sourire de bravade ; le visage de Janiel était pâle et en sueur.

Yarg serra les dents. Il attendit le sifflement du fouet, puis la brûlure de la peau lacérée... Il entendit à la place une série de chocs sourds, accompagnés de grincements et de vibrations qui se propagèrent tout le long de la structure du navire.

Comme le coup de fouet ne venait toujours pas, Yarg regarda autour de lui et comprit que tout le monde était aussi surpris que lui. Les regards convergèrent vers la poupe : les vibrations s'étaient accentuées, et le bouillonnement avait changé d'aspect.

Il se passait quelque chose d'anormal avec les vis de propulsion. Un bris mécanique, supposa Yarg. Ou alors elles s'étaient empêtrées dans quelque chose.

Yarg se rappelait la prudence avec laquelle les pêcheurs du soir avaient lancé leurs filets.

Le navire entier grouilla soudain d'officiers, de navigateurs et d'hommes d'équipage, certains à moitié vêtus, tous alarmés et étonnés par le comportement anormal du navire.

Panserfio avait abaissé son fouet, moitié indécis, moitié fataliste. Plus personne ne lui prêtait attention.

Les vibrations à la poupe de la *Diamantine* diminuèrent d'intensité. De sa position légèrement surélevée, Yarg apercevait les officiers à la passerelle d'observation du troisième étage en vive discussion. Fasce le Quatorzième Sublime apparut, vêtu du même uniforme impeccable que d'habitude, à croire qu'il dormait tout habillé. Impassible, il écouta le rapport de ses officiers, puis il jeta aussi un œil vers la poupe.

Des appels montaient du ventre du navire : le métreur demandait ce qui se passait. À travers les appels et les bruits de course, Yarg percevait maintenant une série de chocs secs, assez rapides et irréguliers. Encore un son qu'il n'avait jamais entendu à bord. Panserfio tendait l'oreille, visiblement tout aussi intrigué que Yarg par la provenance des bruits.

Un marin penché à la poupe se redressa avec un cri d'effroi :

— *Aleeerte ! On nous…*

Un grappin au bout d'une corde jaillit au-dessus du bastingage et s'accrocha en plein visage du marin. Aussitôt, l'attaquant invisible tira sur la corde, avec tant de brutalité que le marin bascula par-dessus bord en tournant sur lui-même comme s'il n'avait été qu'un sac de linge.

Une clameur aiguë, furibonde et sauvage monta de la mer, de bâbord, de tribord, de tous les points cardinaux à la fois.

Yarg sentit la repousse de ses cheveux se dresser sur sa nuque : sur tout le pourtour de la *Diamantine* apparut une armée de faufileurs, leurs courtes pattes brandissant des crochets avec lesquels ils s'étaient hissés le long de la coque. Arrivés au bastingage, ils arquèrent la queue, imprimant à leur corps un puissant mouvement de balancier qui les fit passer par-dessus la rambarde. Aussitôt sur le pont, ils se redressèrent vivement sur leurs pattes. Ils jetèrent leurs crochets pour empoigner de longues épées à la lame de cuivre mouchetée de vert-de-gris, armes qu'ils avaient remontées grâce à une sorte de harnais qui ceinturait leur long corps fuselé.

Avant de laisser le temps à quiconque de reprendre ses esprits, les faufileurs s'élancèrent à l'attaque, courant sur trois pattes, leurs épées dressées oscillant au rythme de leur grotesque démarche. Malheur à l'infortuné, fût-il officier, homme d'équipage ou humble représentant de la chiourme, qui était choisi pour cible. Les longues épées aux lames irrégulières s'abattirent avec le craquement mou, à donner la nausée, du métal rompant les os. Certaines victimes moururent sur le coup, sans un cri. D'autres hurlèrent à l'agonie, un membre sectionné.

La chiourme et les marins fuyaient en panique dans les corridors menant aux étages inférieurs et supérieurs. Des faufileurs les poursuivirent en émettant de grands cris rauques comme des ricanements de démons.

Pour la délégation venue assister au châtiment de Yarg et de Janiel, hélas! toute retraite était impossible tant les créatures étaient nombreuses; au moins une trentaine, et il en montait encore! Le maître d'équipage se trouva face à face avec le plus énorme des faufileurs à sévir sur le pont: un monstre de plus de huit pieds à la peau tachetée de noir sur les flancs et autour des yeux, qui abattit son épée avec une force surhumaine. La lame de cuivre ouvrit le thorax du maître d'équipage de la clavicule au nombril. Il s'effondra dans un flot de sang et de viscères sectionnés.

Aussitôt son forfait accompli, le faufileur s'élança vers une autre proie avec sa démarche chaloupée et trompeusement maladroite. Il s'avéra que cette nouvelle proie était Forclas. Le garde-chiourme ne bougea pas d'un cheveu. Campé solidement sur ses jambes, il réussit à faire dévier la lourde épée avec son bâton. Ocieu, à sa droite, en profita pour asséner un coup de bâton au flanc du faufileur. La créature émit un vagissement de douleur, mais, en un geste plus vif que l'œil, elle referma son long museau sur la tête d'Ocieu. Les pieds du vieux contractuel furent soulevés dans les airs, et son corps secoué avec tant de vigueur qu'il en perdit ses clés, son bâton et son fouet.

Avec un furieux coup de bâton, Forclas réussit à crever un œil de la bête. Celle-ci vacilla et lâcha Ocieu – ou plutôt son cadavre, déduisit Yarg en apercevant l'angle que formaient la tête et le corps. Or Forclas ne survécut pas longtemps lui non plus : un autre faufileur l'embrocha dans le dos avec tant de force que la lame de cuivre lui ressortit par le sternum. Forclas fut soulevé et transporté par la force du faufileur jusqu'à l'estrade du pilori, contre laquelle il termina brutalement sa trajectoire. Yarg et Janiel, impuissants, contemplèrent le monstre qui tentait vainement de retirer son épée coincée entre les poutres de l'estrade, ses efforts faisant bouger les membres du cadavre de Forclas comme une horrible marionnette. Et tout autour le carnage se poursuivait : tous les membres de la délégation venus assister à leur châtiment se faisaient amputer, éviscérer, décapiter.

— La clé ! hurla Janiel vers Panserfio.

Le colosse drapé de noir était resté figé au bout de l'estrade, le fouet à la main.

— La clé ! répéta Janiel en tirant désespérément sur sa chaîne. Libère-nous !

Hélas, toute l'attention du colosse était accaparée par le faufileur à l'œil crevé, qui s'avançait en secouant le museau, son œil valide luisant d'un reflet assassin.

Panserfio fit claquer son fouet. La créature recula, sifflant, crachant des invectives. L'autre faufileur renonça à récupérer son épée toujours coincée avec le cadavre de Forclas. Il sauta sur l'estrade afin de prendre Panserfio à revers. Yarg tendit la jambe aussi loin que le lui permettait sa chaîne pour donner un solide coup de talon dans le flanc argenté. La créature ne s'attendait pas à ça; elle tomba sur le dos en bas de l'estrade, avec un couinement de souffrance. La morphologie des créatures n'en faisait pas des sauteurs habiles.

En continuant de manier le fouet, Panserfio se défit de sa cape noire, qu'il jeta sur la tête du faufileur borgne. Pendant que ce dernier gesticulait pour se défaire de la cape, Yarg crut voir un trait lumineux, à la limite de la perception. Une empenne de flèche se matérialisa à la hauteur du cou de la bête, qui émit un vagissement suraigu. Une autre flèche l'atteignit dans le dos. Le faufileur borgne hurla encore, son cri accompagné d'autres caquètements d'outrage à la grandeur du pont.

L'équipage de la *Diamantine* contre-attaquait enfin ! À la rambarde du premier pont supérieur, un groupe d'archers arrosait de projectiles les faufileurs à leur portée. Ils furent bientôt soutenus par des arbalétriers, les carreaux de ces armes se révélant considérablement plus meurtriers.

Voyant la défense qui s'organisait, les faufileurs détalèrent se mettre à l'abri, sous une section de la balustrade, derrière un cabestan, une boîte à câbles ou encore à l'ombre de la plate-forme du pilori. C'est à cet endroit que fila le faufileur qui avait basculé en bas de l'estrade; il y retrouva trois congénères avec qui il partagea sa rage et sa consternation – c'est du moins ainsi que Yarg choisit d'interpréter ce concert de sifflements et de roucoulements rauques.

Yarg sentit une flèche lui frôler le visage. Il se pressa contre Janiel, les deux esclaves essayant de garder la structure du pilori entre eux et les archers. Ce qui leur assurait une protection imparfaite, pour dire le moins.

— C'est nous qu'ils vont atteindre !

Yarg ne commenta pas le cri d'angoisse de son jeune compagnon, cruellement conscient du fait que la survie de deux esclaves ne devait pas faire partie des priorités des archers de la *Diamantine* en ce moment. Pendant tout ce temps, d'autres faufileurs continuaient de monter à bord. Un de ceux-ci fut atteint par deux carreaux d'arbalète à l'instant où il mettait la patte sur le pont. Il bascula vers l'avant, roula et, conséquence inexplicable, s'enflamma d'un coup ; il se débattit en hurlant au sein de flammes qui libéraient d'épaisses volutes de fumée grasse.

En toute autre circonstance, cette combustion spontanée aurait laissé Yarg stupéfait – d'autant plus qu'à l'autre extrémité du navire s'élevait une seconde colonne de fumée –, mais sa capacité à absorber l'extra-ordinaire était surchargée.

Panserfio s'était blotti à leurs pieds, essayant de se faire tout petit pour se protéger des flèches, ce qui n'était pas une mince tâche dans son cas. Il jetait aussi des regards inquiets vers les faufileurs entassés derrière l'estrade. Heureusement, l'attention des créatures était retenue par les combats qui se poursuivaient dans le ventre de la *Diamantine*. Combats… ou massacres, à en juger par les hurlements, audibles jusqu'à l'extérieur. Une épaisse fumée fauve, semblable à celle émise par les deux foyers d'incendie sur le pont, avait commencé à jaillir des fenêtres de la superstructure et des ouvertures descendant aux ponts inférieurs.

L'énervement gagnait les ponts supérieurs. Marins et soldats étaient maintenant tous à pied d'œuvre, mais Yarg eut l'impression que les officiers ne savaient plus où donner de la tête. Pour ajouter au chaos, leurs passagers déferlaient pour demander des explications ou les supplier de corriger la situation.

Pendant qu'il tentait d'apercevoir Perlustre, Yarg sentit Panserfio tirer le bas de son pantalon pour capter son attention. Le garde-chiourme lui montra son trousseau de clés et lui fit signe de se pencher. Yarg plia les genoux jusqu'à ce que son collier l'empêche de descendre plus bas et tendit ses poignets entravés. C'était suffisant: Panserfio le débarrassa de ses fers, puis libéra ensuite les poignets de Janiel.

Une première phalange de soldats émergea sur le pont principal, l'épée à la main, crachant et frottant leurs yeux rougis par la fumée de plus en plus épaisse qui surgissait du ventre de la *Diamantine*. Derrière les soldats apparurent des esclaves qui, tout en toussant à s'en déchirer les poumons, firent la chaîne pour jeter des seaux d'eau là où le cadavre du faufileur s'était embrasé.

Yarg comprit enfin la cause de cette prolifération de foyers d'incendie. Un des faufileurs à l'abri derrière une boîte à câbles puisa dans son harnais une sorte de vessie verdâtre et translucide, de la taille d'une tête humaine. Il glissa un museau prudent par-dessus la boîte, puis avec un geste vif de sa courte patte avant, il projeta la vessie de façon à ce qu'elle tombe au pied des soldats.

La vessie creva comme un gros œuf mou. Un liquide glaireux coula et s'enflamma instantanément en libérant un torrent de fumée rousse qui devait être particulièrement caustique, à en juger par les cris des soldats et leur mouvement général de recul.

Plus loin, vers la proue, Yarg aperçut un autre faufileur jetant une vessie incendiaire par une écoutille.

La créature fut atteinte par un carreau d'arbalète : elle bascula à son tour dans l'écoutille, de laquelle jaillirent bientôt de gros bouillons de fumée corrosive.

Tout ce temps, Panserfio tentait de faire comprendre par gestes aux archers de prendre garde de ne pas le toucher ; l'opération de communication était rendue difficile par le vent qui rabattait la fumée vers la plate-forme. Avec un signe qui semblait vouloir dire *C'est maintenant ou jamais*, Panserfio contourna le pilori, puis, entre deux quintes de toux, ouvrit les loquets qui retenaient toujours les chaînes de Yarg et de Janiel.

Aussitôt libres, les deux esclaves sautèrent en bas de la plate-forme, où ils furent rejoints par Panserfio.

— Où on va ? cria Janiel, qui se tenait tout contre Yarg, les yeux rouges et larmoyants.

Yarg ne dit rien, essayant de jauger la situation à travers la fumée. Apparemment, une partie des soldats continuait de protéger les esclaves qui combattaient l'incendie, les autres s'affairaient à déloger les faufileurs de leurs abris, le tout dégénérant en une furieuse et inégale bataille. Les créatures avaient beau être formidables, elles n'affrontaient plus des esclaves pris au dépourvu, mais des hommes armés, formés au combat et supérieurs en nombre.

Yarg fit signe à ses deux compagnons de s'éloigner du pilori en suivant le bastingage, un repère dans la fumée de plus en plus épaisse. Ils reculèrent précipitamment lorsque, devant eux, une inquiétante silhouette fuselée se profila à travers la fumée. Les trois hommes se couchèrent sur le pont. Se retenir de tousser tout ce temps s'avéra être une torture. Heureusement, le faufileur passa près d'eux sans les voir. Les créatures n'avaient peut-être pas une très bonne vision. Dès que la voie fut libre à nouveau, Yarg se releva et reprit sa progression.

Il s'aperçut soudain que seul Panserfio le suivait.

— Où est Janiel ?

Le colosse fit un geste expressif: *Il n'est pas avec toi?*

Yarg revint sur ses pas et vit que son jeune compagnon était resté allongé sur le pont. Il n'avait pas compris que la voie était libre.

— Janiel! chuchota Yarg entre deux quintes de toux.

Le jeune homme ne se relevait pas. Avec un serrement à l'estomac, Yarg jugea que l'angle que formait le torse de Janiel avec le plancher n'était pas naturel. Il s'agenouilla auprès de son compagnon et le secoua par l'épaule.

— Tu dors ou quoi?

Le corps léger pivota. La tête de Janiel retomba de côté, appuyée mollement sur sa chaîne, un œil à demi fermé. Une empenne de flèche émergeait de la poitrine glabre à la hauteur du cœur.

Yarg eut l'impression qu'un éclat de rire démentiel s'était coincé de travers au niveau de sa pomme d'Adam, douloureux comme une arête de poisson. Allons donc! Son turbulent compagnon avait encore cédé à son penchant pour la taquinerie. Il ne pouvait pas être mort: ça saignait à peine... À ce moment, la fumée reflua de plus belle dans sa direction, et ce fut une quinte de toux, et non un rire hystérique, qui lui déchira la gorge.

Une main le tira en arrière. Panserfio lui fit signe qu'ils n'avaient plus rien à faire là.

Les deux hommes coururent jusqu'à la balustrade du deuxième étage supérieur. La chance leur sourit: ils ne firent aucune mauvaise rencontre. Ils se hissèrent sans trop de difficulté le long d'un pilier de la balustrade. Des archers les aidèrent à passer par-dessus la rampe pour se mettre à l'abri.

Yarg se dépêtra de sa chaîne entortillée autour du torse, toussant, les larmes aux yeux. Lorsqu'il prit la mesure du remue-ménage qui régnait à ce niveau aussi, il se demanda s'il n'aurait pas mieux fait de rester en bas. La *Diamantine* était en perdition : vers la proue, ce n'était plus seulement de la fumée qui sortait des hublots et des évents mais des flammes, qui commençaient à lécher les superstructures. Quelques contractuels continuaient de jeter des seaux d'eau vers le brasier en une tentative dérisoire pour contenir le sinistre. Ils durent eux aussi abandonner leur position, grimaçant, leurs vêtements fumant.

Soldats, marins, esclaves et contractuels, certains gravement brûlés, avaient commencé à sauter pardessus bord vers un sort qui n'était guère plus enviable : les malheureux qui ne coulaient pas directement à cause du poids de leur chaîne étaient mis en pièces par les centaines de faufileurs qui nageaient autour du navire.

D'ailleurs, maintenant que leur forfait était accompli, les créatures à bord quittaient le bâtiment pour se joindre aux hordes furieuses qui sillonnaient les eaux de la mer Tramail.

Sur la passerelle du pont supérieur, Fasce le Quatorzième Sublime observait le tableau avec des larmes dans les yeux – le reste de son visage étant à ce point inexpressif que Yarg en conclut que c'était la fumée qui en était la cause, non pas une émotion.

À travers les appels désespérés, le crépitement des flammes, les cris des soldats et les sifflements féroces des faufileurs, Yarg entendit une femme qui criait son nom. Perlustre apparut, bouleversée, ses cheveux noirs et les longues manches de sa robe de nuit flottant dans l'air enfumé, pour aller se jeter dans les bras de Yarg.

— Tu es sauf !

Yarg accepta d'étreindre la jeune femme, partagé entre une étourdissante bouffée de joie et un sentiment de profonde absurdité. Il était sauf ? Certes, mais pour combien de temps ? Il contempla l'incendie, maintenant hors de contrôle, et les hommes qui sautaient à la mer pour un destin tout aussi funeste, en caressant tout ce temps les cheveux doux de Perlustre comme on rassure un enfant. Il voulut lui demander si elle avait vu Scorbe, puis il se rappela que la jeune femme ne le connaissait pas.

— Janiel est mort, dit Yarg.

— Je sais, dit Perlustre sans se détacher de lui. Je vous ai vus d'où j'étais.

Comme tous les autres passagers, Fasce le Quatorzième Sublime assistait à l'agonie de la *Diamantine*, entouré de ses officiers. Il donna quelques instructions. Les officiers hochèrent la tête sombrement. Un de ceux-ci cria d'une voix forte :

— Par décret de votre capitaine, vous êtes tous libérés de votre poste ! Abandonnez le navire ! C'est désormais chacun pour soi ! *Chacun pour soi !*

L'annonce sembla galvaniser Perlustre. Elle se dégagea des bras de Yarg et souleva la chaîne qui pendait toujours au cou de celui-ci.

— Tu vas couler avec ça !

Elle essaya de capter l'attention des soldats autour d'elle.

— Il faut lui enlever sa chaîne !

Elle s'époumonait en vain : les rares soldats qui lui prêtèrent attention la regardèrent comme une folle. Seul Panserfio se porta à sa rencontre, en montrant un long coussin doré qu'il avait trouvé sous le dais. Il le tendit à Yarg, en lui faisant signe d'enrouler sa chaîne autour.

Celui-ci obtempéra. Le flotteur improvisé finirait par s'engorger d'eau, mais cela permettrait à Yarg de flotter un certain temps... assez longtemps pour qu'un faufileur lui arrache un membre d'un coup de mâchoire ? Tant pis ! La seule certitude qui s'imposait, c'est qu'à bord, c'était la mort assurée.

Aveuglés par la fumée brûlante qui montait maintenant autant de la proue que de la poupe, Yarg, Perlustre et Panserfio se pressèrent en compagnie des soldats et des marins dans la portion de la balustrade qui surplombait les flots de la mer Tramail. Parmi ceux-ci se trouvait Fasce le Quatorzième Sublime, descendu de sa passerelle, entouré par les trois belles et hautaines femmes aux cheveux noirs que Yarg avait aperçues pendant l'escale à Spire, mais qu'il n'avait pas revues depuis. De plus près, il comprit qu'il s'agissait de sœurs jumelles. Il était trop absorbé par son propre sort pour s'en étonner outre mesure.

Le capitaine de la *Diamantine* pointa le doigt vers le soleil matinal.

— Nagez dans cette direction, expliqua-t-il avec une voix éraillée. À quelques encablures, il y a des hauts-fonds qui affleurent.

— Et les monstres ? demanda un marin.

— Votre opinion vaut la mienne sur la question.

Fasce le Quatorzième Sublime se défit de sa lourde ceinture dorée et déboutonna son veston cintré – il ne devait pas avoir l'air plus calme quand il se dévêtait pour la nuit. Après avoir souhaité une dernière fois bonne chance à ses passagers, le capitaine de la *Diamantine* sauta dans la mer. Les trois femmes aux cheveux noirs plongèrent à sa suite.

Ce fut le signal de la fin. Soldats, passagers, domestiques et marins plongèrent en désordre dans la mer. Perlustre embrassa Yarg, enjamba avec souplesse la rampe et disparut.

Yarg sauta dans le vide, les pieds devant. La rentrée dans l'eau fut plus brutale qu'il ne s'y attendait. Une chance qu'il tenait son coussin fermement contre lui : s'il avait fallu qu'il lui soit arraché des mains, le choc transmis par le collier lui aurait probablement cassé le cou.

Yarg ouvrit les yeux pour découvrir à quel point la mer Tramail était peu profonde. Un fond vallonneux s'étendait à quelques dizaines de pieds sous le ventre allongé du navire ; un paysage aux couleurs tour à tour vivifiées par les rayons inclinés du soleil et atténuées par l'ombre mouvante du panache de l'incendie. Sur ces collines embrouillées poussait une forêt macabre, les esclaves noyés, la tête à l'envers, ancrés au fond par leur chaîne, entre lesquels nageaient des silhouettes plus inquiétantes encore : des centaines de faufileurs. Isolément ou par groupe, ceux-ci remontaient pour aller happer un malheureux qui pataugeait à la surface, pour l'entraîner par le fond en le secouant sauvagement, rendus fous par le goût du sang qui rougissait l'eau de la mer Tramail.

Yarg en avait vu beaucoup plus qu'il ne le désirait. Il battit des pieds désespérément pour remonter. Il émergea à la surface au milieu des domestiques et des hommes d'équipage, juste à temps pour entendre un de ceux-ci hurler de douleur et disparaître sous les flots.

Perlustre apparut tout près :

— Tu arrives à flotter ?

— Pour l'instant, oui !

— Par là !

Elle tendit un bras en direction du soleil, puis s'élança. Avec ses quatre bras, elle nageait à une vitesse que Yarg était certain qu'il n'aurait pu égaler même s'il n'avait pas été empêtré avec son coussin.

Ce qui ne l'empêcha pas de battre désespérément des jambes et de sa main libre, aiguillonné par la terreur d'être la prochaine victime d'un des faufileurs. Car la soif de vengeance des créatures semblait inextinguible. Il vit surnager un dos luisant devant lui, il entendit un caquètement maléfique et devina que les éclaboussures étaient causées par une victime qui se débattait. Il eut juste le temps de penser *Perlustre !* Mais le cri émis par la victime du faufileur provenait d'une gorge masculine.

Yarg nagea, nagea, indifférent à la pluie de cendres et de brindilles enflammées qui tombaient maintenant sur eux, sachant que cela était vain, mais incapable de renoncer. S'il devait faire partie des victimes des faufileurs, il voulait que ce soit le plus tard possible. Puis, même cette pensée fut absorbée par la nécessité du moment… Il se mit à avaler de plus en plus souvent de l'eau… une eau salée, âcre à donner la nausée… Le coussin était engorgé. Non seulement la bouée improvisée n'accomplissait plus sa fonction, mais elle ralentissait sa progression. Yarg déroula la chaîne d'autour du coussin avec des gestes désespérés. Il tenta de remonter à la surface avec toute la vigueur de ses bras et de ses jambes, mais c'est à peine s'il arrivait à faire du surplace. Dès qu'il ralentissait la cadence, le poids de la chaîne l'entraînait vers le bas.

Le temps de se demander s'il avait été stupide de se débarrasser du coussin, les pieds de Yarg touchèrent le fond marin. Il se redressa sur un tapis glissant d'algues, les mains tendues vers la surface qui chatoyait, si proche et si lointaine… Il se propulsa vers le haut de toute la force de ses jambes… Il remonta assez pour agiter une main hors de l'eau, mais coula aussitôt jusqu'au plancher d'algues… Sauter encore ? Pour redescendre de la même façon ? Et puis, comment sauter lorsqu'on n'a plus de force ? que la tête nous tourne ? que chaque bulle d'air exhalée pour soulager la douleur à la poitrine n'est pas remplacée ?

Yarg se résigna à l'idée qu'il allait mourir. Il se sentit soudain drapé dans une forme de paix. Cette perspective ne lui apparaissait pas si désagréable, finalement. Il lui sembla que sa mémoire perdue serait retrouvée ici, profondément enfouie sous les vagues lentes de la mer, dans ces eaux tièdes et salées, telle une vasque de larmes à l'échelle du monde… Quelqu'un l'appelait… Quelqu'un l'appelait, une voix rebondissant en échos liquides… la voix prononçait un nom, et ce nom n'était pas Yarg… non… la voix fluide prononçait autre chose… son nom véritable… un cri… un cri de femme… déformé par l'onde, par les échos multipliés qui s'entrecroisaient, se brouillaient, engloutis par le grondement de la chute…

La bulle onirique creva. Yarg se sentit tiré brutalement par le collier. Cela fit mal. Il avala de l'eau, la recracha, se débattit… Il sentit des mains le soulever sous les aisselles. Sa tête émergea. Il toussa et aspira et cracha, assourdi par les glapissements quasi hystériques de Perlustre.

— Yarg ! C'est toi, Yarg ! C'est extraordinaire !

— Laissez-le reprendre ses esprits.

Toujours retenu par Panserfio – car c'était bien le colosse au crâne tatoué qui le soutenait ainsi –, Yarg se pencha par en avant, toussant et crachant encore. Un long moment il n'écouta que sa respiration, hypnotisé par le ballet des scintillements du soleil à la surface de la mer Tramail. Une fois assuré qu'il réussirait à tenir seul sur la surface glissante d'algues, il se redressa.

Il était debout sur un haut-fond, si proche de la surface que les vaguelettes léchaient son pantalon détrempé à mi-cuisse. Une main en visière et l'autre caressant son cou endolori, Yarg regarda autour de lui pour voir si d'autres survivants avaient réussi à atteindre d'autres hauts-fonds. Il ne voyait personne. Une cacophonie de craquements détourna son attention. Au loin, les superstructures de la *Diamantine* s'effondraient au sein d'une gigantesque bouffée de fumée rougeoyante. Le splendide navire avait perdu toute forme reconnaissable ; ce n'était plus qu'un brasier flottant au-dessus duquel s'élevait dans le ciel d'azur un unique nuage couleur d'orage.

Autour du sinistre flottaient des cadavres sans nombre.

Quant aux faufileurs, ils avaient disparu.

CHAPITRE 9

Qui traite des nombreux périls auxquels font face Yarg et ses compagnons abandonnés en mer et des entretiens qu'ils ont eus entre eux

Yarg contempla un long moment ses compagnons de naufrage : Perlustre, Panserfio et le capitaine Fasce, tous trois les vêtements trempés, les jambes dans l'eau. Ils lui rendirent son regard, tous aussi ahuris que lui.

Perlustre se mit soudain à sangloter, deux mains cachant son visage, deux bras serrés contre sa poitrine. Les hommes la regardèrent pleurer un certain temps, puis Yarg croisa le regard de Panserfio. Le garde-chiourme fit un geste qui semblait dire : *Qu'est-ce que tu attends ?*

En prenant garde de se blesser les pieds sur les pierres coupantes qui se dressaient entre les algues, Yarg s'approcha de Perlustre et l'enlaça. La jeune femme continua de pleurer contre la poitrine de Yarg, ce dernier à la fois mal à l'aise et un peu étonné : ce n'était pas la première épreuve qu'ils traversaient, mais il ne se rappelait pas l'avoir vue pleurer avec autant d'abandon. Il chercha une parole réconfortante ; tout ce qu'il trouva à dire fut :

— N'aie pas peur, c'est fini.

Perlustre écarta les longues torsades de cheveux mouillés qui lui cachaient les yeux et leva le visage vers Yarg, les lèvres frémissantes.

— C'est ma faute… Tous ces gens sont morts, et c'est ma faute…

— Bien sûr que non.

— C'est moi qui ai demandé qu'on rejette le faufileur à la mer. Ça ne serait pas arrivé sinon…

— Il est dans la nature sensible de la femme de se condouloir du sort des autres, déclara Fasce le Quatorzième Sublime sur un ton sans doute un peu trop distant pour être vraiment consolateur. Gardez néanmoins le sens des proportions. Vous n'êtes qu'un maillon dans une chaîne d'événements qui a mené à notre situation actuelle. Il aurait mieux valu au départ que l'équipage libère l'animal sans l'asticoter aussi cruellement. Ils sont aussi coupables que vous. Par contre, le faufileur aurait pu se montrer magnanime et apprécier au premier degré le fait d'avoir été libéré. Les torts que les créatures nous ont causés sont totalement disproportionnés par rapport à ceux qu'ils ont subis – cela dénote chez eux un manque de jugement courant chez les esprits sauvages.

Ni Yarg ni Perlustre n'ajoutèrent de commentaire ; quant à Panserfio, il écarta les bras en une expression qui pouvait ressembler à de l'approbation.

Les quatre restèrent un moment silencieux, fascinés malgré eux par l'incendie de la *Diamantine* qui semblait diminuer d'intensité, faute de combustible.

Maintenant que Perlustre s'était calmée, Yarg ne pouvait s'empêcher de trouver un peu troublante la proximité de son corps svelte, révélé bien plus qu'il n'était couvert par sa robe de nuit détrempée. Avec une dernière caresse, il repoussa doucement la jeune femme, enroula sa chaîne sur ses épaules pour soulager son cou meurtri, puis il en montra le bout à Panserfio.

— C'est toi qui m'as traîné ici ?

Le garde-chiourme fit un geste négatif et tendit une main vers la mer. Perlustre aussi sembla fort étonnée par la question de Yarg :

— Tu n'as pas vu que c'était un faufileur ?

— Tu te moques de moi ?

— Elle dit pourtant la vérité, confirma le capitaine Fasce. Une des bêtes marines a saisi votre chaîne dans sa gueule et vous a traîné jusqu'ici.

Après un silence méditatif, Yarg posa la seule question qui lui semblait convenir aux circonstances.

— Pourquoi moi ?

— Ne voyez-vous pas ce que nous avons en commun ? dit Fasce le Quatorzième Sublime. Vous, moi, mademoiselle Perlustre et ce garde muet ?

— C'est nous qui avons libéré le faufileur de son filet hier, expliqua tristement Perlustre. Ils se sont entendus pour nous laisser en vie. Janiel… (Elle déglutit, ses yeux noirs à nouveau remplis de larmes.) Janiel serait parmi nous s'il n'avait pas reçu une flèche.

Yarg se renfrogna, autant à cause de l'évocation de son compagnon décédé que de son scepticisme devant la fantastique supposition de Perlustre.

— Comment ces créatures ont-elles pu nous reconnaître dans ce chaos ?

— Je ne sais pas.

— Expliquer notre survie par le strict hasard me semble repousser dans leurs extrêmes les lois mathématiques auxquelles se conforme ce domaine du réel, déclara Fasce le Quatorzième Sublime sur un ton qui n'était pas sans persiflage.

— Parlons plutôt de la suite des choses, dit Yarg. Que suggérez-vous, capitaine ?

— J'ai abdiqué mon titre de capitaine en abandonnant la *Diamantine*. Nous voici tous rabaissés au même statut, celui de naufragés. Rappelez-moi votre nom ; je me souviens que vous avez embarqué à Maurras, sans plus.

— Je m'appelle Yarg. Et lui, son nom est Panserfio.

Le colosse inclina le torse, permettant à tous d'admirer le tatouage du cheval crachant le feu.

— Nous avons vraiment le même statut ? reprit Yarg, sceptique. Je ne suis plus un esclave ?

— Le lien qui nous unissait est en train de brûler, dit Fasce avec un geste grandiloquent vers le brasier.

— Je sens une ambiguïté. Dans l'éventualité où nous serions secourus, redeviendrais-je votre esclave ?

Un sourire condescendant – mais un sourire quand même – fleurit sur les lèvres du noble personnage.

— Je peux comprendre à quel point la question vous paraît importante. Vous êtes libre, Yarg, si c'est vraiment ce que vous désirez. Lorsque nous aurons été secourus, ce qui ne devrait pas prendre plus d'un jour ou deux, je vous considérerai tous les trois comme mes invités à Pinacle, et vous y serez traités avec tous les égards appropriés.

— Pouvez-vous élaborer au sujet des secours que vous évoquez ? Vous semblez confiant.

— Il est normal que je le sois. Pinacle est à moins d'une demi-journée de navigation. Il faut bien entendu laisser le temps à nos sauveteurs d'appareiller un vaisseau… Voilà pourquoi j'estime que nous ne devrions pas avoir à patienter plus de deux jours.

Yarg échangea un regard en coin avec Panserfio et Perlustre.

— Pardonnez-moi cette question qui trahit mon ignorance de la navigation, glissa cette dernière, mais comment saura-t-on, à Pinacle, que la *Diamantine* est en perdition ?

— Je suis un Fasce.

Yarg attendait une suite à cette explication… mais, apparemment, le ci-devant capitaine considérait que sa réponse avait été claire et suffisante. Pour la première fois, Yarg commença à éprouver des doutes sur l'équilibre mental de Fasce le Quatorzième Sublime. Était-il normal qu'un armateur demeure si calme en voyant son propre navire couler corps et biens ? N'y avait-il pas des limites au flegme ? Le choc l'avait peut-être fait basculer dans une forme de délire, lui permettant de croire à des secours imaginaires…

Yarg essaya de déterminer en quoi cela améliorerait leur situation d'exprimer son scepticisme sur leurs chances d'être secourus. Il préféra laisser son compagnon de naufrage à ses illusions. Et, à en juger par les regards que Panserfio et Perlustre lui lancèrent, ceux-ci n'en pensaient pas moins que lui sur la question.

◆

Alors que le soleil montait à l'est et que, dans la direction opposée, le brasier de la *Diamantine* continuait de diminuer d'intensité, les quatre survivants explorèrent leur environnement immédiat pour trouver un affleurement rocheux encore plus près de la surface que celui sur lequel ils se tenaient.

Marcher pieds nus était pénible. Les roches du fond marin étaient coupantes et, comme si cela ne suffisait pas, entre celles-ci se nichait une variété de créatures épineuses dont Yarg refusait de tester l'éventuelle toxicité. Parmi les nombreux cadavres mutilés qui flottaient autour d'eux, il trouva un des anciens officiers dont les bottillons lui parurent de sa taille. Il déboutonna aussi le débardeur et la chemise du malheureux, et les enfila pour se protéger le torse du soleil qui se faisait vif. Finalement, il trouva une casquette dépareillée qui lui allait à peu près.

Il aperçut aussi parmi les cadavres un tout jeune homme, un serviteur d'après le style de sa livrée. Il le débarrassa de son veston, sachant que jamais il n'oublierait les yeux écarquillés du garçon, figés dans l'ébahissement, ainsi que sa bouche ouverte emplie d'eau pour l'éternité.

Perlustre trouva une partie du haut-fond où les flots lui arrivaient sous le genou. Ses trois compagnons explorèrent les environs encore un certain temps puis abandonnèrent tout espoir de trouver mieux. Ils allèrent rejoindre Perlustre, à qui Yarg tendit le veston du serviteur.

— Ce que tu portes ne te protège pas.

Perlustre s'examina les bras et le torse, comme si elle ne s'était pas encore rendu compte avec quelle complaisance le mince tissu mouillé révélait ses seins et ses quatre mamelons durcis. Elle sembla troublée, puis accepta l'offre, sa voix serrée par l'émotion.

— Tu es bien attentionné.

— Simple justice. Tu as partagé deux fois ton repas avec moi. Dans la cage et dans le canyon. Tu te souviens ?

— Bien sûr ! dit Perlustre, son visage s'éclairant un peu. Mais toi aussi tu te rappelles, c'est prometteur, non ?

— Je me souviens de tout depuis mon réveil dans la cage. C'est ce qui s'est passé avant qui a disparu.

En quelques mots, Yarg relata comment le chirurgien avait extrait la pointe du poignard dans son dos, ainsi que les conclusions que ce dernier en avait tirées. Il rapporta aussi les spéculations de Scorbe quant à son aptitude à parler couramment une langue réservée aux clercs, le prabale.

Fasce le Quatorzième Sublime, qui comme Panserfio avait écouté avec intérêt ce que disait Yarg, conclut avec un sourire en coin :

— Tout un mystère, en effet. Je n'imaginais pas que la chiourme de la *Diamantine* était constituée de personnages aussi pittoresques.

Yarg faillit répondre que lorsqu'on possédait un patronyme aussi grandiloquent que Fasce le Quatorzième Sublime, on était mal placé pour se gausser du caractère « pittoresque » d'autrui ; que s'étonner que la chiourme fût constituée de personnages avec un passé complexe était une marque de suffisance… Il sentit plutôt un sourire d'autodérision vaciller sur ses lèvres en constatant à quel point la remarque condescendante de Fasce l'avait piqué. Il choisit plutôt de parfaire son image de personnage laconique en se taisant, une attitude qui l'avait convenablement servi jusqu'à ce moment.

Ni Perlustre ni Fasce ne semblaient d'humeur à bavarder de toute façon. Quant à Panserfio…

Le silence perdura pendant que les membres du quatuor contemplaient le tas de cendres fumant qui avait déjà été la *Diamantine* s'éloigner très doucement, poussé par la légère brise qui venait de se lever. Puis cette dernière prit un peu de vigueur. Des nuages bas apparurent à l'est. Le ciel se couvrit et il se mit à pleuvoir, un crachin paresseux qui tombait droit. Perlustre s'assit sur le fond rocheux, dans l'eau presque jusqu'aux épaules.

— Tant qu'à être mouillée…

Yarg et Panserfio firent comme elle. Fasce préféra demeurer debout.

Le crachin s'amplifia en véritable pluie, maintenant soufflée par les bourrasques les plus vives que Yarg eut jamais vues sur la mer Tramail.

— Cette pluie inconvenante risque de retarder les secours, fit observer Fasce, toujours aussi impassible même s'il avait perdu considérablement de sa superbe, debout jusqu'aux genoux dans les vagues comme un oiseau solitaire, ses longs cheveux roux et sa chemise de soie battus par les rafales de pluie.

— Mfff… fit Panserfio, l'air malheureux.

Yarg se contenta d'ajuster sa casquette. Ça ne protégeait pas beaucoup, mais c'était mieux que rien…

◆

Le temps qui passa ensuite rappela à Yarg les heures les plus éprouvantes passées debout au pilori de la *Diamantine*, lorsqu'il avait eu l'impression de se retrouver englué dans un cauchemar qui n'avait pas de fin. Épuisé par l'accumulation des épreuves et par la nuit sans sommeil qui avait précédé le naufrage, il réussit à chiper çà et là quelques secondes de sommeil, ou d'une forme de somnolence qui s'en approchait.

La pluie et le vent diminuèrent enfin d'intensité. Le voile des nuages se déchira, révélant un soleil faiblard bien avancé dans sa course quotidienne vers l'horizon ouest.

Les quatre naufragés, de nouveau debout, tentèrent de réchauffer leurs membres engourdis au soleil, mais c'était trop peu, trop tard. Perlustre frissonnait et semblait incapable d'arrêter de claquer des dents. Fasce expliqua doctement que la jeune femme, étant menue, ne pourrait conserver sa chaleur corporelle dans la mer aussi longtemps que ses compagnons, malgré la clémence du climat à ces latitudes de la mer Tramail.

Yarg serra Perlustre contre sa poitrine, ce qu'elle accepta volontiers. Elle était glacée.

— Tu es gentil, dit-elle entre deux salves de claquements de dents.

Panserfio attira l'attention de Perlustre en lui montrant ses larges épaules, un sourire sur le visage. La jeune femme hocha la tête.

— Je ne comprends pas.

Panserfio roula des yeux exaspérés, puis referma ses deux mains larges comme des battoirs autour de Perlustre. Elle émit un petit cri lorsqu'il la souleva, pour l'asseoir à califourchon sur ses épaules. Son cri de surprise se mua en rire lorsque le colosse lui retira ses escarpins, puis se mit à lui frotter l'un après l'autre ses pieds fripés pour les réchauffer.

— Ça chatouille !

Yarg s'adressa à Panserfio.

— Bonne idée. Quand tu seras fatigué, ce sera mon tour de la porter.

— Nous nous relaierons, ajouta Fasce.

— Ah non ! Je ne peux pas accepter !

— Tu auras moins froid si on te garde hors de l'eau, dit Yarg sur le ton de l'évidence.

— Mais vous trois ? dit Perlustre d'un air contrit. Qui vous portera sur ses épaules ?

— Nos positions ne sont pas interchangeables, expliqua Fasce le Quatorzième Sublime sur le ton de courtoisie qu'il employait sans faillir pour s'adresser à la jeune femme. Vous êtes légère, nous sommes lourds. Vous êtes délicatement charpentée, nous sommes forts, surtout Panserfio. À cette réalité physique se conjuguent des considérations éthiques. Qu'un homme souffre pour une femme est dans l'ordre des choses, alors que le contraire me semble insupportable – il est vrai que nous, les Fasce, entretenons, sur certains aspects, une vision plutôt surannée des relations entre les sexes. Je ne sais pas si mes compagnons masculins sont d'accord avec moi.

Panserfio approuva d'un signe. Fasce se tourna vers Yarg :

— Vous ne dites rien ?

— Ça l'obligerait à aligner plus de deux phrases de suite, glissa Perlustre.

— Rappelez-vous, j'ai perdu la mémoire, dit prudemment Yarg. Je manque de recul pour les jugements éthiques. Je me fie d'abord à mon instinct. Perlustre m'a donné à manger et à boire, alors que je souffrais d'inanition. Je suis son obligé. Ajoutons que sa beauté, sa jeunesse et son entrain m'émeuvent. Je suis prêt à faire des sacrifices pour elle, des sacrifices que, peut-être, je rechignerais à envisager pour une autre personne.

Perlustre émit un rire incrédule.

— Mais tu as livré un vrai discours, Yarg ! Et galant, à part ça !

— Ce ne sont que des mots. En pratique, la situation me semble plutôt désespérée.

— Je vous le répète, nous serons secourus demain, dit Fasce le Quatorzième Sublime.

Yarg préféra ne rien répondre. Perlustre non plus ne dit rien. Quant à Panserfio, Yarg supposa qu'il s'était habitué à garder ses émotions et ses idées pour lui.

◆

Le soir tomba, puis le voile d'une nuit éternelle fut drapé sur la mer Tramail. Éternelle ? Sans doute pas ; elle parut néanmoins épouvantablement longue et dure aux quatre naufragés.

Lorsque le ciel finit par s'éclaircir à l'est, Yarg eut de la difficulté à croire qu'à la même heure la journée d'avant, c'était de la *Diamantine* qu'il avait contemplé le lever du jour. Si on lui avait dit qu'il connaîtrait bien pire inconfort que sa mise au pilori, il aurait jugé la plaisanterie particulièrement sardonique.

Toute la nuit, il avait alterné la position assise et la position debout, cette dernière coïncidant surtout avec les périodes où il avait tenu Perlustre sur ses épaules. Mais à cette heure de l'aube, il aurait été incapable de la porter, ne serait-ce qu'un instant. Il était épuisé, et tout son corps était endolori.

Il but un peu d'eau de mer, incapable de s'en empêcher, même si cette dernière donnait la nausée sans étancher la soif. La soif… Leur situation n'aurait pas été aussi désespérée si ce n'avait été de cette horrible sensation qui, peu à peu, repoussait toutes les autres souffrances au niveau du simple désagrément.

Une sensation de découragement comme il n'en avait jamais éprouvé s'empara de Yarg. Son front raide de sel séché semblait vouloir éclater sous une pression douloureuse, son cou et sa poitrine étaient gluants de sueur, ses lèvres formaient une seule croûte. Même ses yeux semblaient enflammés.

Perlustre, pareille à une poupée désarticulée dans les bras de Panserfio, gémit dans son sommeil. Yarg espéra qu'elle ne se réveillerait pas – il préférait savoir qu'au moins l'un d'entre eux avait fui la cruelle réalité. On aurait quasiment pu croire que Panserfio aussi dormait, tant il était immobile, les yeux fermés. Depuis combien de temps portait-il la jeune femme sans fléchir ? S'était-il statufié ? Comment expliquer autrement son extraordinaire endurance ?

Fasce, qui était assis dans la mer, se mit debout, avec un regard las vers ses compagnons. Il marcha un peu pour se dégourdir les jambes, sans dire un mot. S'il était comme Yarg, sa gorge parcheminée ne le lui aurait pas permis. Pour dire quoi, de toute façon ?

Yarg regarda l'horizon embrouillé par une brume de chaleur. Rien, toujours rien. Son regard quitta l'haïssable panorama pour se fixer sur un des bras de Perlustre, qui pendait mollement. Pendant des heures, lui sembla-t-il, il fixa le membre gracile, admira la peau mate, couleur de pain cuit.

Le soleil avait monté au zénith, perdu dans un ciel bleu.

Perlustre était assise dans la mer, prostrée, le veston emprunté au cadavre du jeune serviteur remonté sur sa tête. Plus un homme n'avait la force de la soutenir.

Yarg n'avait plus faim, n'avait plus froid, n'avait plus peur. Il n'avait que soif. Il était incapable de penser à autre chose qu'à la bière que l'on servait au réfectoire de la *Diamantine*. Même le thé herbeux, avec quel bonheur n'y aurait-il pas trempé les lèvres ! Il en vint à maudire les faufileurs de lui avoir permis de survivre et à envier le sort de tous ceux qui étaient morts.

La soif et l'épuisement lui embrouillaient l'esprit. La *Diamantine* réapparut, fantôme flottant dans la brume lumineuse qui s'élevait de la mer Tramail. Fasce se dressa. Yarg émergea à son tour de son hébétude, puis se mit aussi debout, les jambes tremblantes. Il voyait mal et ressentait des élancements insupportables.

— C'est la *Véloce*, dit Fasce, la voix rauque mais approbatrice, comme s'il n'en espérait pas moins.

Maintenant qu'il avait retrouvé ses sens, Yarg se rendait compte à quel point le navire nouvellement apparu différait de la *Diamantine*. Il était considérablement plus petit et propulsé par deux rangées de rames de chaque côté. Sur le pont, de minuscules silhouettes agitèrent la main. Des sondeurs à la proue soulevèrent leur câble et crièrent leurs observations. Le navire jeta l'ancre à quelques encablures : il aurait été imprudent de s'approcher davantage du haut-fond.

Perlustre essaya de se lever, mais les jambes lui manquèrent. Yarg la soutint. La jeune femme hocha la tête, puis balbutia des paroles incompréhensibles. Ou bien elle délirait, ou bien elle ne se rendait pas compte qu'elle s'exprimait dans une langue inconnue ; ce qui revenait un peu au même pour Yarg.

De la galère un canot fut mis à flot, propulsé à la rame par deux marins, avec un officier à la proue. Yarg se frotta les yeux : était-il en train de délirer lui aussi ? L'officier du canot était le frère jumeau de Fasce le Quatorzième Sublime : mêmes yeux très bleus, un peu enfoncés ; même teint rousselé ; même chevelure pâle.

Les deux hommes se saluèrent sobrement, puis les marins aidèrent le quatuor à monter dans le canot. Personne ne disait mot, comme si d'instinct on avait convenu que les explications attendraient que les rescapés aient retrouvé leur voix.

À bord de la *Véloce*, Yarg et ses compagnons furent allongés à l'ombre d'un dais. On leur donna à boire, puis on leur retira leurs vêtements trempés pour les emmitoufler dans des couvertures.

Autour d'eux, la chiourme se remit au travail. Le principe de propulsion était complètement différent de celui de la *Diamantine* : installés deux par banc, ils devaient ramer avec une coordination qui nécessitait sûrement un long apprentissage.

Ce n'était pas la seule curiosité à bord. Non seulement le capitaine de la *Véloce* ressemblait-il de façon étonnante à Fasce le Quatorzième Sublime, mais il était lui-même secondé par un tout jeune homme qui arborait aussi un visage tacheté et de profonds yeux bleus. Yarg supposa qu'ils avaient été rescapés par le frère jumeau de Fasce, ce dernier naviguant avec son propre fils.

Là s'arrêtèrent les spéculations de Yarg au sujet du capitaine de la *Véloce* et des avantages comparés des modes de propulsion des deux navires. Épuisé par les épreuves et deux nuits sans fermer l'œil, il avait sombré dans un sommeil agité.

CHAPITRE 10

Dans lequel Yarg et ses compagnons
découvrent la gloire de Pinacle,
visitent ses jardins et ses palais,
discourent abondamment avec
des interlocuteurs agréables et,
de façon générale, profitent enfin
d'un peu de repos et de sérénité

Avec une lenteur exquise, Yarg sentit qu'il émergeait du cocon ouateux du sommeil, étape qu'il aurait voulu repousser, tant la sensation des draps contre sa joue était douce, tant était profond le lit, tant étaient invitants les paysages oniriques dans lesquels il s'était égaré.

Une mosaïque de lumières diffuses flottait devant Yarg. Il ouvrit des yeux collants, fut ébloui par un rai de soleil qui tombait d'une étroite fenêtre. La main en visière, il étudia la chambre autour du lit – une suite, en réalité, car un mur de la chambre était percé d'une ouverture en forme d'arche qui menait à une autre pièce plus vaste encore.

Yarg s'assit au milieu d'une luxueuse plate-forme matelassée encombrée de couvertures et d'oreillers multicolores. Il était vêtu d'une chemise de nuit de couleur crème, richement brodée selon un motif complexe de branches et de bourgeons entrelacés. En se dégageant un peu des couvertures et des coussins, son coude heurta la carcasse musculeuse de Panserfio endormi à sa droite. L'ancien garde-chiourme – lui aussi enveloppé dans une chemise de nuit de couleur crème – maugréa un peu, mais ne sembla pas donner signe qu'il allait s'éveiller.

Des souvenirs de la veille surnagèrent dans l'esprit mal réveillé de Yarg. Lorsque la *Véloce* s'était approchée de Pinacle, il avait été surpris et déçu de contempler un assemblage un peu hétéroclite d'entrepôts de bois rendu gris par les intempéries et de maisons surmontées de pignons de guingois ou de cheminées de briques. L'ensemble lui était apparu ancien, affaissé sur lui-même. C'était donc cela, la «Cité parfaite»? Fasce le Quatorzième Sublime et son frère jumeau s'étaient amusés de sa méprise. «Ce n'est que le port et l'étalement périphérique», avait expliqué Fasce. «Leur édification est récente et strictement utilitaire. Pinacle est en retrait.» Il avait montré l'arrière-plan, un panorama bucolique de basses collines qui semblait inhabité, du moins vu de la mer.

Une fois à terre, Yarg, Perlustre et Panserfio avaient été séparés de Fasce. Une voiture à chevaux les avait transportés à travers l'étalement périphérique. Le reste des souvenirs de Yarg était encore plus flou. Les yeux vitreux, il avait contemplé le panorama par la fenêtre de la voiture, puis s'était aperçu qu'on le réveillait pour l'aider à sortir. Des luminaires, des arches grandioses, des allées pavées bordées de buissons luxuriants, tout cela tourbillonnait dans son esprit, et il aurait été incapable de départager ce qui était souvenirs et ce qui était rêveries d'un demi-sommeil.

À sa gauche, Yarg entendit un ronflement doux. Il souleva une couverture, découvrit un petit pied brun. En levant un peu plus, il constata que le pied était relié à une jambe svelte qui se prolongeait jusqu'à une toison pubienne indubitablement féminine. Yarg trouva inconvenant de poursuivre l'examen. Il vit sur le plancher de tuiles la robe de nuit de la dormeuse: encore une manifestation de l'aversion que Perlustre semblait avoir à porter des vêtements.

Prenant garde de réveiller les dormeurs, Yarg descendit de la plate-forme, qui méritait peut-être simplement le terme de lit. Les tuiles étaient tièdes sous ses pieds sensibles. Il étudia le motif du carrelage, constitué de tuiles à cinq côtés toutes semblables, dont la disposition apparemment aléatoire couvrait néanmoins tout le plancher sans laisser d'interstices.

Figé sur place, Yarg sentait qu'il y avait quelque chose d'anormal, et ce n'était pas le carrelage… Il retint un cri de surprise lorsqu'il se rendit compte qu'il ne portait plus ni collier ni chaîne.

En caressant son cou encore endolori, Yarg sortit de la chambre et déambula dans la suite. Au-delà de la deuxième pièce, il y en avait une troisième, et peut-être d'autres encore, car il aperçut des arches menant à des corridors qui lui avaient échappé. La suite était si vaste, la décoration si riche, les moulures rutilaient avec tant d'éclat sous les rais de lumière matinale, que Yarg en resta un instant abasourdi. Mais ce ravissement esthétique ne se comparait même pas à la jouissance de ne plus sentir le poids d'une chaîne autour de son cou.

Une odeur de nourriture attira son attention. Sur une table en retrait, devant une rangée de carafes contenant des boissons de couleurs diverses, des cloches de verre étaient posées sur des plats de service contenant des mets variés. Yarg aurait été bien en peine de déterminer de quel animal provenaient ces cubes de viande en saumure, ou avec quels ingrédients on avait confectionné ces petites bouchées, ces friandises, ces crêpes saupoudrées de granules colorés.

Un jeune homme se matérialisa devant Yarg, qui tressaillit de surprise. L'homme avait été dans son champ de vision tout ce temps, assis dans un des profonds fauteuils, mais à ce point silencieux et immobile qu'il s'était fondu dans l'opulence du décor.

— Avez-vous bien dormi, messire? demanda le jeune homme.

— Oui. Merci.

Le jeune homme étudia Yarg d'un œil critique. Il était élégamment vêtu, il avait le visage d'une pâleur tirant sur le jaune, ses yeux étaient sombres, et son regard mélancolique. Sa chevelure était noir de jais, longue et parcourue de fines tresses. Il émanait de sa personne un étonnant mélange de langueur et d'urbanité.

— Je suis Scquère Passé le Cent seizième, reprit le jeune homme, qui parlait estran avec un accent indéfinissable. Mon nom officiel est sans doute un peu encombrant, wol ; appelez-moi Cent seize. Tout le monde comprendra à qui vous faites allusion.

— Vous n'êtes pas un domestique ?

Cent seize eut un sourire affable.

— Je suis un Héritier, wol, ce que vous auriez immédiatement compris si Pinacle vous était plus familière. Scquère est une des dix-sept familles. (Il agita la main dans un geste singulier.) Vous ne m'avez pas vexé, soyez rassuré. Nous sommes la famille la moins protocolaire de Pinacle ; en vérité, wol, l'ambiguïté de notre statut nous amuse. Nous sommes aussi la plus ouverte sur l'extérieur. Sauf Fasce, il va sans dire.

— Il va sans dire.

— Vous ne comprenez rien à ce que je raconte, n'est-ce pas ?

— Ça fait beaucoup à absorber au réveil.

Cent seize rit sans malice.

— Commençons par le plus concret, alors. J'ai noté votre hésitation devant le buffet. Il a été disposé pour vous et vos compagnons. Servez-vous sans la moindre contrainte, wol, vous devez être affamé.

— Avant, je voudrais uriner.

— Ainsi en va-t-il au réveil. Par ici, je vous prie.

Guidé par Cent seize, Yarg contourna un muret pour découvrir sous une large coupole de verre dépoli une chambre aux murs et au plancher entièrement couverts de tuiles de granit rosé. Au milieu de la pièce, un bain s'enfonçait dans le plancher, autour duquel se dressaient des statuettes élancées en forme d'oiseaux, ainsi qu'une profusion de jarres et de pots de verre multicolores.

Le jeune homme aux cheveux noirs tendit une main gracile vers une vasque de marbre incrustée de pierreries, connectée par des tuyaux de cuivre qui reluisaient d'avoir été brossés.

— Voici l'appareillage conçu à cet effet.

Yarg étudia la vasque à demi remplie d'une sorte de lait clair qui exhalait un parfum délicat. L'autre, qui avait deviné la source de son hésitation, lui confirma qu'il s'agissait bel et bien des latrines. Il lui fit une démonstration du mécanisme d'évacuation du contenu, qui fut aussitôt remplacé par une adjonction de liquide frais, puis le laissa seul.

Yarg resta un moment scandalisé à la perspective d'accomplir une activité aussi bassement naturelle dans ce récipient, mais finalement il accepta de se conformer aux us et coutumes de Pinacle, et se soulagea dans l'eau parfumée.

En se retournant, Yarg aperçut au-delà d'une porte un gaillard vêtu d'une robe de chambre identique à la sienne, qui le toisait d'un regard farouche. Au premier pas hésitant dans la direction de l'inconnu, il comprit que ce qu'il avait confondu avec une ouverture dans le mur était un miroir.

Yarg s'approcha un peu plus pour contempler, plutôt perplexe, cette haute silhouette osseuse, ce crâne et ces joues assombris par une repousse de cheveux noirs, ce visage émacié cuit de soleil au milieu duquel frémissaient deux pupilles sombres comme la nuit. Voilà donc l'image que les autres avaient de lui. C'est vrai qu'il n'avait pas l'air très accommodant. Pas étonnant qu'à bord de la *Diamantine* il n'ait pas eu de difficulté à se faire respecter de la chiourme.

De retour dans l'antichambre où avait été disposé le buffet, Yarg aperçut une autre silhouette en robe de chambre, mais il s'agissait cette fois de Panserfio, qui s'était servi à boire. La vision du terrible garde-chiourme, pieds nus, dans sa robe brodée faisait sourire : c'était assurément moins impressionnant qu'une cape fuligineuse.

Panserfio le salua de la main.

— As-tu rencontré notre hôte ? demanda Yarg.

Le colosse hocha la tête positivement, avec un geste vague vers la chambre, puis reporta son attention vers le buffet. Il semblait indécis, soit parce qu'il ne reconnaissait pas les mets, soit parce qu'il n'arrivait pas à choisir. Yarg prit avec ses doigts une des petites crêpes fourrées, qui s'avéra aussi bonne qu'elle en avait l'air. Il essaya d'autres frioleries, toutes plus délectables les unes que les autres, à l'exception des cubes de viande marinée, dont la sauce contenait une épice qui le révulsait.

Il se servit de son odorat pour reconnaître le contenu des carafes. Certaines exhalaient un riche bouquet fruité, d'autres sentaient le vin. Après avoir tant souffert de la soif en mer, la variété de l'offre induisit chez lui une réaction paradoxale : il préféra à toutes ces boissons l'eau fraîche et constata que Panserfio prenait la même décision.

Cent seize réapparut.

— Le buffet vous convient-il ?

— Oui. C'est délicieux.

— *Mfff !* approuva expressivement Panserfio en essuyant un filet crémeux qui lui avait coulé sur le menton.

Le jeune homme fit un geste onctueux en direction de la chambre à coucher.

— Pendant que votre compagne continue de se reposer, désirez-vous poursuivre la visite des lieux ? Vous pourrez la guider à son réveil. À moins que vous ne préfériez, wol, que je reste pour lui répéter mes instructions en personne. Quoi que vous décidiez, cela me fera plaisir.

Yarg hésita. Leur hôte était visiblement sincère, mais, en raison de son attitude impersonnelle où n'entraient ni cordialité ni froideur, aucune expression ne trahissait ses sentiments profonds, ce que Yarg trouvait un peu déstabilisant. Il ne reconnaissait pas non plus le sens de cette étrange interjection – « wol » – qui ponctuait un discours qui aurait été tout à fait orthodoxe autrement.

— Je vous suis, dit Yarg.

Cent seize émit l'un des sourires dont il avait le secret et guida ses invités dans les autres pièces principales de l'appartement, avec quelques dépendances, dont une penderie où était suspendue une variété de vêtements qui apparurent à Yarg si élégants, à la coupe si raffinée, qu'il ne comprit pas tout de suite que, tout comme le buffet, ils avaient été disposés pour leur usage. Sa surprise augmenta d'un cran lorsqu'il vit que les corsages féminins avaient été prévus pour une femme menue à quatre bras, tandis que les costumes masculins se déclinaient en deux tailles, l'une pour un grand maigre, l'autre pour un colosse aux épaules larges.

Ces vêtements avaient été taillés et cousus à leur mesure pendant la nuit !

Yarg ne dit rien, trop déconcerté pour faire un commentaire. Cent seize poussa une porte déjà entrouverte, par laquelle une bouffée d'air tiède et odorant pénétra. Yarg et Panserfio suivirent le jeune homme sur une véranda qui surplombait un étang dans lequel se reflétaient plusieurs pavillons à colonnades, entourés de jardins où des oiseaux multicolores volaient d'un massif floral à l'autre.

— Nous demeurons dans ces pavillons, nous, les Scquère. Vous pouvez y déambuler à votre guise. Comme je crois vous l'avoir dit, wol, nous ne sommes pas très portés sur les formalités et les complications.

Arrivé au bout de la véranda, Yarg aperçut à sa droite un palais si imposant qu'il lui fallut quelques secondes pour apprécier sa taille véritable. Massive, mais sans pour autant donner une impression de lourdeur, la construction était flanquée de quatre tours, elles-mêmes monumentales, et couronnée d'un dôme aux mêmes grandioses proportions que le reste. Yarg resta un instant fasciné par la puissance évocatrice de cette vision, qui se reflétait dans l'eau calme du bassin.

— C'est le palais principal de Pinacle, expliqua Cent seize, en ajoutant sur un ton presque indolent : sans doute vaudra-t-il mieux ne pas vous y aventurer sans avoir été invités. Les familles qui y demeurent vous ignoreront, wol, ou vous seront désagréables. Il en est ainsi. Chaque famille a ses qualités et ses défauts. Les Kaliemme sont très traditionalistes et voient d'un mauvais œil toute intrusion étrangère ; mais est-ce un défaut pour une famille chargée de la défense de la ville ? Argument analogue concernant les Ptyale. Elles sont strictes et peu portées sur la fantaisie. Mais qui voudrait d'une administratrice nonchalante et frivole ? Si une rencontre avec un citoyen de Pinacle tourne à l'aigre, wol, expliquez que vous êtes les invités de la famille Fasce, et tout se passera bien.

— Allons-nous bientôt revoir le capitaine, pour le remercier de son accueil ?

— Vous voyez cette esplanade ? Présentez-vous au coucher du soleil. Nous mangerons et bavarderons. Fasce le Quatorzième Sublime devrait être présent, wol, avec d'autres Fasce. Les Yohimbine apprécient généralement les visiteurs ; sauf qu'elles ne seront peut-être pas d'humeur aux mondanités après la disparition de trois de leurs sœurs dans le naufrage. Parfois on voit des Ghanlt, parfois une Nistagma, étant entendu que celles-ci feront le contraire de ce que nous leur demanderons. L'idéal, wol, est de laisser bruire la rumeur que leur présence n'est pas souhaitée, tout en évitant que cette stratégie soit trop transparente… mais je vous sens perplexe : ne jugez pas Pinacle d'après Nistagma. À nous aussi, ses caprices semblent parfois excessifs. D'ailleurs, que serait l'existence sans un peu d'imprévu ?

— Jusqu'à maintenant, votre accueil est irréprochable.

— *Mmm,* approuva Panserfio.

Le jeune homme exhala un soupir amusé.

— « Jusqu'à maintenant. » Vous êtes un homme prudent, wol.

— Je ne cherchais qu'à être précis.

— Et moi, je cédais à mon penchant pour l'ironie à froid. Je ne m'excuse pas, wol. Nous sommes ainsi, nous, les Scquère, alors ce sera à vous de vous accommoder de nos traits de caractère.

À l'autre bout de la véranda, un tout jeune homme vêtu d'une toge blanche apparut. Il vint saluer Cent seize, qui le présenta à ses invités.

— Voici Scquère le Non-Classé.

Le jeune homme inclina courtoisement la tête, un garçon, en fait, qui ressemblait en tout point à Cent seize, non seulement par son physique – même teint pâle tirant sur le jaune, mêmes yeux langoureux, mêmes cheveux noirs lustrés –, mais aussi par son attitude de camaraderie distante. Yarg lui demanda s'il était le fils de Cent seize. La question les fit rire, cette fois encore sans la moindre apparence de malice, comme s'ils appréciaient tous deux un trait d'esprit particulièrement acéré.

— Nous sommes de la même famille, dit Cent seize. Mais ce n'est pas mon fils, wol.

Le garçon s'adressa à son aîné pour lui rappeler qu'il était attendu à un lieu ou une activité dont le nom échappa à Yarg. Cent seize rassura Yarg et Panserfio sur le fait qu'ils allaient se revoir au plus tard au coucher du soleil sur l'esplanade, puis les deux hommes prirent congé.

Laissés à eux-mêmes, Yarg et Panserfio retournèrent au buffet, car ils avaient encore faim et soif. Cette fois-ci, Yarg goûta à l'une des boissons fruitées, au goût agréable quoiqu'un peu trop sucré. Il dilua la boisson avec de l'eau et alla s'asseoir dans un des confortables fauteuils de la véranda pour soulager ses pieds toujours sensibles.

Panserfio vint rejoindre Yarg quelques minutes après. Il tendit la main vers la chambre à coucher, caressa de longs cheveux invisibles, pour ensuite poser sa tête inclinée sur sa main étendue, les yeux fermés.

Yarg sourit, amusé par l'expressivité des mimiques du colosse.

— Perlustre dort encore ?

Panserfio fit un geste affirmatif, puis alla s'asseoir à son tour dans un des fauteuils, qui grinça un peu sous son poids mais tint bon.

Les deux hommes demeurèrent un certain temps silencieux, immobiles dans l'air tiède et parfumé. Ils aperçurent sur l'esplanade trois fillettes remarquablement jolies avec leur visage rond, leurs yeux brillants et leurs longs cheveux noirs tenus par une boucle qui dégageait un front très haut. Elles marchaient à la queue leu leu, muettes et l'air compassé, chacune tenant en laisse un chaton. Le premier chaton était gris, le second blanc et le troisième roux ; pour le reste, les fillettes portaient la même tunique claire et chacune aurait pu servir de jumelle aux deux autres. Sans même glisser un regard en direction de Yarg et de Panserfio, elles poursuivirent leur énigmatique procession et disparurent.

Yarg eut soudain de la difficulté à croire à la réalité de l'univers qui l'entourait. Rêvait-il? À tout prendre, ce n'était pas une rêverie désagréable, tout au plus insolite.

Yarg vida son verre de jus fruité et s'aperçut que Panserfio le regardait.

— Si tu comptes sur moi pour faire la conversation, tu seras déçu.

Le colosse toucha sa bouche, l'air de dire *Pareil pour moi.*

— Mais tu sais te faire comprendre. Tu n'es pas aussi lourdaud que tu en as l'air.

Un sourire torve souleva les lèvres de Panserfio: *Est-ce un compliment?*

Yarg se leva.

— Je suppose qu'il faudra s'habiller.

À l'intérieur, les deux hommes contemplèrent la trop vaste sélection de vêtements qui avait été mise à leur disposition. Yarg aperçut une lueur désemparée dans le regard de Panserfio. Il éprouva soudain de la pitié pour son compagnon, tout aussi désarçonné par la tournure des événements que lui.

Puisqu'il lui fallait tout de même prendre une décision, Yarg porta son dévolu sur un pantalon noir et une chemise ocre par-dessus laquelle il enfila une veste vert foncé cintrée à la taille, une des combinaisons les moins flamboyantes à sa disposition. Il choisit une paire de chausses en cuir souple, qu'il enfila pour marcher un peu, la sensation étant à la fois nouvelle et étrangement familière. Dans son ancienne vie, il avait sans doute porté des chausses d'un modèle semblable.

Panserfio avait aussi choisi le pantalon noir à sa taille et la chemise ocre puis, après avoir jeté un regard songeur vers Yarg, en préféra une de couleur crème avec de fines rayures pourpres. Il ne mit pas de veste : la température fort clémente des lieux n'en rendait pas le port nécessaire.

Annoncée par un frottement de pieds nus sur le carrelage, Perlustre apparut, les cheveux ébouriffés, enveloppée dans une couverture qu'elle tenait serrée sous le menton. Un sourire éclaira son visage tout fripé.

— Quel sortilège vous a rendus si frisques et beaux ?

Son sourire se mua en béance stupéfaite lorsque Yarg lui montra l'invraisemblable garde-robe mise à leur disposition. Perlustre laissa glisser sa couverture pour se mettre à sautiller toute nue d'un bout à l'autre de la penderie en émettant des couinéments de surexcitation. Elle arracha de son support une robe pourpre aux manches en coudes volants, qu'elle retint à quatre mains contre sa poitrine et ses hanches.

— Tout est à ma taille !

La robe pourpre fut délaissée pour un justaucorps bleu, puis ensuite une robe jaune vif, mais tout cela fut instantanément oublié lorsque Perlustre aperçut la sélection de jupons et de sous-vêtements.

— Même à Port Soleil je n'ai pas autant de fanfre-luches ! Qu'est-ce que c'est que cette étoffe ? (Elle tendit vers ses compagnons une pièce de vêtement à rayures jaunes et pourpres qui avait toute l'apparence d'une culotte.) Caressez comme c'est doux…

— Nous allons te laisser t'habiller, dit Yarg en faisant un signe à son compagnon, qui avait rougi de la base du cou jusqu'au tatouage au sommet de son crâne.

— Restez ! dit Perlustre en gigotant du postérieur pour enfiler le sous-vêtement ajusté. J'ai besoin de votre avis !

— Nous te faisons confiance.

Pendant que Perlustre s'habillait, les deux hommes attendirent près du buffet. Voyant l'expression quelque peu médusée de Panserfio, Yarg lui conseilla de ne pas se formaliser du comportement ingénu de la jeune femme.

— C'est une native de Port Soleil, une ville aux mœurs libres.

Le colosse hocha la tête d'un air songeur. Il regarda autour de lui et se mit à déambuler dans l'appartement comme s'il cherchait quelque chose. Yarg le suivit, intrigué. Il aurait bien voulu aider son compagnon dans sa quête, mais le concept devait être trop abstrait pour être traduit par gestes.

Dans une des pièces, Panserfio aperçut un secrétaire richement ouvragé, dont il alla soulever les battants. Ce qu'il aperçut à l'intérieur le fit geindre de satisfaction. Il exhiba une plume et une bouteille d'encre, qu'il agita sous le nez de Yarg.

— Tu sais écrire ?

— *Mmm !*

Panserfio trouva une rame de papier dans un des tiroirs du secrétaire et, avec de grands gestes, fit comprendre à Yarg de rester là. Ce dernier haussa une épaule.

— Où veux-tu que j'aille ?

Son grand corps courbé au-dessus du meuble, Panserfio trempa sa plume dans la bouteille d'encre et inscrivit sur la feuille de papier un bref message, qu'il tendit aussitôt à Yarg. L'unique phrase était constituée de lettres cursives curieusement inclinées – et, du point de vue de Yarg, le signe interrogatif était placé au mauvais endroit – mais pour le reste il n'eut aucune difficulté à déchiffrer le message :

Arrivez-vous à lire ceci ?

— Oui.

Panserfio émit un gémissement viscéral de satisfaction, puis reprit la feuille de papier et se remit à griffonner fébrilement. Perlustre, ravissante dans la robe jaune vif qui offrait un contraste délicieux avec sa peau mate, entra dans la pièce et vit à quelle activité se livrait leur compagnon.

— Tu sais écrire ? s'exclama-t-elle, surprise et ravie.

Le colosse tendit aussitôt la feuille à la jeune femme, qui se mit à lire. Yarg s'approcha pour découvrir le message par-dessus son épaule.

Je sais lire et écrire. Malheureusement, je n'ai pas toujours à ma portée les instruments idoines à l'expression écrite.

Perlustre expliqua à Yarg sur un ton professoral :

— C'est du prabale. Ça signifie : « Je sais lire et écrire. Malheureusement, je n'ai pas toujours… »

— « … à ma portée les instruments idoines à l'expression écrite », ânonna Yarg sur un ton morne. Eh oui, Perlustre, je sais lire.

La jeune femme se cambra en une attitude vexée.

— Moi qui pensais que je vous serais indispensable. (La moue boudeuse quitta son visage aussi vite qu'elle était apparue.) Mais c'est vrai que vous êtes tout pleins de surprises tous les deux. Où as-tu appris à écrire comme ça, Panserfio ?

Chez un clerc, écrivit celui-ci. *C'est une longue histoire. Si j'ai le temps, je vous relaterai les circonstances qui ont précédé notre rencontre à bord de la* Diamantine. *Pour l'instant, je veux simplement vous saluer, et vous assurer de mon estime et de mon indéfectible loyauté.*

— Galant ! Et puis, c'est drôle comme style. On a vraiment l'impression d'entendre un clerc. Si tu parlais, t'exprimerais-tu comme ça ?

Laissant Panserfio réfléchir à la question, Yarg entraîna Perlustre pour s'acquitter des devoirs d'hôte que lui avait délégués Cent seize. La jeune femme avait déjà vu le buffet et quelques-unes des antichambres, aménités qu'elle déclara « d'un raffinement supérieur à ce qu'on trouve à Port Soleil, ce qui n'est pas peu dire », mais rien ne l'emplit plus de joie que la salle de bain. Elle reconnut tout de suite la véritable fonction des sculptures longilignes en métal poli représentant diverses espèces d'oiseaux, ornements que Yarg avait crus uniquement décoratifs. Or il s'agissait de manettes contrôlant l'écoulement d'eau froide ou chaude destinée à remplir le bain, comme le démontra Perlustre en faisant jaillir un flot d'eau bouillonnante qui exhalait un subtil parfum minéral. Elle exulta :

— Je vais prendre deux bains par jour ! Trois !

— Tu n'as pas assez trempé dans l'eau ? demanda Yarg.

De son point de vue, un tel étalage de luxe confinait au sybaritisme, mais il se doutait bien que s'il exprimait cette pensée, Perlustre se gausserait de lui.

Ils conclurent la visite par la terrasse extérieure. L'enthousiasme de Perlustre décupla une fois qu'elle put admirer les alentours.

— Je n'ai jamais vu pareil panorama ! dit-elle en tournant sur la terrasse, ses quatre paumes levées vers le ciel comme les pétales d'une fleur. Regarde tous ces oiseaux ! Et ce château ! C'est le plus grand édifice du monde !

Perlustre se pencha par-dessus la balustrade pour tremper la main dans le bassin.

— Même le fond du bassin est décoré de sculptures. Il y a des poissons de toutes les couleurs !

— Tu ne tiens pas en place, ne put s'empêcher de dire Yarg en la voyant ainsi cul par-dessus tête. Quel âge as-tu donc ?

Elle se releva et projeta d'une chiquenaude quelques gouttelettes au visage de Yarg.

— Trop jeune pour ta queue, si tu entretiens des espoirs de ce côté !

Yarg essuya son visage.

— Le fait est que j'ignore mon âge.

— Je te taquine, allons, dit Perlustre, un voile de compassion dans ses yeux noirs. J'ai couché avec des hommes bien plus vieux que toi. Bizarre de penser que tu ne sais même pas ton âge. Ce qui te vieillit, c'est ton air si sérieux. Moi, je dis que tu as autour de trente ans.

La jeune femme aperçut deux hommes vêtus de noir émergeant du grand palais pour longer d'un pas volontaire un sentier de pierre. Ils leur jetèrent un bref coup d'œil, puis poursuivirent leur chemin en silence.

— Bon ! Je commençais à me demander si Pinacle était une ville fantôme.

Yarg lui relata sa rencontre avec Cent seize et Scquère le Non-Classé ; il mentionna aussi la procession des fillettes, sans oublier de lui annoncer qu'ils étaient conviés à un repas sur l'esplanade au coucher du soleil, occasion qui leur permettrait de remercier comme il convenait leur hôte à Pinacle. À la mention du souper, Perlustre fut rappelée au fait qu'elle mourait de faim.

Ils retournèrent à l'intérieur et, pendant que la jeune femme se sustentait avec des soupirs de satisfaction, Yarg décida d'aller voir ce que faisait Panserfio. Était-il encore en train d'écrire ?

C'est en essayant de retrouver le troisième membre de leur trio que Yarg se rendit compte combien l'appartement était vaste, et à quel point la disposition toute en angles et en retraits des portes et des pièces les unes par rapport aux autres compliquait le repérage. Il ne pouvait pas s'être perdu – ç'aurait été ridicule –, mais lorsqu'il emprunta le passage qu'il croyait mener à la chambre où il s'était réveillé, il se retrouva dans un cul-de-sac.

Sous un œil-de-bœuf était suspendu un haut miroir dans lequel se dressait un spadassin à l'élégance austère, au visage méfiant. Une grimace gouailleuse flotta sur les lèvres du reflet de Yarg. Allait-il tomber sur son image reflétée à chaque détour de l'appartement ?

Rebroussant chemin, il découvrit Panserfio de retour devant le buffet en compagnie de Perlustre et de Cent seize. Le jeune homme aux cheveux noirs l'accueillit avec son urbanité habituelle.

— Je remarque que vous avez trouvé des vêtements qui vous conviennent, wol.

— Le plus difficile a été de faire un choix parmi tant de splendeurs, dit Perlustre avec la grâce sans artifice que Yarg lui enviait à l'occasion. J'aurais quand même apprécié l'opinion d'une habilleuse pour me conseiller. J'ai choisi cette robe – j'aime le jaune –, mais je crains d'apparaître en plein jour dans une robe de soirée, ou pour une activité sociale qui ne lui est pas destinée.

— Ce serait une étrange conception de l'hospitalité, wol, que de proposer à des invités des habits qui les feraient paraître ridicules.

— Ce n'est pas cette perspective qui m'inquiète, mais celle de froisser mes hôtes par ce qui serait perçu comme de la désinvolture.

— Personne à Pinacle ne vous prendra pour un Héritier, dit Cent seize avec un sourire affable, et donc ne se surprendra que vos coutumes en matière d'habillement diffèrent des nôtres. Vous pourrez d'ailleurs constater à quel point ces traditions vestimentaires sont diversifiées, wol, chaque famille considérant comme normal de se distinguer des autres sur ce plan, tant il est vrai que le vêtement fait partie de l'image, et donc de la *persona*. Ajoutons aussi, wol, que les Scquère sont notoirement inconstants, dans ce domaine comme dans tous les autres, tandis que les Nistagma y trouvent un autre moyen d'exprimer leur nature rebelle. Après toutes ces considérations, je conclurai, de façon concrète et à titre personnel, que cette robe vous va à ravir, chère demoiselle Perlustre.

La jeune femme reçut le compliment avec un sourire, puis les trois invités acceptèrent la suggestion de leur hôte qui leur proposait une visite guidée de Pinacle, « juste pour vous familiariser avec les lieux, étant entendu que vous pourriez demeurer un an dans la Cité parfaite sans pouvoir prétendre avoir percé tous ses secrets, wol ».

— Pinacle a donc des secrets ? demanda Perlustre.

— Toutes les villes ont des secrets.

◆

Pour Yarg, les heures qui suivirent demeureraient à jamais nimbées d'une aura d'irréalité. Il fut d'abord impressionné par la noblesse des lieux, par la beauté de ces pavillons couverts d'un dôme à la blancheur éblouissante sous le soleil, d'une admirable structure car, bien que la matière dont ils étaient bâtis ne fût jamais moins riche que le marbre, le jaspe tacheté ou le quartz veiné d'or, c'était dans leur façon plutôt que dans leur matière qu'ils étaient tous remarquables. Lesdits pavillons surgissaient dans un savant désordre dans ce qui s'avérait n'être qu'un immense jardin, avec des dizaines et des dizaines d'espèces d'arbres dans lesquels voletaient des centaines d'oiseaux au chant pur et naïf, et entre lesquels s'entrelaçaient des ruisseaux qui reliaient des étangs couverts de nénuphars et des tiges languides de roseaux.

Derrière Cent seize et Perlustre venaient Yarg et Panserfio. Leur guide devisait ; Perlustre commentait et exprimait son admiration sans retenue. Ceux qui fermaient la marche se contentaient d'écouter et de regarder, aussi peu diserts l'un que l'autre.

Il était impossible d'évaluer les dimensions de la cité et l'importance de sa population. Une multitude de petits ponts permettaient de franchir les cours d'eau, ponts connectés à des sentiers qui tournaient et sinuaient au point que Yarg aurait complètement perdu le sens de l'orientation s'il n'y avait pas eu le palais principal, repère cyclopéen qui s'élevait dans le ciel.

De temps en temps, ils croisaient d'autres résidents, hommes et femmes, tous beaux et vêtus avec un raffinement discret, presque tous indifférents au quatuor de promeneurs. Yarg nota qu'il n'était pas rare de rencontrer des jumeaux. Il reconnut soudain le capitaine Fasce, mais ce dernier les croisa en ignorant la salutation enjouée de Perlustre, sans même lui accorder un regard.

— Vous vous trompez de Fasce, expliqua Cent seize, qui avait noté la mine de ses hôtes. Ce n'était pas le Quatorzième Sublime, wol, mais le Cinquième Tumultuaire.

— Encore un frère jumeau? s'étonna Yarg en étudiant Fasce le Cinquième Tumultuaire qui s'éloignait, tout dans sa posture et sa démarche rappelant celui qui avait été le capitaine de la *Diamantine*.

— D'une certaine façon, oui.

Comme si le sujet ne l'intéressait pas vraiment, Cent seize attira plutôt l'attention de ses invités sur un pavillon couvert de lierre, à demi caché par des buissons fleuris bourdonnant d'abeilles. Le bâtiment était sombre, cubique et trapu. Il en émanait une lourde impression d'antiquité.

— Pinacle est une cité ancienne. Nous la considérons comme une sorte de musée, wol. Dans ce temple, par exemple, s'enseignait une religion antique et déconcertante. La pratique de ce culte s'étant perdue dans la nuit des temps – bien avant que nous n'en devenions les héritiers, je le précise –, il est maintenant fermé.

— J'ai deux questions, dit soudain Perlustre.

— Je vous écoute.

— Que signifie ce mot que vous employez souvent: «wol»?

Cent seize fit un geste aérien.

— Une ponctuation, vide de sens en soi. Une manifestation d'espièglerie, si vous voulez le considérer ainsi.

— Je vois. Ma seconde question porte sur un autre concept que vous utilisez fréquemment: « héritier ». Héritiers de qui?

— De la Grande Race, répondit Cent seize, qui pour la première fois exprima une forme de surprise devant l'ignorance de son interlocutrice.

Ils pénétrèrent dans un des plus grands pavillons de la Cité parfaite et se retrouvèrent dans un hall de pierre blanche où les rayons du soleil illuminaient de magnifiques vitraux représentant des êtres dans un style si épuré qu'il était difficile de distinguer les hommes des femmes. Tous avaient un visage fin, un menton pointu, des yeux vert clair sous des paupières légèrement tombantes et des cheveux d'une blancheur immaculée; les nobles personnages représentés étaient tous drapés d'étoffes riches nouées de façon compliquée.

Le plancher était de pierre bleutée, légèrement translucide. Un large couloir mena les visiteurs à une salle plus spacieuse encore, surmontée d'un dôme percé au point le plus élevé d'une rosace horizontale imitant un œil à l'iris clair, élément central duquel irradiaient des nervures de soutènement en pierre qui s'entrelaçaient en imitant l'irrégularité naturelle de branchages.

Cent seize s'arrêta à la verticale de la rosace, et lorsqu'il reprit la parole, sa voix fit naître une cascade d'échos qui emplit la haute voûte d'un bruissement aquatique.

— Comment des humains auraient-ils pu concevoir et bâtir un édifice aussi imposant, aux détails architecturaux aussi raffinés, qui se dresse avec autant de noblesse? Et ceci n'est rien comparé au palais principal.

— Je n'ai jamais rien vu d'aussi magnifique, admit Perlustre. Dites-moi, cette Grande Race dont vous parlez, s'agirait-il des Sylvaneaux ?

— Que voilà un terme populaire, mais si vous le préférez, pourquoi pas ? Oui, nous sommes les héritiers des Sylvaneaux, wol, qui nous ont cédé Pinacle lorsqu'ils ont quitté ce monde fruste pour *Lyrevië*.

— Nous sommes dans un ancien palais sylvaneau… répéta Perlustre en regardant d'un air émerveillé Yarg et Panserfio, chaque syllabe qu'elle prononçait soutenue par un écho tintant comme des centaines de clochettes.

— Qui sont-ils ? demanda Yarg.

— Tu n'as pas lu les mémoires de la reine Melsi ? demanda Perlustre, qui aussitôt hocha la tête d'un air déconfit. Je suis stupide. Même si tu les avais lus, tu ne t'en souviendrais pas. Mais toi, Panserfio ? Puisque tu sais lire…

Ce dernier leur fit comprendre muettement qu'il n'avait pas lu l'œuvre en question, mais qu'il avait toutefois déjà entendu parler des Sylvaneaux.

— La Grande Race est ancienne, beaucoup plus ancienne même que celle de l'homme, expliqua Cent seize sur un ton de froide suffisance qui commençait à agacer Yarg. Dans les temps immémoriaux, les Sylvaneaux peuplaient tous les territoires au sud de la mer Géante. Ils étaient les dépositaires d'un savoir qui nous sera à jamais inaccessible, d'une profondeur et d'une complexité hors de notre atteinte, car il était le produit d'un esprit plus pénétrant et plus sensible que celui dont dispose le plus perspicace et le plus érudit des humains.

— Que leur est-il arrivé ?

— Comme les Aggs, comme bien d'autres créatures ancestrales nées pendant les convulsions primitives du monde, ils ont fui le mascaret fangeux de l'huma-nité avant d'être engloutis. Ils se sont réfugiés dans le crystalunivers – cet univers si infiniment proche, et pourtant si infiniment lointain –, *Lyrevië*, ainsi l'appelle-t-on dans la langue archaïque de la Grande Race, jadis parlée jusqu'aux confins les plus reculés du monde connu mais dont il ne subsiste que quelques mots. *Lyrevië… Lyrevië…*

Cent seize se tut, le visage baissé en une expression recueillie. Il resta ainsi un certain temps, puis releva la tête et, avec un geste empreint d'une grâce hiératique, fit signe à ses trois visiteurs de le suivre.

Yarg ne se fit pas prier : il était soulagé de quitter la grande salle sous le dôme, dont l'étrange acoustique commençait à lui donner mal à la tête.

Ils rebroussèrent chemin en direction du palais principal. Sur le chemin, ils furent interceptés par le trio des fillettes avec leurs chatons qui, sans un mot, avec un air parfaitement sérieux, leur interdirent le passage.

Yarg, qui s'attendait plus ou moins à ce que Cent seize leur dise d'aller jouer ailleurs, constata au contraire que ce dernier obéissait à l'injonction en signalant à ses invités d'en faire autant.

Les fillettes ordonnèrent alors à leurs chatons de s'asseoir devant eux, ordre auxquels se conformèrent les bêtes. Les trois enfants se livrèrent à une pantomime à la fois gracieuse et insolite, comme si elles se relayaient pour maintenir par leur souffle une plume invisible qui flottait de l'une à l'autre, le tout agrémenté de battements de pieds et d'arabesques tracées dans les airs avec leurs petites mains. Yarg s'aperçut qu'il ne s'agissait pas des mêmes animaux qu'à la première apparition du trio de fillettes. Deux de ceux-ci étaient noirs ; ceux du matin avaient tous eu la fourrure claire. Autres chatons, autres fillettes ?

Faute de comprendre le sens du rituel, Yarg pouvait au moins admirer la grâce et la beauté exceptionnelle des trois enfants. Celles-ci eurent d'ailleurs la politesse de terminer leur pantomime à peu près au moment où Yarg commençait à trouver que la prestation traînait en longueur.

Une fois que les fillettes eurent récupéré leur chaton et repris leur marche, le quatuor put reprendre son avance. Cent seize les mena jusque dans un pavillon aux structures massives qui semblait aussi ancien que le temple enseveli sous les lierres entrevus un peu plus tôt. À l'intérieur, ils montèrent les marches d'un escalier monumental. Il régnait dans ce pavillon une luminosité diffuse, quasi crépusculaire. Une mélodie douce et mélancolique leur parvenait, évanescente comme un parfum.

Yarg et ses trois compagnons pénétrèrent dans une bibliothèque construite à la même échelle cyclopéenne que le reste de Pinacle. Ils avancèrent entre les rayonnages où s'alignaient des milliers et des milliers de livres à couverture de cuir sombre. Cent seize prit un des volumes, apparemment au hasard. Sous la riche couverture de cuir embossé d'or, des centaines de pages étaient couvertes d'une écriture toute en mouchetures et en griffures horizontales, parfaitement incompréhensible à Yarg.

— Je ne sais pas lire cette langue, dit Perlustre.

Panserfio hocha également la tête d'un air navré.

— Il aurait été étonnant que vous le puissiez, dit Cent seize. Nous-mêmes, nous en sommes parfaitement incapables. Ces chroniques datent de plus de quinze mille ans et sont écrites dans la langue du Sud, wol, que même les Sylvaneaux ne pratiquaient plus des siècles avant de nous laisser Pinacle en héritage.

Perlustre prit le livre, examina la reliure, caressa le papier.

— Ce livre serait vieux de quinze mille ans ? Son état de conservation est extraordinaire.

— Un sain scepticisme est le signe d'un esprit équilibré, wol. Il s'agit bien entendu d'une copie, elle-même faite à partir d'une copie, et ainsi de suite… Et quand le cuir aura été dévoré par la vermine et la moisissure, quand le papier s'effritera sous nos doigts, nous le recopierons de nouveau.

— Pour quoi faire ? demanda Yarg.

Dans le pâle visage de Cent seize, des lèvres pâles furent soulevées par un pâle sourire. Il replaça le livre dans son rayon.

— Je suis un Scquère. Mon opinion sur ces questions ne représenterait pas celle de la majorité de mes concitoyens. J'avance une hypothèse : au fond de l'âme de nombreux Héritiers repose le désir secret que la Grande Race revienne sur la terre, réintègre Pinacle et retrouve les lieux tels qu'ils étaient lorsqu'elle les a quittés.

— Ont-ils laissé des signes d'un éventuel retour ? demanda Perlustre.

— Pas que je sache. C'est une hypothèse conjecturale basée sur un désir inconscient, wol, pas un dogme institutionnel.

— Vous pourriez ne recopier que les livres qui leur seraient encore lisibles. Ça vous sauverait du travail.

— Vous êtes une pragmatique, chère demoiselle Perlustre. Mon impression, wol, est que nos esprits sont trop semblables pour qu'une dialectique stimulante pour l'intellect puisse surgir de notre discussion. Il faudrait que vous abordiez la question avec un Desmo ou une Ptyale ; ce sont de redoutables ergoteurs.

— En vérité, la métaphysique ne m'intéresse pas beaucoup.

Avec un geste courtois, Cent seize montra la sortie : ses invités désiraient-ils poursuivre leur visite ou en avaient-ils assez vu pour aujourd'hui ? Perlustre répondit au nom de ses deux compagnons lorsqu'elle s'exclama :

— Assez de merveilles ! Mon esprit est saturé !

Cent seize ramena Yarg, Perlustre et Panserfio à leur appartement, où ceux-ci profitèrent du buffet pour étancher leur soif et manger un peu – les pichets avaient été remplis et de nouveaux plats avaient remplacé ceux offerts le matin.

Yarg sentit une soudaine lassitude dans ses membres : il était loin d'avoir récupéré des épreuves des journées précédentes. Il fit part à ses compagnons de son intention de faire une sieste, puis traversa les différentes pièces de l'appartement en direction de la chambre.

Maintenant qu'il y avait prêté plus attention, Yarg était certain que le passage qui menait à la chambre était bel et bien le même qui s'était terminé un peu plus tôt sur un miroir au fond d'un cul-de-sac. Il examina les lieux avec soin. Un trait d'usure sur le plancher correspondait à une large moulure décorative, probablement amovible, qui devait permettre de faire glisser une paroi escamotable.

En voyant que le grand lit avait été fait, les coussins rangés en une agréable symétrie, et les stores tirés pour atténuer la luminosité du soleil, Yarg supposa que le passage vers la chambre avait été fermé par des domestiques qui ne voulaient pas être aperçus pendant qu'ils accomplissaient leur tâche.

Yarg retira ses bottillons, déplaça quelques coussins et s'allongea tout habillé sur le lit, le corps envahi des pieds à la tête par une délicieuse langueur.

Quelle sensation extraordinaire de reposer sur une couche moelleuse, repu et vêtu de frais ! N'était-ce pas la plus imprévisible des tribulations d'une vie de tribulations ? Le sentier de la mémoire le ramena à bord de la *Diamantine*, et il songea avec une bouffée de tristesse à ses camarades décédés, le sympathique Scorbe, le vieil Ocieu, et surtout le pauvre Janiel. Pour la première fois, Yarg ressentit un pincement de culpabilité, à la hauteur du cœur, d'avoir survécu alors que d'autres, peut-être plus méritants que lui, étaient morts. La vie avait-elle un sens ? une finalité ? Ou chaque être n'était-il qu'une brindille emportée par un torrent ?

Sur ces pensées, Yarg s'abîma dans une cavalcade de cauchemars confus où s'entremêlaient le naufrage de la *Diamantine*, les vitraux représentant les Sylvaneaux, les fillettes aux chatons. Des portes s'entrebâillèrent sur des souvenirs plus anciens encore, mais Yarg eut beau essayer de comprendre ce qu'il voyait, les visions oniriques entraperçues par l'embrasure n'étaient que des ombres embrouillées glissant dans la brume…

◆

Yarg fut réveillé par les ronflements de Panserfio, qui dormait comme un bienheureux à l'autre bout du lit, la bouche ouverte, les bras en croix, la chemise déboutonnée jusqu'au nombril.

D'après l'angle que formaient les rayons du soleil glissant entre les lattes des stores, Yarg estima qu'il avait dormi trois heures.

Encore un peu amorti, il se leva et se rendit à la salle d'eau, et y découvrit Perlustre au bain, plongée jusqu'au menton dans une eau laiteuse sur laquelle flottaient des pétales de fleurs bleus et pourpres. La jeune femme s'étira, languide, puis elle sourit à Yarg, les yeux mi-clos.

— Bien dormi ? demanda-t-elle d'une voix un peu enrouée.

— Oui.

— Déshabille-toi et viens me rejoindre. Il y a de la place.

— Je venais pour autre chose. J'attendrai.

— Quoi ? Tu veux pisser ?

Un bras de Perlustre émergea du bain, qu'elle tendit vers la vasque de marbre.

— Fais ce que tu as à faire et rejoins-moi. (Elle nota l'hésitation de Yarg.) Ma présence te dérange ?

— Puisque tu poses la question : oui.

— Tu parles d'un pudibond ! D'accord, je disparais, mais fais vite !

Elle se laissa glisser dans le liquide pour disparaître sous les pétales tourbillonnants. Après avoir hoché la tête avec un soupir, Yarg alla se soulager, puis s'approcha du bain.

— Tu peux sortir.

Perlustre n'avait pas dû l'entendre. Il haussa la voix :

— Tu peux sortir. J'ai fini.

La surface laiteuse ne bougea pas. Pas même un frémissement. Yarg sentit un pincement d'agacement, puis l'effleurement de l'inquiétude. La jeune femme avait-elle eu un malaise ? Il s'agenouilla et plongea la main dans l'eau.

— Perlustre ?

Quatre mains empoignèrent le bras de Yarg, qui bascula par en avant dans un vacarme d'éclaboussures ponctué par des rires hoquetants. Yarg reprit son assiette dans le bain, se dépêtra d'entre les jambes et les bras de la jeune femme, puis s'ébroua en ajustant sa chemise détrempée dont le col lui avait remonté jusque sous le nez.

— Comment as-tu pu succomber à un truc aussi éculé ? demanda Perlustre en retirant de sa bouche hilare une longue mèche de cheveux noirs. Tu le savais que je ferais ça ! Tu as joué le jeu, avoue.

— Comment pouvais-je m'attendre à pareil enfantillage ? Regarde, de l'eau a débordé partout…

— Cesse donc de grogner, fit Perlustre, qui se mit à lui déboutonner sa chemise deux boutons à la fois.

C'est difficile de se représenter toutes les conséquences de ton amnésie, Yarg. Que comprends-tu aux
rapports humains ? Est-ce que tu te rends compte que
j'essaie de t'aguicher ?

Yarg déglutit.

— Je m'en rends compte.

Elle l'aida à se départir de sa chemise trempée.
Avec une sollicitude presque maternelle, elle examina
la blessure de son dos.

— Ça te fait encore mal ?

— C'est un peu sensible. Je n'y aurais plus pensé
si tu ne m'en avais pas parlé.

Pendant qu'une main caressait sa blessure, Yarg
en sentait trois autres remonter le long de la colonne
vertébrale. D'agréables frissons parcoururent son torse.
Perlustre lui embrassa l'omoplate, puis remonta le long
de son cou jusqu'à l'oreille au creux de laquelle elle
susurra :

— Tu as bien dit que tu me trouvais jolie ? Quand
nous attendions sur le haut-fond, rappelle-toi.

— Je me le rappelle.

— S'agissait-il d'un commentaire esthétique purement objectif ? Tu me trouverais jolie, sans me désirer
charnellement ?

— Je te trouve à la fois jolie et désirable.

— Ça tombe bien ! Ça fait deux mois que je n'ai pas
étreint un homme. Tu parles si je suis émoustillée !

Perlustre aida Yarg à retirer son pantalon. Elle
passa ensuite une jambe par-dessus sa taille pour le
caresser de tout son corps. Après tant d'épreuves et
de privations, Yarg n'aurait pas imaginé que la vie
offrait des douceurs aussi sublimes que la sensation
du corps délié de la jeune femme contre le sien, de
ses hanches lascives, de ses lèvres charnues sur son
front, son menton, sa bouche, de ses quatre mains qui
le caressaient partout. Leur étreinte se fit plus intime

encore. Perlustre lui sourit, le visage à moitié caché par ses cheveux.

— Et ça, est-ce que ça éveille des souvenirs ?

— Je ne sais pas, murmura Yarg d'une voix rauque. Peut-être que… Continue un peu…

Ils se caressèrent, doucement au début, puis avec de plus en plus de passion. Yarg aurait voulu que cela ne s'arrête jamais, mais à l'apogée du plaisir il fut secoué de hoquets avec l'impression que son cœur allait sortir de sa poitrine. Pendant qu'il reprenait son souffle, Perlustre lécha de la pointe de la langue les larmes de jouissance qui avaient coulé sur ses joues.

— Toi aussi, ça devait faire un bout de temps, n'est-ce pas ?

— Plus longtemps que toi, c'est sûr.

— Tu parles d'un commentaire de goujat ! Comment le saurais-tu ?

— Personne à bord de la *Diamantine* n'a profité de toi ?

— J'aurais bien voulu ! Mais on m'a fait sentir que ce serait inapproprié.

— Et le chef des trafiquants, dans le canyon ?

Perlustre écarquilla des paupières outragées :

— C'était un viol ! Ça ne compte pas !

Mais la jeune femme pouffa aussitôt de rire, incapable de maintenir son air faussement scandalisé. Elle retira le membre de Yarg de sa chair, puis se laissa couler dans l'eau parfumée, où elle contempla son compagnon de bain avec un sourire narquois.

— Je doute que nous retournions à Maurras, alors j'imagine qu'il n'est pas trop inconvenant de dévoiler un secret d'alcôve. Sache que le vieux trafiquant n'avait aucune intention de me violenter. C'est d'abord et avant tout pour me soustraire aux mains brutales de ses hommes qu'il m'a obligée à le suivre. Mais aussi par bienveillance, parce que sa tente était plus confortable que la pierre du dehors. Il m'a avoué que son membre ne s'était pas dressé depuis des années et que je n'avais pas à craindre ses ardeurs.

« Je sais que, d'une part, l'estime que les hommes ont pour eux-mêmes est souvent fonction de leurs prouesses amoureuses et que, d'autre part, il est important qu'un chef sache impressionner ses subalternes par ses qualités viriles. Pour le remercier de sa courtoisie, je lui ai suggéré cette comédie destinée aux oreilles de ses hommes, afin que ces derniers mesurent sa férocité s'il leur venait l'envie de contester son autorité. Bon, il a d'abord été un peu surpris, mais il s'est plié au jeu. Je savais qu'il possédait sous forme brute les talents d'un comédien, ayant vu la manière avec laquelle il avait traité le porte-parole du sermonnaire de Rebècq...

Yarg émit un gloussement d'autodérision.

— Moi qui m'imaginais en train de venger ton honneur !

— C'est vrai ? fit Perlustre, attendrie. Tu m'aimais donc un peu déjà ?

Yarg se renfrogna, incapable de décider si le sentiment de la jeune femme était authentique, ou si elle se moquait de lui.

— Pourquoi as-tu changé ton nom ?

— Tu penses que je me suis toujours appelée Sarouelle ?

— Ce n'est pas ton vrai nom, ça non plus ?

— Je devrais garder le même nom toute ma vie, moi qui me suis constamment transformée sur presque tout le reste ? Suis-je la même enfant qui jouait sans souci dans les jardins de la Sororité des Affriandes ? Suis-je encore la jeune fille gauche qui rougissait à la perspective de sa première communion ? Un jour je serai vieille, édentée, la face comme une pêche flétrie, et il faudrait que je m'appelle encore Perlustre ? Mais à propos de nom, au fait, le tien, c'est bien Yarg, tu en es sûr ?

— Je ne m'en souviens plus. C'est différent.

— Eh bien voilà ! Tu ne te souviens pas de ton nom ; Panserfio ne peut pas le prononcer ; et moi, je peux le prononcer, mais je ne le veux pas. Nous représentons dans nos personnes la diversité du monde… (Perlustre s'interrompit brusquement, en étudiant Yarg entre des paupières plissées en une caricature de suspicion.) Qui m'assure que toute cette histoire d'amnésie n'est pas un écran de fumée ? Tu es peut-être un assassin, un égorgeur d'enfant, un régicide dont le nom véritable n'est plus employé que pour insulter et maudire !

Yarg, tout en comprenant qu'il s'agissait de taquineries, accueillit cette supposition avec un profond soupir.

— Peut-être.

— Quelle tête tu fais quand je te taquine ! Habillons-nous plutôt pour le souper. J'espère qu'on ne mangera pas trop tard. Forniquer me donne faim.

— Moi aussi, dut bien reconnaître Yarg.

CHAPITRE 11

Suite des aventures, tour à tour grotesques et étonnantes, de Yarg, Perlustre et Panserfio dans l'antique et prestigieuse cité de Pinacle

Yarg et Perlustre, habillés de frais, allèrent réveiller Panserfio qui avait dormi tout ce temps, parfaitement inconscient des activités auxquelles s'étaient livrés ses deux compagnons.

— On dirait un gros bébé !

La voix enjouée de la jeune femme éveilla le colosse. Une lueur trouble d'incompréhension flotta dans son regard noir, puis il sembla aussitôt soulagé.

— Ce n'est pas un rêve, le rassura Perlustre. Nous sommes bel et bien vivants, logés à Pinacle, et traités comme des princes.

Panserfio s'assit sur le rebord du lit en étudiant la robe pourpre au corsage en balconnet de la jeune femme, puis la chemise à jabot de Yarg par-dessus laquelle il avait enfilé une veste à fines rayures. Sa mimique ne fut pas difficile à interpréter : *Je dois me changer aussi ?*

— Ça fait partie du jeu, dit Perlustre sur un ton de conspiratrice. Viens ! je vais t'aider.

Sous le regard quelque peu désapprobateur de Yarg, Perlustre entraîna Panserfio vers la garde-robe, où ce dernier lui fit comprendre, le visage d'un teint rouge brique, qu'il ne désirait pas se dénuder devant elle ; tout au plus accepta-t-il le choix de chemise et

de veste que lui proposa son habilleuse, aussi entre-
prenante qu'improvisée.

Une trentaine de citoyens de Pinacle étaient déjà
rassemblés sur l'esplanade, sous les rayons rasants
d'un soleil venu caresser le dôme d'un des pavillons
de la Cité. Il y avait plus de femmes que d'hommes,
toutes très belles et vêtues avec distinction. Yarg nota
particulièrement un groupe de femmes à la peau claire
et aux cheveux d'un blond cendré. Elles se ressemblaient tant qu'en tout autre lieu et autre occasion,
Yarg aurait déduit que les plus jeunes constituaient la
progéniture des plus âgées ; mais il commençait à
comprendre que ce genre d'explication instinctive et
naturelle, sans doute exacte partout ailleurs dans le
monde, risquait de ne pas s'appliquer ici.

Au milieu de l'assemblée devisaient Cent seize et
deux Fasce ; ce n'est que lorsque ces deux derniers
saluèrent les trois compagnons que toute ambiguïté
disparut dans l'esprit de Yarg. Avec son nez rougi de
soleil, le premier était bien leur compagnon de naufrage,
et le second le capitaine de la *Véloce* qui les avait
rescapés la veille.

Fasce le Quatorzième Sublime demanda aimablement à Yarg, à Panserfio et à Perlustre s'ils s'étaient
reposés ; si Scquère Passé le Cent seizième s'était bien
occupé d'eux ; si leurs installations leur convenaient ;
questions auxquelles il lui fut répondu par l'affirmative.

Le noble personnage s'adressa ensuite à ses concitoyens réunis pour les remercier d'être venus célébrer
avec lui et ses invités leur survie après une aussi
étonnante aventure, digne de figurer dans les annales,
pourtant déjà fort longues et riches en exploits, de la
famille Fasce. Il conta en quelques phrases le combat
contre les faufileurs, sur un ton distant, comme s'il
n'avait pas lui-même frôlé la mort de près, comme si
la perte de son magnifique navire, et de tout son
équipage, n'était qu'un détail anecdotique de l'aven-

ture. Il conclut avec une élégante volte de la main en direction de Perlustre.

— Et me voici de retour parmi vous, sain et sauf, mais non seul, car ces trois personnes ont aussi survécu au naufrage. Voici mademoiselle Perlustre et messires Panserfio et Yarg. Ce sont des Musaphes, un terme qui couvre dans les faits une assez grande diversité de cultures dispersées sur de vastes territoires à l'est de la mer Tramail, leurs points communs étant la langue, un désintérêt pour les structures sociales rigides, ainsi qu'un type morphologique dont nos trois invités constituent un assez bon échantillonnage – à l'exception du nombre surnuméraire de bras chez mademoiselle Perlustre, extraordinaire et inusité, où que l'on soit dans le monde.

Les Fasce présents, une demi-douzaine, buvaient ses paroles. Les membres des autres familles n'étaient pas tous aussi attentifs, en particulier les Scquère, qui semblaient retenir des bâillements. Il y avait quatre autres types physiques : les élégantes femmes aux cheveux blonds, déjà remarquées par Yarg ; des femmes plus minces, aux longs cheveux noirs ; quelques hommes barbus, émaciés, aux yeux clairs ; et un duo de matrones en noir qui contemplaient, un peu en retrait, le rassemblement d'un regard désapprobateur.

Fasce le Quatorzième Sublime poursuivait :

— Un autre point qu'ils ont déjà eu en commun, c'est leur statut d'esclaves. Qu'on se rassure, je les ai affranchis.

— On reconnaît votre grandeur d'âme, dit une des femmes en noir sur un ton que Yarg jugea sarcastique.

— Les hommes ne vivent pas seulement de pain, ils vivent aussi de symbole, répondit le Quatorzième Sublime sur un ton hautain. Nous avons survécu tous les quatre à un événement extraordinaire. Jamais d'autres yeux que les nôtres ne contempleront les superstructures de la *Diamantine* brûlant au milieu d'une mer de cadavres flottants. Nous sommes uniques dans le monde, dans l'histoire du monde. Un lien nous unit qui transcende culture et statut.

Cent seize profita d'une pause dans le discours pour suggérer à l'assemblée de passer à table. Un murmure d'assentiment accueillit la proposition. Ils allèrent tous prendre place autour d'une grande table en arc de cercle, sous un dais aux rayures blanches et bleues. Fasce le Quatorzième Sublime s'assit au centre, avec Perlustre à sa droite, Panserfio et Yarg étant relégués plus près des extrémités, chacun entre une femme aux cheveux noirs et une aux cheveux blond cendré. La représentante de cette famille qui s'assit à la droite de Yarg semblait la plus âgée du groupe, ce qui ne retirait absolument rien à son charme considérable. Dès qu'ils furent tous assis, elle se pencha vers Yarg avec une lueur d'humour dans ses yeux – dont la couleur était remarquable : roux au centre de l'iris, violet sur le pourtour.

— On m'a dit qu'un de nos invités était muet et l'autre amnésique.

— Je ne suis pas muet.

— Voilà qui me rassure, dit-elle de sa belle voix grave, un peu voilée. Mon nom est Ombre Dolce. Je suis une Yohimbine. Je suppose qu'il faut encore vous préciser ce genre de choses ?

— J'ai appris à reconnaître les Fasce et les Scquère. Et maintenant les Yohimbine.

— Les grands barbus aux yeux rêveurs sont des Ghanlt. Les deux femmes vêtues en noir qui vous examinent d'un air désapprobateur sont des Ptyale ; elles sont venues vous détailler sous toutes les coutures pour faire rapport aux Kaliemme, chargés du maintien de l'ordre. Eux aussi ont protesté officiellement auprès de la famille Fasce pour que vous soyez expulsés de Pinacle.

— Je suis navré d'être la source d'une mésentente.

— S'il fallait toujours écouter les Kaliemme! Mais je n'avais pas fini mes présentations. À votre dextre est assise Auxque la Septième Morganatique.

La femme aux cheveux noirs échangea un regard silencieux avec Yarg. L'évidence frappa celui-ci : sa voisine de table ressemblait en tout point aux trois femmes mystérieuses à bord de la *Diamantine*. Quelque peu déconcerté de se retrouver dans un environnement aussi étranger à son expérience, Yarg dit :

— Je compatis à la disparition de trois membres de votre famille dans le naufrage.

La Septième Morganatique hocha la tête avec une froideur compassée :

— C'est bien triste, en effet.

— Ai-je tort de penser que les trois fillettes qui se promènent avec des chatons sont aussi de la famille Auxque ?

— Votre observation est exacte. Nous aimons toutes les chats.

— La famille Auxque est responsable de notre santé, le plasme n'a aucun secret pour elle, expliqua Ombre Dolce, qui ajouta avec un sourire entendu : cela doit vous déconcerter ? Que tous les membres d'une famille se ressemblent à ce point ?

— Un peu.

— Nous visiterons le Temple plasmique demain, dit la Septième Morganatique. Ou après-demain. Pinacle n'aura plus de secret pour vous.

Le soleil avait disparu derrière la frondaison et le ciel s'était teinté de pourpre. De fort étranges personnages surgirent à ce moment d'une porte dérobée. Tous très minces et entièrement vêtus d'une combinaison blanche qui leur couvrait même la tête et le visage, ils avancèrent en une procession silencieuse pour servir plats et boissons. Yarg nota qu'aucun Héritier ne fit mine d'apercevoir les domestiques ; il évita donc de poser des questions à leur sujet. Un tel degré de raffinement lui apparut décadent, mais cette caractéristique de la société de Pinacle allait de pair avec le reste.

Le souper, qui avait été annoncé comme informel par Cent seize, laissa Yarg songeur sur ce que les Héritiers de Pinacle auraient considéré comme du formalisme. On servit d'abord un élixir si fin qu'il fallait le humer plutôt que le boire. Un vénérable vin blanc, vieux de cent quarante ans, précisa Ombre Dolce, fut ensuite servi dans des coupes remplies de perles. Le vin était accompagné de feuilletés lisérés d'or, d'olives sculptées, de beignets si légers qu'ils donnaient l'impression de se dissoudre à l'intérieur de la bouche, ne laissant qu'un arrière-goût que Yarg aurait été bien en peine de décrire par des mots.

Chacun des plats, chaque nouveau vin surpassait le précédent par son raffinement. Yarg goûta à tout et but à chaque coupe sans commettre d'impair, car il avait pour guide de bonnes manières Ombre Dolce : il lui aurait fallu faire un effort de mauvaise volonté pour affirmer que l'intérêt que lui portait sa charmante voisine de table était désagréable. L'alcool lui monta vite à la tête, lui qui n'avait connu que la bière de la *Diamantine*, servie avec mesure. D'ailleurs, était-ce une illusion ou l'ambiance lui semblait-elle maintenant moins guindée, les conversations plus animées ?

À l'autre bout de la tablée, la jeune Yohimbine assise à la droite de Panserfio échangeait des signes avec le colosse, riant à gorge déployée lorsque les difficultés du processus causaient un malentendu. Quant à Perlustre, elle devisait avec ses voisins de table avec une aisance parfaite – mais sa capacité d'adaptation n'étonnait plus Yarg.

Tout ce temps, des oiseaux volaient sous le dais et se posaient sur la table pour subtiliser une miette, ce qui ajoutait une touche supplémentaire de prosaïsme aux procédures.

Yarg s'aperçut qu'une silhouette les observait, accroupie dans un buisson, quasi invisible dans l'ombre. Ombre Dolce suivit son regard.

— Une Nistagma. Je ne sais pas laquelle, j'y vois mal d'ici.

— Il s'agit de Couleur-des-Ivraies, dit Auxque la Septième Morganatique, qui n'avait presque pas desserré les dents du repas.

— À quoi la reconnaissez-vous ? demanda Yarg, qui aurait été en mal de déterminer s'il s'agissait d'un homme ou d'une femme.

— Par d'innombrables subtilités de sa silhouette et de son comportement. Je lui ai donné naissance.

De la pointe de son coude, Ombre Dolce caressa le bras de Yarg en un geste à la fois nonchalant et convivial :

— Si tu la regardes, elle va partir. Ignore-la, et elle viendra à toi.

À la fin du repas, Yarg fut invité à se joindre à un petit groupe pour aller assister au « lever de la Lune ». Yarg aurait préféré retourner se coucher, mais le repas avait été si copieux qu'il jugea qu'un peu d'exercice, effectivement, lui ferait du bien.

Ils quittèrent l'esplanade et déambulèrent sans hâte dans la nuit parfumée, les arches des arbres occultant les étoiles au-dessus d'eux. Ombre Dolce avait glissé son bras sous celui de Yarg, ce dernier veillant bien à ne pas paraître surpris de cette marque d'attention qui n'était peut-être qu'une forme de politesse. Ce n'est qu'à ce moment que Yarg se rendit compte que Panserfio et Perlustre ne les accompagnaient pas.

Leur groupe, d'une quinzaine de personnes, était surtout constitué de Yohimbine et de Ghanlt, avec un ou deux jeunes Scquère ; aucun Fasce n'en faisait partie. Toutefois, Yarg vit, lorsque leurs déambulations les firent passer dans un îlot de lumière sous une lanterne, qu'une jeune femme d'un nouveau type physique s'était glissée parmi eux. Gracile et court-vêtue, le nez soulevé avec une expression mutine : Nistagma Couleur-des-Ivraies.

Ils traversèrent quelques ponts, aperçurent un groupe d'enfants assis en rond autour d'un feu, entendirent d'étranges déclamations émerger du velours de la nuit, moitié chants, moitié sanglots.

Leurs pas les menèrent jusqu'à une pergola située sur un promontoire auprès d'un petit lac enchâssé dans un écrin de basses collines. La lune s'était levée, reflétée par les eaux calmes du plan d'eau. Yarg prit place parmi les coussins. Sur des tables basses étaient disposés des amuse-gueules, du vin et du thé.

De la musique s'élevait dans la nuit, générée par des instruments inconnus. Yarg n'aurait su dire si elle était jouée à leur intention ; en réalité, il avait de la difficulté à prêter attention à autre chose qu'à la présence d'Ombre Dolce, qui avait disposé des coussins pour s'allonger contre lui. Était-elle consciente de l'effet que la proximité de son corps langoureux pouvait avoir sur son invité ? Ce dernier aurait cherché en vain un seul aspect de sa personne et de son habillement, depuis la racine de ses cheveux jusqu'à la pointe de ses escarpins, qui ne fût pas sensuel et exquisément proportionné.

Au cas où Yarg aurait été assez ingénu pour ne pas deviner quelle serait la prochaine activité de la soirée, autour de lui les Héritiers s'étaient mis à s'embrasser et à se caresser, pas nécessairement entre hommes et femmes, et pas nécessairement par couples.

À l'autre bout de la pergola, un des Ghanlt semblait être devenu l'objet de convoitise de deux jeunes femmes plutôt qu'une seule. Nistagma Couleur-des-Ivraies avait entrepris de retirer les coussins sous le corps de la Yohimbine lovée contre lui. Les deux jeunes femmes se chamaillèrent avec des éclats de rire et de faux cris d'outrage. Couleur-des-Ivraies abandonna la partie avec une remarque dépitée :

— Égoïste.

Elle alla ensuite asticoter les deux Scquère. Ceux-ci l'ignorèrent, préférant se satisfaire entre frères plutôt qu'avec une de leurs compagnes, pourtant supérieures en nombre. À ce point, Yarg fut obligé de prêter toute son attention à Ombre Dolce, qui avait glissé la main sous sa chemise.

— Tu n'as que des nerfs et des os, souffla-t-elle, l'haleine brûlante. Maigre et fier comme un loup. Dévore-moi !

Ils s'embrassèrent longuement, puis il leur fallut bien détacher leurs lèvres pour se départir d'une partie de leurs vêtements.

Une jeune femme nue s'approcha en se déhanchant, une carafe à la main. Malgré le fait qu'elle avait le visage en contre-jour, Yarg reconnut le nez court et mutin de Couleur-des-Ivraies.

— Veux-tu du vin ?

— Pas maintenant, dit Yarg.

— Ça ne te dérange pas si moi, j'en prends ?

— Pourquoi ça me dérangerait ?

Couleur-des-Ivraies s'agenouilla aux pieds de Yarg, versa du vin à la hauteur de son entrejambe, puis se mit à aspirer le liquide absorbé par le tissu du pantalon. Un peu choqué, Yarg s'attendait à ce qu'Ombre Dolce intervienne et expulse cette concurrente. Au contraire, la Yohimbine sembla trouver stimulante l'impudence de la jeune femme. Avec un lent rire de gorge, Ombre Dolce regarda Couleur-des-Ivraies baisser le pantalon détrempé, verser encore du vin le long du membre viril aussi roide qu'il était possible de l'être, et y étancher sa soif.

— En voilà toute une emmanchure, constata Ombre Dolce en lui administrant elle aussi sa part de caresses. Il y en a assez pour deux.

Yarg enfouit son visage à l'intérieur du corsage délacé d'Ombre Dolce. La riche fragrance de son corps l'enivra aussi sûrement que le breuvage avec lequel Couleur-des-Ivraies continuait de se sustenter. Il était sur le chemin de la jouissance lorsque des ricanements masculins insérèrent une note discordante dans l'ambiance de sensualité troublante qui régnait sur le promontoire baigné par la lumière de la lune.

— Ho! Ho! Une orgie? s'exclama une des voix.

— Pour faire changement, dit un deuxième.

— Je vous avais dit qu'on les trouverait ici, glapit un troisième en ponctuant son commentaire d'un rire aigu.

Ce n'est que lorsque les intrus apparurent sous le toit de la pergola qu'il fut possible pour Yarg de compter trois jeunes hommes entièrement vêtus de noir, à la stature et au visage parfaitement identiques. Il ne lui fallut pas un grand effort de déduction pour deviner qu'il s'agissait d'une patrouille de jeunes Kaliemme. Autre indice de leur fonction, chaque membre du trio portait à la ceinture une épée, les premières armes que Yarg apercevait à Pinacle.

— Que voit-on ici? demanda un des jeunes hommes.

— Les fornicateurs habituels, persifla l'autre. Yohimbine, Ghanlt, Scquère... Ah! tout de même. Une Nistagma.

— Laquelle?

— À son cul, je dirais Couleur-des-Ivraies.

La boutade fut accueillie chez ses compagnons par un beuglement de rire, auquel participa volontiers la jeune Nistagma.

— C'est même la partie de mon anatomie que je préfère vous montrer, ajouta-t-elle en agitant son fondement dans leur direction.

L'accueil d'Ombre Dolce fut moins cordial:

— Votre présence est inopportune. Partez!

— Nous sommes ici dans le cadre de l'exercice de nos fonctions, répondit d'un air suffisant le jeune Kaliemme, manifestement le chef de la patrouille. Nous voyons un intrus et nous enquêtons.

— Vous savez fort bien que c'est un invité de Fasce le Quatorzième Sublime ! siffla un des Ghanlt.

Yarg s'était écarté des deux femmes pour remonter et attacher son pantalon, l'indignité de l'opération étant multipliée par la difficulté de faire entrer son membre turgescent dans le vêtement mouillé. Le sentiment d'euphorie amoureuse disparaissait avec chaque battement de cœur, remplacé par une envie quasi douloureuse de corriger l'arrogant trio. Le fait que les autres avaient des épées et pas lui contribua à lui faire garder son calme. Il dit simplement :

— Je suis Yarg, et je suis effectivement un invité à Pinacle. Maintenant, présentez vos excuses, et cessez de nous importuner.

Les trois membres de la patrouille fixèrent Yarg, leur visage marqué par une même irritation. Le chef s'approcha presque à le toucher.

— Et s'il n'est pas dans nos intentions de présenter des excuses, que feras-tu ?

— Je me satisferai simplement de votre départ.

— Et si nous ne voulons pas partir non plus ?

Yarg, vif comme l'éclair, referma la main sur la poignée de l'épée du chef de la patrouille et recula en retirant l'arme de son fourreau. Un trait d'acier refléta la lumière des torches et son extrémité vint se poser sous la pomme d'Adam offerte.

— Restez, alors. J'en profiterai pour vous instruire en matière de bienséance.

L'autre éclata d'un rire frémissant de fureur :

— Qui es-tu pour espérer m'intimider ? Quel est ton nom ? Quel est ton lignage ? Je te baiserais le soleret parce que tu m'as pris par surprise ? Tue-moi plutôt !

— Je ne veux tuer personne, dit Yarg, agacé de constater que le roquet refusait de se laisser impressionner. Je désire que vous nous laissiez tranquilles, mes compagnons et moi.

— Je n'ai aucun ordre à recevoir d'un fornicateur à la fourche mouillée ! Ignores-tu, crasseux, que se dresse devant toi Kaliemme le Vingt-Septième Rugissant, l'Intouché, Grand-ailier de l'Ordre de la Faucre pourpre et Gardien des clés et des sceaux ? À moi, frères de la garde ! Lavez mon honneur dans le sang !

Les deux autres membres de la patrouille dégainèrent leur épée avec un synchronisme parfait.

Yarg recula de quelques pas. Il trébucha presque sur Couleur-des-Ivraies, qui éclata d'un rire strident.

— Comme c'est drôle !

— Êtes-vous tous fous ? siffla Yarg.

— Redonne-moi mon épée ! hurlait toujours le Vingt-Septième Rugissant.

Ses deux compagnons d'armes avancèrent. À leur posture – genoux légèrement pliés, assise ferme sur leurs jambes, garde en tierce –, Yarg comprit que ceux-ci avaient bénéficié d'un entraînement formel. Il jugea néanmoins que l'attaquant de gauche, soit par maladresse, soit à la suite d'une évaluation imprudente de la qualité de son adversaire, s'était trop avancé par rapport à la longueur des armes qu'ils utilisaient. Yarg bondit au moment où il savait que l'autre serait à contre-pied, ce qui le déstabilisa assez pour permettre à Yarg de bloquer la botte de son adversaire de droite.

Les deux épées glissèrent l'une contre l'autre jusqu'à la garde, le fil de la lame s'arrêta à moins d'un pouce du nez de Yarg. Il empoigna le Kaliemme au collet avec sa main libre, puis le fit tourner afin que son corps serve de bouclier humain, un geste désespéré car assurément l'autre était sur le point de l'embrocher… Ce n'était pas encore le cas, car Couleur-des-Ivraies s'était accrochée à sa jambe en hurlant de rire.

Yarg et son adversaire continuèrent de tourner sur eux-mêmes en un frénétique pas de deux qui se termina lorsque le Kaliemme bascula par-dessus la rampe de la pergola. Yarg lui retint le bras avec un cruel mouvement tournant. L'articulation émit un craquement. Un glapissement de douleur monta dans la nuit. L'épée tomba sur le plancher. Yarg lâcha prise et son adversaire chuta dans les buissons sous la pergola.

Le chef de la patrouille se penchait avec précipitation pour s'emparer de l'épée échappée par son compagnon. Yarg lui donna un brutal coup de pied à la hauteur du foie, geste aussi inélégant qu'efficace. Le jeune Kaliemme roula sur le plancher de la pergola, recroquevillé de souffrance.

Le troisième membre du trio se libéra enfin de l'emprise de Couleur-des-Ivraies.

Il fonça vers son insolent adversaire telle une bête furibonde. Yarg bloqua avec le fort de l'épée. L'autre se fendit en visant le flanc découvert. Avec un mouvement de balayage, Yarg écarta de nouveau la lame ennemie. Le Kaliemme possédait la fougue et la rapidité de la jeunesse, mais son style excentrique et bravache affaiblissait en réalité son assise et sa force. Yarg bloqua ses attaques flamboyantes avec des parades convenues, persuadé plus tard, lorsqu'il eut l'occasion de reconstituer en esprit chaque séquence, chaque botte, chaque parade accomplie d'instinct dans le feu de l'action, qu'il aurait pu faire cesser le combat beaucoup plus tôt s'il avait vraiment eu l'intention de blesser ce jeune coq.

Sa patience avait toutefois des limites. Profitant d'une ouverture dans la garde de son adversaire, Yarg le blessa à la cuisse. Le jeune homme recula en boitillant, les yeux exorbités de déconvenue. Il chercha du regard l'aide du chef de la patrouille, mais ce dernier était resté assis, la main sous les côtes, le regard vitreux.

— Rompons l'engagement de manière honorable, proposa Yarg.

Le Kaliemme claqua des dents, tremblant de rage, mais heureusement une lueur de bon sens atténua la fixité de son regard. Après un ultime regard vers son chef, il salua son adversaire avec raideur.

— Votre technique est solide. (Il ajouta, comme si la formule de politesse forçait sa voie contre sa volonté:) Je vous remercie de cette démonstration.

Yarg attendit que son opposant remette son épée dans son fourreau pour prendre son acte de contrition au sérieux. Quand ce fut fait, il salua à son tour, puis alla récupérer l'arme de celui qui avait basculé par-dessus la rambarde. En un geste d'une fluidité parfaitement naturelle, Yarg redressa la lame et l'approcha d'une des lanternes pour l'examiner. Il examina l'autre ensuite, de même facture. Il avait pu déterminer à l'usage que les épées étaient légères et bien équilibrées – plutôt des braquemarts que de véritables épées de guerre, fut la pensée qui se déploya naturellement dans son esprit — et il put admirer à la lueur des flammes la finesse du travail de forge.

Yarg fit un moulinet au-dessus de sa tête. La lame émit un bruissement velouté et vint s'immobiliser contre la gorge de Kaliemme le Vingt-Septième Rugissant, l'Intouché, et cætera.

— J'attends.

L'homme à ses pieds cligna des yeux. Le fait qu'il eût le souffle court ne l'empêcha pas d'emprunter un ton solennel:

— Vous avez établi votre bon droit.

— Je considérerai ceci comme des excuses.

Yarg se désintéressa du chef de la patrouille. Il inclina le torse avec raideur en direction d'Ombre Dolce, toujours allongée à demi nue parmi les coussins, qui lui rendit un regard dans lequel la stupeur était atténuée par une ombre d'admiration.

— J'ai eu suffisamment de stimulation pour aujourd'hui. Permettez-moi de prendre congé.

— Dommage, dit la charmante Yohimbine avec un déhanchement langoureux.

Yarg, tout de même un peu vexé par la tiédeur de la réaction, s'inclina aussi vers Nistagma Couleur-des-Ivraies, assise en tailleur sur le plancher de la pergola. Elle répondit à la salutation par une moue boudeuse :

— Pour une fois qu'on s'amusait…

Ignorant superbement tous les autres, Yarg tourna les talons et, une épée dans chaque main, quitta la pergola par le chemin qu'il avait emprunté à l'arrivée.

Ce n'est qu'après s'être éloigné d'une bonne vingtaine de pas qu'il jeta un coup d'œil derrière lui. Personne ne le suivait. Il continua sa progression nocturne, scrutant taillis, buissons, piliers en retrait et arches enténébrées. Si les trois gardes, ou d'autres adversaires, avaient décidé de lui tendre un guet-apens, ils auraient pu se dissimuler n'importe où.

Yarg se sentait fébrile, à la fois rompu de fatigue et bouillant d'une énergie nerveuse. Toutefois, avec chaque pas qui l'éloignait de la pergola, avec chaque embranchement du sentier, avec chaque pont qu'il franchissait par-dessus un ruisseau, il sentit sa respiration reprendre un débit normal. Au point qu'il s'inquiéta de moins en moins des Kaliemme, et de plus en plus du fait qu'il n'avait pas la moindre idée de l'endroit où il se trouvait.

Il suivit une haie de minces arbres d'une essence inconnue qui escortait un ruisseau, puis s'arrêta pour tenter de se repérer. Le château principal de Pinacle, avec ses nombreuses fenêtres illuminées, était son seul repère dans la nuit, excepté la lune. Aucun chemin ne s'y rendait directement. Il fut tenté de quitter le sentier et de couper au plus court : il aurait à franchir quelques ruisseaux, mais aucun de ceux-ci n'avait semblé profond à la lumière du jour.

Une voix féminine surgit de nulle part.

— Je vous guiderai, messire, si vous êtes perdu.

Yarg se retourna d'un bond. La repousse de ses cheveux se hérissa sur sa nuque. Un spectre flottait dans les airs à quelques pas de là, immobile et blanc, comme si la lumière lunaire s'était coagulée et avait pris vie.

La créature fit un pas dans sa direction. Avec une bouffée de soulagement, Yarg comprit que l'apparition spectrale était en réalité une domestique. À l'instar des serviteurs qui avaient servi le souper, la femme était entièrement couverte d'une combinaison de tissu blanc. Si elle avait l'air de flotter, c'est parce qu'elle se déplaçait sur un sentier de pierres surélevées sinuant au sein des massifs floraux.

La domestique descendit au niveau de Yarg. Elle le contourna et inclina son visage voilé avec un geste empreint de déférence.

— Accordez-moi l'honneur de vous montrer le chemin.

— Vous savez qui je suis ?

— Oui.

Sans autre commentaire, elle se mit en marche. Yarg la suivit. Le sentier obscur qu'elle emprunta les mena à un chemin mieux éclairé, quoique tout aussi désert. Yarg ne pouvait détacher le regard de la domestique. Elle était si maigre et élancée qu'on aurait pu croire que les vêtements ne cachaient que du vide ; et le fait qu'elle avançât à petits pas rapides mais parfaitement silencieux, ses mains gantées de blanc nouées avec modestie derrière le dos, ajoutait à l'étrangeté de la vision.

— Quel est votre nom ?

La domestique fit comme si elle n'avait pas entendu. Il n'insista pas. Ce n'est qu'une fois arrivé au seuil de son appartement qu'il reconnut l'esplanade entourée par les pavillons des Scquère : tout était si différent la nuit.

La guide s'inclina à nouveau et murmura d'une voix quasi inaudible :

— Ne dites à personne que je vous ai parlé.

— Pourquoi ?

— C'est un manquement à l'étiquette que d'être aperçue. Parler à un invité est encore plus répréhensible. Je serais châtiée.

— Je ne dirai rien, alors. Merci.

La domestique fila pour s'évanouir dans un pan d'ombre avec une promptitude qu'un authentique spectre lui aurait enviée.

Yarg entra dans leur appartement, qui aurait été parfaitement obscur sans la paire de lumignons de chaque côté des arches menant aux autres pièces. Il se sentit soudain grotesque d'apparaître ainsi devant ses compagnons, une épée dans chaque main, sa veste égarée, la chemise déchirée, l'entrecuisse trempé de vin.

Il se doutait bien que Perlustre ne lui accorderait aucun répit tant qu'il ne lui aurait pas tout raconté. Il essaya de mettre de l'ordre dans son esprit, de déterminer quels aspects de sa soirée il allait passer sous silence, pour finalement repousser au loin ces considérations. Tout ce qu'il désirait, c'était s'effondrer dans son lit et dormir.

Avec un peu de chance, ses compagnons seraient déjà couchés ; aussi est-ce à pas de loup qu'il traversa l'appartement. Arrivé dans le couloir menant à la chambre, il vit que celle-ci baignait dans une faible lumière dorée. Il ralentit le pas. Au seuil de la chambre, il tendit l'oreille. Une conversation à voix basse parvenait jusqu'à lui. S'il n'arrivait pas à reconstituer les paroles exactes du monologue de Perlustre, le sentiment qui s'en dégageait était suffisamment explicite. Les grognements rythmés et extatiques proférés par Panserfio l'étaient plus encore.

Yarg rebroussa chemin aussi silencieusement qu'il était venu. Il resta un long moment debout près du buffet, immobile dans la pénombre, trop désarçonné pour arriver à formuler une pensée cohérente. Il alla finalement s'asseoir dans un des fauteuils pour fulminer en paix, les deux épées croisées sur ses genoux.

Il était sur le point de s'endormir lorsqu'il entendit le frottement de pieds nus sur le carrelage. Perlustre apparut, guillerette, remettant avec trois mains un peu d'ordre dans ses cheveux défaits. Yarg s'attendait à ce qu'elle fût nue. Ce n'était pas le cas : elle était emmitouflée dans sa robe de chambre.

Elle s'approcha de la table pour se servir un verre de vin, qu'elle porta à ses lèvres en grignotant un petit gâteau. Elle décida qu'elle n'aimait pas ce dernier, le remit dans le plateau et en choisit un autre.

— C'était une comédie à mon intention, comme avec le chef des trafiquants ?

Après un sursaut, Perlustre éclata d'un rire de stupéfaction en découvrant enfin Yarg assis dans la pénombre.

— Qu'est-ce que tu fais là ?

— Je ne voulais pas vous déranger.

— Ah ! Tu nous as vus.

— J'ai entendu. Ça m'a suffi.

— Et tu es venu te morfondre dans le noir ? (Un geste coquin.) Tu n'avais qu'à venir nous rejoindre.

Yarg émit un gloussement qu'il avait souhaité sophistiqué, mais qui sonna plutôt dépité et hargneux à ses oreilles.

Le sourire de Perlustre mourut sur ses lèvres.

— Qu'est-ce que tu tiens sur tes genoux ? Ce sont… Ce sont des épées ?

— Des Kaliemme m'ont cherché noise, dit Yarg sur le ton de celui qui désire clore une conversation, sans entretenir d'espoir que ce sera vraiment le cas. Je me suis défendu.

— Défendu… Qu'est-ce que tu racontes ?

— Je les ai confisquées à mes agresseurs.

Perlustre appuya deux de ses mains sur sa bouche.

— Tu as tué un de nos hôtes !

— Mais non !

Panserfio apparut. Après une hésitation, il s'approcha du buffet. Malgré la pénombre, il était visible que son visage s'était empourpré quand il avait vu Yarg. Mais son expression changea du tout au tout lorsqu'il aperçut les deux épées.

— *Mmm ?*

Yarg se leva et, en marchant de long en large, les armes toujours à la main, il raconta sa soirée en glissant un voile pudique sur les développements érotiques survenus pendant leur «contemplation de la lune».

Perlustre ne chercha nullement à cacher sa perplexité :

— Je n'ai rencontré personne qui n'ait pas été parfaitement courtois. Pourquoi cette violence ? Cette Yohimbine assise à côté de toi au repas, elle voulait fleureter, c'est clair.

— Je… Je n'ai pas remarqué, bougonna Yarg.

Perlustre réfléchissait tout haut :

— Nous devrions nous plaindre aux responsables du service d'ordre ; mais comme ce sont les Kaliemme, nous sommes dans une étrange situation.

— Cent seize nous a prévenus que certaines familles ne goûtaient pas notre présence.

— Crois-tu que nous sommes en danger ?

— Je ne sais pas.

Yarg s'adressa à Panserfio :

— Nous nous relaierons pour monter la garde. Je commence, et tu surveilleras pendant la seconde moitié de la nuit. Ça te va ?

Panserfio fit un geste affirmatif, mais Perlustre protesta :

— Nous sommes trois. Je veux faire ma part.

Avec difficulté, Yarg réussit à contenir le sarcasme qui lui vint aux lèvres sur la compétence de la jeune femme dans un domaine autre que le commerce charnel. Son offre étant généreuse et appréciée, il l'accepta, pour convenir d'un horaire de garde : d'abord Yarg, puis Panserfio, et ensuite Perlustre.

◆

Lorsque Yarg sentit une main lui secouer l'épaule et entendit Perlustre chuchoter « Yarg… Réveille-toi… », il retrouva si rapidement sa lucidité qu'il pensa tout d'abord ne jamais s'être endormi.

Il constata que la faible lumière qui délimitait les contours de la chambre possédait la froideur du ciel de l'aube. Non seulement il avait dormi, mais il ne s'était même pas réveillé lorsque Panserfio avait cédé son tour de garde à Perlustre.

Un genou sur le lit, cette dernière le fixait avec un doigt sur la bouche.

Yarg fronça les sourcils : que se passait-il ?

Elle lui fit signe de se lever, toujours sans faire de bruit.

Yarg obéit. Une fois debout, il récupéra l'une des épées dissimulées sous le matelas – il avait donné l'autre à Panserfio. Il avait remplacé ses vêtements défraîchis de la veille par un pantalon et une chemise ample. Il ne voulait pas être encombré par la chemise de nuit au cas où les Kaliemme décideraient de profiter de leur sommeil pour venger leur honneur.

Pieds nus sur le carrelage, c'est dans un silence quasi parfait que Yarg suivit Perlustre, qui se dirigeait vers l'entrée de la chambre.

La jeune femme lui fit signe d'écouter.

De l'autre côté de la paroi – *à l'intérieur du mur,* corrigea Yarg en pensée –, ils entendaient marcher. Le son était faible mais reconnaissable. Le tout était ponctué de frottements et de chocs quasi inaudibles. Yarg échangea un regard avec Perlustre, puis serra la poignée de son épée.

Les pas s'éloignèrent en direction de l'arche qui menait au couloir. Yarg se rappela l'endroit où, selon ses déductions, une paroi escamotable pouvait surgir d'un faux pilier. Guidé par son instinct, il tira sur le pilier, qui pivota sur des charnières avec tant de facilité que la fausse pièce de soutènement alla frapper le mur avec un choc sourd.

Il plongea la main dans l'ouverture ainsi révélée, pour la refermer sur un membre tiède. Une personne se débattit. Yarg tira jusque dans le couloir une jeune femme grande et frêle, qui émit un bref cri de surprise en battant des paupières, éblouie par la lumière matinale.

— Ne la brutalise pas ! dit Perlustre.

Ce n'était nullement l'intention de Yarg, qui avait desserré sa prise au point que l'étrange jeune femme réussit à se libérer. Elle tenta aussitôt de filer par le passage secret, mais il s'interposa.

— Pas si vite !

La commotion avait réveillé Panserfio, qui accourait à son tour, l'épée brandie. À la vue du colosse, la jeune femme ouvrit de grands yeux dans lesquels flottait un iris frémissant d'effroi.

— Pitié, messire !

Yarg fit signe à Panserfio d'arrêter et scruta le visage de la nouvelle venue. Il avait cru reconnaître sa voix.

— C'est toi qui m'as guidé hier ?

La prisonnière dit « Oui », le visage rougissant. Yarg étudia des pieds à la tête l'étrange jeune femme. Contrairement à la veille, son corps était presque entièrement révélé par le port d'un corsage blanc et d'un pantalon court. Sa peau était très pâle, ses cheveux d'un blond presque blanc. Depuis son retour à la conscience, Yarg n'avait jamais vu une personne aussi élancée : sa poitrine était très plate et il aurait pu ceinturer sa taille dénudée de ses deux mains.

— Comment t'appelles-tu ? demanda Perlustre.

La jeune femme rougit de plus belle, son regard de bête traquée retournant constamment vers le passage secret. Son attitude agaça Yarg. Ne s'étaient-ils pas donné le mal de lui parler avec douceur ? Il déposa ostensiblement son épée contre le mur, à l'écart, et fit signe à Panserfio de l'imiter.

— Nous ne te ferons aucun mal. Nous avons cru que nous étions en danger.

— Est-ce le cas ? demanda Perlustre avec une ombre de sourire. Nous veux-tu du mal ?

— Ce serait impensable, dit la jeune femme d'une voix fluette, presque un murmure.

— Réponds, ordonna Yarg. Qui es-tu ?

— Une Rouage.

— C'est ton nom ?

La jeune femme fixa Yarg de ses grands yeux clairs, puis jeta un rapide coup d'œil à ses deux compagnons, l'air de se demander si on se moquait d'elle.

— Je suis *une* Rouage. Une domestique.

— J'avais compris. Mais je te demande ton nom. Tu as bien un nom ?

— Vous… Vous n'arriveriez pas à le prononcer.

— Essaie toujours, dit Perlustre.

— Je m'appelle Qiql.

— Qill ?

La domestique soupira.

— Ce n'est pas grave, prononcez-le comme vous voulez.

— Si tu parlais plus fort, aussi, dit Yarg. Répète, en t'exprimant clairement cette fois.

— Qiql.

— Qiql. Comme ça ?

— Non. Vous dites Qiql. C'est *Qiql*.

— C'est pareil !

— Je vous avais dit que vous n'arriveriez pas à le pro...

La jeune femme s'aperçut qu'elle avait haussé la voix et s'étrangla de consternation. Elle baissa à nouveau le visage.

— Pardonnez-moi. Je suis confuse de m'être impatientée...

Elle tressaillit encore lorsque la large main de Panserfio se posa sur ses frêles épaules. Le colosse montra du doigt Yarg et Perlustre avec un air de condescendance hautaine, puis avec sa main imita la bouche d'une personne jacassante ; bouffonnerie qu'il conclut par un geste de balayage comme pour faire comprendre que les questions de ses compagnons n'avaient aucune importance.

Qiql fut prise d'un rire hoquetant qu'elle parvint à endiguer en pressant ses deux poings fermés sur sa bouche. Lorsqu'elle eut repris contenance, elle essuya les larmes qui avaient coulé sur ses joues.

— Je dois redescendre. Je ne dois pas être aperçue par les invités du palais.

— Nous sommes des gens sans prétention, dit Perlustre. Même que ça me plairait d'avoir une compagne pour bavarder. Pourquoi ne viendrais-tu pas t'asseoir et déjeuner avec nous ?

Le visage de Qiql, rouge jusqu'à ce moment, blêmit :

— Impensable ! Je serais châtiée.

— Ah, je vois, dit Perlustre. C'est si guindé que ça...

— Je n'ai qu'une question avant que tu partes, dit Yarg. À qui devrais-je m'adresser pour obtenir justice à la suite de notre altercation avec les gardes Kaliemme ?

Qiql hésita :

— Il serait inapproprié que je discute le comportement des maîtres.

Perlustre prit le parti de la jeune domestique :

— Laisse-la tranquille… Elle ne fait que son travail.

Yarg s'écarta pour laisser la voie libre à Qiql, qui se dépêcha de filer dans le passage secret. Yarg tendit la tête à l'intérieur du mur pour la voir disparaître dans le plancher avec une souplesse serpentine. Une fois ses yeux habitués à la pénombre, il aperçut une échelle qui plongeait dans une trappe.

Perlustre entra dans le mur pour aller se pencher au-dessus de l'ouverture.

— Y a de la lumière en bas. Comme un couloir. Le plancher est en tuile. Ça sent drôle. C'est pas large comme trappe. C'est sûr que Panserfio resterait coincé, mais je pense que tu arriverais à passer, toi, Yarg. Pour moi, en tout cas, ce serait facile. Veux-tu que j'aille voir?

— Nous l'avons suffisamment embarrassée. Reviens.

Perlustre sortit de l'espace entre les murs et Yarg remit en place le faux pilier, non sans avoir reconnu au passage la fausse paroi qui permettait de transformer le couloir vers la chambre en cul-de-sac.

Perlustre était retournée au lit; elle s'allongea et tripota ses coussins, boudeuse.

— Ça me rappelle certains palais guindés à Port Soleil. Oh là là! Il ne fallait pas regarder le maître, et ne jamais s'adresser à la cadine, ne pas rire tout haut, ne pas faire de faveurs aux garçons d'écurie, et zigue din don…

— Je suis surpris d'apprendre que Port Soleil n'a pas que des aspects positifs, dit Yarg.

— Non mais c'est vrai. Pourquoi se surcompliquer l'existence avec toutes ces questions de protocole et de position sociale? Si je ne désire pas fréquenter les princes ni les gueux, c'est une chose. Mais pourquoi m'interdire de faire le contraire si d'aventure je me prends de sympathie pour l'un ou pour l'autre?

— On devine ce que signifie «se prendre de sympathie» dans ton cas.

Perlustre lança un coussin au visage de Yarg, qui ne retint pas le réflexe facétieux de son poignet. Il bloqua le coussin avec l'épée, le fit tourner autour de la lame et le projeta dans la direction d'où il était venu.

Perlustre attrapa le coussin des quatre mains.

— Hé ! Tu es habile !

— C'est ce que j'ai pu constater hier.

Yarg s'aperçut que Panserfio le fixait d'un regard pensif.

D'un air solennel, le colosse aller se placer au centre de la chambre, qui offrait un espace dégagé. Il fit face à Yarg, le pied gauche deux semelles de distance derrière le droit, l'épée en position, et lui fit signe d'approcher. Il ne fallut à Yarg que le temps d'un respir pour comprendre que le colosse voulait qu'ils fassent quelques passes d'armes.

Bien qu'un peu interloqué, il s'approcha et se mit aussi en position.

Les deux hommes se saluèrent.

Panserfio étudia la position de son adversaire avec intérêt puis, d'un ample geste au ralenti, pour écarter toute ambiguïté sur le fait que leur échange ne serait qu'un exercice, il fit un grand pas en avançant la main devant lui, la lame de quarte, et en effaçant son côté gauche.

L'attaque simulée étant parfaitement classique, Yarg para de la façon la plus classique qu'il pouvait imaginer : les ongles vers le sol, le coude haut, ferme sur ses deux jambes. Il rompit puis contre-attaqua par-dessus, le bras tendu, visant l'oreille gauche de Panserfio, qui retraita en lâchant le pied droit derrière le gauche, l'épée tout à fait devant lui, le bras étendu.

Les deux hommes poursuivirent parades et contre-attaques, le rythme de leurs échanges s'accélérant à mesure qu'ils se réchauffaient et prenaient la mesure de leurs capacités – ce qui signifiait, dans le cas de Yarg, autant les siennes que celles de son adversaire.

Le tintement des lames l'une contre l'autre était maintenant assourdissant, au point que Perlustre commençait à s'inquiéter.

— Euh… Vous faites attention, quand même…

Yarg poussa une demi-botte en battant ferme l'épée de Panserfio, lui faisant croire que c'était le véritable coup qu'il portait – le piège fonctionna car l'autre souleva le fort de son arme pour parer. Sans faire aucun mouvement du poignet, Yarg laissa tomber le coup et coupa sous la ligne du bras de Panserfio. Malheur au combattant qui, dans un véritable combat, se serait retrouvé dans une aussi fâcheuse posture ; Yarg aurait eu l'embarras du choix pour atteindre un viscère important. Cœur, foie, rate…

Yarg rompit et salua avec une satisfaction désinvolte pour signaler la fin du combat.

Le colosse resta stupéfait le temps d'un souffle, puis éclata d'un vaste rire. Il salua et vint poser sa large main sur l'épaule de Yarg, accompagnant le tout de « *Mmm… Mmm…* » approbateurs.

Perlustre se jeta en bas du lit pour venir enserrer de ses quatre mains l'un des bras de Yarg, en sautillant d'admiration.

— Tu es un véritable maître d'armes !

— On le dirait.

— Toi aussi ! dit Perlustre en s'emparant du biceps musculeux de Panserfio. Quel duo vous faites, vraiment ! Yarg ne le savait pas, et toi, tu ne pouvais pas nous le dire. Pauvre ami ! Comment fais-tu pour garder en toi toutes tes pensées ?

Le colosse sourit tristement, en imitant le mouvement de la plume sur un feuillet imaginaire.

— C'est vrai ! Il faut que tu prennes le temps de nous écrire qui tu es et d'où tu viens, et comment tu as appris à te battre comme ça, et par quel concours de circonstances tu as pu te retrouver à bord de la *Diamantine* !

Un geste de la tête : *D'accord.*

Même s'il était encore tôt, la découverte surprise de Qiql et les exercices matinaux avaient réveillé tout le monde. Pendant que Perlustre s'habillait, Yarg et Panserfio allèrent se servir au buffet, où ils découvrirent tous les pichets remplis de boissons fraîches, et la table croulant sous de nouveaux plats.

Ils apportèrent leurs victuailles sur la terrasse, où Perlustre les rejoignit, vêtue d'une robe qui aurait paru sobre si le tissu n'avait pas été décoré d'un motif floral aussi exubérant. Ils burent et mangèrent en admirant les eaux calmes du bassin, la riche frondaison et le ballet multicolore des oiseaux dans l'air frais du matin, apparemment les seules créatures de Pinacle à se lever aussi tôt qu'eux.

Yarg, qui avait déposé son épée sous son fauteuil en osier, ne détournait jamais très longtemps le regard, à l'affût du trio de Kaliemme. Peu à peu, il se détendit : pour dire vrai, les événements enchevêtrés de la nuit précédente étaient maintenant nimbés d'un brouillard onirique.

Perlustre, pendant ce temps, s'amusait à attirer les oiseaux les moins farouches avec des miettes de gâteau. Ces derniers acceptaient de venir picorer à ses pieds, mais refusaient de se poser dans sa main tendue.

— Qu'allons-nous faire, maintenant ? demanda Yarg.

— Une des Auxque m'a dit que nous visiterions le Temple plasmique aujourd'hui.

— Je voulais dire : après notre départ de Pinacle.

Perlustre se retourna, le regard scrutateur, une main en visière sous le soleil.

— Tu es pressé de partir ?

Yarg voulut répondre « oui », mais il chercha une réponse qui paraîtrait moins capricieuse.

— Des invités ne doivent pas abuser de la générosité de leurs hôtes.

— Tiens donc! Maître d'armes, et maintenant maître d'étiquette? Tu ne cesseras jamais de me surprendre, Yarg.

Celui-ci ignora les taquineries de la jeune femme. Il chercha un appui du côté de Panserfio. Ce dernier lui fit signe de poursuivre.

— J'avais cru comprendre que tu voulais retourner à Port Soleil.

— Penses-tu que j'ai manigancé pour me retrouver ici? répondit Perlustre avec un sursaut d'humeur imprévu. *Évidemment* que je veux retourner à Port Soleil! J'y pense tous les jours! Même si j'essaie de ne pas y penser, parce que ça m'emplit le cœur de mélancolie, parce que je sais qu'il faut pour ça retraverser la mer Tramail.

Panserfio traça un cercle avec la main, avec un roulement d'épaules expressif: *Pas le choix. Nous sommes sur une île.*

— Les Fasce ont d'autres navires que la *Diamantine*, dit Yarg.

— Je suppose que tu as raison, fit Perlustre avec un long soupir. Mais à vous entendre on croirait que je suis la seule à avoir son mot à dire sur la question. Toi, Yarg? Et toi, Panserfio? Vous ne voulez pas retrouver votre terre natale?

Panserfio fit un geste difficile à interpréter. Yarg ne fut guère plus volubile. Il caressa sa blessure au dos, presque par réflexe.

— Mon amnésie a fait de moi un étranger, où que j'aille.

Perlustre se leva et s'approcha de ses deux compagnons. Elle leur posa chacun une main sur l'épaule, son petit nez soulevé avec une suffisance un peu comique.

— Vous serez mes protecteurs pendant notre voyage de retour à Port Soleil, et en contrepartie je vous servirai de mémoire et de voix. Tout le monde y gagne.

Quand nous serons arrivés chez moi, je ferai jouer mes relations et mes charmes pour vous trouver du travail. La Sororité a toujours besoin de costauds pour expulser les fêtards qui ont trop bu. Ça ne paye pas beaucoup, mais les lits sont propres, la nourriture est bonne, pour ne rien dire des avantages secondaires qu'un mâle de constitution normale trouvera à posséder la clé d'un gynécée. Si vous voyez ce que je veux dire...

— Avec toi, Perlustre, on voit toujours ce que tu veux dire.

Le sarcasme de Yarg se mérita un sourire empreint de sensualité malicieuse. Panserfio aussi hocha la tête, les joues empourprées.

À l'autre bout de l'esplanade apparurent deux Scquère, qui s'approchèrent avec la démarche tout empreinte de nonchalance que Yarg avait fini par tenir pour un caractère de la famille. Ils ressemblaient à Scquère Passé le Cent seizième et à Scquère le Non-Classé, mais dans leurs nouveaux atours, Yarg se rendit compte qu'il aurait pu tout aussi bien s'agir de deux autres membres de leur famille. De plus près, l'ambiguïté disparut : comme l'avait déclaré Auxque la Septième Morganatique, malgré leur ressemblance considérable, chaque membre d'une famille différait des autres par l'âge, le maintien, la coiffure, et « d'innombrables subtilités de leur silhouette et de leur comportement ».

Cent seize salua ses invités avec une politesse un peu compassée, son jeune compagnon se contentant d'un sourire qui aurait pu être tout aussi bien amical qu'ironique.

— Tout Pinacle bruit du malentendu survenu cette nuit. Les Kaliemme, qui ont aussi leurs qualités, wol, se laissent parfois emporter par un excès de zèle qui peut agacer.

La parfaite sérénité avec laquelle Cent seize fit cette annonce, ainsi que l'absence d'excuses ou d'intérêt concernant son état de santé, n'échappa pas à Yarg.

— J'ai réagi un peu vivement. J'espère qu'on ne m'en tiendra pas rigueur.

Si Cent seize perçut le sarcasme, il n'en montra rien. Il changea de sujet :

— L'invitation d'Auxque la Septième Morganatique à découvrir les mystères du plasme est toujours valide, wol, si cette nouvelle visite guidée ne vous semble pas trop matinale. Qui plus est – sans doute aurais-je dû le préciser dès le départ –, le Temple plasmique est situé dans le palais principal, wol, et ce sera sans doute la seule occasion que vous aurez d'en visiter une partie.

Perlustre, le regard brillant, contempla la section de la façade qui s'élevait haut par-dessus la frondaison.

— Ça m'intéresse.

— J'imagine que vous ne nous permettrez pas d'apporter nos épées, dit Yarg.

— Ce serait inutile. Personne ne vous cherchera querelle. L'incident de cette nuit est clos.

◆

Yarg, Perlustre et Panserfio suivirent leurs guides, et cette fois-ci leurs pas les rapprochèrent du palais principal de Pinacle au lieu de les en éloigner.

Empruntant un pont en bronze verdi par le temps et les intempéries, les cinq traversèrent un cours d'eau plus large que la moyenne et se retrouvèrent sur une vaste esplanade de pierre grise parcourue par des Héritiers de toutes les familles. Yarg sentit son cœur battre avec un peu plus de vivacité lorsqu'il reconnut parmi cette foule clairsemée de nombreux Kaliemme, mais aucun ne sembla lui prêter une attention particulière.

Ils traversèrent l'esplanade jusqu'au palais. Une double porte monumentale richement ornementée s'élevait au milieu de la façade. Elle était si haute et si large que Yarg se demanda si ses vantaux étaient vraiment fonctionnels ou s'il ne s'agissait que d'un effet décoratif, une sorte de trompe-l'œil. Cent seize répondit à la question informulée en expliquant que le mécanisme conçu pour ouvrir les portes s'était enrayé des siècles auparavant.

— Nous nous contentons des entrées secondaires, dit Cent seize en montrant les deux portails situés de chaque côté de la porte principale, beaucoup moins imposants mais certainement moins compliqués à ouvrir et à fermer. Prenez garde. Le portail de gauche est réservé aux Ptyale et aux Viargent, pour des raisons qu'il serait fastidieux d'exposer ici. Les membres des autres familles, wol, et par extension les visiteurs dont le statut est imprécis, comme c'est votre cas, doivent emprunter le portail de droite.

Lorsqu'ils eurent traversé le portail approprié, Yarg et ses compagnons levèrent la tête, impressionnés par la vastitude du hall et ses admirables proportions. Les hauts murs couleur de miel étaient couverts d'une écriture qui rappela à Yarg celle entraperçue dans le livre de la bibliothèque. Au centre de la salle s'élevait un double escalier aux courbes d'une suprême élégance, qui menait à une terrasse où circulaient une multitude d'Héritiers ; des Yohimbine, des Ghanlt, des Fasce et bien d'autres membres de familles que Yarg ne reconnaissait pas, chacun superbe autant de port que d'habit, et indifférent à la présence de Cent seize, du Non-Classé et de leurs invités.

Les cinq traversèrent une partie du hall et s'engagèrent dans un passage sous la terrasse, qui menait à une sorte de parloir au milieu duquel se tenait une jeune fille vêtue de noir, droite et élancée comme une liane. Avec son visage mince, ses yeux brillants et ses longs cheveux noirs qui lui descendaient jusqu'aux hanches, son appartenance à la famille Auxque parut à ce point évidente que Yarg jugea la présence d'un chat adulte assis à ses pieds presque superfétatoire.

— La plus-que-noble Septième Morganatique vous attend.

Sans autre forme de salutation, la jeune fille tourna les talons et, après avoir contourné un bassin aux eaux d'ambre dans lesquelles flottaient mille pétales multicolores, se dirigea à grands pas volontaires vers une porte au fond du parloir. Le chat la suivit. Yarg et ses compagnons firent de même.

Ils se retrouvèrent dans un couloir haut de plafond, éclairé par un agencement de miroirs qui relayaient la lumière du soleil jusqu'au cœur de l'immense palais. Le passage se terminait par un escalier en colimaçon, qui descendait dans une rotonde construite en marbre ou en pierre de même grain, elle aussi éclairée par des miroirs. Le sextuor traversa la rotonde, chacun de leur pas reproduit en de multiples échos.

Un duo de Kaliemme plus âgés, aux tempes grises, hautains et dédaigneux, croisa leur chemin. Ils ralentirent le pas pour étudier Yarg, mais poursuivirent leur chemin sans l'interpeller.

La jeune fille Auxque poussa un lourd battant, puis un second. Ils longèrent un couloir beaucoup plus étroit que le premier où stagnait une odeur d'humidité qui révulsa quelque peu Yarg. Le couloir déboucha sur une balustrade au plancher en lattes de bronze qui surplombait une vaste salle envahie par un fatras invraisemblable.

Invraisemblable aux yeux de Yarg, du moins.

D'étranges appareils, tous dissemblables, étaient alignés sur de longues tables en bois verni. Certains de ces dispositifs étaient constitués d'un assemblage de tubulures de verre entortillées sur elles-mêmes ;

d'autres ressemblaient à un tonnelet de cuivre, percé d'opercules et de mollettes en étain ; d'autres appareils émettaient des flammes dont la lumière était décomposée par des prismes fixés à des supports calibrés. Sous la balustrade, des cuves compartimentées étaient remplies d'un liquide trouble. Le mur du fond était couvert d'innombrables portes en bois verni, carrées, toutes percées d'une petite fenêtre, qui s'élevaient en multiples rangées jusqu'au plafond. La trentaine de personnes qui déambulaient dans la salle, manipulaient les appareils ou observaient le contenu d'une des cellules par l'opercule, étaient presque toutes des Auxque, bien qu'il circulât parmi celles-ci quelques hommes d'une famille inconnue de Yarg. La luminosité dirigée jusqu'à cette profondeur par les réflecteurs en cascade nimbait l'espace intérieur d'un poudroiement doré qui accentua encore l'irréalité du spectacle. Car Yarg n'eut qu'à glisser un regard en biais à Perlustre et Panserfio pour comprendre qu'eux non plus n'avaient jamais rien vu de semblable.

Une des Auxque dans la salle aperçut les visiteurs sur la balustrade. Elle leur fit signe de descendre, injonction à laquelle ils obéirent en empruntant un escalier en colimaçon, chaque marche constituée d'une pièce moulée en bronze dont la facture parut remarquable à Yarg.

Au bas de l'escalier, Auxque la Septième Morganatique les accueillit dans une posture identique à celle de la jeune fille dans le parloir quelques instants plus tôt, très droite, le menton un peu relevé, engoncée dans un costume noir qui rehaussait ses courbes et faisait paraître son visage encore plus pâle. Elle leur dit, sur un ton cordial :

— Bienvenue au Temple plasmique, tel que nous l'a légué la Grande Race. J'amorcerai cette visite commentée par un avertissement : nous n'entrerons pas dans tous les aspects de la reproduction plasmique, cela outrepasserait la capacité d'apprentissage d'une personne pour une seule journée.

— Le simple fait que vous reportiez vos activités habituelles pour soulager l'ennui de trois visiteurs sans statut fait de nous vos obligés.

La Septième Morganatique toisa Perlustre avec une fixité minérale. Yarg se sentit mal à l'aise. Sa jeune compagne avait-elle commis un impair ? Il aurait plutôt estimé qu'elle s'était exprimée avec un à-propos et une courtoisie parfaitement appropriés aux circonstances.

La Septième Morganatique cligna des yeux, puis reprit avec dignité.

— Pardonnez-moi. J'étais en train d'arranger mes idées. Votre présence dans ces lieux n'est pas le fruit d'un caprice, mais s'inscrit dans la foulée des événements qui vous ont conduits de vos terres sauvages à Pinacle. J'expliciterai plus en détail ces propos lorsque vous aurez eu le temps de vous familiariser avec la nature des processus qui ont cours au Temple plasmique.

Leur hôtesse fit signe à la toute jeune Auxque – qui était demeurée en retrait – de se rapprocher d'elle. Cette dernière obéit. Surgie d'on ne sait où, une autre fillette s'aligna à son tour auprès de ses deux aînées, un chaton dans ses bras.

— Scquère Passé le Cent seizième vous a certainement expliqué que la population entière de Pinacle était constituée de dix-sept familles, reprit la Septième Morganatique.

— J'en ai eu l'occasion, confirma Cent seize.

— Sans doute avez-vous aussi compris que ce terme de famille ne devait pas être saisi dans l'acception en usage ailleurs dans le monde. (Elle enlaça avec une tendresse quelque peu protocolaire les deux jeunes filles à ses côtés.) Ces deux jeunes citoyennes ne sont ni mes sœurs ni mes filles. Aucune femme ensemencée par un homme ne pourrait donner naissance à d'aussi parfaites réitérations d'elle-même.

— Vous êtes comme des jumelles, dit Perlustre. Pareil chez les autres familles.

La Septième Morganatique eut un hochement approbateur du menton.

— Essentiellement exact.

Elle fit signe à la compagnie de la suivre le long d'une des longues tables encombrées d'appareils complexes, tout en poursuivant :

— Nous n'avons pas seulement hérité du palais de la Grande Race – que vous appelez parfois Sylvaneaux –, nous sommes aussi les dépositaires de leur science. De vastes pans d'icelle se sont perdus, mais d'autres ont été sauvegardés. La science plasmique fait partie de ces connaissances que nous nous sommes réappropriées et avons adaptées à notre propre usage, dans une perspective de perfectionnement et de raffinement de notre civilisation, la plus grande de toutes, car héritière de la Grande Race.

« Comme vous avez pu l'observer, pour peu que vous ayez un peu voyagé parmi les civilisations primitives qui vous ont vus naître, il existe une variété extraordinaire de types physiques de par le monde. Vous différez tous en taille, en poids, par la morphologie de votre visage, par votre posture et votre démarche. Comment pourrait-il en être autrement, étant donné le caractère aléatoire du processus naturel qui a conduit à votre naissance : l'immixtion du plasme d'un homme dans celui d'une femme ?

— Je ne suis pas sûre de saisir ce que vous entendez par « plasme », dit Perlustre. S'agit-il de la semence de l'homme ?

— La semence n'est qu'un vecteur, chargé de véhiculer le plasme de l'homme à l'intérieur du corps de la femme. Le plasme, lui, est consubstantiel aux organes et aux humeurs de chaque personne, qu'elle fût homme ou femme. Il a une fonction récapitulative et encyclopédique, pour guider la croissance d'un individu jusqu'au jour où ce dernier peut à son tour, une fois à maturité sexuelle, s'accoupler pour engendrer des enfants. Hélas ! le processus naturel est activé par le mélange entre les plasmes des deux parents. Il en résulte le paradoxe suivant : le besoin de tout individu d'assurer son immortalité, nécessité logique et autovalidante, est à jamais entaché par l'intrusion du hasard.

Auxque la Septième Morganatique fit un geste qui embrassait la vaste salle et l'activité qui y régnait.

« En s'élevant dans *Lyrevië*, la Grande Race nous a légué, à nous qui avions été jusque-là des serviteurs aimants et fidèles, la clé d'un monde visionnaire, affranchi de cette contrainte naturelle. À partir du plasme de n'importe quel être, nous avons la possibilité de reproduire celui-ci en autant d'individus que nous le désirons. Cela n'a été que le prélude à la retransformation de Pinacle, tant il est vrai que toute connaissance entraîne son lot de responsabilités ; une Cité parfaite se devant d'être habitée par des citoyens parfaits, pour autant qu'il soit possible de l'être lorsqu'on est humain.

« Au fil des siècles, en appliquant des critères de sélection rigoureux, nos ancêtres ont choisi parmi l'humanité dix-sept ancêtres séminaux, aux caractères physiques et psychiques se rapprochant d'un équilibre idéal. Ce furent les membres originaux des Fasce, Kaliemme, Bréhain, Yohimbine, Desmo, et de tous les autres membres des dix-sept familles qui constituent la population entière de Pinacle. Et c'est notre tâche, à nous les Auxque, et aux Allèle (elle tendit la main vers un des hommes qui travaillaient dans la salle), de concevoir et de donner naissance à tous ces futurs citoyens, afin que la gloire de la Cité parfaite se prolonge dans la durée.

« Venez maintenant. »

Auxque la Septième Morganatique leur fit signe de la suivre vers le mur du fond. Yarg avait noté une certaine activité dans cette partie de la salle. Une large plate-forme sur roues avait été approchée du mur, auprès de laquelle on avait fait glisser un escalier. Des Auxque montèrent sur la plate-forme pour aller ouvrir une des portes de la cinquième rangée, afin d'examiner ce qu'il y avait à l'intérieur de la cellule.

La délégation menée par la Septième Morganatique monta aussi sur la plate-forme, au moment où les Auxque faisaient glisser hors de la cellule un brancard sur lequel reposait une sorte de créature que Yarg ne reconnut pas.

Cela avait la taille d'un gros chien, ou d'un porc, la peau était d'une couleur brun clair, et cela était indubitablement vivant à en juger par les spasmes qui parcouraient son corps et agitaient les quatre pattes atrophiées. La nature vestigielle des membres expliquait sans doute pourquoi la créature semblait parfaitement incapable de se déplacer. Si elle avait une tête, Yarg n'arriva pas à l'apercevoir. Avec les allées et venues des Auxque qui s'affairaient autour de la créature, il avait de la difficulté à comprendre ce qui se passait.

Les spasmes qui secouaient la créature étaient de plus en plus violents, au point qu'une section de la peau se fendit. De la fente jaillit un flot d'humeurs à travers lequel s'écoula aussi une sorte d'objet informe, mou et glaireux, qui semblait encore rattaché au corps de la créature par un boyau entortillé.

Yarg en était à se demander pourquoi on leur infligeait ce spectacle peu appétissant, lorsqu'il entendit un vagissement s'élever de l'objet et qu'il sentit au même instant deux mains de Perlustre lui serrer l'avant-bras.

— Oh ! mais… Yarg ! C'est un bébé !

— *Mmm !*

— Un Viargent, confirma Auxque la Septième Morganatique, pendant que ses assistantes s'empressaient auprès du poupon afin de couper son cordon ombilical, puis de le nettoyer et de l'emmailloter.

— Je peux le prendre moi aussi? supplia Perlustre, les quatre mains tendues.

Les assistantes Auxque condescendirent à lui confier le minuscule bout d'homme vagissant et fripé.

— Qu'il est mignon! dit Perlustre avec un regard qui fondait d'adoration. Je raffole des bébés!

Pendant ce temps, d'autres assistantes nettoyaient avec des linges le brancard et la créature, cette dernière non seulement s'étant calmée, mais semblant apprécier les soins dont elle était l'objet à voir la façon dont elle remuait ses membres vestigiels.

Sans cesser de bercer le poupon, qui avait arrêté de pleurer, Perlustre reporta son attention sur la créature parturiente.

— C'est de ce genre de matrice que vous êtes tous nés? (Son regard blêmit sous la poussée d'une compréhension horrifiée.) Cette matrice… c'est une femme!

Les Auxque qui s'affairaient regardèrent Perlustre avec un amusement distant, sentiment partagé par la plus-que-noble Septième Morganatique.

— Votre synecdoque est empreinte de candeur. Cela équivaudrait à réduire la nature de la femme à sa seule fonction incubatrice. C'est d'ailleurs par ce terme, «incubatrice», que nous désignons ces matrices élaborées grâce à la science plasmique. Il ne faudrait pas limiter celle-ci à la simple duplication d'un individu donné: la Grande Race était également maîtresse dans la manipulation du plasme humain, ce qui lui a permis de s'affranchir de certaines limites naturelles dans l'expression de la diversité humaine.

Sur un signe de la Septième Morganatique, les assistantes Auxque reprirent le bébé des mains de Perlustre, qui le laissa partir à contrecœur.

Presque aussitôt, le poupon se remit à pleurer. Yarg, Panserfio et Perlustre, ainsi que les deux Scquère, furent invités à descendre de la plate-forme et à passer sous une arche dans une autre salle basse de plafond, à peine éclairée par la lumière incidente qui provenait de la salle précédente.

Dans la pénombre s'enfonçaient des rayonnages qui rappelèrent à Yarg ceux de l'antique bibliothèque, sauf que sur ces rayonnages-ci s'alignaient non pas des livres, mais des milliers de bouteilles de verre étroites couchées sur le flan. Elles étaient toutes remplies d'un liquide rosâtre – ou du moins Yarg supposa que c'était le cas, étant donné que les rayons situés vers le fond de la salle étaient trop éloignés de la lumière pour qu'il puisse distinguer quoi que ce soit.

— En ce lieu sont rassemblés trois fois douze mille échantillons de plasme humain, collectés dans le monde depuis des siècles, les plus anciens datant de bien avant l'élévation de la Grande Race à *Lyrevië*. Cette collection n'est pas définitive mais en constante évolution, considération qui nous ramène à la prime raison de votre présence dans ce lieu de la Cité parfaite, mademoiselle Perlustre. À bord de la *Diamantine* naviguaient trois de mes sœurs à qui j'avais donné l'instruction d'observer le monde sauvage, afin d'inviter à Pinacle les individus qui leur sembleraient les plus intéressants sur le plan physique, dont le plasme leur paraîtrait le plus novateur et susceptible de contribuer à la diversité de nos réserves. Ce sont elles qui, en entendant mentionner votre existence, ont recommandé au capitaine de vous ramener dans la Cité.

— Ai-je bien compris ? demanda Perlustre avec un regard inquiet vers Yarg et Panserfio. Vous voulez ajouter mon plasme à votre collection ?

Le visage mince de la Septième Morganatique se plissa en un sourire semblable à celui qu'elle avait eu lorsque Perlustre avait dit que l'incubatrice était une femme.

— Nous parlons ici d'un simple échantillon de sang, mademoiselle Perlustre. (Elle se tourna aussi vers Yarg et Panserfio.) Une demande que nous étendons également à vos compagnons, dont les linéaments, quoique plus conformes aux normes habituelles, ne sont pas exempts de particularités intéressantes. Je ne doute pas que votre plasme, messires, contribuera à l'éducation de nos savants pour de nombreuses générations.

Un jeune Allèle au visage parfaitement impassible, debout devant un étrange dispositif constitué d'un assemblage de tubes de verre enchevêtrés, fit signe à Yarg, à Perlustre et à Panserfio d'approcher. Sur une tablette, trois capsules de verre aux trois quarts pleines d'un fluide clair étaient retenues debout par un support de métal, autour duquel était alignée une collection de ciseaux, de scalpels et de grattoirs aux formes inattendues.

Le jeune homme, une lancette à la main, fit signe à Yarg de tendre le bras au-dessus d'une coupelle en verre.

Yarg n'avait aucune envie de faire don de son sang – il trouvait cette demande, au fond de son cœur, inconvenante –, mais une autre partie de son esprit l'assurait qu'il ne s'agissait là que d'une rétribution extrêmement modeste par rapport à l'excellence de l'accueil qu'on lui avait accordé à Pinacle, même en plaçant dans la balance l'altercation avec les Kaliemme la veille.

— N'ayez crainte, dit le jeune Allèle, se méprenant sur les causes de son hésitation. Cela ne devrait vous causer qu'un désagrément minime.

Yarg tendit le bras, son regard noir plongé dans celui du jeune assistant. Un coup de lancette : le sang coula dans la coupelle, puis fut versé dans le fluide incolore de la capsule jusqu'à ce que celle-ci soit remplie à ras bord. L'opération fut répétée pour Panserfio – s'il fallait en juger par son expression, il obtempérait avec autant de mauvaise grâce que Yarg – et finalement pour Perlustre, qui émit un petit rire de surprise au coup de lancette.

— Ça pique !

Une fois les trois capsules remplies, bouchées et cachetées, l'intérêt que portait Auxque la Septième Morganatique à ses visiteurs sembla se volatiliser. Après les avoir remerciés et salués, la représentante des Auxque retourna dans la première salle, où l'attendaient plusieurs assistantes qui sollicitèrent son attention.

Cent seize et le Non-Classé accompagnèrent Yarg, Perlustre et Panserfio sur le chemin du retour, pour les abandonner sur le seuil de leur appartement.

— Je n'ai prévu aucune autre visite formelle pour aujourd'hui, expliqua Cent seize. N'hésitez pas à vous promener à votre guise, wol, la seule restriction étant le palais principal, comme je l'ai déjà expliqué.

— Plus tard peut-être, dit Yarg. Maintenant, je vais me reposer un peu.

— Ce programme me convient tout à fait, dit Perlustre.

Moi aussi, fit Panserfio.

Les deux Scquère saluèrent avec leur politesse habituelle, puis se retirèrent.

CHAPITRE 12

*Début de la rédaction des véridiques
aventures que Panserfio a vécues avant
de rencontrer Yarg, et d'autres péripéties
et retournements dignes d'être rapportés*

Le reste de la journée fut entièrement dédié à une
activité nouvelle pour Yarg : l'oisiveté.

Il s'étendit sur le lit dans l'intention de somnoler un
peu ; il glissa aussitôt dans un abîme de rêves tumul-
tueux pour ne se réveiller qu'au milieu de l'après-midi.
Il se secoua, plutôt incrédule. Son sommeil avait été si
agité qu'il n'espérait même pas en avoir tiré du repos ;
sauf qu'une fois debout il se rendit compte que le poids
des épreuves et de la fatigue accumulée s'était considérablement allégé. Yarg se sentait bien. Un état...
surprenant, mais loin d'être désagréable.

Il déambula sans hâte dans l'appartement, pieds
nus sur le carrelage frais. Il lui suffit de tendre l'oreille
pour deviner que Perlustre profitait de la luxueuse
salle d'eau. Elle avait entonné une chanson au rythme
lent : bien que la langue lui fût inconnue, Yarg en ressentit une impression de mélancolie. Il se souvint de
ce qui s'était passé entre la jeune femme et lui la
journée précédente en ce lieu. Son membre viril frémit
à cette évocation. Or, les chemins de la pensée le
ramenèrent aussi aux ébats de Perlustre avec Panserfio.
N'était-ce pas édifiant de constater avec quelle promptitude son compagnon d'infortune avait profité de

son absence pour égaliser la marque avec la jeune femme ?

Yarg s'éloigna de la salle d'eau, agacé par la résurgence en lui-même de ce trait de personnalité rigoriste chaque fois qu'il était devant ce qu'il jugeait être un écart de conduite. Ceci étant dit... juger les travers des autres était-il un trait condamnable dans l'absolu ? N'était-ce pas simplement l'indice qu'il avait vécu dans un milieu qui privilégiait une certaine rectitude en matière de moralité et de conduite en société ? Qui sait ? Il allait peut-être découvrir qu'avant de perdre la mémoire il n'était nullement un soldat, mais plutôt un précepteur, un moraliste, un éthicien responsable du maintien des bonnes mœurs dans sa communauté ?

Un sourire torve fleurit sur ses lèvres à ces réflexions. Un moraliste capable de désarmer trois adversaires à la pointe de l'épée ? Et lui qui s'était moqué des spéculations de Perlustre concernant son identité !

Yarg trouva Panserfio dehors, assis dans un des sièges en face du bassin, son imposante carcasse penchée vers l'avant. Il couvrait d'une écriture fébrile une feuille de papier avec la plume et l'encre découverts dans le secrétaire la journée précédente.

En voyant Yarg, le colosse n'interrompit son écriture que pour montrer, sous le siège, une petite pile de feuillets : *C'est pour toi.*

Yarg prit les feuillets, couverts de chaque côté par un texte dont l'encre était à peine sèche.

— Tu as rédigé tout ça aujourd'hui ?

Panserfio pointa sa plume vers la pile de feuilles d'un air impatient.

Yarg obéit à l'injonction et lut :

Afin de répondre au vœu exprimé par Perlustre, voici relatées les circonstances de ma vie jusqu'au moment où j'ai fait votre rencontre sur le pont de la

« *Diamantine* ». *Commençons par répondre à une question que vous ne m'avez jamais posée : non, je n'ai pas toujours été muet. Jusqu'à huit ans, j'ai su parler. Je pouvais me quereller et assourdir de gosseries mes frères, mes sœurs & mes parents, sans accorder à cette faculté la moindre réflexion. La providence de la nature nous semble aller de soi jusqu'à ce que nous en soyons privés ; & ce n'est soudain qu'ainsi qu'on en apprécie le caractère extraordinaire. Car si la parole n'était pas une faculté dispendieuse, toutes les bêtes de la création en seraient dotées, une promenade dans la forêt pourrait ressembler à ces fables merveilleuses où hommes & animaux discourent en une langue commune.*

Mon enfance est un paradis perdu. J'aimais ma mère au point que sa seule évocation me tire des larmes, & aucun prince n'a été idolâtré de ses sujets comme mon père l'a été de son fils. Népumène le forgeron était grand & fort comme un chesne. Faute d'une fortune, j'ai hérité de sa taille & de ses muscles. Je le revois dans la forge, suant, cognant & ferraillant, tel un titan issu des convulsions primitives de la Terre. Un souvenir très vif m'est resté. Il avait fait couler du bronze en fusion dans un moule, opération courante en soi ; or, le moule avait explosé pour une raison que mon père ne m'a jamais expliquée, en admettant qu'il l'eût connue lui-même. La conflagration avait été formidable. Le maréchal-ferrant & son fils avaient fui, ce dernier ne se retournant pas avant d'avoir parcouru au moins mille pieds, & moi, bien sûr que j'avais couru me réfugier sous les jupes de ma mère.

Une fois en repossession de nos esprits, nous quatre, ma mère, moi, le maréchal-ferrant & son fils, sommes revenus à la forge, le cœur serré de mille appréhensions, persuadés que si mon père n'apparaissait toujours pas, c'était parce qu'il était blessé,

ou pire. Or, sur place, ce n'est nullement par des gémissements de douleur que nous avons été reçus, ny
par un silence d'encore plus funeste augure, mais par
le bruit qui accompagnait l'activité normale qui avait
lieu dans l'établissement. Comme si tout allait pour le
mieux dans le monde, mon père travaillait, joyeusement
même, les cheveux brûlés et le visage couvert de cou-
pures sanguinolentes. Il ne se détacha de son ouvrage
que lorsqu'il nous vit approcher, pour s'esclaffer avec
son grand rire.

« Ça vous a fait peur ? »

~~Le maréchal-ferrant, qui~~ Je relis ces quelques
lignes, & je vois qu'il me faut juguler ma propension
à m'égarer sur les sentiers de la mémoire, sinon vos
yeux s'embrouilleront avant d'avoir terminé la lecture
de ce récit, que je voulais pourtant bref. Voilà un
paradoxe de l'écriture : rares sont ceux qui peuvent
faire court sans passer par l'obligation de faire
d'abord long. Dans l'emportement de l'écriture directe, nous surchargeons la phrase de mots pompeux,
de sophismes & de fioritures alambiquées, inquiets que
le sens à lui seul ne suffise point à garder l'intérêt.
Or, le véritable poète sait qu'en remplaçant les mots
très longs, & les plus disgracieux, par des mots plus
courts qui ont le même sens, il est véritablement uni-
versel, car il est compris autant du simple que de
l'érudit.

Je dis donc que j'aimais mon père, & ma mère,
mais la passion qui m'animait plus que toutes les
autres était celle des chevaux, passion attisée par la
présence presque quotidienne d'iceux, un forgeron
étant souvent requis pour réparer et ajuster, non seulement les sabots et le harnachement des bêtes, mais
aussi l'équipement des soldats qui les montent. Car
si la guerre dépend de ceux qui vont au front, elle
dépend tout autant de ceux qui fabriquent et réparent
tous ces plastrons, épaulières, gorgerins, tissus de

mailles, épées, cervelières, lances, vouges, hallebardes, piques, guisarmes, pertuisanes & je pourrais continuer l'énumération, tant les hommes montrent de l'imagination pour inventer des instruments pour s'occire les uns les autres.

Mon père n'aimait guère les chevaux & se moquait de la cavalerie. « Monte de trois pieds le cul d'un bellot, il se prendra pour un général », disait-il entre deux bouffées de pipe. « Sauf que jamais personne n'a péri dans une bataille ni d'une morsure ni d'un coup de pied de cheval. Ce sont les hommes qui font les blessures. Juché sur sa monture, le cavalier a peur, pas juste du fantassin, mais aussi de tomber. L'homme à terre est solidement campé, il peut frapper plus fort qui l'approche, & viser plus sûrement où il veut. Sur un point seul, les cavaliers ont l'avantage : dans la fuite, où pour une fois la rapidité de leur monture sert à quelque chose. »

J'aimais trop mon père pour me fâcher de ces taquineries. Mon amour des chevaux ne faisait que se durcir sous le martèlement de la contradiction.

Or, il advint qu'un officier, ami de mon père, s'émût de ma passion. Lorsque j'eus onze ans, il m'offrit un hongre à peine plus vieux que moi, inutile à la guerre car paresseux & sans malice. Mes parents refusèrent d'abord ce cadeau jugé excessif. Ils disputèrent même leur ami en lui disant qu'il aurait été fort riche s'il avait usé autant d'industrie à conserver son bien qu'à le dépenser. Mais l'officier plaida sa cause ; sans femme ni progéniture, il lui fallait un exutoire à ses sentiments paternels. Honteux de me priver d'un bonheur qui ne leur coûterait que le grain & la paille, mes parents finirent par accepter. Lorsque le lendemain l'officier me mit entre les mains le licou de Luisant – appelé ainsi à cause de sa robe d'un noir lustré –, je crus mourir de joie. Je m'agenouillai aux pieds de *l'officier pour lui prêter serment d'allégeance, ce qui les amusa tous.*

Luisant s'avéra aussi doux qu'annoncé. Il ne toussait ni ne ruait, son pas naturel était leste, & moi-même, je le dis sans fausse modestie, m'entendais fort bien à le conduire où bon me semblait.

Las ! Les voies du sort & des dieux sont cruelles.

La rédaction matinale de Panserfio s'arrêtait là. Yarg regarda un moment son compagnon qui continuait d'écrire.

— Auras-tu assez de feuillets ?

Panserfio évalua d'un air songeur ce qui lui restait de papier, puis haussa les épaules d'un air fataliste : *Nous verrons…*

Yarg s'aperçut qu'il avait faim. Il retourna à l'intérieur où il découvrit que Perlustre, vêtue de frais, avait réussi à amadouer un peu Qiql, à en juger par le fait que cette dernière acceptait d'écouter son babillage tout en époussetant les bibelots. La jeune domestique – la Rouage – vit Yarg. Elle baissa le visage, dissimulant ses pommettes rougissantes.

— Pardonnez-moi, messire…

— Pardonner quoi ?

— Ma distraction. C'est un manquement à l'étiquette que d'être vue.

— Ah ! (Yarg hésita.) Nous ne dirons rien, promis.

— C'est ce que je lui répète depuis tout à l'heure, soupira Perlustre, qui poursuivit sur un ton faussement autoritaire : Qiql, n'es-tu pas au service des invités de Pinacle ?

— Je le suis, répondit celle-ci, la voix presque inaudible.

— Puisque je fais partie de cette catégorie de personnes, j'exprime le désir d'avoir une compagne avec qui je pourrais bavarder sans que ce soit formel, ni intimidant, ni bizarre, ni entrecoupé de « wol ».

Plus rouge que jamais, Qiql semblait ne plus savoir où se mettre : avec son long corps filiforme, sa peau claire, ses cheveux blancs et son visage tout rond, Yarg jugea que, toutes choses étant égales par ailleurs, elle était la plus insolite des créatures de Pinacle. Il admonesta doucement Perlustre :

— Laisse-la travailler. Je mange un morceau. Tu m'accompagnes ?

— On a mangé pendant que tu dormais, dit Perlustre, qui suivit néanmoins Yarg au buffet pour se servir d'un verre de vin clair et grignoter un morceau de gâteau pendant que Yarg se sustentait.

— Alors ? finit par demander la jeune femme en léchant les miettes du gâteau au bout de ses doigts.

— Alors quoi ?

— Toujours hâte de quitter Pinacle ?

— Oui.

Perlustre pouffa de rire

— Yarg ! Tu me fais tellement rire.

— Qu'ai-je proféré de si drôle ?

— C'est ta façon de parler. (Elle imita une voix masculine, les sourcils froncés, la bouche pincée de gravité.) « Oui. Non. Je m'appelle Yarg. Je ne souris jamais. »

Yarg hocha la tête d'un air découragé, ce qui ne fit qu'amuser Perlustre encore plus :

— Tu ne veux pas que je parle à Qiql ! Et Panserfio est en train d'écrire ses mémoires ! Qui est-ce qu'il me reste comme exutoire pour mon énergie nerveuse ? Oh ! Yarg, ne me regarde pas comme ça, s'il te plaît ! C'est bon, c'est bon, je suis sérieuse, je parle sérieusement maintenant.

— Vraiment ?

— Puisque je te le dis. Tu veux quitter Pinacle ? Fort bien, quittons Pinacle ! Demandons au capitaine Fasce quel est le prochain navire à destination du continent, pour voir s'il pourra nous embarquer, lui ou un autre de sa famille. Peut-être même que si nous le demandons gentiment, on poussera la complaisance jusqu'à nous amener directement à Port Soleil. Que penses-tu de ce plan ?

— Il me convient.

Perlustre grogna de sa voix masculine :

— « Il me convient. » « Je m'appelle Yarg, et ce plan me convient. »

— Ton irrépressible penchant pour la taquinerie peut lasser à la longue.

— Ne me dis pas que ce n'est pas rassurant, d'une certaine façon, de savoir qu'une jolie fille te juge assez important pour te choisir comme souffre-douleur ?

Yarg soupira.

— Si tu le dis…

Yarg et Perlustre abandonnèrent donc Panserfio à son écriture, pour essayer d'obtenir audience auprès de Fasce le Quatorzième Sublime. Après quelques pérégrinations, ils arrivèrent devant les pavillons de la famille Fasce, d'élégants bâtiments couverts de toits qui imitaient par leur forme et leur matériau une coque de bateau renversé.

Le Quatorzième Sublime marcha à la rencontre de ses deux invités dans une magnifique antichambre, sonore, au plafond élevé, noyée par la riche lumière du soleil de la fin d'après-midi qui pénétrait à flots par de hautes verrières. Il semblait de fort bonne humeur, et écouta la demande de Perlustre et de Yarg avec toutes les marques de l'attention la plus soutenue. Il exprima tout d'abord sa vive tristesse à la simple idée de songer au départ de ses invités. Il fallut que ces derniers lui assurent que leur précipitation n'était pas une conséquence de l'absurde malentendu survenu la nuit précédente avec la patrouille des jeunes Kaliemme, ni d'aucune autre lacune sur le plan de leur installation et de la qualité de leur accueil, lacune dont il n'aurait pas été conscient.

— Je suis confuse de vous voir examiner votre conduite à la recherche d'un blâme imaginaire, dit Perlustre. C'est nous qui vous devons mille et mille mercis, non seulement pour votre accueil à nul autre pareil, mais pour nous avoir auparavant libérés, Yarg et moi, des quartiers d'esclaves de Maurras.

— Et moi, je suis confus que vous m'en fassiez un mérite. La *Diamantine* manquait de bras. Il est exact que je vous ai rendu votre liberté depuis, messire Yarg, mais vous savez à la suite de quelles circonstances exceptionnelles. Si nous étions arrivés à bon port, vous seriez resté esclave et je n'en éprouverais aucun remords. Quant à vous, chère mademoiselle Perlustre, vous savez maintenant que c'est pour satisfaire la curiosité des Auxque que je vous ai ramenée ici. Je n'étais que leur instrument.

— Vous auriez pu me ramener à fond de cale, une chaîne au cou, nourrie au gruau. Au lieu de cela, vous m'avez traitée avec des égards dignes d'un invité de haute marque.

— Simple politesse de ma part. Qui n'en aurait pas fait autant ?

— Lorsque la politesse imite à ce degré la vertu, il faut un peigne fin pour les séparer.

Le rire du Quatorzième Sublime résonna dans la vaste salle aux murs réverbérants.

— Vous voulez grossir mes qualités ? Soit ! En retour, je vais réfléchir à votre demande. (Il s'interrompit, comme aux prises avec une soudaine idée.) Il est possible que les engrenages du destin s'ajustent à vos désirs, chers amis. Un navire étranger va quitter le port demain. Des gens venus du nord, de ces pittoresques principautés qui séparent la mer Tramail de la mer Géante. Je ne peux vous garantir qu'ils accepteront de prendre des passagers, ni qu'ils voudront faire un détour par Port Soleil – ce n'est pas vraiment sur leur chemin. Mais à toutes ces questions, nous aurons les réponses demain : je fais parvenir un message à leur capitaine à l'instant.

— Merci, messire. Cette perspective va au-delà de toutes mes espérances !

Ils échangèrent encore des remerciements et des salutations, puis Yarg et Perlustre prirent congé de leur distingué bienfaiteur pour aller interrompre l'écriture de Panserfio et lui rapporter les résultats de leur discussion. Le colosse hocha la tête d'un air satisfait.

Yarg vit qu'un certain nombre de feuillets avaient été ajoutés au témoignage de Panserfio. Pendant que Perlustre lisait à partir du début, Yarg sauta directement au feuillet qui suivait celui qui avait laissé le fil du récit en suspens :

Votre inquiétude exprimée avec votre sens habituel de la concision, Yarg, concernant la possibilité que je manque de papier pour rédiger cette narration, a remis à l'avant-plan de mes pensées la nécessité de ne pas étirer indûment icelle. Laissé à mes propres inclinations, j'aurais assurément alourdi ce témoignage d'anecdotes marquées de nostalgie au sujet de Luisant, mais j'y reviendrai, plus tard sans doute, si & seulement si je suis assuré que mon lectorat y trouvera aussi son intérêt.

Qu'il vous suffise de savoir qu'un matin, alors que je me promenais dans un boisé, Luisant éventra un nid de guêpes & que, dans l'emportement de la panique, il me fit tomber de telle manière que je me frappai violemment la tête sur le sol. Lorsque je repris mes sens, non seulement j'étais boursouflé de piqûres douloureuses sur toutes les parties exposées de mon corps, mais j'avais perdu le don de la parole.

Mon affliction étonna et attrista mes parents. Rassurés parce que le choc ne m'avait laissé ny sourd ny demeuré, ils vécurent un temps avec l'espoir de me voir guérir de ce mutisme, comme on guérit de bien d'autres maux. Cette espérance s'évaporant avec le temps, ils décidèrent de me faire instruire dans l'usage des lettres, de façon à compenser, imparfaitement sans doute, mon infirmité.

À moins d'une lieue de là, un écrivain public enseignait le prabale et d'autres écritures. Je lui fus confié, afin qu'il m'enseigne les rudiments des langues. D'abord réfractaire à cette activité qui me rappelait mon infortune, je finis par y prendre goût. Il n'est pas convenable qu'un homme d'honneur chante ses propres louanges, mais le devoir de vérité que je me suis imposé en rédigeant ces souvenirs me contraint à affirmer ici qu'avant mes quinze ans j'étais plus grand, plus fort et plus instruit que tous les hommes de ma connaissance. Or, si ma mère rêvait de me voir endosser la cape pourpre des clercs, je ne songeais pour ma part qu'à la gloire des armes, car il faut préciser qu'à tous les autres points de vue j'étais demeuré le même garçon actif et turbulent qu'avant ma chute.

Après m'être abondamment querellé avec ma mère à ce sujet, souvenirs qui me remplissent maintenant de honte & de chagrin, je décrétai que j'irais voir les recruteurs afin de m'engager dans l'armée du régent, ayant appris que ceux-ci s'étaient installés à Hurpe, une bourgade située à quelques lieues de la forge.

Je pris congé de mes parents ce jour-là, & ne les ai pas revus depuis – quoique j'aie pu m'assurer de leurs nouvelles à quelques occasions, ce qui vaut mieux que l'incertitude, bien que les deux remplissent le cœur de mélancolie parfois.

Je chevauchai jusqu'à Hurpe, pour apprendre que les recruteurs s'étaient installés à Milgrain. Je poursuivis ma route, & arrivé là, j'allai me présenter aux recruteurs, qui se gaussèrent abondamment de moi à cause de mon infirmité. J'étais sur le point de rebrousser chemin, rouge de colère et d'humiliation, lorsque intervint un fort fameux capitaine nommé Gedelrode, qui n'était autre que l'officier ami de mon père dont j'ai parlé plus tôt – faut-il le dire, c'est Luisant qu'il reconnut avant moi, ce qui est parfaitement normal chez les passionnés de chevaux.

Je ne sais si le souvenir de sa responsabilité dans mon handicap l'incita à faire preuve de mansuétude à mon égard, toujours est-il que le capitaine Gedelrode prit mon parti, & m'engagea aussitôt comme enseigne & garde du corps, expliquant à qui voulait l'entendre que, de mémoire de capitaine, jamais il n'avait rencontré soldat qui convînt autant à ce poste puisque, d'une part, j'étais grand & intimidant & que, d'autre part, mon mutisme faisait de moi un confident moins prompt à aller répandre par imprudence ou étourderie les paroles proférées ou entendues par son chef.

La reconnaissance que j'éprouvai envers le capitaine fut quelque peu diminuée par la déconvenue de me faire offrir un poste si éloigné du champ de bataille. Sauf que je ne tardai pas à découvrir à quel point la guerre authentique différait de l'image que je m'en étais faite pendant mes naïves songeries de jeunesse. La vie du fantassin est rude & misérable : avant même d'avoir échangé son premier coup d'épée, avant d'avoir reçu sa première flèche, il aura eu à subir la brûlure du soleil, la froideur de la pluie, la boue, la maladie & la mauvaise nourriture, tout cela pour un maigre & aléatoire pécule.

Ce qui ne signifie surtout pas que j'abandonnai la pratique des armes & du combat. Au contraire, à cause de ma carrure, & de mon titre de garde du corps, & de ma réelle aptitude au maniement de toutes les formes d'armes, on demandait souvent au Géant – tel était mon surnom, imagé fors d'être original – de défendre l'honneur des troupes de Gedelrode dans les tournois organisés pendant les fêtes des solstices, ou lorsqu'un prince venait inspecter nos troupes.

Pour ne rien vous celer, ces joutes éveillaient l'instinct de parieur qui ne dort que d'un œil dans l'âme de tout soldat, & il arrivait que mon maître remporte des sommes rondelettes en pariant sur moi, en sous-main bien sûr, car les autorités supérieures n'auraient pas aimé qu'un de leurs officiers s'engageât dans ce genre d'activité sans se contraindre à une forme minimale de discrétion.

Adoncques, à la manière qui fut la mienne, je servis le capitaine Gedelrode aux exploits qu'il fit. J'étais présent à la mort du régent Altrus, & c'est une plume tenue de ma main qui a rédigé l'Attestation de Juin, mon maître ayant été chargé de négocier la reddition des Veules après le siège du Pas-de-Mont. Je glisse sur ces événements survenus loin d'ici, je n'ajouterai des précisions que si vous en faites la demande, ayant encore à l'esprit que cette narration pourrait s'étendre indûment si je ne prends garde de me perdre dans les détails.

Tous ces honneurs, qui devaient plus à ma bonne fortune qu'à mon mérite, eurent une fin. Après l'Attestation de Juin, le capitaine Gedelrode s'en allait à Mancheterre pour se joindre à l'armée de notre régent lorsque nous avons été pris dans la tourmente d'une insurrection pour une cause qui, jusqu'à ce jour, m'est inconnue. Tout ce que je sais, c'est qu'après une série de péripéties confuses, j'ai été séparé de mon maître & me retrouvai tout couvert de blessures avec des chaînes aux pieds et des menottes aux mains.

Pour la première fois, mon mutisme faillit me faire perdre la vie, car le chef des insurgés, un forban excitable, croyait que c'était pour les étriver que je refusais de répondre à leurs questions concernant les mouvements de troupes régulières. Il faut reconnaître que si j'avais su parler, je me serais retrouvé dans une position délicate, car loin de méconnaître le sujet sur lequel on me questionnait, je le possédais excellemment, étant le rédacteur de nombreux messages de mon maître chargés de renseigner les autres officiers de la région sur leurs mouvements respectifs !

Les insurgés finirent par accepter le fait que j'étais muet, supposant dans la foulée, comme cela arrive souvent, que cela faisait de moi un niais, malentendu que je ne fis aucun effort pour corriger.

Je pensais que mes jours de captivité entre les mains des insurgés représenteraient le nadir de mon existence, que la roue de la fortune tournerait à nouveau, que je serais sauvé par mon maître, ou que mes tourmenteurs me libéreraient une fois convaincus que je ne valais rien ni comme otage ni comme informateur. Hélas, ce n'est pas le sort que les dieux me réservaient. De par sa définition même, l'insurgé est en lutte contre des forces ennemies, dont je faisais partie quelque temps plus tôt. J'ai donc connu, à contrecœur mais de première main, l'éprouvante vie d'un fugitif. Nous marchions quotidiennement, nous dormions peu, nous mangions encore moins. Le seul moment où mes tourmenteurs se montraient prodigues était lorsqu'ils distribuaient coups, crachats & insultes.

Harcelés & talonnés, nous avons cheminé plein nord par des terres sauvages qui m'étaient inconnues. À mesure que nous nous éloignions, l'ardeur de nos adversaires s'amoindrit. Un jour, Cervier-L'Haïssable – c'était le surnom du chef des insurgés – annonça à ses troupes qu'ils avaient réintégré des territoires sinon amis, du moins indifférents à leur cause. Ils installèrent un camp, prirent du repos & discutèrent de stratégie sans se préoccuper indûment de mes oreilles qui traînaient dans les parages. Ils ne se méfiaient plus de moi car, je crois l'avoir dit, usant de cent petites roueries mises à la queue l'une de l'autre, j'avais réussi à me faire passer pour aussi sot que muet, artifice qu'il me fallait payer de quelques horions supplémentaires lorsque ma lenteur affectée exaspérait l'un de mes ravisseurs.

On allégea mes contentions pour me mettre à l'ouvrage. On aura compris, à ce point de mon récit, que les tâches les plus ingrates m'étaient réservées. Je trouvai néanmoins le temps de soigner & panser les quelques chevaux qui partageaient notre rude existence, corvée que j'accomplissais avec d'autant plus de bonne volonté que le traitement réservé à ces misérables bêtes de somme me déchirait le cœur. Car c'est un des signes de la particulière folie qui a toujours été mienne, d'éprouver plus de pitié envers les malheurs d'une bête qu'envers ceux que je subis moi-même.

Si j'avais su le sort que le futur me réservait – déploration répétée par tous les malheureux depuis que le monde est monde & d'une parfaite futilité dans leur cas comme dans le mien –, j'aurais mis en action le plan que mon esprit fiévreux avait concocté pendant mes périodes d'insomnie : profiter de la première seconde d'inattention de mes tourmenteurs pour faire escampe dans la nuit avec une des bêtes de somme.

Sauf que chaque soir je trouvais une nouvelle raison de retarder ma tentative d'évasion. Un matin, des trafiquants d'esclaves apparurent au camp des insurgés. Je ne sais quel prix Cervier-L'Haïssable exigea de ma carcasse amaigrie, mais avant même de comprendre ce qui se passait, je me retrouvai à nouveau couvert de chaînes, allongé dans un bérot avec d'autres marchandises, suant sous le soleil & me maudissant pour ma pusillanimité.

Je ne ferai pas la liste des avanies que j'eus à endurer les jours qui suivirent : elles ne furent ny pires, ny moindres assurément, que celles subies aux mains des insurgés. C'est au bout de la route que la véritable déchéance m'attendait, un enfer de boue, de sueur & de larmes : les mines d'argent de l'île du Croc.

À ce point de ma narration, je m'interromps pour une soirée de repos, car ayant perdu l'habitude de tenir une plume, je suis contus de crampes dans le poignet et de douleurs au dos.

Perlustre, qui lisait à la suite de Yarg, posa le récit laissé en suspens en exprimant sa vive contrariété d'avoir à attendre pour en savoir plus.

Panserfio fit un geste un peu agacé : *Je voudrais t'y voir.*

— Oh ! pauvre ami, ce n'est pas un reproche, minauda Perlustre en le caressant derrière une oreille. Que veux-tu ? Je suis d'un naturel impatient.

— Nous n'avions pas remarqué, dit Yarg.

— Tu vois, tu vois ? Encore ce penchant pour le sarcasme.

— Chaque jour qui passe, je me découvre un défaut de plus.

Perlustre fit le geste aérien que Yarg associait maintenant à ses accès d'humeur fantasque.

— Bon ! Bien ! Bon, eh bien, le soir tombe, les Héritiers ont décidé de nous laisser entre nous, alors qu'allons-nous faire pendant notre dernière soirée à Pinacle ? Nous pourrions prendre un bain ?

— Encore ? C'est une obsession !

— Il faut profiter des faveurs que la vie nous offre, au moment où elle nous les offre. Je doute que nous retrouvions d'aussi luxueuses installations sur le navire à bord duquel nous retraverserons la mer. Je pourrais vous masser après. Il y a des huiles et des onguents. En espérant que je n'ai pas perdu la main depuis ces mois d'inactivité. Puis, qui sait ? nous pourrions conclure le tout avec quelques activités érotiques ?

Il fallut un certain temps à Yarg – irrité mais aussi amusé devant l'ingénuité dont faisait parfois preuve la jeune femme – pour trouver ses mots.

— À qui de nous deux s'adresse cette invitation ?

— Mais aux deux ! Ne me dites pas que vous n'avez jamais partagé une femme ? Enfin, de toi, Yarg, je connais la réponse. Tu-ne-t'en-sou-viens-pas. Mais toi, Panserfio ?

Le visage du colosse avait pris la teinte de la brique. Il fit une lente dénégation.

— Ho ! Ho ! C'est l'occasion ou jamais de corriger cette lacune dans votre éducation.

— Arrête. Tu n'as pas à te comporter en prostituée avec nous. Nous ne sommes pas tes clients.

La jeune femme resta coite un moment, puis elle ouvrit la bouche, la referma… Après avoir contemplé un certain temps les dômes de Pinacle, teintés de rose à cette heure de la journée, elle se détourna de Yarg et de Panserfio et, le nez soulevé en une expression de dignité blessée, s'éloigna vers la porte de l'appartement.

Arrivée à mi-distance, elle s'arrêta et se retourna vers Yarg, qu'elle étudia de biais, l'œil luisant.

— J'aime les caresses des hommes. C'est ma nature, que j'expose sans artifice. Quelle malchance pour toi et Panserfio de vous être retrouvés empêtrés avec une prostituée frivole, alors qu'il existe dans ce monde un bien plus grand nombre de femmes cruelles qui, plutôt que d'accorder un regard à un homme qui les désire, le laisseraient mourir ou devenir fou.

Elle se détourna, fit quelques pas, puis se retourna à nouveau.

— Le monde est froid, Yarg. Si je vous offrais aussi généreusement ma chaleur, c'était avec l'espoir de me réchauffer à la vôtre. Tu as prédit ce matin que ton amnésie ferait de toi un étranger, peu importe où tu irais. Mais peut-être l'as-tu toujours été, étranger parmi les tiens, derrière un rempart de suffisance. As-tu songé au fait que tu avais peut-être une femme, des enfants, des amis, des compagnons d'armes ? As-tu songé à la joie qu'ils éprouveront, *eux*, de te voir resurgir d'entre les morts ? Peut-être est-il normal de ne pas se poser ces questions quand on perd la mémoire. Je ne t'accablerai pas davantage, parce que je n'y trouve aucun plaisir.

Sur ces paroles, Perlustre marcha jusqu'à l'appartement et disparut à l'intérieur.

Yarg aperçut le regard de Panserfio braqué sur lui, sévère et méditatif.

— Quoi ? grogna Yarg, agacé de constater que la réprimande de Perlustre, qu'il considérait comme injuste et révélatrice de sa nature capricieuse, avait réussi à éveiller un pincement de honte en lui.

Était-il nécessaire d'être aussi blessant ? interrogeait Panserfio du regard.

— Elle est trop sensible.

Justement…

— Alors qu'attends-tu ? Va la trousser jusqu'à l'épuiser, si c'est la seule chose qui la satisfasse.

Panserfio prit sa plume et son encre, rangea ses feuilles de papier, puis se leva et, après avoir salué son compagnon avec une froide dignité, disparut à son tour à l'intérieur de l'appartement.

Yarg resta longtemps assis, engoncé dans un carcan de pensées moroses. Les premières étoiles apparurent, d'abord solitaires dans la vastitude du ciel, puis de plus en plus nombreuses. Était-ce de la musique qu'il entendait, au loin, ou était-ce son imagination qui modulait le bruissement du vent et les stridulations d'insectes ?

Il retourna à l'intérieur. Il trouva Panserfio assis au pied du lit, en train d'étudier et de comparer les deux épées confisquées aux Kaliemme. Il dressa à la verticale les deux lames, avec un geste approbateur.

— Tu dois connaître l'art de la forge aussi ? demanda Yarg.

Un geste : *Quelques rudiments, pas plus…*

Yarg s'approcha du lit, en essayant de distinguer une forme menue blottie sous tous ces coussins.

Panserfio tendit le pouce vers l'arche menant aux autres appartements et mima une personne endormie, les sourcils froncés de colère. Yarg soupira :

— C'est vraiment une enfant...

Panserfio évita tout geste qui pouvait être interprété comme un commentaire.

Yarg décida de chercher Perlustre dans l'appartement assombri. Il la découvrit dans la pièce du secrétaire, emmitouflée dans une couverture, couchée dans deux fauteuils glissés l'un en face de l'autre. Elle ronflait lentement, profondément, la faible luminosité des lumignons éclairant avec douceur son visage à demi noyé dans sa généreuse chevelure noire, trop sauvage pour être contenue.

Yarg n'osa pas la réveiller pour un motif aussi égoïste que celui de soulager sa culpabilité. Il retourna dans la chambre, expliqua la situation à Panserfio, puis se déshabilla et se coucha à son tour, en se demandant, en effet, quand il aurait l'occasion dans le futur de dormir dans un lit aussi confortable.

À supposer qu'il s'agît effectivement de leur dernière journée à Pinacle... Ils tenaient un peu vite pour acquis que le navire mentionné par Fasce le Quatorzième Sublime allait les accepter à bord pour un éventuel voyage de retour. Par association d'idées, Yarg se prit à imaginer à quoi pouvait ressembler Port Soleil. Il imagina une place portuaire grouillante d'activité, des maisons blanches à flanc de colline, semblables à celles aperçues depuis la *Diamantine* lors de cette escale, la nuit précédant leur entrée dans la Chicane. Quel était le nom de cette ville, déjà ? Spire ? Comme cela lui semblait loin, maintenant... Il pensa à Janiel, à Scorbe, et à Ocieu, le vieux contractuel. Une évidence, pour la première fois, frappa Yarg. Le temps lui avait redonné une partie de ce dont il avait été dépossédé : des souvenirs.

◆

Messire Yarg... murmurait la voix féminine. *Réveillez-vous...*

Ce n'est pas mon nom, voulut-il répondre, agacé par l'obstination qu'elles avaient toutes à l'appeler de cette façon. Mais n'était-ce pas la nature de la femme que de se moquer, d'asticoter, d'aimer faire souffrir ceux qui les admiraient ? *La plupart des épigrammes concernant notre sexe sont tout aussi vraies pour les hommes*, fit observer Perlustre. *Au royaume de l'amour ne règne aucune justice. Ses sujets souffrent sous la tyrannie de la beauté, de la richesse et de la renommée. Un être beau, ou riche, ou puissant, qu'il fût féminin ou masculin, sera aimé par la multitude, mais ne pourra répondre qu'à un nombre limité de ses prétendants. Les éconduits seront d'autant plus nombreux que la personne aimée est admirable. Ils se reconnaîtront entre eux et, croyant compatir au sort des autres, ils s'apitoieront en réalité sur le leur, pour ainsi transmuer une simple conséquence mathématique en considération profonde sur la nature humaine.*

C'est avec un sentiment admiratif nuancé d'envie qu'il constatait avec quelle facilité Perlustre s'exprimait. Or, un sentiment de fausseté glissa sous la surface des choses, insidieux comme un serpent sous un drap. Cette éloquence dont Perlustre faisait preuve dans son rêve – car tout ceci n'était qu'un rêve, il le comprenait maintenant –, ces paroles, dans la bouche de la jeune femme, c'était lui, *lui*, qui les imaginait. Pourquoi ne réussissait-il jamais à faire preuve d'autant d'éloquence lorsqu'il était éveillé ? Pourquoi était-ce si difficile d'exprimer ce qu'il ressentait ?

Messire... s'impatientait le murmure. *Messire Yarg, je vous en supplie, réveillez-vous !*

Yarg se réveilla d'un coup ; Panserfio faisait de même à côté de lui. Au pied de leur lit se dressait la silhouette filiforme de Qiql, plus blême que jamais dans la lumière grisâtre de l'aube, ses doigts graciles entortillés nerveusement les uns dans les autres.

— Que se passe-t-il ?

— Promettez-moi de ne jamais révéler que je suis venue vous prévenir, chuchota Qiql.

— Nous prévenir de quoi ?

— Que mademoiselle Perlustre est au Temple plasmique…

Yarg sortit du lit. Son inquiétude fit place à l'irritation devant cette nouvelle manifestation du tempérament imprévisible et capricieux de leur jeune compagne.

— Qu'est-ce qu'elle est allée faire là ?

— Elle y est contre sa volonté. Elle y est retenue prisonnière.

— Prisonnière ? A-t-elle commis un délit ?

À contempler l'étroit corsage de Qiql qui montait et descendait, Yarg crut qu'elle allait se mettre à pleurer.

— Ce n'est pas ma place de révéler ces choses.

— C'est absurde, dit Yarg, qui quitta la chambre à grandes enjambées avec un geste vers Panserfio : Apporte les armes !

Il se précipita jusque dans la pièce où Perlustre avait décidé de passer la nuit. Malgré la faible lumière, il aperçut la forme allongée de la jeune femme à l'endroit où il l'avait laissée le soir d'avant, blottie dans sa couverture, les longues torsades de ses cheveux noirs déroulées jusqu'au plancher de tuile.

Panserfio l'avait rejoint. Yarg accepta l'épée qu'il lui tendait, puis toisa Qiql qui venait d'apparaître à son tour.

— On t'a mal renseignée.

La jeune domestique ouvrit de grands yeux rougis.

— Je ne comprends pas.

— Perlustre, dit Yarg en s'approchant du lit improvisé. Réveille-toi.

Un marmonnement endormi s'éleva.

— Ne me dis pas que tu boudes encore ?

Il souleva la couverture, révélant sous la cascade de cheveux noirs un visage qui n'était pas celui auquel il s'attendait.

— Couleur-des-Ivraies !

La Nistagma ouvrit les yeux en exagérant une expression outragée :

— Comment peux-tu me confondre avec cette écervelée ? Je suis Feuille-de-Thé !

Yarg recula d'un pas.

— Où est Perlustre ?

Nistagma Feuille-de-Thé, vêtue d'une chemise de nuit cousue de sequins, glissa hors de la couverture, avec un regard venimeux en direction de Qiql.

— Demande au rat femelle qui t'a suivi. Ils courent dans les murs, ils savent tout ce qu'il y a à savoir.

La domestique recula, tremblante comme un roseau.

— Non… Maîtresse… Je n'ai rien dit…

Yarg attrapa la jeune Nistagma par le bras, qu'il serra avec un peu plus de brutalité qu'il ne l'aurait fait si cette dernière n'avait pas exsudé autant d'insolence perverse.

— J'en ai assez de ces simagrées. Conduis-moi à Perlustre.

Vive comme une bête sauvage, Feuille-de-Thé mordit le dessus de la main de Yarg, qui la lâcha autant par un réflexe de surprise qu'à cause de la douleur. Elle bondit, poussa d'un coup d'épaule Qiql contre Panserfio et fila hors de la pièce. Après avoir remis la jeune femme sur pieds, le colosse chercha conseil auprès de Yarg : *Je la rattrape ?*

— Bah !

Yarg s'approcha plutôt de Qiql, qui essuyait les larmes qu'elle ne cherchait plus à retenir.

— Conduis-nous à Perlustre.

— Messire, c'est impensable… Impensable…

— Nous intercéderons pour t'éviter d'être punie.

— Vous ne savez pas ce que vous dites !

Yarg fit une pause pour réfléchir – ce qui lui permit de noter les roulements de tambour qui provenaient de l'extérieur, contrepoint sonore incongru et inattendu à cette heure matinale. Il s'adressa à Panserfio :

— Trouvons Cent seize. Il va nous aider. S'il n'est pas là, on se rendra directement au palais principal.

— *Mff !*

Avant de partir, Yarg s'adressa une dernière fois à Qiql.

— C'est la seconde fois que tu me viens en aide. Merci.

Elle hocha la tête, la main sur la bouche, sans dire un mot.

Yarg et Panserfio traversèrent l'une après l'autre les luxueuses pièces de leur appartement, mais, aussitôt sortis sur la terrasse, ils s'immobilisèrent face au spectacle qui les attendait de l'autre côté de l'esplanade.

Une troupe d'une cinquantaine de Kaliemme marchaient en formation dans leur direction. Les gardes de Pinacle avaient troqué leurs sobres habits noirs pour de rutilants uniformes rouges, avec des épaulettes noires et des casques de la même couleur surmontés d'un plumeau haut de presque deux pieds. À leur ceinturon pendait une épée ; Yarg nota aussi la présence d'archers sur les flancs.

L'arrière-garde de la troupe était constituée d'une bruyante fanfare de trompettes, d'ophicléides et de batyphons soutenue par des roulements furieux de caisse claire et les coups presque infrasonores générés par un tambour si gros qu'il était monté sur roues.

Nistagma Feuille-de-Thé accompagnait la troupe en imitant de manière bouffonne la démarche résolue des soldats. Aucun de ceux-ci ne se préoccupait de sa présence : tous les regards convergeaient vers Yarg et

Panserfio, qui attendaient de pied ferme, l'épée en position.

La rangée des Kaliemme qui menait la marche s'arrêta à quinze pieds des deux invités, toute la troupe s'immobilisant avec un ensemble parfait. Après une coda composée d'une succession d'accords stridents ponctués d'un roulement sauvage de percussions, l'orchestre se tut.

Sans même attendre que les échos de la fanfare se soient complètement atténués, le Kaliemme d'âge mûr au milieu de la première rangée déclama d'une voix forte :

— Par l'autorité des citoyens de la Cité parfaite que je représente, je déclare votre présence à Pinacle, messire Yarg, ainsi que la vôtre, messire Panserfio, inopportune et indésirée. Messires, allez vous revêtir de vêtements convenables et suivez-nous au port, où nous nous assurerons de votre départ.

— Pas sans Perlustre, dit Yarg d'une voix sourde.

— Votre compagne a exprimé le désir de demeurer parmi nous, privilège qui lui a été accordé.

— Qu'elle vienne nous le dire elle-même.

Feuille-de-Thé éclata d'un rire de commisération. La réponse du chef Kaliemme fut lapidaire et émise sur un ton définitif.

— Ces considérations sont étrangères à l'affaire nous concernant. Messires, ceci sera mon dernier avertissement. Abaissez vos armes, sinon nous vous les confisquerons, même si elles ont été légitimement acquises à la suite d'un combat dans les règles. Allez vous habiller maintenant. Aucun homme d'honneur ne voudrait traverser Pinacle en robe de chambre.

Les deux premières rangées de gardes dégaînèrent. Quatre archers s'écartèrent de leurs compagnons et tendirent leur arc, flèche pointée droit sur Yarg et Panserfio.

L'air au-dessus de l'esplanade vibra de tension. Après avoir échangé un regard, les deux interpellés laissèrent retomber leurs armes. Surveillés de près par les gardes, ils passèrent par la penderie pour enfiler un pantalon, une chemise et des bottes, puis, encadrés par les troupes en uniforme, furent conduits par la Cité parfaite vers la porte menant à l'étalement périphérique. Au moment où ils passaient devant les pavillons Fasce, Yarg crut apercevoir le Quatorzième Sublime en conversation avec Scquère Passé le Cent seizième. C'est à peine si ces derniers tournèrent la tête en direction de la procession. Yarg ne fit aucune tentative pour attirer leur attention; ce n'étaient peut-être pas eux. Qu'est-ce que cela aurait changé, de toute façon?

Lorsqu'ils furent sortis de la Cité parfaite, le décor changea considérablement. Sans être toutes nécessairement décrépites, les maisons et les échoppes qui bordaient le chemin descendant au port avaient des façades modestes construites à une échelle plus humaine. Le pavage était plus grossier. Il en allait de même de la population qui s'écartait du chemin pour laisser passer la rutilante parade des Kaliemme, toujours accompagnée par l'orchestre ayant entamé une fanfare aux tonalités emphatiques. La jeune Nistagma avait disparu, lasse de ses bouffonneries, ou peut-être n'aimait-elle tout simplement pas sortir de l'enceinte de la Ville.

Ils marchèrent plus longtemps que Yarg ne s'y attendait – les souvenirs de son arrivée à Pinacle étaient extrêmement flous. La procession atteignit le port. Ils passèrent devant des baraquements où logeaient esclaves et contractuels. Quelques navires étaient à quai, aucun semblable à l'autre. On devinait à la richesse de leurs décorations et à l'élégance de leur superstructure que certains de ces navires avaient été fabriqués à Pinacle, bien qu'aucun de ceux-ci ne se comparât en munificence à la défunte *Diamantine*.

Un quai à l'écart était réservé aux bateaux de taille plus modeste. Un peloton de gardes Kaliemme abandonna orchestre et compagnons d'armes pour mener leurs prisonniers au bout du quai, où mouillait un navire étrangement long et étroit. Le chef des Kaliemme héla le plus vieux des passagers sur le bateau, un barbu assez corpulent vêtu d'une toge noire et coiffé d'un large chapeau de même couleur. Ce dernier fit signe au garde d'emprunter la passerelle pour monter à bord.

Pendant que les deux hommes discutaient, Yarg contempla le navire d'un air dubitatif. Il ne voyait ni voile ni rames. Le mode de propulsion semblait constitué d'une paire de roues à aubes disposées de part et d'autre de la poupe. Elles étaient reliées à un mystérieux appareillage qui occupait le centre du pont, une sorte de cage de fer dans laquelle des douzaines de tiges de fer, en alternance avec le même nombre de tiges de cuivre, étaient fixées à un moyeu horizontal, le tout raccordé à un enchevêtrement d'engrenages, de glissières, de ressorts et de manettes.

D'avoir sué pendant des jours dans les cales de la *Diamantine* n'avait pas fait de Yarg un expert en navigation ; c'est dire qu'il n'avait pas la première idée du rôle et du fonctionnement de cette machine. Il pouvait néanmoins constater que le maigre équipage qui attendait à l'ombre de la dunette le résultat des discussions ne déparait pas le reste. L'un de ces hommes avait des traits rudes, son torse nu révélant une peau très sombre, sauf aux épaules où la peau pelait. Le second était grand et moustachu, vêtu d'une sorte de combinaison de la même teinte gris-jaune que son épiderme. Quant au troisième, ce n'était pas un enfant, contrairement à ce que Yarg avait cru tout d'abord, mais un jeune homme de très petite taille, un nain, vêtu avec une élégance et un raffinement qui contrastaient avec la nonchalance vestimentaire de ses compagnons.

La conversation entre le Kaliemme et le capitaine du navire prit fin avec l'échange d'une bourse, acceptée par le capitaine avec un haussement d'épaules bourru.

Une fois redescendu sur le quai, le chef de la troupe s'adressa à Yarg et à Panserfio.

— Embarquez, messires. L'équipage de ce navire vous ramènera sur le continent. En ma qualité de porte-parole de la Cité parfaite, me revient le devoir de conclure par un avertissement important. Si jamais vous remettez les pieds sur l'île, vous serez traités comme des intrus, et vous serez susceptibles d'encourir le châtiment prévu pour cette offense, qui est la mort. Est-ce clair ?

— Oui.

— Adoncques, messires, adieu !

Yarg et Panserfio empruntèrent la passerelle. Le gros barbu à qui les Kaliemme avaient payé le prix de leur transport vint à leur rencontre sur le pont, l'œil suspicieux sous le large rebord de son chapeau noir.

— Bienvenue à bord de la *Guilloche*. À moins que vous ayez l'intention de nous égorger sur-le-champ, je pense que vous pourriez déposer vos épées. Je vais parer à la manœuvre, puis je m'occuperai de vous. Nous aurons toute la traversée pour les présentations et autres mondanités.

Sur un geste du capitaine, les trois membres d'équipage quittèrent l'ombre de la dunette. Pendant que le moustachu larguait les amarres, le costaud au torse nu alla empoigner une des nombreuses manettes de la machine à ailettes, manette qu'il poussa de quelques crans.

Une sourde vibration s'éleva dans l'air calme du matin. Les tiges de fer et de cuivre se mirent en rotation, entraînant le moyeu et les axes des deux roues à aubes.

Accompagnée par un bruit de clapotis continu, la *Guilloche* s'éloigna du quai. Le moustachu se posta à la barre. Le costaud poussa la manette de quelques crans supplémentaires. Les ailettes de cuivre et de fer tournèrent de plus en plus vite. Les « floc floc » des aubes des roues se fondirent bientôt dans un seul grondement liquide.

La *Guilloche* prit de la vitesse. Debout au milieu du pont, moroses et silencieux, Yarg et Panserfio regardaient la patrouille et l'orchestre des Kaliemme diminuer de taille. Bientôt, les structures du port et de l'étalement périphérique furent réduites à la taille de jouets, pour disparaître lorsque la pointe d'une péninsule rocheuse leur bloqua la vue.

Le nain avait diplomatiquement attendu ce moment pour s'approcher des deux passagers. Dans une main, il tenait une bouteille de vin, dans l'autre deux verres.

— Vous m'avez l'air de personnes qui ont besoin de se faire remonter le moral, s'exclama-t-il avec une jovialité sans doute un peu trop appuyée.

Yarg l'ignora. Il marcha vers l'homme corpulent, l'épée toujours à la main.

— Je m'appelle Yarg, et mon compagnon est Panserfio. Il est muet, mais ni sourd ni faible d'esprit.

— Je m'appelle Ignace le Catonien, capitaine, armateur et concepteur de la *Guilloche*. Mon compagnon ici présent est Trivelin. Il est petit, mais ni muet ni faible d'esprit.

Le caractère plaisant de la réponse irrita Yarg plus qu'il ne l'amadoua. Il montra la côte de l'île, noire sous le ciel éblouissant de lumière.

— Je dois retourner à Pinacle.

Panserfio se frappa la poitrine avec le poing : *Moi aussi !*

Le capitaine souleva le rebord de son chapeau pour détailler de plus près ses passagers.

— Puis-je connaître les raisons de votre obstination à imposer votre présence à un endroit où, de toute évidence, elle n'est pas requise ?

— Notre compagne y est retenue prisonnière. Si vous n'ordonnez pas à votre barreur de rapprocher le navire de la côte, nous sauterons d'ici et nous nagerons.

— *Mfff!*

— Quoi ? demanda Trivelin, les yeux écarquillés. Qui est cette compagne ? Et pourquoi est-elle retenue prisonnière ?

Yarg donna une version extrêmement écourtée de leurs aventures en insistant sur le caractère arbitraire de leur éviction de Pinacle. Le récit eut le don de faire rougir Trivelin.

— Vous avez entendu, maître ?

— Votre témoignage diffère considérablement de celui des gardes du palais, dit Ignace le Catonien. Ils vous ont présentés comme des éléments perturbateurs.

— Cela ne contredit pas ce que je dis. Capitaine ! votre navire s'éloigne. Si vous n'ordonnez pas à votre barreur de changer de direction, je plonge.

Yarg marcha vers la poupe du navire, Panserfio sur ses talons. C'était le seul endroit d'où il pouvait sauter sans risquer d'être blessé par une des roues à aubes.

La voix du capitaine s'éleva derrière eux :

— Il faut être un bon nageur pour franchir pareille distance alourdi par une épée.

Yarg se retourna, le regard assassin.

— Par contre, poursuivait Ignace le Catonien, si vous abandonnez vos épées derrière, vous vous retrouverez à attaquer une ville entière, désarmés et détrempés. Est-ce plus raisonnable ?

Il donna un ordre au costaud à la peau noire. Ce dernier ramena de plusieurs crans la manette du contrôle de la vitesse. L'axe de métal et les roues à aubes interrompirent leur rotation. Dans le silence revenu, à peine troublé par le piaillement occasionnel d'un oiseau de mer, le capitaine s'approcha de Yarg et de Panserfio, les mains dans le dos, ses sourcils broussailleux froncés.

— J'ai promis contre paiement d'assurer votre transport jusqu'aux territoires musaphes à l'est de la mer Tramail. Vous permettre de retourner sur l'île est un bris de contrat.

— Sauver une jeune femme en péril est une entreprise qui surpasse en priorité toute autre considération ! protesta Trivelin.

— Si, et seulement si, la version de l'histoire que nous ont présentée nos passagers correspond à la vérité.

— Vous me faites perdre mon temps, fulmina Yarg, qui déposa son arme sur le pont. C'est une lame équilibrée et bien forgée, prenez-en soin. Viens, Panserfio.

Sans laisser le temps à quiconque de s'interposer, Yarg enjamba le bastingage de la *Guilloche* et sauta par-dessus bord, les pieds devant. Or, au moment où il allait atteindre la surface grise de la mer Tramail, il eut l'impression qu'un filet géant l'attrapait en plein vol. Il fut ramené au-dessus du pont en flottant dans les airs, puis la force magique qui le soutenait lâcha d'un coup. Il chuta aux pieds d'Ignace le Catonien en se faisant mal aux coudes et aux genoux.

Penché au-dessus de Yarg, le capitaine le contemplait d'un air infiniment sévère.

— Je vous conjure de ne pas recommencer cette facétie. Invoquer l'Attrapette-Vivace me prédispose à la migraine. Si je dois passer le reste de la journée allongé dans la pénombre de ma cabine, cela ne fera pas avancer vos affaires.

Trivelin accourut pour aider Yarg à se remettre debout, mais ce dernier l'écarta avec un mouvement d'humeur.

— Peut-être aurions-nous dû prendre le temps de vous préciser que maître Ignace le Catonien est un puissant magicien, expliqua le nain avec un sourire. Il convient de lui montrer une certaine déférence.

— Mon jeune ami exagère pour vous impressionner, dit le capitaine, visiblement agacé par la révélation.

Je ne suis en réalité qu'un chercheur et un historien. Je maîtrise néanmoins quelques incantations de base pour me faire respecter, comme vous venez de le constater.

Une fois debout, Yarg demanda sur un ton qu'il eut de la difficulté à garder serein :

— Que devons-nous faire pour vous convaincre de nous laisser aller secourir notre compagne ?

— Me parler sur un ton courtois est un premier pas dans cette direction. Je suis un homme d'âge respectable, à l'esprit méthodique et lent. Aussi vous faudra-t-il contenir votre impatience. Nous allons nous asseoir à l'ombre et, pendant que nous partagerons l'excellente bouteille que vous a offerte Trivelin tout à l'heure, vous allez me donner quelques éclaircissements au sujet de votre séjour à Pinacle – un sujet qui m'intéresse au plus haut point, soit dit en passant, car c'est avec l'intention de consulter les archives de la Cité parfaite que mon équipage et moi avons mis le cap jusqu'en ces îles méridionales. Je vous laisse donc imaginer ma déconfiture et ma considérable irritation lorsque, après un aussi long périple, je me suis fait éconduire comme un importun. Allons ! Venez à l'ombre, et nous verrons si nous pouvons nous entendre quant à la suite de notre programme de la journée.

Yarg échangea un regard avec Panserfio, qui hocha la tête d'un air déconcerté.

— On n'a pas le choix, conclut Yarg.

Le colosse soupira : c'était aussi son impression.

CHAPITRE 13

Qui traite de nombreuses aventures magiques, de retournements inattendus et de stupéfiantes découvertes

Le souffle court, Yarg émergea du sous-bois pour voir s'élever devant lui le sommet dégarni d'une colline rocheuse. Il essuya son front trempé de sueur en étudiant la position du soleil solitaire dans le ciel. Avec tous ces bavardages, l'après-midi était déjà sérieusement entamé. L'air était chaud et humide, annonciateur de pluie. Derrière lui émergea Panserfio, lui aussi en sueur, ses bras nus couverts d'égratignures. Le colosse écarta avec son épée une partie des épais fourrés et Trivelin apparut à son tour dans l'éclaircie rocheuse, pestant et crachant pour se dépêtrer d'une liane qui s'était entortillée autour de son visage.

Le riche costume du jeune homme avait considérablement souffert de l'excursion, une première fois lorsque, à la pointe de l'île où ils avaient amarré la *Guilloche*, il s'était étalé de tout son long sur des pierres glissantes, et la seconde fois lorsqu'il avait retiré son justaucorps pour s'en servir comme d'un bouclier contre une nuée de guêpes agressives. Vu sa taille, c'était son visage qui arborait le plus d'estafilades causées par les multiples variétés de plantes épineuses qui infestaient la jungle.

Yarg avait d'abord trouvé irritante la présence de Trivelin, car il craignait que celui-ci ne les retarde

pendant leur marche dans la jungle. Mais ses inquiétudes n'étaient pas fondées : la souplesse et la vivacité
presque frénétique du petit homme compensaient ses
faibles enjambées.

— Avez-vous vu maître Ignace ? demanda Trivelin.

Yarg tendit la main vers la cime des arbres, de
l'autre côté de l'éclaircie. Au-dessus de la frondaison
apparut Ignace le Catonien, volant dans les airs juste
assez bas pour profiter du couvert de la forêt. Il vint
se poser sur la pierre moussue devant Yarg, Panserfio
et Trivelin avec une légèreté qui semblait incompatible
avec sa corpulence.

Le magicien, dont le visage était tout aussi ruisselant
de transpiration que celui des autres, se laissa le temps
de reprendre son souffle. Trivelin avait expliqué à
Yarg que l'extraordinaire pouvoir de voler épuisait
celui qui le maîtrisait aussi assurément que s'il avait
couru tout ce temps.

— Nous y sommes presque, dit Ignace le Catonien
entre deux inspirations rauques. Je vais continuer à
pied… J'ai passé l'âge de me déplacer par Translation…

— Vous pouvez nous attendre ici, dit Yarg. Ou
retourner au navire. Vous n'êtes pas concernés.

— Partout où une jeune femme est en péril, je suis
concerné ! proclama Trivelin en dégainant la courte
épée du fourreau attaché à son ceinturon.

— Cette affaire n'est pas une plaisanterie, messire.

— Je n'ai moi-même jamais été aussi sérieux.

— J'ai une incantation qui facilitera la suite de notre
progression, intervint Ignace le Catonien, qui avait
enlevé son chapeau pour s'en servir comme d'un
éventail. Rapprochez-vous. Donnons-nous la main.
Vous aussi, Yarg. Oui, comme des enfants qui font
une ronde.

Ce dernier se sentit d'abord vaguement ridicule de
rester immobile au faîte de la colline à écouter marmonner le corpulent magicien, main dans la main avec

Panserfio et Trivelin. Mais soudain, d'un coup, ses trois compagnons disparurent! Ils étaient toujours là – Yarg sentait encore leurs mains dans les siennes, et il entendit Panserfio émettre un « Mmm? » de surprise – mais ils étaient devenus invisibles. En fait… Panserfio était réapparu, clignant des yeux de perplexité. Yarg se secoua à son tour, désarçonné: le colosse était-il visible ou pas? C'était un comble: il n'en était pas sûr! Pourquoi les deux autres demeuraient-ils invisibles, alors? Mais non, ils étaient réapparus, eux aussi!

— Que se passe-t-il? dit Yarg, qui n'y comprenait plus rien.

Ignace le Catonien s'empressa de les rassurer.

— Les effets de la Poussière de diamant sont déconcertants lorsqu'on n'est pas habitué. Nous sommes en ce moment entourés d'une illusion d'invisibilité. Attention! les illusions ne trompent que ceux qui ne sont pas conscients qu'elles sont opérantes. Si nous faisons du bruit, ou si nous touchons quelqu'un, bref, si nous incitons quiconque à prêter une attention soutenue à notre présence, cela déchirera le voile de l'illusion. Il faut prendre garde aux chiens et aux enfants, ceux-ci étant redoutablement perspicaces lorsqu'il s'agit de voir derrière la façade d'une illusion.

— Je n'ai vu que des chats, et nous nous méfierons des enfants, dit Yarg. Dépêchons!

Guidés par Ignace le Catonien, qui avait fait du repérage du haut des airs, ils s'enfoncèrent dans la forêt à l'extrémité opposée de l'éclaircie. La pente de la colline se fit plus abrupte. Il était heureusement facile de se retenir aux lianes et aux tiges d'une sorte d'ajonc qui proliférait dans la pénombre du sous-bois.

Au bas de la pente, la nature sauvage fit place à un verger parcouru de sentiers, ce qui permit à Yarg et à ses compagnons d'avancer beaucoup plus vite, toujours devancés par Ignace le Catonien. De temps en temps, une ouverture dans le couvert de la forêt leur

permettait d'apercevoir un dôme blanc, en contre-
plongée par rapport à eux.

Le quatuor émergea du verger à la lisière d'une
vaste plaine agricole. Le garde-manger de Pinacle,
comprit Yarg. Pour la première fois, ils virent du
monde travailler dans les champs, des femmes et des
hommes, éparpillés un peu partout. Personne ne s'oc-
cupa du quatuor qui venait d'émerger de la forêt. Ce
qui n'était pas une preuve d'invisibilité pour Yarg, qui
se rappelait à quel point les serviteurs de Pinacle –
les Rouages – étaient discrets et effacés.

À leur droite s'élevait un mur d'enceinte massif,
d'apparence fort ancienne, qui montait jusqu'à la
hauteur du plateau sur lequel les Sylvaneaux avaient
construit, des siècles plus tôt, la Cité parfaite. De cet
angle, il était impossible d'apercevoir le palais principal ; tout au plus voyait-on le dôme de quelques
pavillons secondaires.

Un chemin pavé menait à la base du mur d'enceinte.
Le quatuor l'emprunta. Une fois dans l'ombre portée
du mur, ils constatèrent que le chemin menait à une
série de fentes étroites percées dans la maçonnerie.
S'agissait-il de passages ? Au moment précis où Yarg
se posait la question, deux jeunes hommes émaciés
se glissèrent hors d'une des fentes. Ils tenaient chacun
un chapeau de paille tressée à la main, qui aurait été
trop large pour passer dans l'ouverture. Ils posèrent
leur couvre-chef sur des cheveux fins et blancs qui
descendaient jusqu'aux épaules. Au bout de leurs
bras blancs rougis de soleil, leurs mains étaient enve-
loppées dans des gants souillés de terre. Ils marchèrent
droit vers Yarg, qui s'immobilisa, la main sur la poignée
de son épée. C'est Trivelin, un doigt sur la bouche, qui
écarta son compagnon du passage en le tirant par le
coude.

Les deux Rouages passèrent à quelques pas du
quatuor immobile, sans même glisser un regard dans

leur direction. Yarg, qui ne s'était pas aperçu qu'il avait arrêté de respirer, reprit son souffle. Le sortilège d'invisibilité fonctionnait donc. Le plus ardu était de se convaincre lui-même que les autres ne le voyaient pas.

Les quatre reprirent leur progression jusqu'à la base du mur sans faire d'autre rencontre, puis ils s'aplatirent contre la paroi piquetée de mousse. Yarg tendit le visage pour voir à l'intérieur de l'ouverture. La noirceur lui sembla absolue, mais il savait que ses yeux étaient encore accoutumés à la lumière du jour.

— À mon tour de faire du repérage, souffla-t-il vers ses compagnons. Attendez ici.

Le passage dans la muraille était si étroit que Yarg dut marcher de côté. Il progressa ainsi pendant une vingtaine de pieds. Un flot d'air fétide rafraîchit son front en sueur.

Il émergea dans une salle en pierre, aux murs courbes percés de trois passages. Il s'accroupit à l'écart pour ne pas encombrer la voie. Ses yeux s'accoutumèrent à la chiche lumière émise par un pointillé lumineux qui longeait une partie du mur. Il tressaillit lorsqu'une Rouage assez âgée émergea d'un des passages. Elle consulta une sorte de tableau dressé contre l'un des murs, puis repartit par le chemin d'où elle était venue. Yarg la suivit, l'épée tendue. Ce passage-ci était plus large que la voie vers l'extérieur ; par contre, certains passages secondaires sur son chemin s'avéraient très étroits.

Yarg se souvint de la trappe par laquelle Qiql avait descendu, la première fois qu'ils l'avaient vue dans leur appartement de Pinacle. L'évidence le frappa : ni Panserfio ni Ignace le Catonien n'allaient pouvoir le suivre, leur corpulence allait les ralentir à chaque détour, voire les empêcher d'avancer.

Le couloir menait au bas d'un escalier. Yarg s'arrêta. Il entendit des voix. À travers le bruit de conversation résonnaient aussi des vrombissements et des chocs

sourds. On aurait dit des barriques qui s'entrecho-
quaient. Il faisait plus clair, aussi.

Yarg rebroussa chemin pour faire son rapport à ses
compagnons.

Panserfio n'apprécia pas l'annonce qu'il était trop
gros pour les accompagner. Avec un « *Mfff!* » de défi,
il tenta de se glisser dans le passage pour démontrer à
quel point la déclaration de Yarg était absurde, mais
ses vêtements s'accrochèrent aussitôt à la surface
rugueuse de la pierre. Il se débarrassa de sa chemise.
C'est un fait qu'une fois torse nu, le colosse réussit à
se glisser dans l'ouverture en vidant l'air de ses poumons. Yarg, sceptique, observa la progression du
colosse dans le mur. Son avancée, quoique réelle,
n'était certes pas aisée. Arriverait-il à s'extirper à temps
si un groupe de cultivateurs choisissait ce moment
pour revenir des champs?

Une fois enfoncé d'environ dix pieds dans le mur,
Panserfio s'immobilisa, la respiration rapide et sifflante.
Yarg en déduisit que son compagnon s'était rendu
compte lui-même de la précarité de sa position, mais
ce qui suivit le surprit néanmoins. Le colosse se mit à
gémir et à trembler, en proie à une forme de crise
d'effroi. Il fit marche arrière en se débattant sans se
préoccuper des nombreuses égratignures que ses gesticulations devaient lui causer à la poitrine et au dos,
puis il émergea du corridor étroit avec tant de précipitation qu'il bouscula Yarg. Sur des jambes vacillantes,
Panserfio alla ensuite s'asseoir au pied du mur, la tête
baissée, et il reprit son souffle en jetant de temps en
temps un regard honteux vers ses compagnons.

— Tu as cru que tu resterais coincé? demanda Yarg.

Panserfio se cacha le visage, puis fit comprendre
qu'il ne voulait pas commenter l'incident. Il exécuta
tout de suite après une pantomime désespérée; écartant
les bras, il désigna chaque extrémité du mur: *Il doit
exister des portes plus larges!*

— Je n'en vois pas, dit Yarg. C'est pour nuire à des envahisseurs de notre genre que les accès sont aussi étroits.

Ils s'éloignèrent du passage pour un conciliabule. Ignace le Catonien connaissait une incantation pour réduire sa taille et celle de Panserfio, mais il leur aurait fallu renoncer au sort d'invisibilité, selon un principe d'incompatibilité entre différentes formes de magie, étant entendu qu'il existait différents registres sur lesquels un magicien pouvait jouer, selon les circonstances et ses propres affinités…

Yarg coupa court aux explications :

— Une opération d'infiltration ne dépend pas du nombre. À tout prendre, vaut mieux ne pas être nombreux.

Il posa une main consolatrice sur l'épaule musculeuse de Panserfio.

— Attends-nous ici et reste vigilant.

Le colosse hocha la tête : on aurait cru qu'il allait se mettre à pleurer. Yarg s'adressa à Trivelin.

— Toujours prêt ?

Le petit homme acquiesça, tout sourire, mais ses sourcils s'arquèrent soudain :

— Une dernière question. Votre compagne, elle est jolie, j'espère ?

Yarg soupira.

— Oui. Allons-y !

Après avoir jeté un coup d'œil à l'intérieur, Yarg se glissa de nouveau dans l'ouverture, suivi par Trivelin. Les deux hommes ne rencontrèrent personne jusqu'au bas de l'escalier. Ils montèrent les marches deux par deux. L'escalier les mena à un couloir chichement éclairé par de pâles lucarnes opalescentes fixées à intervalles réguliers au plafond.

Le vrombissement semi-constant, qui rappelait à Yarg le bruit de barriques entrechoquées, augmentait d'intensité à chaque pas. Le couloir se raccorda à un autre, plus large. Yarg et Trivelin durent s'écarter avec précipitation pour éviter d'être bousculés par un groupe de Rouages vêtus de houppelandes semblables à celles que portaient les serviteurs pendant le repas pris sur l'esplanade deux jours plus tôt.

Yarg regarda le groupe s'éloigner, le cœur battant.

— La magie, c'est toujours bizarre, murmura Trivelin sur un ton compatissant.

Une fois dans le couloir plus large, les deux intrus découvrirent la source des cognements : un des murs était percé de deux ouvertures où défilaient en continu des cabines en bois, assez hautes et profondes pour accueillir plusieurs personnes. À droite, les cabines montaient ; à gauche, elles descendaient. Le concept de monte-charge n'était pas étranger à Yarg, mais le regard écarquillé de Trivelin confirma que lui non plus n'avait jamais vu un monte-charge de cette taille, au fonctionnement continu de surcroît.

— Le Temple plasmique est vers le haut, dit Yarg.

Ils s'approchèrent de la chaîne ascendante. La première cabine qui sortit du plancher était déjà occupée par deux jeunes filles rouages. Elles ne cillèrent pas lorsqu'elles s'élevèrent devant Yarg et Trivelin pour disparaître par-delà le plafond.

La cabine suivante était vide. Yarg et Trivelin sautèrent à l'intérieur. Sans même un à-coup, la cabine poursuivit sa montée en ballottant doucement. Vigilant, mais néanmoins fasciné, Yarg contempla les étages des fondations de Pinacle qui se dévoilaient l'un après l'autre pour disparaître aussitôt sous ses pieds, tous semblables, avec les mêmes couloirs sombres, les mêmes serviteurs qui déambulaient, tous affairés, certains vêtus de houppelande, d'autres quasi nus.

— On monte jusqu'où ? demanda Trivelin.

— Tout en haut.

— Comment saura-t-on qu'on est rendus ?

Le nain ne tarda pas à obtenir la réponse à sa question. Après avoir vu défiler deux autres niveaux, Yarg et Trivelin sentirent leur cabine glisser sur le côté en un mouvement circulaire, pour finalement se mettre à descendre. Ils se retrouvaient maintenant dans la partie plongeante de la chaîne du monte-charge.

— On descend au prochain étage, dit Yarg.

Hélas, au premier étage de leur course descendante, un trio de Rouages attendait leur cabine. Ils sautèrent à l'intérieur avec l'aisance de l'habitude, en bousculant Yarg et Trivelin qui n'avaient aucune position de repli. Ce fut le chaos. Les trois domestiques glapissaient et se cognaient les uns sur les autres, affolés tout d'abord de buter contre des êtres invisibles, puis encore plus stupéfaits de voir se matérialiser deux étrangers armés là où auparavant il n'y avait que le vide.

— On sort ! cria Yarg alors que le plafond de l'étage suivant s'élevait assez pour permettre le passage.

Yarg et Trivelin se jetèrent hors de la cabine, entraînant avec eux dans la confusion l'un des Rouages. Yarg se redressa juste à temps pour voir s'enfoncer la cabine et les deux passagers éberlués. Trivelin s'était relevé à son tour et regardait en tous sens : ç'aurait pu être pire, les lieux étaient déserts.

Pendant ce temps, Yarg avait empoigné le Rouage sous une épaule et l'avait forcé à se relever. Ce dernier n'était pas de la première jeunesse : le visage mince s'était creusé, sa peau avait pris une teinte grisâtre et son regard écarquillé révélait de larges iris si pâles et frémissants que Yarg en ressentit un peu de révulsion.

— Ici ! dit Trivelin en faisant signe à Yarg de le suivre à l'intérieur d'une pièce sombre.

Ce dernier obéit à l'injonction sans lâcher le serviteur, pour se retrouver dans ce qui se révéla être un entrepôt sentant la poussière, uniquement éclairé par la lumière filtrant par la seule porte.

Yarg obligea le serviteur à s'asseoir entre Trivelin et lui derrière une rangée de barriques. Ce dernier n'osa pas contester l'ordre. Tout au plus réussit-il à demander, sur un ton gémissant:

— Qui êtes-vous? Que me voulez-vous?

— C'est moi qui pose les questions. Explique-nous comment nous rendre au Temple plasmique.

Malgré la pénombre, Yarg vit distinctement le vieux Rouage cligner des yeux d'ébahissement.

— Au… Temple plasmique?

— Tu sais de quoi je parle?

— Oui… Oui, évidemment…

— Je veux m'y rendre par des chemins détournés. Et, surtout, sans emprunter votre damné monte-charge.

— Ce serait plus simple qu'il nous guide, chuchota Trivelin. On ne peut pas le libérer. Il connaît notre destination.

Yarg se traita intérieurement d'imbécile de ne pas avoir pensé à cette évidence. Le Rouage ne semblait guère apprécier lui non plus le commentaire. Il gémit:

— Je ne peux pas vous aider. Je serai puni.

— Connais-tu celle qu'on appelle Qiql?

— Qui?

Yarg lui serra l'épaule en une prise qu'il savait douloureuse.

— Est-ce que ça améliore ma prononciation?

— Je connais plu… plusieurs Qiql…

— Elle était au service des invités de Fasce, dans les pavillons Scquère.

— Je sais de qui tu parles… Je ne connaissais pas son nom, je te le jure, mais je sais de qui tu parles. Ne me fais plus mal…

Yarg n'était pas d'humeur à s'apitoyer, quoique la perspective de se faire assister dans sa recherche par un être aussi pleutre ne lui plût pas trop. Avait-il le choix? Il relâcha un peu sa prise.

— Mène-moi à elle.

Dans la faible lumière, les larges iris frémirent d'effroi.

— Elle est dans la salle du châtiment, face au Jury !

— Que racontes-tu là ?

— Elle est apparue sur la Scène, hoqueta le Rouage. Elle sera châtiée pour Exhibitionnisme et Interventionnisme. C'est le sort qui m'attend aussi si je t'aide.

— En quoi consiste ce châtiment ?

— Cela dépendra du Jury et de la force de ses poignets.

— On ne comprend rien à ton salmigondis, s'impatienta Trivelin.

Yarg appuya le plat de sa lame sous l'oreille du Rouage, afin que s'imprègne dans son esprit la réalité de sa menace.

— Le sort t'a mis sur mon chemin. C'est injuste, mais c'est ainsi. Si tu refuses de me mener à Qiql, je devrai me trouver un autre guide. Devine quelle décision je devrai prendre à ton sujet pour m'assurer de ton silence ?

Le domestique regarda tour à tour Yarg et Trivelin, le souffle râpeux.

— Vous ne pouvez pas vous déplacer comme ça. Il faut vous procurer une combinaison.

— Nous sommes invisibles pour quiconque ne connaît pas notre présence, dit Trivelin. Rappelle-toi ta surprise dans le monte-charge.

— Comment est-ce possible ? Vous êtes des magiciens ?

— Ça ne te concerne pas, dit Yarg. Mais j'apprécie ton changement d'attitude. Debout ! Et rappelle-toi de passer par des chemins peu fréquentés.

— Pourquoi perdre du temps à passer par des chemins détournés si vous êtes invisibles ? demanda le Rouage sur un ton boudeur.

— Parce que c'est moi qui donne les ordres. Obéis !

◆

Des surfaces de pierre noire, des couloirs aux murs
courbes, des angles, des conduits cylindriques couverts de mousse taillés à même la masse rocheuse,
parfois si mal éclairés que Yarg ne distinguait plus la
silhouette maigre et un peu voûtée du Rouage devant
eux ; une chose était certaine, il était inimaginable que
lui et Trivelin retrouvent seuls leur chemin.

Ils montèrent d'un étage, puis atteignirent un secteur
des fondations moins lugubre que le reste. Il y faisait
plus clair et, à en juger par un chuchotis de voix qui
se réverbérait sur les parois de pierre, il y avait plus
de monde. Peut-être même une foule.

— On y est presque, murmura le vieux Rouage à
l'attention des deux intrus qui le talonnaient toujours.

— Ne nous parle pas en présence d'une tierce partie.

Le couloir qu'ils longeaient déboucha dans un
passage large et relativement haut de plafond, au
milieu duquel s'était formée une interminable procession de Rouages. Ils étaient au moins une centaine,
arborant une variété de costumes et de couvre-chefs,
depuis la combinaison avec houppelande qui dissimulait l'entièreté du corps, jusqu'à la quasi-nudité, avec
tous les intermédiaires possibles. Ce qu'ils avaient en
commun, c'était la lenteur de leur pas, l'impassibilité
de leurs traits, l'inexpressivité de leur regard bleu
clair. Autre point commun, ils tenaient tous une pierre
plate dans la main, une sorte de palet dont Yarg aurait
été en peine de deviner l'utilité.

Le couloir était bien assez large pour que le trio
puisse poursuivre sa course entre le mur et la procession, mais cette vision troubla Yarg, qui hésita et
ralentit au point qu'il lui fallut courir pour rattraper
leur guide, lequel avait continué de marcher au même
rythme. Heureusement, Yarg portait toujours aux

pieds les bottillons de cuir souple enfilés à son départ, si bien que le bruit de sa course passa inaperçu.

La main posée sur l'épaule du vieux Rouage, il jeta un coup d'œil derrière. Trivelin les rattrapait, sa courte épée à la main. Lui aussi gardait un œil incrédule sur la file des serviteurs et semblait avoir autant de difficulté que Yarg à s'ajuster à ce qu'il voyait.

Le couloir prit fin, mais pas la procession qui se prolongeait jusqu'au centre de la plus grande salle aperçue par Yarg depuis son entrée dans les souterrains de Pinacle, une rotonde au plafond courbe soutenu par d'épaisses arches de pierre, éclairée par un dispositif de miroirs semblables à ceux qui reflétaient la lumière du soleil jusqu'au Temple plasmique.

Au centre de la rotonde s'élevait une inquiétante structure en fer et en bois, avec des câbles et des contrepoids, ainsi qu'un mât auquel était sanglée une jeune femme, les bras dans les airs, qui semblait se retenir par la force des mains à une barre transversale fixée au plafond. Elle était vêtue d'une mante pourpre cousue dans un tissu diaphane qui dévoilait plus qu'elle ne dissimulait son corps élancé comme une liane. De l'endroit où Yarg se trouvait, un des bras de la jeune femme lui cachait le visage. Peu importe : il avait compris qu'il s'agissait de Qiql, que son vêtement était une robe sacrificielle, et que la structure était un instrument destiné au supplice.

Face à Qiql, un Rouage au dos voûté couvert d'un surplis cérémoniel clamait une litanie constituée de mots que Yarg reconnaissait sans peine, mais dont le sens général lui échappait :

— … car le moment est venu pour cette Rouage de chercher de nouveaux niveaux de réalité. Le jeu égoïste de sa vie va cesser. Elle va être mise en face de la Claire Lumière. Dans l'état de fragmentation de sa personne, toutes choses seront comme le ciel extérieur, vide et infini ; l'intelligence nue et immaculée sera comme l'eau transparente. À ce moment, Qiql, tu te connaîtras et tu demeureras dans cet état...

Tout ce temps, la file des Rouages défilait à pas mesurés entre l'officiant et le mât. Chacun des processionnaires déposait son palet dans une vasque retenue par trois câbles à l'une des extrémités en porte-à-faux de l'armature. Yarg comprit en un éclair intuitif que la vasque était reliée par un système de câbles et de poulies au mât auquel était sanglée Qiql, que cet assemblage central était monté sur un pivot, qui permettait au tout de basculer à l'horizontale afin de terminer sa course sur trois lames de métal tranchant au niveau des hanches, de la poitrine et de la gorge de la prisonnière. Le mât aurait déjà basculé sous le poids de la vasque si Qiql ne s'était pas retenue à la force des poignets. Or, chaque palet ajouté par un nouveau processionnaire rendait sa position plus désespérée.

La jeune femme, silencieuse jusque-là, se mit à émettre des râles hoquetants. Ses bras minces étaient secoués de tremblements. Yarg écarta brutalement de son chemin le Rouage qui l'avait guidé et courut jusqu'à la file des processionnaires.

Il retint le geste qui lui venait d'instinct: trancher avec son épée la main qui se tendait au-dessus de la vasque. Le coup de pied rageur qu'il donna à la place fut néanmoins assez violent pour briser l'avant-bras du processionnaire.

Le palet vola dans les airs. Yarg empoigna le Rouage par le collet, le souleva d'une main pour le pousser sans ménagement contre la file derrière lui. Une bousculade s'ensuivit, accompagnée de cris de surprise et de douleur.

Une onde de stupéfaction se propagea dans la rotonde. Yarg sut qu'on le voyait, mais il n'en avait cure. Il lâcha le malheureux qui avait eu l'infortune d'essuyer de plein front son courroux, puis il se tourna vers la vasque pour décider du moyen le plus rapide de la vider.

Trivelin l'avait devancé. Profitant de sa petite taille, il s'était glissé sous la vasque et s'y arc-bouta avec un cri presque animal. Sa force surprit Yarg autant que les autres : la lourde vasque bascula en déversant un flot de palets sur le plancher. Le vacarme produit par les pierres qui caracolaient noya le tumulte ambiant.

Yarg fixa l'instrument destiné au supplice, le cœur dans la gorge. Qiql s'était affaissée dans ses sangles, anéantie, mais le mât était resté debout. Le poids du corps de la jeune femme suffisait pour contrebalancer celui de la vasque vide.

Yarg tourna sur lui-même, l'épée dressée, fixant d'un regard meurtrier les Rouages qui l'entouraient.

— Arrière !

Tous reculèrent, sauf l'officiant qui continuait de le toiser, outragé.

Trivelin s'était relevé et gardait la droite de Yarg, l'épée en position, son visage rougi par l'effort et l'excitation.

— Je les surveille, dit Yarg. Monte la détacher. Prends garde aux lames.

— Bien vu !

— Comment osez-vous interrompre le cours de la justice ? protesta l'officiant d'une voix forte.

— Arrière, j'ai dit !

— Le Jury n'a pas terminé ses délibérations, tonna l'officiant en embrassant d'un geste la file des processionnaires qui attendaient avec leur palet à la main, presque déconfits.

— Condamner à mort une domestique qui s'est montrée loyale envers son hôte ? C'est ça, votre justice ?

— Elle est intervenue sur la Scène. Elle s'est gonflée de son importance et a influencé le cours des choses. C'est le plus grand des crimes.

— C'est absurde, au contraire !

— Qui es-tu pour faire le partage entre ce qui est absurde et ce qui a du sens ?

En se tournant pour voir si Trivelin avait réussi à atteindre Qiql – ce qui était le cas –, Yarg marcha sur un des palets et faillit trébucher, ce qui n'améliora pas son humeur. Dans son esprit en feu, les pensées se succédaient et les paroles se bousculaient.

— Qui je suis ? Je l'ignore. Je sais qui vous êtes, par contre. Des Sylvaneaux. Leurs descendants, tout au moins. J'ai vu vos ancêtres sur les fresques des palais. Pourquoi les Héritiers affirment-ils que vous avez disparu alors que vous circulez parmi eux jour et nuit ? Quel est le sens de cette mystification ?

— De t'être promené dans la Cité pendant quelques jours, d'y avoir contemplé le millième des trésors qu'elle recèle te confère-t-il l'autorité pour nous révéler notre nature, nous qui y habitons depuis des siècles ? répondit l'officiant, sa voix gonflée d'ironie emphatique. Ta perspicacité est semblable à celle de ces peuples sauvages qui savent prédire des décennies à l'avance le tracé du Soleil dans le ciel, sans même percevoir que c'est la planète qui tourne, et non l'astre du jour.

— Je n'ai que faire de vos charades. Êtes-vous des Sylvaneaux, oui ou non ?

L'officiant baissa le regard : il avait perdu une part de sa superbe.

— La Grande Race est à *Lirevyë*. Nous n'en représentons qu'un faible écho, incarné dans le plasme. Un ordre de réalité à peine plus soutenu que les fresques auxquelles tu fais allusion.

Trivelin avait fini de détacher Qiql et l'aidait à descendre du mât. Yarg tendit la main pour s'assurer que la jeune femme, tremblante d'épuisement, ne trébuche pas sur les lames dressées. Une fois qu'elle eut mis le pied sur le plancher, Yarg la soutint contre sa poitrine avec son bras libre. Elle se laissa faire, amorphe.

Avec une vague expression de reproche sur son visage blême, elle marmonna :

— Vous êtes fous d'avoir interrompu les délibérations.

— J'ai besoin de toi pour retrouver Perlustre, dit Yarg.

— Vous n'avez rien à faire ici.

— Dois-je vous aider à remonter sur le mât ? demanda Trivelin, d'un ton partagé entre l'ironie et la consternation.

— Non, murmura Qiql après une hésitation, comme si elle n'était pas tout à faire sûre que ce fût la bonne réponse.

Yarg reporta son attention vers l'officiant et la multitude. Tous semblaient avoir été statufiés depuis qu'il avait interrompu la cérémonie en cours. Il donna un coup de pied sur un des palets, qui alla ricocher sur les autres pierres. Les entrechoquements se répercutèrent sous la voûte, pour mourir dans un bruissement évanescent.

— Pas un d'entre vous n'aurait eu le courage de s'interposer ?

— Nous sommes unis quand il est temps de servir, expliqua doucement l'officiant, dont l'outrage semblait avoir cédé la place à la lassitude. Nous sommes unis quand il est temps de sévir.

— Je n'ai toujours pas compris ce que vous êtes. Parlez clairement. Je suis moi-même issu d'un peuple sauvage.

— Nous sommes des chimères. Des descendants de la science plasmique, conçus par la Grande Race pour servir les Héritiers, pour le même nombre de siècles que leurs ancêtres en ont passé à connaître la servitude.

— Dans une sorte de… de justice compensatoire ?

— C'est cela même. Ton esprit n'est pas si fruste que tu le laisses entendre, Sauvage.

Yarg abaissa sa garde : personne ne faisait mine de vouloir se jeter sur lui.

— Êtes-vous engendrés dans des matrices, vous aussi ? Pourtant, vous êtes tous dissemblables.

— Nous avons été conçus comme on conçoit les Héritiers, car il fallait un début. Nous nous reproduisons désormais comme l'humanité sauvage, par coït et parturition, ce qui fait partie intégrante de notre rituel d'expiation. Cet aspect, comme bien d'autres, nous distingue irrémédiablement des Sylvaneaux, une race ancienne sur laquelle le temps n'avait pas la même emprise que sur la tienne, Sauvage, ou sur la mienne, pitoyable créature que je suis. Qui a souvenance de cette époque, avant les Aggs et les Élémentaux, quand la Grande Race régnait sur terre, dans les royaumes souterrains et par-delà les mers ? Qui a souvenance qu'ils ont même habité la lune, au temps où l'astre était encore propice à la vie ? Les Aggs sont apparus, de grandes guerres ont suivi. La Grande Race a défait ses ennemis, mais s'est affaiblie par la même occasion. Ainsi en va-t-il de toutes les guerres.

« Dans les pâturages abandonnés croissent les herbes sauvages. Où la Grande Race ne régnait plus apparurent les hommes. Regrettons les temps légendaires d'avant votre histoire, lorsque Sylvaneaux et Humains fraternisaient et que les deux races vivaient en paix. De toutes les races évoluées, vous êtes celles qui partagez le plus de points communs. Las ! vous différez aussi, irrémédiablement et terriblement. Les hommes naissent de l'accouplement d'un mâle et d'une femelle, tandis que chaque membre de la Grande Race naissait de l'accouplement de l'eau et de la terre. Elle s'est tarie, la source originelle. Elle s'est épuisée, la terre virginale des premiers temps du monde. À quand date la dernière naissance d'un Sylvaneau ? Ne répondez pas que le plasme de l'homme peut s'allier au plasme de la Grande Race !

L'Hybride qui en est le fruit est magiquement stérile, à peine plus qu'un Sauvage !

« Il fallut aux Sylvaneaux retraiter de cette terre trop vieille, trop envahie. Qu'ils s'exilent en des lieux cachés, transportant leurs archives et leurs palais. Voyez au nord, sur les rives de la mer Géante. Voyez au sud, par-delà le barrage naturel de ce que les navigateurs de la mer Tramail appellent la Chicane. J'ai cité ces deux noms, j'aurais pu en citer d'autres, tout aussi évocateurs de faste et de lumière intellectuelle; j'ai parlé d'archives et de palais, j'aurais pu ajouter que les Humains qui se faisaient un honneur de servir la Grande Race empruntèrent avec leurs maîtres le chemin menant à l'oubli.

« Dans une salle aux volets toujours clos, l'air se charge de miasmes; cela est vrai aussi pour l'âme. Les Sylvaneaux exilés et solitaires firent de leurs domestiques le réceptacle de leur rancune. Ceux-ci, n'étant qu'humains, furent abaissés au statut d'esclaves, un sous-peuple qu'ils manipulaient comme ils l'entendaient. Par désœuvrement, Pinacle et les autres palais entraînaient de grandes armées, qui s'affrontaient dans des guerres furieuses et futiles. La décadence entraîne la perversité. La Grande Race manipulait leur plasme, comme vous l'a déjà expliqué l'Héritière chargée du Temple plasmique. Certains palais ont même transformé les humains en animaux de boucherie; heureusement, jamais Pinacle ne s'est avilie jusqu'à ce point. Néanmoins, pourquoi se seraient-ils empêchés de créer des curiosités ? Pourquoi crois-tu que les Auxque ont capturé ta compagne ? L'examen de son plasme a confirmé ce qu'elles ont soupçonné en voyant les particularités de sa morphologie: l'un de ses aïeux, ou l'une de ses aïeules, a été libéré après le Grand Édit.

«Je lis la colère et l'outrage sur ton visage. Sache que les Sylvaneaux ne pouvaient se vautrer indéfiniment dans pareille déchéance. Ils se contemplèrent dans le miroir de leur conscience, et ce qu'ils y virent les révulsa. La nécessité d'un redressement moral s'imposa. Des sages venus de tous les palais se réunirent. Il leur suffit de contempler ce qu'il était advenu de cette terre, et d'eux-mêmes, pour comprendre que leur temps en ce monde était révolu. Le monde appartenait désormais aux hommes. Voilà ce qu'a proclamé le Grand Édit. Voilà pourquoi les Sages ont ouvert le chemin vers *Lirevÿe*. C'est par ce chemin que la Grande Race a fui le monde ; certains de plein gré, d'autres sous la contrainte. Les palais furent abandonnés, portes et fenêtres laissées béantes, ouvertes aux corbeaux et à la pluie dévastatrice. Sauf à Pinacle, la Cité parfaite, où le roi sut obtenir une dérogation de la part des Sages : il leur fut permis de léguer le palais en héritage, à condition que les serviteurs puissent en devenir les maîtres.

L'officiant se tut. Yarg échangea un regard avec Trivelin. Le long discours avait laissé son compagnon bouche bée.

— Vas-tu tomber si je te lâche ? demanda Yarg à Qiql.

— Non. J'ai repris contenance.

Il ouvrit le bras. La jeune Rouage s'écarta de lui : sa posture était assurée, et même un peu défiante vis-à-vis du reste de sa communauté. Yarg s'adressa à l'officiant :

— J'en ai moins long à dire. Nous allons sortir de cette salle, Qiql, mon compagnon et moi. Quiconque cherchera à m'en empêcher le regrettera.

— Qu'espères-tu donc accomplir ?

— Je sauve la vie d'une innocente. C'est un début.

Avec un geste grandiloquent, l'officiant tendit un bras décharné vers le couloir par où Yarg et Trivelin étaient apparus.

— Son sort ne nous importe plus : elle est morte le jour où elle t'a adressé la parole. Allez ! Personne ne s'interposera.

Les épaules raides de méfiance, Yarg et Trivelin entraînèrent Qiql entre ses condisciples. La jeune femme se laissa faire, telle une somnambule.

Une fois dans le couloir, ils accélérèrent un peu le pas, ignorant les Rouages qui attendaient patiemment dans la file qui n'avançait plus. Un rire hystérique monta dans la gorge de Yarg lorsqu'il comprit que ceux-ci, n'ayant rien vu ni entendu de l'affrontement, devaient apercevoir seulement Qiql.

Cette dernière, qui avait ajusté la vitesse de sa marche à celle de Yarg et de Trivelin, leur fit signe d'entrer dans un couloir secondaire.

— Il faut arriver au Temple plasmique avant que la nouvelle de mon enlèvement soit connue des Maîtres, murmura-t-elle dès que le trio se trouva seul.

— L'officiant n'a-t-il pas promis de nous laisser partir ?

— Je ne peux prévoir ce qui va se passer. La situation est trop inusité.

Qiql s'élança, les pans de sa mante ramenés contre sa poitrine pour qu'ils ne ralentissent pas sa course. Yarg et Trivelin la suivirent le long de l'étroit couloir de pierre qui présenta bientôt de brusques virages et plusieurs embranchements.

À quelques reprises, la jeune Rouage contraignit ses libérateurs à un arrêt pour écouter.

— Des Héritiers passent parfois ici.

— Pourquoi tant de prudence ? demanda Trivelin. Dois-je rappeler que nous sommes invisibles, Yarg et moi ?

Devant l'expression mystifiée de Qiql, Yarg lui expliqua la source et la nature de l'illusion.

— Ah ! fit la jeune femme. Je croyais que l'angoisse m'avait fait halluciner.

Ils reprirent leur course. L'éclairage ambiant diminua. Yarg sentit l'odeur de la terre. Qiql expliqua qu'il s'agissait de raccourcis qui ne servaient plus. C'était maintenant un couloir étroit, au sol meuble parsemé de gravats. Ils montèrent une pente inégale, puis Yarg trébucha sur une brusque élévation, comme si une marche y avait été aménagée.

Plus loin, ils sautèrent par-dessus un caniveau empli d'une eau paresseuse et noire, charriant divers déchets. Le couloir se terminait par une salle hexagonale au plafond bas. Un liquide trouble suintait de multiples fissures. Des rats décampèrent à l'approche des intrus. Dans chaque mur béait un passage.

— Une chance que la galerie n'était pas obstruée, dit Qiql, les joues roses d'avoir couru.

— C'est encore loin ? demanda Trivelin, le souffle court lui aussi.

— Le Temple plasmique est juste au-dessus de nous. Laissez-moi me souvenir : je suis rarement venue ici.

Elle alla se poster devant chaque couloir, le nez levé. Yarg comprit qu'elle se servait de son odorat pour se repérer. Elle emprunta le couloir de droite. Les deux hommes la suivirent. Un remugle de graisse rancie était charrié par un courant d'air : l'odeur qui imprégnait le Temple plasmique, mais ici multipliée par vingt, par cent.

— C'est infect ! dit Trivelin.

Leur guide ne semblait pas particulièrement incommodée.

Au bas d'un escalier, ils entendirent des bourdonnements de machines. Un étage plus haut, les échos étaient plus nets.

Qiql, indécise, pointa son index gracile vers l'escalier qui poursuivait sa montée.

— Il y aura du monde au prochain niveau. Vous êtes certains d'être invisibles ?

— Pour quiconque ignore notre présence, nous le sommes, rappela Trivelin.

— Un instant, dit Yarg. Toi, Qiql, personne ne trouvera étrange que tu te promènes avec cette robe ?

— Je suis une Rouage, répondit-elle sur un ton d'évidence. Pour les Maîtres, je suis aussi invisible que vous.

— C'est bon. Allons-y.

L'escalier mena le trio à l'étage supérieur, qui se révéla être une vaste salle dans laquelle une douzaine d'Auxque et d'Allèle s'affairaient devant des appareils aux fonctions inconnues. C'était de ces appareils qu'émanait le bourdonnement dont la salle était remplie. Machines et locaux étaient différents de ceux que Yarg avait observés lors de leur première visite du Temple plasmique ; mais il n'avait cette fois ni le temps ni le désir de visiter.

Le frottement de ses escarpins noyé dans le bruit ambiant, Qiql entraîna Yarg et Trivelin à travers la salle en contournant le plus possible les Héritiers qui y travaillaient. Au grand soulagement de Yarg, la salle suivante semblait déserte. Une odeur de fauve flottait dans l'air. Il comprit que toutes les portes grillagées étaient celles de cages. La plupart étaient occupées par des chats de toutes les tailles et de toutes les couleurs de pelage, quoiqu'il s'y trouvât aussi des espèces animales qu'il ne connaissait pas. Certaines lui parurent parfaitement étranges et grotesques : des bêtes informes, aux membres tordus, à têtes multiples. Dans un éclair, il comprit que nombre de ces animaux monstrueux avaient été des chats, transformés par la science du plasme jusqu'à devenir méconnaissables.

Des cages plus grandes étaient empilées au fond de la salle, nimbées d'un éclairage d'un jaune terreux, indice que la chaîne de miroirs qui avait transmis la lumière du soleil jusqu'à ces profondeurs devait être longue.

Yarg eut l'impression que son cœur allait sortir de sa poitrine quand il reconnut Perlustre qui se morfondait derrière les barreaux d'acier poli d'une des cages. Disparues ses fanfreluches et ses luxueuses robes faites sur mesure. Elle ne portait que des socquettes et une tunique droite en coton d'une couleur indéfinie.

La prisonnière se redressa souplement et s'approcha des barreaux.

— Qiql ? C'est toi ?

— Oui.

— Que fais-tu ici ?

— Ne crie pas, murmura Yarg. Je suis ici aussi.

Perlustre bondit en arrière comme si un serpent lui avait sauté au visage :

— Qui est là ?

— Moins fort ! chuchota Yarg en regardant autour d'eux.

Perlustre se jeta de nouveau contre les barreaux et tendit une main fébrile pour s'assurer de la réalité de ce qu'elle voyait. Elle chuchota à son tour :

— Yarg ! Yarg, je te vois ! Je te vois maintenant !

Il prit la main de Perlustre et l'embrassa au creux de la paume. Jamais un contact humain ne l'avait rempli autant d'exultation.

— Nous sommes trois : vois-tu un petit homme, juste à ma droite ? Il s'appelle Trivelin.

La prisonnière fixa le vide à l'endroit indiqué et réussit cette fois à ravaler le cri d'étonnement avant qu'il ne franchisse ses lèvres.

— C'est de la magie ?

— Oui.

— C'est normal que vous soyez si petit ? demanda-t-elle à Trivelin.

— C'est normal que vous possédiez quatre bras ? rétorqua le jeune homme, un peu vexé.

— Écarte-toi, dit Yarg à Trivelin, qui se tenait devant la barrure de la cage.

Celle-ci était simple et efficace : un cadenas en forme d'anneau glissé dans deux œillets en assurait la fermeture. Yarg introduisit la pointe de son épée à l'intérieur de l'anneau et, dans un geste propre à scandaliser l'ensemble des forgerons et des escrimeurs de la terre, s'en servit comme d'un levier. La pointe de l'arme cassa avec un claquement aigu qui causa de l'agitation dans les cages derrière eux. Un chat se mit à miauler. Yarg recommença avec le fort de l'épée. Le bras de levier était moins long, aussi lui fallut-il bander ses muscles, mais cette fois-ci, c'est l'anneau qui céda.

Aussitôt la porte ouverte, Perlustre se jeta dans les bras de Yarg, qui vacilla sous le flot non endigué de son affection.

— Yarg… Oh ! Yarg… Je suis si désolée que nous nous soyons disputés !

— Descends tout de suite ! On se réconciliera si on survit !

— C'est mal parti, les prévint Trivelin.

Un trio de fillettes Auxque s'était immobilisé entre le quatuor et la sortie. Elles portaient chacune un long tablier blanc, maculé de sang de la poitrine jusqu'à la hauteur des genoux. Elles toisèrent tour à tour Yarg et Trivelin, le regard sévère sous leur frange de cheveux noirs.

— Nous allons le dire, dit la fillette du milieu.

Une pensée terrible se déploya dans l'esprit de Yarg : il était à peu près certain d'être capable de les tuer toutes les trois sans faire trop de bruit.

Il écarta l'idée et s'adressa plutôt à Qiql.

— Montre le chemin !

La jeune Rouage s'élança mais fut incapable de désobéir au trio des fillettes lorsqu'elles lui ordonnèrent d'arrêter. La fillette du milieu traça dans les airs un curieux signe qui exsudait la menace.

— Honte sur toi. Tu seras punie.

Yarg avança et écarta sans trop de ménagement les trois jeunes Auxque. Qiql, Perlustre et Trivelin profitèrent de la voie libre, poursuivis par des glapissements de fillettes outragées et des miaulements discordants.

◆

La fuite de Pinacle ne subsisterait dans la mémoire de Yarg que sous la forme d'une course folle, d'une succession étourdissante de couloirs, de passages, la plupart obscurs, étroits et nauséabonds.

Ils empruntèrent le monte-charge pour descendre, mais celui-ci s'immobilisa au bout de quelques étages. Heureusement, l'interstice entre le toit de la cabine et le plancher était assez large pour que les quatre fuyards puissent s'y glisser.

Les rares Rouages qu'ils rencontraient ne leur prêtèrent que peu d'attention ; mais Qiql ne ralentit jamais le pas. Elle était certaine que les Kaliemme devaient déjà être à leur poursuite.

Après une succession de passages resserrés, Yarg et ses compagnons sortirent enfin par une des ouvertures à la base du mur, où ils furent accueillis par une rafale de pluie tiède soufflée en plein visage. Pendant leur séjour dans les murs, d'épais nuages gris étaient montés à l'assaut du ciel. Une averse diluvienne s'abattait sur les champs et fouettait le mur cyclopéen au-dessus eux.

Ignace le Catonien et Panserfio attendaient loin à l'écart, stoïques sous la pluie. Yarg comprit qu'ils avaient émergé du mur par un passage relativement éloigné de celui par lequel ils étaient entrés. Il fit un grand signe du bras, surpris de constater que leurs compagnons n'accouraient pas à leur rencontre.

— Ils ne te voient pas, rappela Trivelin.

Perlustre prit le relais, sautant et agitant ses quatre bras, ce qui cette fois capta l'attention des deux hommes, qui accoururent. Incapable d'attendre, Perlustre courut à leur rencontre et sauta dans les bras du colosse, qu'elle couvrit de baisers jusqu'à ce que tout le monde soit réuni.

— Je déduis que celle-ci est votre compagne, fit Ignace le Catonien en étudiant Perlustre sous le rebord de son chapeau dégoulinant de pluie. Qui est l'autre ?

— On en a sauvé deux, dit Trivelin. Tant qu'à être sur place…

Du ciel tombèrent des cris et des exclamations. À cent pieds à la verticale, des gardes Kaliemme penchés par-dessus le mur les avaient repérés.

Les six fuyards s'élancèrent le long du chemin en direction du verger. Une flèche se matérialisa dans la boue à quelques pas devant Yarg. Il en vit passer une autre du coin de l'œil.

— Dans le verger !

Ils coururent jusque sous le couvert des arbres fruitiers en croisant un groupe de Rouages abrités sous une bâche. Ces derniers les regardèrent passer d'un air interdit.

— Vous savez où on va comme ça ? s'inquiéta Perlustre.

— Gardez votre souffle pour courir ! lança Ignace le Catonien sans ralentir le pas.

Le conseil était particulièrement pertinent pour Trivelin, Yarg et Qiql, qui n'avaient guère ralenti le pas depuis la libération de cette dernière. Ils poursuivirent leur course tous les six entre les allées d'arbres fruitiers. D'instinct, Yarg reconnut l'endroit où ils avaient surgi de la forêt sauvage. Un sentiment de satisfaction lui gonfla la poitrine : pour une fois, il avait l'impression de se trouver dans son élément.

Remonter la pente de la colline aurait été pénible par temps sec ; or, la pluie avait liquéfié la terre. Perlustre boitait. Elle avait couru en socquettes tout ce temps, ces dernières étant lacérées et maculées de boue. D'un air bourru, Ignace le Catonien lui fit signe d'approcher.

— Dans mes bras, mademoiselle.

— Drôle de lieu pour les marques d'affection !

— Vous interprétez mal mon offre. Je ne veux que vous porter jusqu'au sommet.

— Me porter ? Je refuse !

— Comme il vous plaira, grogna le magicien, qui se tourna alors vers Qiql. Vous, mademoiselle, accepterez-vous un geste de galanterie de la part d'un vieil homme ?

La jeune Rouage, qui semblait avoir renoncé à comprendre où elle était et ce qui se passait, accepta de se laisser prendre… et émit un cri étouffé lorsque les pieds d'Ignace le Catonien quittèrent le sol et qu'ils traversèrent tous deux la canopée dans un déluge de feuilles et de pluie.

Après avoir glissé dans la boue, s'être battus contre les branches qui les retenaient et avoir enduré les égratignures de cent espèces de plantes épineuses, Yarg, Trivelin, Panserfio et Perlustre atteignirent enfin le sommet rocheux de la colline, où Ignace le Catonien et Qiql les attendaient sous la pluie, le magicien ayant perdu son chapeau dans l'aventure.

— Ça m'apprendra à faire la fière, gémit Perlustre en contemplant ses genoux meurtris sous sa tunique en lambeaux.

— On y est presque ! cria Trivelin entre deux inspirations sifflantes.

Ils franchirent le sommet puis descendirent le flanc opposé de la colline, aussi encombré de chausse-trapes, de bosquets d'épines et de roches glissantes que la montée. Lorsque Yarg émergea du couvert de la forêt, trois éléments se combinèrent pour lui donner l'impression que son cœur allait lui sortir de la poitrine. L'essoufflement de la course d'abord, la joie d'apercevoir la *Guilloche* amarrée à une pointe rocheuse ensuite et, finalement, la consternation de distinguer à travers le rideau de la pluie une multitude de taches rouges qui descendaient la pente de l'autre côté de la baie.

Les gardes Kaliemme avaient deviné sans mal la destination des fuyards lorsqu'ils les avaient vus disparaître dans la forêt. Yarg ne se donna pas le mal de les compter : ils étaient nombreux, tout simplement trop nombreux.

Trivelin se tourna vers Ignace le Catonien, le regard exorbité sous ses cheveux mouillés.

— Emmenez les deux demoiselles au navire pardessus la baie par Translation ! Nous retarderons les soldats !

— *Mfff !* émit Panserfio, en s'alignant auprès de Trivelin, l'épée en position.

— Je refuse de vous abandonner ! dit Perlustre.

— Pourrais-tu, une fois dans ton existence, être raisonnable ? fulmina Yarg.

— Fi donc ! Parce que c'était raisonnable de ta part de venir me libérer ?

— Silence ! tonna Ignace le Catonien. Comment puis-je me concentrer avec ce bavardage et cette pluie sur ma tête ? Préparez-vous à courir lorsque je vous en donnerai l'ordre.

Le magicien étendit les bras, les yeux mi-clos, en psalmodiant une incantation dans une langue inconnue. Tout ce temps, Yarg observait les gardes monter et descendre les irrégularités du terrain rocheux.

Il aperçut aussi les deux hommes d'équipage de la *Guilloche* émergeant de leur cabine. Difficile de voir leur visage à cette distance et avec toute cette pluie, mais il était clair qu'ils avaient compris ce qui se passait et restaient indécis sur la conduite à tenir.

L'avant-garde des Kaliemme n'était plus qu'à une cinquantaine de pas devant eux. Éructant une dernière syllabe quasi imprononçable, Ignace le Catonien poussa avec ses deux mains. Un voile iridescent se gonfla dans l'air chargé de pluie et s'envola mollement en direction des soldats. Certains tentèrent de s'écarter, d'autres continuèrent leur progression sans en tenir compte. Ils furent tous atteints par une partie du voile, qu'ils traversèrent avec autant de facilité, et avec aussi peu de dommages, que si ce n'avait été que de la fumée.

Sauf que les Kaliemme s'arrêtèrent de courir. Tous. L'avant-garde en premier, les autres avec un délai correspondant au temps que le voile magique avait mis pour les atteindre. Un d'entre eux laissa tomber son épée, un second perdit pied sur la mousse détrempée et resta assis là, regardant autour de lui comme s'il ne reconnaissait ni les personnes ni les lieux.

— Ils sont étourdis ! expliqua Ignace le Catonien. Ça ne dure qu'un instant !

Yarg prit Qiql par la main et s'avança, la pointe brisée de son épée levée en direction du garde Kaliemme le plus proche, qu'il contourna à distance prudente. L'autre les regarda passer d'un air endormi, indifférent aux trombes d'eau qui continuaient de s'abattre au-dessus de la baie. Derrière lui, un de ses camarades retira son casque pour le jeter dans l'eau, avec un immense éclat de rire.

Yarg et Qiql pressèrent le pas, les autres aussi.

Les Kaliemme n'étaient pas tous aussi indolents ou joviaux. Deux se crachèrent des insultes, ce qui dégénéra en une rixe intestine. Un autre fut pris de frénésie en apercevant Perlustre. Écumant de rage au sujet de ses quatre bras, il s'élança vers la jeune femme en fouettant l'air de son épée. Il trouva Panserfio en travers de son chemin. Les lames tintèrent. Le pied du colosse glissa sur la roche moussue. Il tomba de tout son long. Son adversaire avait déjà dressé son arme, les deux mains sur la poignée, prêt à l'abattre. Une pierre de la grosseur d'un œuf l'atteignit entre les deux yeux, suivie d'une autre sous la pomme d'Adam. Il tomba à la renverse sur la pierre mouillée. Perlustre exulta d'une joie féroce :

— Une jongleuse, ça sait viser !

— *Mfff!* approuva Panserfio en se relevant.

— Dépêchons ! dit Ignace le Catonien. Ils se réveillent !

C'était aussi l'impression de Yarg. Les Kaliemme semblaient maintenant comprendre qu'il n'était pas convenable que les six fuyards puissent se glisser entre eux si facilement.

— Hé ! cria un de ceux-ci, la voix pâteuse.

Heureusement, Yarg et ses compagnons s'étaient engagés dans la pointe de la baie au bout de laquelle la *Guilloche* était au mouillage. Le grand moustachu avait jeté une passerelle entre le navire et le promontoire rocheux.

Prêts à appareiller ! cria Ignace le Catonien, qui attrapa Perlustre et s'envola avec elle sans gaspiller son souffle à lui demander la permission.

Le couple enlacé fila à travers la pluie. Arrivés audessus de la *Guilloche*, ils chutèrent sur le pont où ils roulèrent tous deux cul par-dessus tête, pendant que le pilote à la peau noire se précipitait sur la manette qui contrôlait la vitesse du moteur.

Les gardes Kaliemme s'étaient tous suffisamment réveillés pour talonner les quatre fuyards qui restaient. Ils avaient presque rejoint Trivelin, le plus handicapé du groupe parce qu'il était obligé de sauter d'une roche à l'autre.

Yarg et Qiql furent les premiers à atteindre la passerelle. La jeune femme hésita, effrayée par les gesticulations fébriles du moustachu qui lui criait de se dépêcher. Il fallut quasiment que Yarg la pousse devant lui. Lui-même se jeta sur le pont pour ne pas bloquer le passage à Panserfio et Trivelin qui accouraient.

— En avant toute ! hurla Ignace le Catonien.

L'ordre était inutile : le costaud aux épaules noires avait poussé la manette du moteur à fond. Avec un bourdonnement intense, les ailettes de cuivre et de fer s'élancèrent à pleine vitesse, entraînant les deux roues à aubes. Une secousse ébranla le navire de la poupe à la proue au moment où deux Kaliemme s'engageaient sur la passerelle, que le moustachu n'avait pas eu le temps de relever. Halte-là ! Panserfio se dressait devant eux, son épée barrant le passage.

Entraînée par le navire, la passerelle se décrocha du surplomb. Les gardes tombèrent entre la coque et la paroi rocheuse pour être aussitôt happés par les pales de la roue qui tournait à plein régime. Yarg ne pouvait voir l'arrière du navire. Il doutait que les deux gardes eussent survécu. Mais les circonstances n'étaient guère propices à la pitié.

Pour la seconde fois de la journée, Yarg observa une troupe Kaliemme rapetisser sur la berge de l'île. Le spectacle était moins impressionnant que la première fois : les uniformes rouges des gardes éparpillés se fondirent dans la masse indistincte de la pente rocheuse, gris foncé contre le gris à peine plus clair du ciel. Ce fut l'ultime vision qu'il emporta de Pinacle ; bientôt, la masse entière de l'île disparut derrière le rideau mouvant de la pluie qui redoublait d'intensité.

CHAPITRE 14

Destination : Port Soleil

Yarg fut tiré de sa contemplation du panorama pluvieux qui avait englouti Pinacle par un appel éploré. Au milieu du pont de la *Guilloche*, Perlustre et Trivelin étaient agenouillés auprès d'Ignace le Catonien. Le magicien ne s'était pas relevé depuis qu'il s'était effondré après avoir transporté Perlustre. Yarg s'approcha. En voyant le visage crayeux, aux traits tirés, à la barbe lissée de pluie, il crut que le magicien était mort, mais une goutte de pluie dans son œil lui fit battre spasmodiquement une paupière.

— C'est à cause de la magie, dit Trivelin. Aidez-moi à le mettre au sec !

Yarg, Panserfio et le grand moustachu transportèrent le corpulent personnage dans une cabine qui faisait aussi office de salle de navigation. Trivelin enleva les livres qui encombraient le lit, les autres y allongèrent Ignace le Catonien après l'avoir débarrassé de sa toge trempée.

Une fois emmitouflé dans une couverture, ce dernier ouvrit des yeux à la sclérotique rougie.

— Trivelin ? demanda-t-il d'une voix douce.

— Je suis ici, capitaine.

— Tout le monde est sauf ?

— Oui, capitaine. Nous nous éloignons de Pinacle à pleine vitesse.

— Dis à monsieur Douar de ralentir la vitesse au cinquième. Pas très prudent de foncer à plein régime dans cette pluie.

— Ce sera fait, maître.

— Dis aussi à monsieur Douar que je lui confie le navire. Je pense que je vais me reposer un peu maintenant.

— Oui, maître. Reposez-vous.

Ignace le Catonien referma les yeux avec un lent soupir et les rouvrit aussitôt.

— Trivelin !

— Je suis toujours ici.

— Tu n'oublies pas de t'occuper de nos passagers ?

— Surtout pas. D'abord, des vêtements secs pour tous. Ensuite, un petit verre de remontant. Enfin, on regarde comment on va s'arranger pour installer ces demoiselles de façon confortable.

Trivelin se tut : le magicien s'était endormi.

Yarg sentit la main de Perlustre sur son bras.

— Où est Qiql ?

— Je ne sais pas.

— La grande maigre aux cheveux blancs ? dit le moustachu. Elle est restée sous la pluie.

Yarg sortit et découvrit Qiql debout dans l'averse, ses bras croisés sur sa poitrine, grelottante dans sa mante sacrificielle en lambeaux. Il alla la chercher pour la ramener à l'abri.

— Il fallait nous suivre, voyons…

Qiql leva un visage trempé et misérable.

— Personne ne m'a dit quoi faire.

Ils croisèrent Trivelin qui courait transmettre au costaud à la peau noire – monsieur Douar – les instructions du capitaine. Le nain retrouva ses passagers à l'intérieur de la cabine. Ces derniers retirèrent leurs vêtements détrempés et boueux – Yarg ne fut pas surpris de constater que Perlustre avait déjà pris de l'avance sur ce point – en attendant que Trivelin leur distribue des couvertures, ce qu'il accomplit avec un sourire dépité.

— Fallait me prévenir d'avance que j'hériterais du poste d'habilleuse de la *Guilloche*.

Il s'adressa à Perlustre qui claquait des dents, la couverture serrée sous son menton avec ses quatre poings tremblotants.

— C'est rare que je peux offrir mes vêtements à une autre personne, mais d'après ce que j'ai pu juger de votre… ahem… ossature, je pense pouvoir vous accommoder. Soyez prévenue : mes chemises ne possèdent hélas que deux manches.

La jeune femme sourit, les dents tressautantes.

— J'ai souvent g-g-gardé deux bras dans mon corsage quand je ne voulais p-p-pas me faire remarquer…

Trivelin se tourna vers Qiql, Yarg et, avec une pause sceptique, Panserfio.

— Pour vous trois, il faudra sans doute aller puiser dans la garde-robe de Frontignan.

— J'ai juste des chemises de gros drap et des pantalons de marin, expliqua Frontignan – le moustachu – avec un regard piteux vers Qiql. J'suis gêné d'offrir mes vieilles guenilles à une jouvencelle.

Celle-ci baissa les yeux, la timidité rehaussant de rouge ses pommettes.

— C'est moi qui suis confuse de solliciter tant d'attention.

Pendant qu'on s'ingéniait à procurer à tous du linge de rechange, la pluie diminua d'intensité pour s'arrêter tout à fait. La cabine du capitaine n'étant certes pas très spacieuse, tout le monde, sauf le capitaine endormi, en profita pour sortir sur le pont.

La chape nuageuse qui couvrait la mer Tramail se déchira. Affalé sur l'horizon, le soleil colora d'un rose anémié le dessous effiloché des nuages. La surface des eaux reflétait le ciel, une mosaïque liquide aux couleurs encore plus embrouillées.

Monsieur Douar s'approcha, trempé des pieds à la tête, ce qui ne semblait nullement l'incommoder.

— La nuit tombe. Je vais jeter l'ancre.

Trivelin étudia l'horizon, vierge de tout bâtiment.

— Fort bien, monsieur Douar. Allez vous changer et venez nous rejoindre : un petit remontant sera le bienvenu.

— Vous êtes bien aimable, messire Trivelin.

En route vers ses quartiers, monsieur Douar marqua le pas pour regarder Perlustre et Qiql. Difficile de déterminer si le rude gaillard appréciait ou désapprouvait le spectacle de Perlustre en gentilhomme au pantalon trop court, et celui de Qiql en marin dépenaillé.

— Monsieur Frontignan ?

Le grand moustachu à la peau gris-jaune s'approcha.

— Oui, monsieur Douar ?

— Combien d'années avez-vous navigué sur la Tramail ?

— Fort peu d'années, monsieur. J'ai surtout navigué sur la rivière Allège, je vous le rappelle.

— Même ainsi, avez-vous déjà transporté pendant toutes ces années un duo de dariolettes aussi curieusement appariées ?

— Je m'en rappellerais, monsieur, si ç'avait été le cas.

Monsieur Douar hocha sentencieusement son visage buriné :

— C'est aussi ce que je me disais.

Sur ce, il alla se changer.

Trivelin émit la supposition que toutes ces aventures avaient dû leur aiguiser l'appétit. Personne à bord ne le contredit, Yarg encore moins que les autres, car ni lui ni Panserfio n'avaient mangé depuis la veille. On installa une table, des bancs. Trivelin offrit du vin, du fromage, du chou en saumure et du poisson fumé. Tous firent honneur aux victuailles pendant que, dans le ciel lavé de nuages, le crépuscule épinglait les premières étoiles.

— Votre capitaine va-t-il s'en remettre ? demanda Perlustre.

— Ne vous inquiétez pas pour lui, dit Trivelin en disposant des lampes à huile à chaque bout de la table. Il lui faut une bonne nuit de repos, c'est tout. Les illusions sont peu dispendieuses en énergie, car elles ne font que flotter à la surface du réel. Mais la véritable magie, comme la génération de l'onde qui a brouillé l'esprit des soldats, c'est toujours exténuant. Ne parlons même pas du fait qu'il s'est envolé par Translation à plusieurs reprises.

— Êtes-vous magicien vous aussi ?

Avec un rire dépréciateur, Trivelin se resservit du vin.

— L'érudition dont je fais preuve en ce moment est de seconde main. Je n'ai guère de qualités moi-même, si ce n'est la modestie. Et même là !

— Je sais bien que c'est faux ! dit Perlustre d'une voix serrée d'émotion. Vous êtes tous valeureux et industrieux, et je tiens à vous faire part de ma gratitude, surtout à toi, Qiql, car une fois la balance équilibrée, c'est toi qui as perdu le plus dans l'affaire.

— Je suis tout aussi redevable que vous envers ces gentilshommes, dit Qiql. Ils m'ont favorisée et délivrée de la mort.

— Que veux-tu dire ?

Yarg et Trivelin racontèrent à leur auditoire pour quelles raisons et à la suite de quelles circonstances la jeune Rouage s'était enfuie de Pinacle avec eux, explications qu'ils n'avaient pas eu le temps de donner jusqu'à ce moment. Ce fut surtout Trivelin qui parla. Il trouvait plaisir à être au centre de l'attention, et Yarg n'y voyait aucun inconvénient, même si le jeune homme, en dépit de sa modestie autoproclamée, exagéra à l'occasion sa bravoure et l'intensité du péril.

Yarg ne jugea pas nécessaire de le corriger, tant était innocent le procédé.

Un silence méditatif suivit le récit de Trivelin, brisé par Perlustre, son visage délicat modelé par la lumière chaude des flammes.

— J'avais bien compris que les Auxque avaient ordonné ma capture pour étudier à loisir mon plasme, mais je pensais que c'était juste à cause de mes bras et de mes seins. Je n'aurais jamais imaginé que j'étais la descendante d'une création des Sylvaneaux.

— Ce doit être troublant de l'apprendre, dit Frontignan.

— Au contraire, ça explique beaucoup de choses. Je suis donc un peu comme Qiql, quand on y pense bien.

L'expression méditative fit place à un sourire circonspect, comme si Perlustre examinait une idée si neuve qu'il lui fallait la tourner en tous sens pour en apprécier tous les aspects. Elle prit la main de Qiql dans la sienne :

— Tu serais ce qui se rapproche le plus d'un membre de ma famille. Une cousine ! Tu entends, Panserfio ? Et toi, Yarg, tu te rends compte ? Nous sommes cousines, Qiql et moi. Autant dire des sœurs. Mon cœur était déjà trop petit pour contenir tout le bonheur de découvrir que vous étiez prêts à risquer votre vie pour me sauver, Panserfio et toi. Voici que je me découvre une sœur ! Moi qui me croyais seule au monde ! Qu'est-ce que tu dis de ça ?

— Que tu déraisonnes.

— Persifle tant que tu veux. Tu as dévoilé ton vrai visage en revenant me chercher, Yarg. Je sais maintenant que tu es sentimental comme tous les hommes. Quand je pense que j'ai pris assez au sérieux une de tes remontrances pour me fâcher contre toi ! Es-tu conscient que de toutes les pensées douloureuses qui m'ont affligée pendant mon emprisonnement à Pinacle, la plus pénible était que nos dernières paroles avaient été une dispute ?

— Une dispute ? s'étonna Trivelin. À quel sujet ?

— Nous ennuyons la tablée avec nos réminiscences, dit Yarg.

— Pas du tout. Nous sommes fascinés.

— Perlustre en fait une affaire personnelle, dit Yarg, embarrassé de se retrouver l'objet de pareils débordements affectifs. Sa libération était aussi l'idée de Panserfio.

— Je le sais fort bien ! Mais de sa part, ce n'est pas une surprise !

— *Mfff…* émit Panserfio avec un sourire un peu intimidé.

Après le repas, Trivelin s'attela au problème de loger des passagers aussi peu prévus. Il céda sa propre cabine aux demoiselles. Yarg et Panserfio se firent attribuer la dernière cabine libre de la *Guilloche*, le qualificatif de « libre » étant relatif puisque la pièce était remplie presque jusqu'au plafond de tiges de métal, de caisses de bois et d'autre matériel. Sous la lumière des lampes à huile, tous s'affairèrent à transporter une partie de ce barda dans un coqueron à la proue. Quand Trivelin expliqua qu'il allait coucher à terre dans la chambre du capitaine, Perlustre protesta mais mollement, car le vin et la fatigue avaient pris le dessus.

◆

La première nuit de Yarg à bord de la *Guilloche* fut ponctuée d'éveils en sursaut et de périodes d'insomnie. La masse ronflante de Panserfio contre son flanc, l'humidité des couvertures et l'atmosphère confinée de la cabine lui ramenèrent en mémoire les paroles de Perlustre prononcées deux jours plus tôt, lorsqu'elle avait prédit que le confort à bord d'un navire serait inférieur à celui de leur luxueux appartement dans la Cité parfaite.

Yarg réalisait plus que jamais à quel point l'atmosphère de l'antique cité avait pesé sur son esprit et son âme… mais il lui aurait fallu faire preuve de mauvaise foi pour ne pas regretter le matelas moelleux et les draps parfumés. Il tenta de contrebalancer cette évocation par les souvenirs de sa cage dans la steppe ou ceux des cales de la *Diamantine*. Si cette mise en perspective le consola sur le plan de la rationalité, elle n'atténua pas l'intensité des ronflements de son compagnon de lit.

Le segment de ciel inscrit dans l'étroit hublot s'était éclairci. Yarg se leva. Il remit son élégant costume de spadassin hérité de Pinacle – l'air du large finirait par le sécher –, enfila ses bottillons, puis sortit sur le pont.

L'air matinal était propre et frais. Le ciel sans nuages, couleur d'aube, se fondait dans la mer, peu importe la direction où portait le regard.

Le capitaine Ignace le Catonien et ses trois hommes d'équipage déjeunaient en silence, assis à la table sur le pont. Yarg les salua d'un hochement de tête. Le capitaine lui fit signe de s'asseoir, puis montra les victuailles sur la table. Du pain noir, de la confiture, du saucisson et un pot de grès contenant des petits poissons en saumure constituaient le menu des passagers autant que de l'équipage. Un flacon fut passé de main en main. Yarg fit comme tout le monde : il se versa une rasade dans la gorge, geste qui lui apparut aussi sensé et naturel que de se taire à cette heure où l'esprit est encore gourd de sommeil.

Le flacon contenait de la bière, piquante et acide, mais loin d'être désagréable pour autant. Monsieur Douar but ensuite, avala son dernier bout de pain, rota, puis demanda au capitaine ses instructions.

— Plein nord jusqu'au passage de la Chicane, monsieur Douar. Aux quatre cinquièmes.

— À vos ordres, dit monsieur Douar, qui se leva et alla pousser le contrôle de vitesse du moteur.

Les pales de fer et de cuivre s'élancèrent, tournèrent de plus en plus vite en émettant un chuintement qui s'amplifiait et augmentait en fréquence, avec en contre-point le bruissement liquide des roues à aubes. Yarg sentit le vent se lever. Le miroir de la mer s'embrouilla à la poupe. La *Guilloche* était en marche.

Le bruit et les vibrations éveillèrent les derniers dormeurs. Panserfio apparut. Lui aussi avait préféré enfiler son habit encore humide de la veille – il était à sa taille, au moins. Il cligna des yeux sous les rayons du soleil qui venait juste de poindre à l'horizon. Les deux demoiselles suivirent, Perlustre souriante et toute décoiffée, Qiql un peu mal à l'aise, une couverture serrée sur ses épaules pour se prémunir contre la fraîcheur matinale. Elle semblait avoir de la difficulté à croire à la réalité du ciel au-dessus de sa tête, du navire sous ses pieds et des compagnons qui l'entouraient.

Les trois derniers levés s'attablèrent et mangèrent avec appétit, Perlustre n'oubliant pas de s'informer de l'état de santé d'Ignace le Catonien.

— Vous êtes bien aimable de vous inquiéter ainsi du sort d'un vieil homme, répondit le magicien sur un ton un peu compassé. Je suis las, mais rien qui vaille qu'on le mentionne. Je ne vous demande pas si vous avez bien dormi, ou si vous trouvez votre logement confortable : ce serait indélicat de vous obliger à mentir par politesse. Nous n'avions pas prévu, en entreprenant ce voyage d'étude, que nous aurions à accommoder deux demoiselles de votre qualité.

— En temps normal, je vous baiserais les mains pour la faveur que vous nous avez faite en nous accueillant à bord de votre navire, dit Perlustre sur un ton dénué de toute trace de coquetterie ou d'affectation. Or, maintenant que les émotions d'hier se sont atténuées, je suis surtout chagrinée de dépendre entièrement de votre générosité. Nous n'avons ni possessions ni argent pour payer notre passage et notre nourriture.

— Le passage de Yarg et de Panserfio nous a été généreusement payé, en or de surcroît. Au moment de faire les comptes, je n'aurai qu'à partager la somme reçue pour quatre passagers plutôt que deux. Qu'en penses-tu, Trivelin?

— Qu'il serait malavisé de contester une décision de mon capitaine, surtout lorsque celle-ci est sage et généreuse.

— Je ne peux que répéter à quel point nous vous sommes tous reconnaissants.

— Notre relation est désormais une relation d'affaires, mademoiselle Perlustre. Je n'accepterai plus un seul remerciement autre que ceux prescrits par la politesse en usage entre personnes civilisées.

— Ça me convient à moi aussi. Je vous signale toutefois que je ne m'appelle plus Perlustre.

— Tu ne vas pas recommencer… grogna Yarg.

— Si une femme a le droit de changer de coiffure et de toilette, pourquoi n'aurait-elle pas le droit de changer ce qui n'est, après tout, qu'une parure comme les autres? Perlustre aura été mon nom à Pinacle; je suis désormais à bord de la *Guilloche*. Monsieur Douar m'a qualifiée de dariolette? Je m'approprie le qualificatif. Appelez-moi Dariole.

Yarg interpella Qiql.

— Et toi? Tu veux aussi changer de nom?

La jeune femme écarta délicatement une mèche de cheveux blancs que le vent de la course avait rabattue sur son visage.

— Peut-être. Je pourrais choisir un nom que vous sauriez prononcer.

— Tu maintiens que je prononce mal ton nom ?

— Je ne vous en tiens pas rigueur, se dépêcha de préciser la jeune femme, ses joues pâles se teintant de rose.

— « Qiql », dit Yarg. C'est bien ainsi que tu le prononces, non ?

— Je ne sais comment expliquer ces choses… Votre « i » est flasque. Il devrait être dur, en haussant l'intonation.

— « Qiql. »

— Pas tout à fait. *Qiql*.

— Ça se ressemble beaucoup, fit observer Trivelin, l'air sceptique.

— *Mfff*, objecta Panserfio en touchant son oreille : *C'est différent*.

— Je suis confuse que mon nom soit un sujet de controverse, fit Qiql, plus rouge que jamais. Appelez-moi comme il vous plaît…

— La traversée sera longue, intervint Ignace le Catonien sur un ton diplomatique. Nous aurons amplement de temps d'ici l'arrivée à notre destination pour pratiquer le nom de notre passagère.

— Et cette destination, quelle est-elle ? demanda Dariole.

— Nous allons remonter la Chicane, cela est assuré. Nous mettrons ensuite le cap vers la côte est de la mer Tramail, afin d'y débarquer messires Yarg et Panserfio. Je ne crois pas que nous ayons eu le temps de préciser à quel port particulier vous vouliez être amenés.

Yarg regarda Dariole.

— Tu veux toujours retourner à Port Soleil ?

— Port Soleil est ma patrie, ma ville natale. C'est dans les cours et les allées de la Sororité que j'ai connu tous les bonheurs et les émois de l'enfance. Plus âgée, j'ai taquiné les garçons dans ses ruelles ; j'ai fleureté la nuit dans le jardin des Oliviers ; j'ai été élue Fleur-de-Miel et j'ai mené la procession du

Solstice l'année du tremblement de terre. J'y ai des amis, des protecteurs ; cinq maisons m'accueilleront à bras ouverts lorsqu'elles me verront réapparaître.

— Je comprends que la réponse est oui, fit Ignace le Catonien, un sourire dans la voix.

— La réponse est : ne me brisez pas le cœur avec une promesse que vous ne seriez pas capable de tenir.

Le magicien se leva.

— Il suffit de me regarder pour comprendre que j'ai brisé le cœur de fort peu de demoiselles dans ma vie. Sachez, mesdemoiselles, et vous aussi messires, que la *Guilloche* est désormais en route vers Port Soleil. Pour autant que je puisse compter sur vos bons offices pour nous guider jusque-là, car je ne crois pas que même monsieur Douar soit déjà allé si loin au sud-est.

— Panserfio a beaucoup navigué sur la mer Tramail, dit Yarg. Son expertise sera plus utile que la mienne, c'est sûr.

D'un hochement de tête, le colosse confirma l'exactitude de l'information.

— Je n'ai jamais été aussi heureuse de ma vie ! explosa Dariole, qui serra à nouveau Panserfio avec un couinement de joie, puis sauta de son banc pour aller baiser sur les deux joues l'armateur, concepteur et capitaine de la *Guilloche*, supplice qu'elle infligea ensuite à Frontignan, puis à Trivelin, pour finalement bondir comme un cabri jusqu'aux bras noirs et musculeux de monsieur Douar.

Après un instant de confusion, ce dernier força la jeune femme à s'écarter de lui, pour lui administrer une remontrance que cette dernière écouta d'un air sceptique. Dariole abandonna le pilote avec un geste désinvolte, puis revint à la table pour s'asseoir sur les genoux de Yarg avec l'abandon sans artifice d'une enfant.

— Monsieur Douar refuse les embrassades. Il dit que sa femme est capable de sentir le parfum d'une autre même après quatre mois de navigation.

— Vas-tu bondir en tous sens jusqu'à Port Soleil ? demanda Yarg.

Le sourire se métamorphosa en froncement de sourcils pensif.

— C'est vrai que nous ne sommes pas encore arrivés. Il peut se passer encore bien des catastrophes d'ici là.

— Enfin un peu de bon sens.

— Ce n'est pas pour mon bon sens que tu es revenu me chercher ! rétorqua Dariole en lui administrant une quadruple chiquenaude sur le nez, le menton et les lobes des oreilles.

Elle descendit des genoux de Yarg, au soulagement de ce dernier qui commençait à trouver troublant le sans-gêne avec lequel Dariole fleuretait, pour ne rien dire de la stimulation générée par la tiédeur de son corps délié contre le sien.

— Yarg a raison, déclama la jeune femme à la ronde. Un peu de modestie, de bon sens et de retenue ne peut que m'être bénéfique, ne serait-ce que pour me permettre d'exercer des muscles qui chez moi se sont atrophiés faute d'emploi. Capitaine : que puis-je faire pour me rendre utile à bord ?

Ignace le Catonien fronça ses épais sourcils broussailleux.

— Vous me prenez au dépourvu. Que savez-vous faire ?

— Beaucoup de choses. Je sais tailler et coudre, dit Dariole, au soulagement de Yarg qui craignait que la jeune femme décline des compétences d'une autre nature. Si vous avez des aiguilles, du fil et un peu de tissu, je pourrais nous confectionner, à Qiql et à moi, des costumes un peu mieux ajustés, et sans doute plus flatteurs.

— Nous avons tout ce qu'il faut pour repriser et réparer les accrocs. En matière de tissu, eh bien, il faudra se débrouiller avec ce que nous avons.

— Je sais coudre, moi aussi, dit Qiql. Cela fait…
Cela faisait partie de mes tâches.

— Je disais bien que nous étions sœurs ! Capitaine,
je vous en conjure, procurez-nous ces instruments, que
nous puissions nous mettre à l'ouvrage sans tarder !

Ignace le Catonien s'inclina avec une déférence
compassée qui n'était peut-être pas exempte d'ironie.

— Veuillez me suivre, mesdemoiselles.

Frontignan, Trivelin, Panserfio et Yarg contemplèrent
le trio en train de s'éloigner vers la proue du navire.

— J'ai l'impression qu'avec mademoiselle Dariole
à bord, on ne va pas s'ennuyer, conclut Trivelin.

— Elle a beaucoup d'énergie, dit Yarg.

— *Mfff,* confirma Panserfio.

◆

Dans le ciel bleu poudreux, le soleil traça une
courbe depuis l'est de la mer Tramail jusqu'à l'ouest.
Avec la même patience et la même résolution, la
Guilloche filait plein nord aux quatre cinquièmes de
sa vitesse maximale.

Pendant que les demoiselles mesuraient, coupaient et
cousaient – Dariole étant si absorbée par cette activité
qu'il lui arrivait d'interrompre son babillage pendant de
longues minutes –, les hommes s'activèrent à mettre
un peu d'ordre dans les cabines et sur le pont. Le matériel, qui avait été entassé un peu n'importe comment
la veille dans la pluie et la précipitation, fut rangé,
couvert de bâches et arrimé. Ils lavèrent à grande eau
le plancher de la cabine des hommes. Ils secouèrent les
matelas de bourre et obéirent à l'injonction de Dariole
qui exigea qu'on lessive les couvertures ; la moitié ce
jour-là, le reste le lendemain lorsque les premières
auraient eu le temps de sécher.

Torse nu, le pantalon trempé, Yarg retira les dernières couvertures du baquet d'eau de rinçage. Avec

l'aide de Panserfio, qui lui aussi s'était départi d'autant de vêtements qu'il était décent de le faire devant des dames, il alla les suspendre afin qu'elles sèchent dans le vent de la course.

Il recula d'un pas pour admirer son ouvrage, essuya la sueur piquante qui lui coulait dans les yeux, puis accepta avec gratitude l'outre de bière que Trivelin lui tendait. Il but, passa l'outre à Panserfio puis, une fois celui-ci rassasié, la reprit pour boire encore un peu.

Il était heureux que les passagers et l'équipage bénéficient du courant d'air de la marche. Yarg avait l'impression qu'ils auraient étouffé de chaleur, la surface étale et grise de la mer Tramail reflétant la brûlure du soleil comme une plaque d'étain étendue à l'échelle du ciel.

Frontignan s'approcha, exprimant le fait que si on lui offrait aussi à boire, il ne dirait pas non. Yarg lui tendit l'outre.

— Aïe ! se plaignit Dariole, qui cousait en compagnie de Qiql dans l'ombre portée des cabines. Je me suis encore piquée ! Comment puis-je garder l'œil sur mon aiguille avec tous ces hommes vaillants et bien taillés en muscles, quasi nus devant moi ?

— Il est notoire que la vie en mer est une source de périls, expliqua Trivelin sur le même ton.

Dariole glissa un œil malicieux en direction de Yarg.

— En tout cas, à te voir battre l'eau du baquet avec autant d'expertise, j'ai enfin découvert ton ancien métier : lavandière. Je comprends pourquoi tu fais semblant de ne pas t'en souvenir.

Yarg hocha la tête sous les rires. La taquinerie l'amusait autant que les autres, mais il jugea qu'elle aurait plus de saveur s'il faisait mine de s'en offusquer. Qiql riait aussi, hoquetant et rouge comme si elle avait honte d'exprimer publiquement pareille émotion, ce qui emplit la poitrine de Yarg d'une forme différente de chaleur. Il lui sembla qu'il n'avait jamais connu un moment de fraternité aussi sereine et cordiale.

Frontignan, qui montait régulièrement au poste d'observation sur le toit des cabines, aperçut au nord les premières îles de la Chicane. Monsieur Douar arrêta le moteur. Dans la riche lumière de la fin de l'après-midi, la *Guilloche* continua un certain temps sur son erre, puis une ancre fut lancée dans les flots et le navire s'immobilisa tout à fait.

Avant le repas du soir, Dariole annonça qu'elle sollicitait l'opinion des passagers et de l'équipage au sujet des vêtements qu'elle et Qiql avaient confectionnés cette journée-là. Les deux jeunes femmes s'enfermèrent dans leur cabine et, après un délai absurdement long, du moins selon l'entendement masculin de ceux qui attendaient, elles réapparurent dans leurs nouveaux atours.

Dariole avança la première, ses quatre bras nus se balançant avec une souplesse gracieuse. Elle tourna sur elle-même, minaudant et ponctuant le tout de déhanchements que Yarg aurait trouvés trop suggestifs s'il n'avait pas fini par s'accoutumer à l'irrépressible penchant de la jeune femme pour la séduction taquine. Le costume qu'elle s'était confectionné lui rappelait beaucoup ce qu'elle ne portait pas la première fois qu'il l'avait aperçue dans la cage après son retour à la conscience : un corsage ajusté à larges rayures jaunes et vertes, une jupe courte plissée, et une culotte qui descendait à mi-mollet, issue d'un des pantalons de Trivelin, défait et recousu pour s'ajuster à des courbes plus féminines.

La performance de Qiql fut plus sobre. Elle avança à pas mesurés, rouge depuis la racine des cheveux jusqu'au corsage de sa robe bleue toute simple, à manches mi-longues, qui allait en s'évasant pour se resserrer un peu sous les genoux. Indéniablement, jugea Yarg, il y avait une nette amélioration par rapport aux hardes de Frontignan.

Trivelin applaudit avec un enthousiasme qui n'était pas totalement de la comédie.

— Extraordinaire ! Contempler mademoiselle Qiql en de pareils atours me rappelle la fête de l'été à Contremont, lorsque les plus belles jouvencelles du royaume se présentent sous l'arche en fleurs au bras de leur chevalier servant.

— Hum… Les sous-vêtements de Dariole sont aussi fort aguichants, dit Ignace le Catonien d'un air renfrogné, comme s'il était mal à l'aise de cautionner d'un commentaire positif pareille démonstration de frivolité. J'ai hâte de voir la robe qui ira par-dessus.

— Mon capitaine ! s'exclama Dariole, partagée entre le rire et l'indignation. Ce ne sont pas des sous-vêtements ! C'est ainsi que les jeunes femmes de mon âge et de mon statut s'habillent à Port Soleil, ville reconnue comme la capitale de l'élégance et du bon goût !

— Pardonnez mon impair. La vérité est que je ne suis pas très versé dans l'art de l'habillement féminin.

— Vous pardonner ? Surtout pas ! Je me garde le droit de vous taquiner tout le reste du voyage !

Yarg soupira :

— Comme si tu te privais d'habitude.

On passa à table, où la conversation se prolongea bien après que la nuit fut tombée. Les convives, la langue déliée par le vin et par le caractère enjoué de Dariole, voulurent bien parler un peu d'eux-mêmes, et narrer par quels détours du sort ils s'étaient tous retrouvés à bord d'un étrange navire magique, ancré sous un ciel diamanté d'étoiles, perdu dans les régions les plus inaccessibles de la mer Tramail.

Ignace le Catonien et Trivelin étaient originaires du royaume de Contremont, l'une des multiples petites principautés éparpillées sur les terres au nord de la mer Tramail. La *Guilloche* était à l'origine une barge fluviale tirée par des bœufs, transformée à partir de ces modestes origines en navire expérimental destiné à juger des avantages et des inconvénients du moteur magique.

— Je n'ai découvert aucun principe nouveau, expliqua modestement Ignace le Catonien. Tous les magiciens savent que le cuivre est le métal le plus sympathique à la magie, et le fer le plus rebelle. Faire tourner des pales de fer et de cuivre chargé autour d'un axe est une astuce à la portée d'un apprenti. L'aspect novateur de mon moteur tient au fait qu'il s'agit du plus gros et du plus puissant jamais construit. Il m'a fallu mettre au point un procédé automatique pour charger de fluide magique une grande quantité de cuivre. Quelle serait l'utilité d'un moteur qui demanderait une vie de travail à un magicien ? Autant se déplacer à pied. Il fallait aussi que la puissance soit ajustable ; autrement dit, que l'espacement entre les tiges de fer et de cuivre puisse être augmenté ou diminué pendant que l'appareil est en marche. Tout le mérite revient au maître horloger de Contremont et à son équipe d'artisans et de forgerons, qui ont su transformer mes brouillons en un prodige de la mécanique moderne, et à qui j'espère vous rendrez hommage pendant toute la durée de votre séjour sur la *Guilloche*.

— Cette machine est fort ingénieuse, reconnut monsieur Douar.

Le pilote au faciès sévère voulut bien mettre de côté son laconisme habituel pour rapporter quelques épisodes pittoresques de la vie d'un marin sur la « Grande Fainéante », surnom affectueux qu'il donnait à la mer Tramail, lui qui avait aussi navigué sur la mer Géante, qui s'étendait au nord, « avec ses vrais voiliers, ses vraies tempêtes et ses vrais marins ». L'accent de nostalgie qui accompagnait cette évocation fut un appât auquel Dariole ne sut résister : elle s'étonna que le rude marin eût abandonné cette vie exaltante pour la grise et fainéante mer Tramail.

— Pour quelle raison un homme changerait-il d'existence ? glissa finement Frontignan, un sourire dans sa moustache.

Dariole attrapa la balle au bond :

— Pour une femme ! Celle qui sent le parfum des autres après quatre mois !

Monsieur Douar se renfrogna sous l'éclat de rire général et refusa d'ajouter un mot.

Ce fut au tour de Frontignan de parler de lui. Fils de batelier sur la rivière Allège, déversoir de la mer Tramail à son extrémité nordique, son enfance avait été rythmée par les allées et retours entre la mer et la ville de Besline, principauté située à cent lieues dans les plaines fertiles de ces territoires. La descente vers Besline s'effectuait à gré d'eau, ce qui ne demandait que deux avirons de pointe, placés à l'avant et à l'arrière, d'où le mépris exprimé par monsieur Douar envers une forme aussi triviale de navigation. La remontée du courant était une tout autre affaire. Elle exigeait un attelage de chevaux, des hommes formés à cette tâche, et une organisation tout aussi encombrante que nécessaire pour approvisionner journaliers et bêtes de somme jusqu'à la source de la rivière.

— Avant de vendre ma *Guilloche* au capitaine le Catonien, et d'accepter de rester à bord à son service, je croyais que la remontée du courant de l'Allège serait la plus grande aventure que je vivrais de toute ma vie !

Dariole prit le relais, mais au lieu de parler d'elle-même, elle rappela à son auditoire le triste sort de Panserfio, exclu de toute conversation. Elle répéta à tous, avec une précision des détails qui étonna Yarg, le contenu des mémoires que le colosse leur avait fait lire à Pinacle, laissant son auditoire en suspens au point exact où le récit avait été interrompu.

— Nous avons du papier, de l'encre et tout ce qu'il faut à bord si jamais vous désirez poursuivre votre autobiographie, dit Ignace le Catonien, qui avait écouté Dariole avec intérêt, une pipe au coin de la bouche. C'est l'occasion idéale, vous aurez beaucoup de temps libre pendant la traversée.

Panserfio inclina la tête : *C'est très aimable.*

Du mutisme de l'un, la conversation s'aiguilla naturellement vers l'amnésie de l'autre, Yarg ayant pu constater depuis son éveil à la conscience à quel point son état soulevait la curiosité. La plupart de ses compagnons de table partageaient le doute soulevé en son temps par le chirurgien de la *Diamantine* : il aurait été étrange qu'une personne se fasse tatouer son propre nom sur la poitrine.

— Chaque lettre représente peut-être un mot, suggéra Trivelin. Un titre militaire ? Le sigle d'une fraternité ?

Yarg rapporta à son auditoire les déductions du chirurgien qui avaient suivi l'extraction de la pointe de poignard empoisonné.

— Du léthé ? fit Ignace le Catonien avec une grimace sceptique. Ah… Hum…

— Vous mettez en doute cette conclusion ? demanda Trivelin.

— On ne trouve pas le léthé au marché du village. C'est une substance rare et coûteuse ; une curiosité, pour tout dire.

— Ça ne m'aide pas beaucoup, dit Yarg.

— Que vous pratiquiez une forme de métier d'armes est établi, affirma doctement Ignace le Catonien. Vous savez aussi lire et parler le prabale. Ces indices, ajoutés à votre assurance lorsque vous vous adressez à autrui, laissent entrevoir que vous étiez un officier ou peut-être un maître d'armes.

— Quand vous parlez estran, vous avez le même accent que Dariole, ajouta Trivelin. Vous n'habitiez pas très loin l'un de l'autre.

— Ah non ! protesta Dariole. Yarg a un accent, pas moi.

— Votre oreille perçoit les différences entre l'accent de Yarg et le vôtre, chère mademoiselle Dariole. Pour nos oreilles étrangères, ce sont surtout les ressemblances qui sont évidentes. Qu'en pense messire Panserfio ?

Le colosse approuva ce que venait de dire le capitaine. Ce dernier fut obligé d'interrompre sa conversation : sa pipe s'était éteinte. Il agita le bout du doigt au-dessus du fourneau. De petits éclairs étincelèrent dans la nuit avec un craquement aigu. Le magicien inspira pour activer la flamme, souffla une bouffée de fumée qui apparut dorée dans la lumière des lampes posées sur la table. Il reprit la parole sur un ton méditatif :

— Comme je vous l'ai déjà dit, je ne suis jamais allé à Port Soleil. J'ai par contre beaucoup voyagé et j'ai entendu une grande variété d'accents. Si Yarg n'habite pas directement dans cette ville, il vient d'une région limitrophe. Je vous pose la question, mademoiselle Dariole : dans quelle ville autour de Port Soleil pratiquerait un instructeur d'armes ?

— Je voudrais bien moi aussi résoudre le mystère, dit Dariole, mais si Port Soleil est une oasis de paix et de culture, ce n'est pas le cas de l'arrière-pays, où les soldats et les gens d'armes sont légion.

Ignace le Catonien se leva et resta un moment à contempler la fumée qui montait du fourneau de sa pipe.

— Nous aurons toute la traversée pour poursuivre la réflexion sur le sujet. Pour l'heure, je vais me coucher, et je suggère que tout mon équipage fasse de même. Demain nous entrons dans la Chicane, ce qui signifie qu'il nous faudra faire preuve de vigilance et d'attention. Messires et gentes dames, bonne nuit !

CHAPITRE 15

*Où, après un intermède consacré
aux tâches domestiques, on continue
de chercher à éclaircir les mystères
qui entourent l'amnésie de Yarg*

Le second jour de la traversée, l'équipage de la *Guilloche* se leva aux premières lueurs de l'aube. Yarg, également debout, partagea avec eux un déjeuner silencieux. Le capitaine commanda ensuite à monsieur Douar d'activer le moteur aux deux cinquièmes, puis il monta en compagnie de Frontignan sur la passerelle, avec son livre de bord, une carte et ses instruments. Yarg les suivit en espérant que sa présence ne les dérangerait pas dans leurs observations et leurs décisions.

À en juger par le sourire bourru que lui adressa Ignace le Catonien, ce dernier ne voyait aucun inconvénient à instruire son passager. Il toqua avec son index replié sur une carte qu'il avait lui-même dessinée et représentant l'itinéraire alambiqué de la *Guilloche* à travers le dédale de la Chicane :

— Nous serions encore prisonniers de ce labyrinthe si nous n'avions pas été guidés lorsque c'était nécessaire par des pêcheurs des villages insulaires qui ont pris racine un peu partout dans l'archipel. Malheureusement, notre départ de Pinacle s'est effectué dans des circonstances qui s'accordent mal à un repérage précis. J'espère que ma carte nous permettra de retrouver l'entrée du canal par lequel nous sommes sortis.

Sur ce, le capitaine accorda toute son attention aux îles méridionales de la Chicane. À l'aide d'un appareil muni de lentilles et d'échelles graduées, il mesurait les angles entre les îles puis les rapportait sur la carte à l'aide d'un compas. Pendant ce temps, Frontignan, qui possédait de bons yeux, scrutait l'horizon afin de repérer les côtes plus lointaines.

Il était clair, même au regard non entraîné de Yarg, que la configuration et la position des îles qui glissaient doucement à la surface des eaux grises de la mer Tramail ne correspondaient pas à celles sur la carte.

Yarg laissa les hommes à leur ouvrage et descendit sur le pont rejoindre Panserfio et les deux jeunes femmes, qui avaient fini par se lever. Après le déjeuner, Panserfio accepta l'offre de l'équipage de la *Guilloche* de lui prêter du papier et une plume afin qu'il poursuive le récit de ses aventures laissé en suspens. Yarg, Dariole et Qiql s'attelèrent pour leur part à terminer la lessive entreprise la veille, sourds aux protestations de Trivelin qui trouvait anormal que des passagers ayant payé leur écot s'acquittent de pareille corvée.

— Je préfère m'activer, expliqua Dariole en frottant énergiquement de ses quatre mains les draps dans le baquet d'eau installé à la proue du navire. C'est ce qui m'a fait le plus souffrir pendant mon long séjour dans la cage de Rebècq : le désœuvrement.

— Pareil pour moi, dit Yarg.

Le regard de celui-ci se porta vers Qiql, installée un peu plus loin. Elle avait récupéré les draps et les couvertures suspendus à sécher la veille, et les pliait avec les gestes empreints du naturel engendré par la pratique. La brise tiède plaquait sa robe bleue contre son corps mince et soufflait dans son visage ses fins cheveux blancs, qu'elle écartait avec un geste gracieux de la tête.

Une fois Trivelin parti, Yarg demanda à Dariole si Qiql allait bien.

— Elle te plaît, n'est-ce pas ? fit la jeune femme avec un sourire complice.

— Tu ne réponds pas à ma question.

— Toi non plus.

— Je veux m'assurer qu'elle commence à s'accoutumer à sa nouvelle existence, c'est tout.

— Peuh ! Je vois bien comment tu la regardes. Et pourquoi la regarderais-tu autrement ? Son étrangeté la rend attirante comme une fleur exotique. Ça tombe bien, toi aussi tu lui plais.

— Tu ne dis que des bêtises.

Dariole sortit la couverture du baquet et la tordit pour en extraire le plus possible d'eau, une opération étonnamment facilitée par le fait qu'elle possédait plus de deux mains. Le sourire mutin n'avait pas quitté ses lèvres.

— Je me suis promis de ne plus jamais me disputer avec toi, Yarg. Surtout pas sur une question tournant autour de l'union charnelle. Pourquoi toutes ces mignardises ? C'est la chose la plus naturelle qui soit. Elle n'est pas vierge, si c'est ce qui te retient.

— Comment le saurais-tu ? demanda Yarg, qui s'en voulut immédiatement d'avoir réagi.

— Je le lui ai demandé.

Yarg resta interdit le temps d'un souffle puis, avec un rire découragé, fit signe qu'il refusait de poursuivre la conversation sur ce sujet.

Dariole tendit le drap essoré à Yarg, ce dernier étant chargé de le rincer à l'eau claire. C'était le dernier drap, mais la jeune femme continua de baguenauder autour de Yarg, secouant la bordure mouillée de sa jupette, humant le vent tiède généré par le déplacement du navire sous leurs pieds.

— Que veux-tu encore, Perlustre ?

— Dariole.

— À quoi bon m'habituer à ce nom, sachant que tu l'abandonneras par pur caprice ?

— À quoi bon souper ce soir, sachant que tu auras encore faim demain?

— La métaphore est boiteuse.

— Peut-être, reconnut Dariole, qui enchaîna avec ce qui l'intéressait vraiment. J'ai continué de réfléchir à ce que nous allions faire rendus à Port Soleil. On ne pourra quand même pas rester à demeure à la Sororité. À nous quatre, nous pourrions louer une petite maison près du port. Les premiers qui trouveront du travail pourront épauler les autres, en attendant que tout le monde gagne de l'argent. Qu'en penses-tu?

— C'est...

Yarg se tut. Ne connaissant rien de Port Soleil, il n'aurait su distinguer une proposition sensée d'une qui était farfelue, même s'il avait compris que Dariole n'était pas aussi ingénue qu'elle s'amusait à le laisser paraître. C'est d'ailleurs sur un ton parfaitement sérieux qu'elle poursuivit:

— Tu te rappelles ce qu'est l'argent?

— Je me souviens du principe.

— C'est une substance magique, expliqua Dariole avec un rire un peu jaune. Pour chaque picaillon qui entre dans une bourse, deux en sortent. Jusqu'à mes mésaventures dans les steppes de Rebècq, j'ai vécu dans le luxe. Je dois t'avouer, Yarg, que j'ai dilapidé tout ce que je gagnais sans me préoccuper du lendemain. Malheureusement, il n'existe que trois choses gratuites à Port Soleil: le sourire des gens, la chaleur du soleil et le parfum de la mer. Pour tout le reste, il faut de l'argent.

— C'est bien. Je travaillerai.

Pendant qu'ils discutaient, Qiql et Trivelin s'étaient approchés. Dariole s'adressa à Qiql:

— Utilisiez-vous de l'argent à Pinacle?

Qiql posa l'index sur sa joue, puis l'en écarta d'un petit geste vif – Yarg avait cru comprendre que ce geste correspondait à une négation.

— C'est une affaire d'hommes sauvages.

— Il ne reste plus que Panserfio pour nous sauver de notre misère. Aurait-il caché quelque part, ou mis en consigne chez une personne de confiance, quelques lingots d'or, ou même juste quelques pièces de bas aloi que nous pourrions aller récupérer ?

— Il en parlera peut-être dans ses mémoires, fit Yarg. Mais j'en doute.

— Quelle humiliation de débarquer à Port Soleil sans un picaillon à nous quatre ! gémit Dariole en forçant la note du désespoir. Une chance que j'ai des relations !

— Une fois sur place, je vous prêterai quelques japiers, dit Trivelin. Si le change de vos banques est honnête. Qu'en est-il de votre système monétaire ? Est-il compliqué ?

— Pas du tout. Il est régulier et pratique. La plus petite nomination est le picaillon. Il y a des pièces de trois pic, sept pic – picaillon est le mot au singulier, au pluriel on dit « pic » –, il y a aussi des pièces de onze et dix-neuf pic. Un sonnant équivaut à quatre-vingt-dix-sept pic. Il y a des pièces de trois, sept, onze et dix-neuf sonnants. Et ainsi de suite avec le joug, qui vaut quatre-vingt-dix-sept sonnants. Deux autres pièces importantes : la pièce de demi-sonnant, qui vaut cinquante et un pic ; et le demi-joug, qui vaut cinquante et un sonnants.

Trivelin émit un rire incrédule.

— Qu'est-ce que ce serait si votre système monétaire était irrégulier ! Le demi-sonnant vaut cinquante et un pic, et le sonnant quatre-vingt-dix-sept ? Le premier n'est pas la moitié du second !

— Oui, c'est normal.

— Normal ?

— Comment l'argent coulerait-il sinon ?

Trivelin cligna des yeux plusieurs fois.

— Vous m'avez perdu.

— Je ne suis pas sûr de comprendre non plus, dit Yarg.

Dariole les regarda tous, découragée d'avoir à expliquer une pareille évidence.

— Il n'y a qu'à la banque qu'on calcule et rend la monnaie exacte ! On paye les boutiquiers et restaurateurs avec des demi-sonnants ou, pour les gros achats, des demi-jougs. Des pièces « fortes ». Eux, ils remboursent en sonnants entiers, ou en jougs entiers, des pièces « de bas aloi ». Autre exemple : supposons que j'ai besoin de monnaie. Si je donne une pièce de onze pic à un marchand, il me rendra une pièce de trois et une de sept.

— En gardant un picaillon pour lui ? s'offusqua Trivelin.

— Mais oui ! Faut que l'argent coule.

— Je commence à comprendre l'intérêt d'un système numéraire si alambiqué... du moins pour les marchands, dit Trivelin.

— Vous dites ça comme s'il y avait tentative de duplicité ! dit Dariole, dont le bout du nez s'était coloré d'agacement. Tout le monde à Port Soleil connaît la valeur des pièces et s'arrange en conséquence. Vous voulez payer au picaillon près ? Fort bien ! Vous serez traité en conséquence, c'est tout. Vous n'obtiendrez jamais la meilleure table à la taverne, les maçons auront trop d'engagements pour venir réparer votre façade, et les filles les plus séduisantes seront de congé lorsque vous vous présenterez au lupanar. Si la réputation de pingres ou de cuistres vous convient, vous saurez quoi faire. Soyez tout de même prévenus que la parcimonie ne représente pas mon idéal de vie en société... Pour être franche, j'ai moi-même toujours vécu grâce à la libéralité d'autrui.

Trivelin éclata d'un rire haut perché.

— Rassurez-vous ! L'argent sort bien trop complaisamment de ma bourse lorsque la personne qui me sert, au restaurant ou au marché, est de sexe féminin. Et c'est encore plus vrai lorsque celle-ci est jeune et jolie. Je ne prévois pas vous faire honte à Port Soleil, ville que j'ai de plus en plus hâte de visiter, alléché par tout ce que vous nous en laissez entrevoir.

— Sûrement pas plus hâte que moi ! dit Dariole avec un sourire qui démontra encore avec quelle rapidité la mauvaise humeur fuyait son esprit.

Venues de la passerelle, des exclamations de Frontignan interrompirent la discussion. À voir la manière fébrile avec laquelle il tendait la main vers un chapelet de petites îles, Yarg supposa qu'il avait repéré le passage à travers la Chicane.

Panserfio vint rejoindre ses compagnons, alerté par les cris. Ignace le Catonien, concentré sur sa carte, ne se redressa pas tout de suite. Il prit le temps de terminer plusieurs mesures avec règle et compas. Finalement, il vint s'appuyer à la rambarde pour examiner les îles à travers son dispositif à lentilles. Il hocha la tête d'un air approbateur et donna ses instructions. Frontignan dévala l'échelle de coupée pour aller répéter les ordres à monsieur Douar, puis il alla barrer à tribord.

La *Guilloche* traça une courbe vers le nord et maintint ce cap pendant que monsieur Douar poussait de quelques crans la manette du contrôle de vitesse. Le bourdonnement du moteur magique augmenta de registre et d'intensité. Le bruissement liquide des deux roues à aubes s'amplifia de façon concomitante. Draps et vêtements suspendus à sécher se soulevèrent dans le vent de la course : Qiql alla s'assurer que les pièces de linge ne risquaient pas de s'envoler.

Ignace le Catonien abandonna ses cartes et ses instruments, puis descendit l'échelle de coupée, le pas pesant.

— Nous avons retrouvé l'entrée du passage, comme vous l'avez sûrement déduit par vous-mêmes. Monsieur

Douar et Frontignan n'auront pas besoin de moi du reste de la journée : cette section de la Chicane est bien dégagée, avec des repères faciles. Je vous propose donc de profiter du fait que j'ai du temps libre pour éliminer une possibilité qui m'est venue à l'esprit cette nuit, au sujet de l'amnésie de messire Yarg.

— Laquelle ? dit Dariole.

— Sans remettre en question la théorie du léthé, la prudence la plus élémentaire serait d'éliminer une cause magique.

Sur ces paroles, Ignace le Catonien alla chercher dans sa cabine divers instruments, qu'il déposa sur la table. Il fit signe à ses quatre passagers de s'approcher. D'un étui de cuir grand comme la main, il sortit un appareil en bois couvert d'un vernis finement craquelé par l'âge, avec une petite fenêtre de cristal terni sous laquelle oscillait une aiguille au-dessus d'un cadran gradué.

— Ce détecteur permet de repérer la présence de magie. Par qui commencerons-nous ?

— Vous allez nous examiner tous les quatre ? dit Dariole.

— À moins que vous n'y voyiez un inconvénient.

— Au contraire. On m'a déjà demandé si mes bras et mes seins surnuméraires étaient de nature magique, et je n'ai jamais su quoi répondre.

— Commençons par vous, alors, dit Ignace le Catonien. Je vous rassure, c'est absolument indolore.

— Dois-je me déshabiller ?

Un sourire fleurit dans la barbe du capitaine de la *Guilloche*.

— Ce n'est pas nécessaire.

La jeune femme suivit d'un regard intrigué le petit appareil que le magicien faisait glisser très près de son corps mais sans la toucher, depuis la racine de ses cheveux jusqu'à la pointe de ses pieds nus.

— Et alors ?

— Rien, dit le magicien sur un ton qui laissa transparaître un peu de déception. Votre conformation physique particulière n'a rien de magique. Qui sera le suivant ?

Il fallut au magicien soulever le détecteur à bout de bras pour effleurer le haut du crâne de Panserfio, où le tatouage du cheval cracheur de flamme avait complètement disparu sous la repousse drue de ses cheveux noirs. Après avoir fait glisser son appareil jusqu'aux bottes du colosse, le magicien émit le même verdict : Panserfio aussi était vierge de toute influence magique.

— Vous êtes sûr qu'il fonctionne, votre brimborion ? demanda Dariole.

Le commentaire froissa quelque peu le magicien.

— Ce « brimborion », comme vous dites, s'appelle un Affiquet de Todorov. Et il est en parfait état de marche, comme le démontre fort à propos votre jeune compagne parmi nous…

En effet, de l'endroit où il se trouvait, Yarg vit l'aiguille du détecteur frémir lorsque Ignace le Catonien l'approcha du visage de Qiql, aiguille qui continua de vaciller légèrement sous sa fenêtre de cristal à mesure que l'appareil descendait le long du corps élancé de la jeune femme.

— C'est faible et très diffus, marmonna le magicien d'un air quelque peu déconcerté. Et cela semble réparti de manière à peu près égale dans tout son corps.

— Qu'est-ce que ça veut dire ? demanda Trivelin.

— Soit que mademoiselle Qiql a ingéré un aliment ou une boisson ayant des propriétés magiques, soit que sa chair elle-même est un peu magique. Je n'ai jamais vu une chose pareille…

— L'officiant de Pinacle a dit que le plasme des Rouages était d'origine sylvanesque, rappela Trivelin.

— Une remarque fort pertinente, mon jeune ami, fort pertinente en effet. Comme tout cela est troublant et fascinant… (Ignace le Catonien s'agita soudain, en proie à un mouvement d'humeur.) Quel fâcheux contretemps de ne pas avoir eu l'autorisation de visiter la Cité parfaite ! Peste et malfaisance ! Que vais-je pouvoir écrire maintenant au sujet de la Grande Race dans mon Compendium ? Des répétitions ? Des racontars ? Des supputations et des à-peu-près ? Maudits soient les Héritiers et leur suffisance !

De toutes les personnes présentes, celle qui accueillit la révélation avec le plus de neutralité fut Qiql elle-même, qui ne semblait pas comprendre quel était le but de cet étrange examen, ni la raison pour laquelle Ignace le Catonien s'énervait. Un doute insidieux s'inséra dans l'esprit de Yarg : pareille langueur et absence d'affect étaient-ils les signes d'une intelligence inférieure à la normale ? En admettant que la notion de normalité eût un sens appliquée à une Rouage...

Après avoir ronchonné un certain temps, le magicien se calma et s'adressa enfin à Yarg, pour s'exclamer avec une bonhomie un peu forcée :

— Il aurait été piquant qu'on vous oublie, messire Yarg. Après tout, c'est votre infortune qui m'a donné l'idée de sortir mon Affiquet.

Comme il l'avait fait avec les autres, Ignace le Catonien approcha le détecteur de magie de la tête de Yarg...

— Holà ! Que voyons-nous ici ?

Dariole se mit à sautiller sur la pointe des pieds pour voir au-dessus de l'épaule du magicien.

— L'aiguille a grimpé jusqu'au milieu !

— Ce qui est la marque, cette fois-ci, d'une authentique manifestation magique, expliqua Ignace le Catonien sur un ton professoral. Surtout lorsqu'on observe à quel point le fluide magique est concentré dans la tête. Regardez ! J'abaisse l'Affiquet...

— L'aiguille tombe à zéro ! commenta Dariole sans que cela fût vraiment nécessaire puisque tous les autres s'étaient regroupés pour voir aussi la fenêtre du détecteur.

Par deux fois le magicien examina le corps de Yarg sur toute sa grandeur afin de confirmer la concentration d'un fluide magique au niveau de la tête.

Dariole fut prise de frénésie :

— Ton amnésie a une cause magique ! Yarg ! Te rends-tu compte ?

— Ne sautons pas trop vite aux conclusions.

Faisant ensuite la sourde oreille à toutes les questions dont le pressait l'exubérante jeune femme, Ignace le Catonien sollicita l'aide de Trivelin pour soulever le panneau d'un coqueron à la poupe de la *Guilloche*, duquel ils sortirent trois anneaux de cuivre de quatre pieds de diamètre. Grâce à des supports en bois conçus pour cet usage, le magicien installa les anneaux en position horizontale au milieu du pont, le premier à quelques pouces du plancher, les deux autres par-dessus en gardant une distance d'à peu près trois pieds entre chacun. Avec des fils de cuivre, il relia les anneaux à un petit coffret en bois ouvragé, muni de mollettes, d'un court levier en bronze et d'un hublot translucide.

Une fois l'appareillage assemblé à sa satisfaction, Ignace le Catonien s'adressa à la compagnie :

— Ce dispositif est un Dénantisseur panmagical d'Oloture. Sous l'effet de ses impulsions, toute substance ou créature magique placée dans l'espace circonscrit par les trois anneaux de cuivre sera rejetée dans la dimension d'où elle est venue ; et toute illusion ou métamorphose magique, ou conséquente à une incantation magique, sera annulée. L'appareil est simple d'emploi et de conception, et son usage régulier dans une perspective prophylactique est recommandé lorsqu'on est soi-même un magicien susceptible d'encourir la mauvaise humeur d'une entité d'une autre dimension ou, plus trivialement, la jalousie d'un collègue. Je ne donnerai pas de nom, car je doute que vous connaissiez un de ceux-ci, mais sachez qu'il s'en trouve d'assez malfaisants dans le lot.

Il souleva l'anneau du milieu et fit signe à Yarg d'entrer à l'intérieur. Ce dernier hésita.

— Quels sont les risques?

— Ceux qui découlent logiquement de ce que je viens d'exposer, dit le magicien avec un filet de condescendance dans la voix. Si vous pensez que l'effet magique que nous avons repéré vous avantage, il vous faut évidemment renoncer à entrer dans le Dénantisseur.

Yarg réfléchit un instant, avec un regard de biais en direction de Qiql.

— Allez-vous aussi employer votre appareil sur Qiql?

— Sûrement pas. Son cas est différent.

La réponse du magicien rassura Yarg. Il se baissa et entra à l'intérieur des anneaux. Ignace le Catonien replaça l'anneau du milieu en position, vérifia une dernière fois si les fils reliés au boîtier de contrôle étaient convenablement fixés puis, après avoir prévenu Yarg de ne pas toucher aux anneaux de cuivre quoi qu'il advienne, abaissa la manette du boîtier. Une lueur violacée fluctua sous l'opercule de verre.

Yarg ferma les yeux avec un grognement de surprise. Il ressentait un frottement sous les paupières. Sans être vraiment douloureuse, la sensation était aussi désagréable que possible. En portant les mains à son visage, il sentit qu'une languette de papier, ou de tissu, venait d'émerger de sous chacune de ses paupières. Il ne put retenir le réflexe de retirer ces horripilants corps étrangers, mais le frottement de la matière fibreuse fut fort douloureux.

— Qu'est-ce que c'est que ça? Yarg, ça va?

— Gardez votre calme, mademoiselle, dit Ignace le Catonien. Et vous aussi, messire. Que personne ne touche aux anneaux de cuivre !

— Qu'est-ce qui se passe ? dit Yarg en grinçant des dents, le visage grimaçant. Ça brûle !

— Laissez les objets sortir d'eux-mêmes. Il est déconseillé de forcer un processus magique.

— Je voudrais vous y voir…

— Il a raison, Yarg ! Les… Les *choses* glissent toutes seules en dehors de tes yeux… On dirait des bandelettes de papier… Il y a quelque chose d'écrit dessus… (Dariole émit un cri de surprise réjoui.) Elles sont sorties !

Et c'est un fait qu'à ce moment Yarg ressentit une prodigieuse sensation de soulagement. Il toucha ses paupières : les bandelettes étaient tombées. Il essuya ses joues trempées de larmes, puis regarda autour de lui. Il resta un moment incrédule. Il cligna des yeux, se les frotta.

— Tu as cncorc mal ?

Yarg fixa le visage de Dariole, médusé. C'était bel et bien la Dariole qu'il voyait depuis son éveil à la conscience, toujours aussi séduisante et bien proportionnée pour peu qu'on appréciât les femmes menues à quatre bras. Et pourtant… elle semblait transfigurée. Tout ce qui avait été joli était maintenant sublime : la courbure mutine de son menton, ses lèvres charnues conçues pour rire et embrasser, son regard illuminé par l'intelligence et la compassion, la ligne expressive de ses sourcils, ses longs cheveux soyeux, riches et noirs et parfumés comme une nuit de canicule où, sous l'arche d'un pavillon secret, chuchotent des amants.

Dariole n'était pas seule à avoir subi les effets de la métamorphose. Ignace le Catonien semblait plus grand, plus noble, son regard plus sagace dans un visage qui n'aurait pas déparé la face d'une pièce d'or. Les hardes grossières de Frontignan et de monsieur Douar étaient désormais des habits de prince, tandis que Panserfio irradiait la force et la virilité, telle une statue antique qui aurait pris vie. Même Trivelin semblait avoir grandi de quelques pouces !

Quant à Qiql…

Yarg avala sa salive. Tous les traits de la jeune Rouage qui lui semblaient auparavant insolites ou pittoresques, sa haute taille, son corps mince comme un roseau, son visage pâle et rond aux pommettes rougies par le soleil, ses cheveux blancs qui flottaient dans la brise tels des filaments de lumière, et l'expression languide au fond de ses iris couleur d'eau calme, se révélaient désormais comme l'incarnation des vertus les plus exquises de la féminité. Après l'irritation causée par les languettes magiques, c'était maintenant l'émotion qui faisait monter des larmes aux yeux de Yarg. Il demanda, la voix chevrotante :

— Que se passe-t-il ?

— Vous semblez ébranlé, dit Ignace le Catonien, qui souleva l'anneau de cuivre. Sortez, j'ai coupé l'induction.

Une fois hors de l'appareil, Yarg alla s'asseoir, les jambes faibles.

— Tu as recouvré la mémoire ? lui demanda Dariole sur un ton suppliant. C'est ça ? C'est ça ?

Yarg prit une grande inspiration. Il examina en pensée ses souvenirs… Non. Aucun ne précédait son réveil dans la cage de la steppe. Il ne savait toujours pas d'où il venait. Il ne se souvenait toujours pas de son nom. En dépit du fait qu'il n'avait entretenu aucun véritable espoir en pénétrant dans l'appareillage magique, il se rendit compte qu'il était déçu. Il murmura un « Non… » inaudible, puis répéta, la gorge serrée :

— Non. Je n'ai pas recouvré la mémoire.

— Vous avez quand même l'air secoué, dit Trivelin. C'était quoi, ces bandelettes ? (Il sauta soudain vers

l'arrière en émettant un glapissement.) Crotte de bouc !
Elles bougent toujours !

En effet, les languettes de papier tombées des yeux
de Yarg avaient quitté la zone délimitée par l'anneau
de cuivre et semblaient chercher une cachette avec un
mouvement de reptation qui rappelait la progression
d'un ver de terre.

— N'y touchez pas !

En brandissant une pince de bronze, Ignace le
Catonien attrapa prestement les deux bandelettes
pour les enfermer dans un pot de verre sur lequel il
fixa soigneusement un couvercle.

— J'étudierai plus tard ce qui y est inscrit. Lorsque
messire Yarg aura suffisamment repris ses esprits pour
nous expliquer la cause de son émoi, cela apportera
un premier éclairage sur la nature de cette incantation
que je soupçonne d'être malfaisante.

Dariole s'assit à côté de Yarg et lui caressa le front,
maternelle.

— Veux-tu te reposer ? As-tu mal ?

— Non.

— Vous sentez-vous capable d'expliquer ce qui
vous arrive ? demanda Ignace le Catonien.

Yarg essuya à nouveau ses paupières et ses joues
mouillées. Il sentit un sourire incertain naître sur ses
lèvres.

— Vous êtes plus beaux.

Dariole resta coite un instant, puis éclata de rire.

— Qu'est-ce que tu racontes ?

— Vous êtes plus belles, toi et Qiql, dit Yarg, qui
se savait incapable de verbaliser les émotions em-
preintes de lyrisme qui avaient bourgeonné en lui
lorsqu'il avait contemplé pour la première fois ses
compagnons et ses compagnes. Vous aussi, messires.
Tout ce que je vois est plus beau qu'avant. Même les
nuages dans le ciel sont plus gracieux et la *Guilloche*
mieux proportionnée.

— Comme c'est étrange, dit Dariole.

— C'est rare qu'on me complimente sur mon physique, dit Trivelin. Ce n'est pas désagréable.

Ignace le Catonien étudiait Yarg, le regard vigilant sous ses épais sourcils noirs.

— Qu'en est-il de vos autres sens? Nos voix sont-elles plus harmonieuses? L'odeur de la mer est-elle plus agréable? Le tissu de vos vêtements est-il plus soyeux?

Yarg prit le temps d'analyser les aspects sur lesquels le magicien le questionnait.

— Non. Seule ma vision semble affectée.

— J'ai accumulé de nombreuses archives pendant la rédaction d'une encyclopédie, dit le magicien en scrutant les deux bandelettes qui se tortillaient en cherchant à sortir du pot de verre. Mais elles étaient trop précieuses pour que je leur fasse courir le risque d'un naufrage. Aussi ne puis-je vous offrir que des hypothèses. Vous avez entendu parler du glamour, une forme d'illusion qui affecte le sens esthétique? L'esprit populaire n'a retenu du glamour que sa version méliorative. Or, un praticien assez habile pour embellir peut tout aussi bien conjurer l'illusion inverse, qui enlaidit, ou à tout le moins atténue la beauté. Ces deux bandes de papier ne sont que les vecteurs du sortilège. Elles ont probablement été déposées sur vos paupières pendant votre sommeil, Yarg, pour vous faire voir l'univers plus laid qu'il ne l'est vraiment.

L'explication scandalisa Dariole.

— Qui peut trouver intérêt à une pareille sournoiserie?

— Il peut s'agir de pure perversité, expliqua le magicien d'un air dubitatif.

— C'est quand même une drôle de coïncidence. On te poignarde pour t'empoisonner au léthé! On te brouille la vue par magie! Oh, Yarg, qu'as-tu fait pour qu'on s'acharne sur toi comme ça?

— Je ne suis peut-être pas un individu très recommandable.

— Je n'en crois rien, dit Qiql.

L'intervention de la jeune Rouage fit sourire Yarg.

— J'apprécie ta solidarité.

— *Mfff!* fit Panserfio.

— La tienne aussi est appréciée, mon ami, la tienne aussi…

Yarg se leva et marcha jusqu'au bastingage, les jambes un peu molles. Il avait le souffle coupé par la coupole du ciel ouverte sur l'infini, par ces fragments d'îles, ces pitons biscornus et ces récifs affleurant à la surface satinée de la mer Tramail, un panorama essentiellement pareil à celui qu'il avait contemplé avec indifférence quelques heures plus tôt, et qui maintenant lui étreignait la poitrine et lui faisait monter les larmes aux yeux. Il se tourna vers Ignace le Catonien :

— Combien de temps l'effet va-t-il durer ?

— Quel effet ? Ce que vous voyez est la réalité, telle qu'elle est retransmise à chacun par l'intermédiaire de ses sens. Vous allez probablement passer par une période d'exaltation esthétique. Je connais mal ces illusions, alors je ne sais pas combien cela vous prendra de temps pour vous adapter. Quelques heures ? Quelques jours ? Des mois ? Je soupçonne que l'acclimatation va être progressive.

— Je… Je crois que je vais retourner à ma cabine me reposer un peu.

— Pauvre Yarg ! dit Dariole sur un ton à la fois taquin et plein de compassion. Obligé d'endurer la beauté naturelle du monde. Quand s'arrêtera ce tourment ?

— Souffrir d'indigestion n'est pas plus agréable que souffrir de la faim.

◆

Il faisait trop chaud dans la cabine, mais Yarg apprécia la solitude et la pénombre. Une fois allongé sur la couchette, la fébrilité qui s'était emparée de lui se transforma en somnolence ponctuée de moments d'agitation pendant lesquels cent et mille pensées s'agitaient dans son esprit. *Je ne suis peut-être pas un individu très recommandable.* Il avait exprimé cette possibilité sur un ton léger, mais dans la moiteur étouffante de la cabine, elle revenait le harceler avec l'obstination d'un insecte. Dans cet état de lucidité particulière à la somnolence, Yarg s'aperçut qu'un songe qui l'avait harcelé les premiers temps de son retour à la conscience n'avait pas resurgi depuis longtemps : le rêve de la cascade, du cri de femme noyé dans le grondement de la chute. Il essaya de se remémorer à quand remontait la dernière fois où il avait été emporté par ce rêve singulier, cette pensée se dissolvant dans une autre, qu'il s'étonna de ne pas avoir articulée plus tôt : dès qu'il émergerait de sa sieste, il demanderait à Sarouelle… non, à Perlustre… non, à Dariole… il lui demanderait… pourquoi… trop tard… évoquer les noms successifs de sa jeune compagne avait déchiré le fragile tissu de ses réflexions et Yarg s'endormit tout à fait.

En s'éveillant de sa sieste, Yarg vit Panserfio assis à l'autre bout de la cabine devant une étroite tablette sur laquelle il avait déposé ses feuilles de papier et sa bouteille d'encre. Le colosse s'aperçut que le dormeur était réveillé. Il interrompit sa rédaction pour le saluer.

— J'ai dormi longtemps ? demanda Yarg.

Non, pas tellement.

— Toujours dans la rédaction de tes mémoires ?

Oui.

Yarg s'assit sur sa couchette. Sa chemise était trempée de transpiration et son front en nage.

— Pourquoi n'écris-tu pas dehors ? On crève, ici.

Panserfio tendit la main vers la porte de la cabine avec une grâce un peu moqueuse : *Regarde par toi-même*.

Yarg obéit à la suggestion, pour découvrir que l'univers extérieur était devenu gris. Il sortit sur le pont, où il fut accueilli par un crachin tiédasse qui lui rappela la pluie s'étant abattue sur eux après le naufrage de la *Diamantine*. Il déambula, le visage levé vers le ciel uniformément gris. Depuis le bastingage, la vue ne portait pas très loin. Il devina une ombre plus sombre : la côte d'un des innombrables îlots de la Chicane.

Frontignan apparut à ses côtés, coiffé d'un chapeau de cuir à large rebord. Il montra la silhouette de l'îlot qui se découpait sur l'horizon.

— On a diminué la vitesse. Tant qu'on distingue les îles, on peut continuer à avancer. Heureusement, le ciel va se dégager avant la nuit.

Yarg ne demanda pas avec quels indices le marin étayait sa prédiction. Il contempla encore le panorama brumeux, bercé par le bourdonnement monotone du moteur et le clapotis des roues à aubes au ralenti. Il savait qu'une personne normalement constituée aurait qualifié cette grisaille de déprimante ; pour lui, tout était source de ravissement esthétique. Néanmoins, le crachin augmenta d'intensité et il décida de se mettre à l'abri. Des fragments d'une conversation enjouée se rendaient jusqu'à ses oreilles. Il en repéra la source : la cabine de Dariole et de Qiql, où celles-ci l'aperçurent par leur porte entrouverte et lui firent signe d'entrer. Les deux femmes s'étaient attelées à la confection d'autres vêtements, sous le regard de Trivelin qui les entretenait de sa conversation, un verre de vin à la main.

— Lors de notre fuite de Pinacle, disait le petit homme, au moment où vous avez lancé une pierre à l'adversaire de Panserfio, vous avez crié que vous étiez jongleuse.

— Si je l'ai dit, c'est parce que c'est le cas. Je suis acrobate, aussi. Et je chante, je danse, je sais jouer de toutes sortes d'instruments.

L'annonce ravit Trivelin.

— Il s'avère que moi aussi je pratique ces activités, exception faite du chant. Ma voix aigrelette, hélas, n'est acceptable que dans le registre de la parodie.

— Je suis convaincue que vous êtes trop modeste. Dès que nous en aurons terminé avec la couture, je propose que nous comparions nos arts et nos techniques. Pourvu que vous ne vous moquiez pas de ma maladresse : je dois être complètement rouillée !

— Qui fait preuve de modestie maintenant ?

Yarg écoutait, parfaitement satisfait de son statut de simple auditeur, souvent déconcerté, et amusé aussi, par la volubilité dont faisaient preuve Dariole et Trivelin, leur bavardage couvrant un large éventail de sujets, en passant par des souvenirs d'enfance, des considérations éthiques et philosophiques, mais aussi des grivoiseries qui semblèrent à Yarg quelque peu déplacées. Ainsi, avec la parfaite ingénuité qui était souvent la sienne, Dariole demanda à Trivelin si la rumeur voulant que les nains soient gratifiés d'un membre viril surdimensionné était basée sur des faits. Ce à quoi le jeune homme répondit, sur un ton professoral qui parodiait peut-être celui qu'affectionnait souvent Ignace le Catonien, qu'il s'agissait d'une illusion de perspective ; les nains possédaient des attributs de taille normale, qui ne paraissaient volumineux qu'en proportion du reste de leur corps.

Yarg nota que Qiql s'était concentrée sur son aiguille, les pommettes et le front empourprés. Il fut sur le point de suggérer à Dariole et à Trivelin de changer de sujet de conversation, mais s'arrêta à temps, comprenant fort bien que ces derniers n'auraient pas assez du reste de la traversée pour se moquer de sa pudibonderie.

Ainsi se poursuivit le reste de l'après-midi. Un peu avant le repas du soir, Panserfio apparut à son tour dans la cabine des femmes. Il sortit de sous sa chemise une petite liasse de feuillets, glissés à cet endroit pour les protéger de la pluie, qu'il tendit à la ronde avec un sourire intimidé.

Dariole abandonna instantanément son ouvrage de couture pour s'emparer des feuillets.

— La suite de tes mémoires ! Est-ce que tu les as terminés ?

Lisez et vous saurez.

Dariole ne se fit pas prier. Elle s'assit les jambes croisées sur le lit, en faisant signe à Panserfio de s'asseoir tout près d'elle, et elle entama à haute voix la lecture de la...

CHAPITRE 16

Suite des étonnantes et horrifcques aventures de Panserfio, telles qu'elles furent rédigées à bord de la Guilloche, et autres choses dignes d'être mentionnées

Je ne m'astreindrai pas à recommencer l'histoire de ma vie dès l'enfance. Réécrire ce qui a été perdu de façon fort inconvenante lors de notre expulsion de Pinacle serait fastidieux & surtout inutile, car j'ai pu juger par mes oreilles & mon entendement de l'excellente mémoire de mademoiselle Dariole lorsqu'elle vous en a raconté la teneur, au point qu'il m'est arrivé de m'émouvoir de mes propres aventures en les entendant ainsi narrées avec une langue aussi déliée, une voix si douce, & une expressivité si harmonieuse & à propos.

Dariole interrompit sa lecture pour émettre le souhait que le narrateur cesse d'aligner autant de compliments à son sujet hors de propos avec le récit que l'on s'attendait à y lire. Après s'être exprimée ainsi, elle reprit sa lecture :

Cela m'a rappelé le plaisir que l'on éprouve à lire quelque roman ou à assister à une pièce de théâtre, deux activités dont je me languis. Même lorsque les aventures rapportées sont le fait de personnages qui n'existent pas, qui se meuvent dans des mondes nés de l'imagination, mon cœur ne peut s'empêcher de battre lorsqu'on évoque le fracas des armes & les hurlements des combats ; tout comme il m'arrive de pleurer de pitié lorsque les héros sont reniés par leur maîtresse à la suite des médisances d'un jaloux ou d'un frère renégat.

Or, mon propos n'est pas celui d'un romancier mais d'un historien, si bien que j'aiguille cette narration vers la situation où je me trouvais lorsqu'elle a été laissée en suspens, c'est-à-dire lorsque je me suis retrouvé promis à l'exténuation & à la mort dans les mines d'argent de l'île du Croc.

Ce témoignage n'est pas non plus le lieu pour de longues digressions sur la nature des gisements de métaux précieux, ny sur les techniques qui prévalent pour les extraire du sol, car d'une part je suis persuadé que l'érudition de messire Ignace le Catonien vaut la mienne, & peut-être même est-elle supérieure, & d'autre part, s'il est vrai que j'ai travaillé presque un an à la mine, j'en garde un souvenir de terrible monotonie, mon rôle ayant consisté à soulever des sacs remplis de minerais du fond d'un puits & à les remettre à un autre malheureux qui, en surplomb dans une échelle, les remettait à un troisième au-dessus de lui, cette chaîne humaine se prolongeant jusqu'à la surface.

Quelques particularités de la mine susnommée doivent cependant être rapportées ici pour la compréhension du reste de ma narration. Les puits originaux avaient été creusés près d'un lac, le lac Carpeau, ce dernier si étendu qu'il rappelle la mer par le fait qu'en sa plus grande largeur on n'aperçoit pas la rive opposée. Les premiers exploitants de la mine avaient rapidement découvert que les veines d'argent – on appelle ainsi les couches de pierre qui contiennent le métal recherché, qui sont parfois fort minces, séparées les unes des autres par des couches de pierre sans valeur, comme ces pâtisseries feuilletées où alternent la pâte & la crème –, ils avaient découvert, dis-je, *que ces veines se prolongeaient sous la surface du lac, ce qui surcompliquait la tâche, l'eau s'infiltrant par mille fissures de la pierre & noyant les puits. À mesure que les tunnels s'étaient prolongés, la taille était devenue plus difficile & finalement impossible.*

La mine étant si riche, & d'un si abondant potentiel, les commanditaires de l'entreprise firent preuve d'industrie & d'ingéniosité. Un îlot étroit affleurait à la surface du lac Carpeau à quelques centaines de brasses de la rive : l'île du Croc. On y creusa quelques puits d'exploration, pour découvrir des gisements encore plus riches que précédemment. L'abondante main-d'œuvre esclave & salariée fut mise à l'ouvrage pour la construction d'une jetée, puis pour l'édification d'une double digue qui permit de retenir les eaux autour de l'îlot. L'île du Croc, cent fois plus étendue qu'avant, devint la base d'opération de la mine, une base dont le niveau du sol était inférieur à celui des eaux du lac. On éleva sur cette terre nouvellement offerte au soleil des baraquements, une forge, une station de pesée, un poste de garde & l'exploitation reprit de plus belle.

L'année précédant mon arrivée – tout ceci me fut raconté par mes compagnons de misère –, une tempête avait soulevé à la surface du lac des vagues hautes comme un homme. Ces vagues avaient fait céder la première digue, & c'est tout juste si la seconde avait tenu. Témoins de cette catastrophe, conscients qu'une autre, pire, avait été évitée de justesse, les travailleurs libres avaient réclamé l'édification d'une troisième digue – la liberté de faire de pareilles requêtes, ainsi qu'un étique salaire, étant les seules distinctions entre les contractuels & les esclaves, car pour tout le reste nous partagions la même misère, & lorsque nous émergions le soir de nos puits, nous qui avions survécu, nus, noirs & gluants de sueur comme des asticots, notre regard était tout aussi hâve, tout aussi incrédule d'être rappelé au fait qu'il existait réellement un monde au-dessus de notre géhenne.

L'horreur de notre existence était décuplée, du moins selon les prononcements de mon cœur qui a toujours été sensible, par la présence dans les puits d'une multitude d'enfants, certains âgés d'à peine six ans. Lorsque les veines étaient étroites, ce qui était plus souvent le cas que l'inverse, on sauvait beaucoup de temps & d'ouvrage à ne tailler dans le roc que l'espace suffisant pour qu'un enfant puisse y ramper.

Mes lecteurs ressentiront peut-être à la lecture de cette révélation un sentiment d'outrage, en se demandant quelle épouvantable tyrannie pouvait réduire en esclavage des enfants si jeunes pour les affecter à une tâche qui est trop dure pour des hommes adultes. La réponse est d'une triste ironie : aucun de ces enfants n'était esclave – c'eût été interdit –, ils travaillaient avec leurs pères contractuels, la plupart appartenant aux peuplades de cultivateurs semi-nomades des terres environnantes, répondant au nom de Yaomans, qui, attirés par l'espoir d'une vie plus facile, avaient abandonné leurs terres ingrates pour descendre dans la mine.

Je m'aperçois que je me suis laissé emporter par mes sentiments, au risque de faire perdre le fil de mon histoire. Sourd aux revendications des contractuels yaomans, le chef de la mine s'était contenté de faire réparer les ouvrages en place, avec des paroles rassurantes à l'effet que la tempête avait été exceptionnelle, du genre qu'on ne voyait qu'une fois en cent ans, & que si jamais le sort voulait qu'il en soufflât une autre de cette force avant le passage complet du siècle, la digue intérieure résisterait, puisque c'est ce que l'expérience avait démontré, illustrant bellement sa suffisance autant que son utilité.

Ayant ainsi préparé le terrain, vous ne serez pas autrement étonnés, chers lecteurs & chères lectrices, de savoir que l'optimisme du chef de la mine s'avéra imprudent & mal fondé. Les mois d'hiver survinrent sans qu'on puisse les en empêcher, accompagnés dans ces régions de forts vents, qui firent monter sur le lac des vagues d'une hauteur imprévue, qui ne firent qu'une bouchée de la digue extérieure. La digue intérieure ne résista guère plus longtemps cette fois. Le contremaître de la mine se fit prendre au dépourvu. Comme il abhorrait les retards & les complications – en cela il ne faisait que se conformer aux instructions du chef de la mine & des princes qui la commanditaient –, il avait tardé à prendre la mesure des dégâts à la digue extérieure avant d'ordonner une éventuelle évacuation de la mine par ses travailleurs.

Depuis le fond de mon puits, à peine éclairé par la lumière souffreteuse d'une chandelle de suif, j'étais aussi peu au fait de ces funestes événements que s'ils étaient survenus à l'autre bout du monde. Je poursuivais mon labeur, décrit plus haut, lorsque j'entendis les cris d'étonnement de mes compagnons au dessus de moi, accompagnés par un étrange grondement liquide. Un flot d'eau glaciale m'inonda quelques secondes plus tard, éteignant ma chandelle par le même effet.

Celui qui ne s'est jamais retrouvé sans lumière dans un puits de mine ne peut pas imaginer ce que l'on ressent à être inondé par un pareil torrent dans la noirceur la plus absolue. En dépit de la surprise & de la confusion, je tentai de remonter l'échelle fixée à l'échafaudage pour sortir de ce piège. Malheureusement, quelques-uns de mes compagnons d'infortune se trouvant plus haut dans le puits me tombèrent dessus & je chutai à mon tour. N'ayant pas eu le loisir de grimper très haut, je ne me brisai aucun membre en atteignant le fond du puits. Je me redressai &, en l'absence d'autre solution, j'empoignai deux de mes compagnons étourdis &, le dos courbé, je m'enfuis dans le couloir horizontal duquel provenait le minerai, *étant entendu qu'il était considérablement plus aisé d'avancer dans le sens de l'écoulement de l'eau que le contraire.*

Je rencontrai plusieurs mineurs qui accouraient en sens inverse, leur silhouette à peine visible à contre-jour de la lumière des rares chandelles encore allumées. L'un me demanda ce qui se passait, le regard écarquillé, sa voix désespérée parfaitement audible à travers le grondement du torrent. Ce sont les autres qui lui exprimèrent l'évidence dont j'étais incapable de lui faire part : les digues retenant les eaux du lac avaient cédé. Le mineur cria en retour que le puits était notre seule voie vers la surface, une bien futile manifestation d'horreur & d'émoi, à croire qu'un seul parmi nous, qu'il fût esclave ou salarié, eût pu ignorer cette vérité fondamentale de notre abjecte existence.

Les plus forts d'entre nous tentèrent une seconde fois de remonter le courant avec l'espoir de nous hisser jusqu'à la surface. Hélas, à la base du puits nous fûmes bloqués par un enchevêtrement de poutres & de planches. Les échelles & les échafaudages s'étaient démantelés sous la force du courant pour s'écraser au fond du puits : c'est du moins ce que nous en déduisîmes, car la noirceur était plus qu'absolue dans les tréfonds de la terre, & la puissance des jets d'eau glacée qui jaillissaient entre les planches nous étourdissait.

Il nous fallut revenir sur nos pas. Un chef d'équipe nommé Grignard rassembla les hommes présents pour dire qu'il existait plus loin un puits secondaire qui leur permettrait de remonter à une galerie supérieure. Peut-être saurions-nous trouver le moyen de rejoindre la surface de là. Tous n'étaient pas d'accord avec cette stratégie qui nous obligeait à nous enfoncer plus profond dans les entrailles de la terre. Une âpre discussion suivit, puis finalement une communauté de pensée se forma autour de l'avis de Grignard.

Ma main tremble au souvenir de la terrible angoisse qui nous serra la poitrine pendant notre fuite. Nous pataugions dans l'eau glaciale jusqu'aux genoux, avec pour seul éclairage la lanterne du chef d'équipe & la flamme vacillante des rares chandelles de suif qui n'avaient pas été soufflées par notre course éperdue. Le plafond était irrégulier & bas, & à plus d'une occasion je m'éraflai cruellement le cuir chevelu. Nous étions constamment ralentis dans notre progression par l'obligation d'expliquer la situation aux mineurs que nous rencontrions en chemin : des enfants yaomans pour la plupart, car nous étions arrivés dans une partie de la mine où les veines étaient particulièrement étroites. Deux garçonnets plus petits que les autres avaient de la difficulté à soutenir notre rythme de marche : je les pris dans mes bras, & ils s'agrippèrent à moi avec la vigueur désespérée de chatons sauvés de la noyade.

Nous atteignîmes en temps & lieu le puits secondaire annoncé par Grignard. Tous s'empressèrent au pied de l'échelle pour monter, mais les mineurs plus expérimentés refrénèrent l'impatience générale. L'échelle risquait de s'effondrer si nous étions trop nombreux à l'emprunter d'un coup. Nous laissâmes les enfants monter en leur ordonnant de nous prévenir d'un cri lorsqu'ils émergeraient du puits, ceci pour contrôler l'accès à l'échelle afin que celle-ci ne supporte jamais plus de cinq enfants, ou trois adultes, à la fois.

Pendant un temps qui a sûrement été bref, mais qui est magnifié dans mes souvenirs par la terreur qui y est associée, je regardai mes compagnons disparaître l'un après l'autre pendant qu'inexorablement le niveau de l'eau montait pour atteindre nos cuisses, puis notre entrejambe. Par une forme d'entente instinctive qui n'avait nécessité aucune parole, les hommes les plus lourds étaient restés pour la fin. J'avais de l'eau jusqu'à la poitrine lorsque Grignard signifia que c'était mon tour : malgré mon désir pressant de quitter ces lieux, je lui fis signe de me précéder, en indiquant du doigt sa précieuse lanterne. Il aurait été catastrophique que sa lanterne fût noyée ; Grignard me précéda donc. Le visage levé vers le puits, j'attendis qu'on me relaie le message que je pouvais monter à mon tour, endurant le double supplice du froid & de la solitude dans l'obscurité presque absolue. L'eau avait presque atteint le plafond de la galerie lorsque Grignard me cria que je pouvais monter. Si l'acte n'avait dépendu que de ma volonté & de la force de mes bras, ce n'est pas forfanterie de dire que je me serais envolé. Hélas ! le puits que nous empruntions avait été percé pour la circulation de l'air, & non pour un trafic quotidien. J'entends par là qu'il était étroit ; je fus souvent ralenti dans mon ascension par des rétrécissements qui m'obligeaient, en quelque sorte, à ramper à la verticale.

Voilà qui éclairera messires Yarg, Trivelin & Ignace le Catonien, si l'on me permet une parenthèse à ce point de ma narration, sur les causes du soudain accès de terreur qui m'a couvert de honte lorsque j'ai tenté de me glisser entre les murs de Pinacle pour aller secourir mademoiselle Dariole. Nonobstant le témoignage de mes sens & de ma raison, je m'étais cru de retour dans le puits d'aération de la mine d'argent, pendant les secondes les plus noires de ma vie, alors que j'imaginais ma mort venue, coincé pour l'éternité. Par les yeux du souvenir, j'avais vu encore une fois disparaître la lumière de la lanterne de Grignard au-dessus de moi lorsqu'il avait atteint la galerie supérieure. Je m'étais mis à entendre de nouveau les appels de mes compagnons, qui me criaient de me dépêcher, ce qui m'était apparu le conseil le plus absurde émis par bouche d'homme depuis l'aube des âges, quand les dieux accordèrent à l'humanité le don de la parole.

Au moment où je croyais ma situation désespérée, un étrange clapotis, sourd & inquiétant, emplit le tunnel sous mes pieds. Je sentis de l'air souffler d'en bas, puis d'un coup je me retrouvai de nouveau dans l'eau glacée. Un courant ascendant me délogea de ma position précaire & me souleva avec une célérité telle qu'une fois arrivé à l'embouchure supérieure du puits j'allai m'assommer, ou tout comme, au plafond de la galerie, cette dernière étant fort basse.

Grignard & d'autres compagnons m'entraînèrent aussitôt pour fuir le torrent d'eau grondante vomi par le puits que nous venions tous d'escalader. Ayant un peu repris mes esprits, je me rendis compte que nous n'étions plus que six. La plupart des mineurs qui nous avaient précédés s'étaient impatientés & avaient pris les devants. Seuls Grignard & deux autres adultes m'avaient attendu, ainsi que Nizio & Corê, car tels étaient les noms des deux garçonnets yaomans que j'avais portés dans la galerie inférieure.

Nous fûmes donc à notre tour, regroupés autour de la seule lumière de la lanterne de Grignard – & c'était merveille en vérité que le superviseur eût réussi à préserver l'intégrité de sa flamme en courant & trébuchant, car la progression était encore plus difficile dans cette galerie que dans la précédente. Je m'aperçois que je n'ai jamais expliqué que ces tunnels de mine n'étaient ny plans ny tracés au cordeau, que pour économiser temps & labeur humain ils avaient été taillés de façon à se conformer à la trajectoire naturellement sinueuse des veines d'argent, avec leurs creux & leurs sommets. Je le précise pour que vous ne vous étonniez pas du fait que, malgré le torrent qui jaillissait du puits derrière nous, nous marchâmes un certain temps au sec étant donné que la galerie montait en pente douce. Je sentis bientôt la courbure du sol s'incurver vers le bas, puis de nouveau remonter en pente irrégulière. Mon infirmité m'empêchait de

demander aux autres si le puits principal était encore
loin ; je n'avais jamais parcouru ces sections & nos
tribulations frénétiques m'avaient fait perdre toute
notion d'espace & de durée.

Nous arrivâmes soudain à une section au plafond
particulièrement bas, au sol couvert d'eau. Nous
entendîmes des voix & des bruits d'éclaboussures au-
devant de nous. Deux mineurs marchaient sur les
mains & les pieds à notre rencontre, les yeux blancs
d'effroi au milieu de leurs visages crasseux.

Grignard demanda ce qu'il était advenu de tous
les autres qui nous précédaient. Ses interlocuteurs
l'ignoraient. Eux-mêmes avaient surgi d'un embranchement secondaire pour découvrir le passage vers
le puits principal entièrement noyé.

Les conséquences de ce témoignage étaient si terribles qu'il nous fallut aller constater de nos propres
yeux si les deux mineurs disaient vrai. Nous ne tar-
dâmes pas à distinguer dans la lumière jaune de la
lanterne l'endroit où le plafond de la galerie s'enfonçait dans l'eau noire. Nous rebroussâmes chemin –
car l'eau montait toujours – jusqu'à une section de
galerie surélevée par rapport au reste, à cause de
l'affleurement d'une roche d'une autre nature que le
minerai. Nous nous regroupâmes tous les huit sur ce
monticule souterrain, les pieds au sec mais le cœur
serré par un sentiment de terreur désespérée, car de
la position que nous occupions nous apercevions
désormais l'avancée inexorable des eaux dans les
deux directions de la galerie.

Je serrai Nizio & Corê dans mes bras & je me
préparai à périr de la plus cruelle façon, encore que
je doute qu'il existe des manières de mourir qui
soient douces. Je pensai à mon père & à ma mère, &
j'éprouvai une infinie tristesse à savoir qu'ils ne
connaîtraient jamais les circonstances tragiques de

mon décès, ny le lieu où j'avais rendu mon dernier
souffle.

Or, la mort nous accorda un sursis auquel nous ne
nous attendions point. Il nous sembla que la progression
des eaux, que nous contemplions avec une horreur
fascinée, ralentissait. Je ressentis une vive douleur
dans le conduit des oreilles. Je n'y aurais guère prêté
attention, tant je souffrais à ce moment de cent autres
écorchures & excoriations récoltées pendant notre
course éperdue, mais Nizio & Corê se plaignirent au
même instant d'un mal similaire. Même Grignard
nota une sensation d'oppression dans ses oreilles.

Une fois à la base du monticule, l'eau ralentit à
ce point sa montée qu'en pratique celle-ci cessa tout
à fait. D'abord incrédules, nous dûmes reconnaître la
réalité du phénomène. Je ne pouvais commenter ce
sursis que nous accordait le sort, mais mes compagnons, qui n'avaient aucun handicap de la parole, ne
se privèrent pas de le faire. Ils conclurent que les travailleurs à la surface avaient su mettre un terme à
l'inondation, & ceci à point nommé pour sauver
notre groupe de la noyade. Cette supposition nous
permit d'imaginer un peu d'espérance pour nous
soutenir en cette heure terrible. Notre situation n'était
donc pas aussi désespérée qu'elle avait pu sembler
de prime abord. Grignard nous assura que le directeur
de la mine allait aussitôt affecter le plus d'hommes
possible à la tâche d'assécher les puits pour pouvoir
reprendre l'exploitation normale de la mine, & sauver
par le fait même tous les mineurs qui se trouvaient
dans une situation aussi précaire que la nôtre – nous
ne nous illusionnions pas sur notre importance par
rapport aux priorités du directeur de la mine & des
princes qui bénéficiaient du revenu qu'elle générait.

Après nous être encore assurés que l'eau ne montait
plus, nous nous assîmes en cercle tous les huit sur
notre monticule, dont la surface était heureusement

assez vaste pour nous permettre une certaine liberté de mouvement. Nous allumâmes quelques chandelles avec la flamme de la lanterne, puis nous fîmes un inventaire de nos blessures & éraflures, aucune ne mettant nos vies en danger, mais certaines s'avérant fort douloureuses maintenant que notre attention n'était pas entièrement sollicitée par l'urgence de survivre.

Après la revue de nos blessures, Grignard procéda à celle de nos possessions, ce qui prit hélas beaucoup moins de temps. J'ai écrit plus tôt que nous étions nus. C'était licence poétique. Nous portions en fait un caleçon muni de poches pour transporter outils & chandelles de rechange. Le fait que ce linge nous assurait aussi un minimum de décence n'était qu'une considération accessoire. Le seul parmi nous vêtu d'une chemise & chaussé de sandales était Grignard. Nous avions réussi à sauver de l'inondation un marteau de fer, quelques coins du même métal, la lanterne à huile, plus une vingtaine de chandelles de suif, le sort ayant voulu, dans un geste de mansuétude ironique, que Nizio fût chargé de distribuer les chandelles jusque dans les anfractuosités les plus profondes de la mine & qu'il avait conservé son sac qu'il portait en bandoulière pendant toute notre fuite. Nous n'avions hélas rien à manger, pas un quignon de pain, pas même une pelure.

Tout le monde sauf moi discuta de la conduite à tenir en attendant le jour où nous serions secourus. Les optimistes ne pouvaient pas imaginer que cela prenne plus de deux jours – je devinais dans mon âme qu'un éventuel sauvetage prendrait beaucoup plus de temps.

Grignard souffla la flamme de sa lanterne pour économiser l'huile. Un débat suivit sur la pertinence de maintenir une seule chandelle allumée ou deux. Les tenants de la première proposition soutinrent que nos réserves dureraient deux fois moins longtemps en brûlant deux chandelles plutôt qu'une seule ; que deux flammes consumeraient deux fois plus vite l'air et produiraient deux fois plus de boucane. Trois arguments valables quoique défaits par un appel à la prudence de Grignard. S'il fallait que l'unique flamme meure par inattention, ou à l'occasion d'un faux mouvement, nous serions plongés dans l'obscurité absolue, car personne ne possédait ny pierre à briquet ny étoupe. Il était donc préférable d'être prudents, quitte à réviser notre stratégie si notre emprisonnement se prolongeait.

Ainsi commença une longue période d'attente. J'aurais pu souligner avec la plus grande emphase mélodramatique à quel point nous étions atterrés de nous retrouver dans pareille misère, mais ce serait au préjudice de la stricte vérité. Nous avions survécu, & en éprouvions l'exultation de toute créature vivante qui a su triompher d'un péril. De plus, nous n'avions plus à nous rompre le dos à travailler, satisfaction qui ne paraîtra triviale qu'à ceux & celles qui ne se sont jamais échinés dans un tunnel de mine.

Les premières heures de notre emprisonnement ne furent donc pas aussi épouvantables qu'on peut l'imaginer. Mes compagnons devisaient entre eux. Au début, les spéculations sur la cause de l'inondation formèrent l'essentiel de la conversation, puis les sujets se diversifièrent. À force de les écouter, j'appris le nom de tous mes compagnons : les deux qui m'avaient attendu avec Grignard & les enfants se nommaient Droillat & Quinaire, tandis que ceux qui nous avaient rejoints après avoir rebroussé chemin se faisaient appeler Casseur et La Fouine. Les surnoms étaient courants chez les mineurs, ainsi tout le monde m'appelait « Gros-Bras », et parfois aussi, dans un registre moins amical, « Gros-Béat ». On me taquinait au sujet de ma stature & de ma supposée lenteur d'esprit, car il est dans la nature humaine, même au sein de l'enfer, de toujours chercher matière à moquerie & coquecigrue. Mon mutisme m'interdisait de répondre à ces saillies rarement malicieuses, ce qui est bien dommage, car il n'était pas rare qu'en esprit me vînt une piquante repartie, qui aurait sauvé mon honneur, amusé mes compagnons & contribué à atténuer un peu l'esseulement qui était mien.

Peu à peu, la conversation s'étiola. Nous nous allongeâmes en essayant de faire correspondre les points saillants de nos corps à des parties creuses de la pierre : je ne crois pas nécessaire d'insister sur l'inconfort des lieux, le seul véritable bénéfice de se retrouver à pareille profondeur étant le fait que nous n'avions pas froid. Après une période de sommeil, je me réveillai avec les deux enfants blottis contre mon flanc pour se réchauffer, telles des bêtes sauvages. Je me redressai en prenant garde de les réveiller. Constatant que la flamme des deux chandelles avait à peine consommé le suif qui les constituait, je crus n'avoir dormi que très peu de temps. Grignard, éveillé lui aussi, m'expliqua qu'il s'agissait de deux chandelles neuves. J'avais en réalité dormi plusieurs heures, ce qui expliquait également pourquoi j'avais si faim. Grignard continua de me parler sur le ton le plus naturel qui soit, car il savait que je n'étais point aussi sot que les autres le disaient.

Lorsqu'ils s'éveillèrent à leur tour, Droillat & La Fouine s'employèrent à diverses tentatives de communication avec de possibles sauveteurs. Ils crièrent de toute la force de leurs poumons ou frappèrent à coups répétés à l'aide d'un morceau de roche sur le plafond de la galerie. Les enfants ajoutèrent leur voix aiguë au tintamarre. L'insondable profondeur du silence qui suivit ces appels avait de quoi effrayer les plus optimistes parmi nous.

Je n'ai pas tenu le registre des pensées qui sapèrent mon moral pendant les heures qui suivirent. La Fouine, celui parmi nous qui avait le sang le plus vif, fut soudain pris d'agitation. Il déclara avec grands cris & sanglots qu'il préférait risquer la noyade plutôt que de passer un instant de plus dans cette anti-chambre de la mort. Ce fut le plus jeune parmi nous, le petit Nizio, qui le ramena à la raison. Selon son entendement, dont personne ne doutait car c'était son travail de parcourir la mine de fond en comble, au moins trois cents pieds nous séparaient du puits prin-cipal, le long d'une section de la galerie qui ne pouvait être qu'entièrement inondée puisqu'elle descendait tout ce temps.

Ce rappel de la précarité de notre situation nous laissa tous dans un état de profonde apathie. Isolés des cycles du monde naturel, nous avions perdu nos repères. Rien ne changeait autour de nous, ny l'obscu-rité, ny l'assiette du lieu, ny le silence qui l'englobait. La lumière des chandelles était notre seul rempart contre la folie & le désespoir ; le temps que mettait la flamme à consommer sa chandelle était notre seul outil de mesure pour juger du temps qui passait. La Fouine & Quinaire relancèrent le débat sur le gas-pillage représenté par le maintien de deux flammes alors qu'une seule aurait suffi. Les autres réitérèrent leurs appels à la prudence. La discussion dégénéra en insultes, chacun accusant les autres d'étourderie & d'inconscience. Ils en seraient venus aux coups si je ne m'étais interposé.

Après l'altercation, je dormis encore un peu, épuisé psychiquement autant que physiquement, lorsque j'entendis une voix fluette qui me chuchotait à l'oreille : « Gros-Bras… Gros-Bras… » Je me réveillai & reconnus le petit visage embarbouillé de Corê, accroupi tout près de moi, les yeux luisant dans la pénombre éternelle.

Il tendait la main vers la galerie noyée, dans la direction qui menait au puits.

Je pensai que l'enfant avait rêvé, puis j'entendis à mon tour. Des bruits aquatiques, tout en échos, semblaient provenir de sous la surface des eaux qui nous gardaient captifs. Je me redressai & je regardai autour de moi : tout le monde dormait. Mon cœur sautait dans ma poitrine tel un poulain découvrant la jeune herbe du printemps. Les secours approchaient !

Je ne réveillai pas tout de suite mes compagnons, car je mesurais à quel point un faux espoir serait cruel. Il ne s'agissait peut-être que des conséquences d'un processus géologique. J'avançai sur les pieds & les mains jusqu'à la bordure du monticule, suivi de Corê, qui me tenait par le tissu du caleçon comme s'il craignait de me perdre de vue. Je scrutai les profondeurs obscures de la galerie noyée, l'oreille tendue. Les cognements & les frottements, quoique toujours extrêmement ténus, semblaient gagner en intensité.

J'en étais à m'interroger sur les moyens qu'avaient pu prendre les secouristes pour nous atteindre sans se noyer eux-mêmes, le niveau de l'eau n'ayant pas baissé d'un pouce depuis ce temps, lorsque j'aperçus, à l'endroit où le plafond de la galerie rejoignait la surface liquide, quelque chose émerger lentement de l'eau.

Le cri de surprise de Corê réveilla tout le monde. La caverne résonna de questions & de grognements impatientés, qui changèrent de ton & de nature lorsque tout le monde vit ce qui approchait de notre monticule en pataugeant avec des gestes maladroits. Grignard souleva une chandelle en direction de l'apparition qui, à notre totale stupéfaction, se révéla être une toute jeune femme, aux longs cheveux décoiffés, vêtue d'une robe telle qu'en portent les filles d'un artisan prospère, si ce n'est que le vêtement en question était détrempé & déchiré à la suite de son séjour dans l'eau glacée de la mine.

Je refusai d'abord de croire à la réalité de l'apparition, & mon esprit se rebella encore plus violemment lorsque je pus distinguer le visage de la jouvencelle qui, à chaque pas supplémentaire en direction de la chandelle, révélait une peau livide, des yeux éteints & un filet d'eau sale s'écoulant tel un fiel immonde de sa bouche entrouverte. J'avais contemplé de nombreux cadavres pendant mes années au service du capitaine Gedelrode – beaucoup trop en vérité ! – & je compris que la jeune fille qui avançait était morte, & le fait qu'elle bougeait en une grotesque parodie de la vie n'infirmait nullement ma certitude mais en décuplait l'horreur.

Je ne fus pas seul à être sidéré par l'incommensurable étrangeté de cette apparition. Au lieu de nous élancer pour lui venir en aide, mouvement qui aurait été normal chez des hommes qui aperçoivent une jeune femme en détresse, nous reculâmes lorsque celle-ci atteignit la base de notre monticule. Nous reculâmes un peu plus encore lorsque, avec des gestes saccadés et en luttant pour se désempêtrer des pans de sa robe, elle réussit à escalader la pente pierreuse. À ce point, Grignard poussa un grand cri de reconnaissance stupéfaite : c'était la fille de l'intendant de la mine !

Sans donner le moindre signe qu'elle avait été reconnue, la morte-vivante referma la main sur le bras de La Fouine, avec une vivacité qui nous prit tous au dépourvu. Glapissant de terreur, celui-ci tenta de se libérer. Même si elle était secouée de toute part, celle qui avait été la fille de l'intendant ne lâchait aucunement prise. Je l'attrapai par le poignet pour la forcer à défaire son emprise ; or, ce fut moi qui la lâchai tant la sensation de sa chair moite & glacée sous ma paume me révulsa.

La voix perçante de Nizio couvrit nos cris & nos exclamations : une autre silhouette lugubre venait de surgir des flots noirs. Il s'agissait d'un homme cette fois, à l'ossature carrée, corpulent, au cheveu rare & gris plaqué sur son visage figé dans une expression de perpétuel ahurissement. Il était vêtu d'un riche habit de voyage tel qu'en portent les nobliaux quand ils se déplacent sur leurs terres, habit qui, à l'instar de la robe de la jouvencelle, était réduit à l'état de loque. Grignard, dans un sursaut de bravoure, s'interposa & ordonna à l'homme d'expliquer qui il était & d'où il provenait. L'autre ne répondit pas, & même s'il l'avait fait, il n'est guère patent que nous eussions compris ses paroles à travers les cris de La Fouine, qui tout ce temps frappait le visage de la morte-vivante de toute la force de son poing libre, sans arriver à lui faire lâcher sa prise. À force de tirer, la créature leur fit perdre pied à tous les deux, si bien qu'ils basculèrent dans l'eau glacée. Comme s'il attendait ce signal, l'autre noyé se détourna de Grignard & prêta main-forte à la morte-vivante pour entraîner La Fouine avec eux loin de notre monticule.

J'empoignai le marteau de fer & je sautai à la rescousse de notre compagnon. Il me restait encore trop de scrupules chevaleresques pour frapper une jouvencelle, fût-elle une morte-vivante, mais mon entraînement militaire m'avait accoutumé à frapper un homme. J'assénai un coup sur la tête du mort-vivant avec tant de vigueur que l'outil lui défonça le crâne jusqu'à la cervelle. Si l'acte me répugna, il ne sembla pas troubler outre mesure le mort-vivant, qui continua d'entraîner La Fouine de plus en plus profondément dans la partie inondée de la galerie.

À quelques pieds devant moi, je vis un troisième noyé surgir des profondeurs, un garçonnet, guère plus vieux que Nizio ou Corê, si ce n'est qu'il était impossible de le confondre avec un enfant yaoman

tant ses habits étaient luxueux & ses joues replètes de
n'avoir jamais souffert de la faim. En me redressant
de surprise, je me heurtai la tête au plafond rocheux
si fort que j'en vis des étoiles. Le temps que l'univers
cesse de tourner autour de moi, les cris désespérés
de La Fouine s'étaient tus, car ce dernier avait entièrement disparu sous la surface agitée, entraîné dans
les profondeurs de la mine par les trois morts-vivants.

Je retournai me réfugier sur le monticule, tremblant
de froid et d'horreur. Longtemps nous nous regardâmes,
nous sept qui avions survécu, nos yeux écarquillés
reflétant la pâle lumière des flammes, aussi éloignés
du monde des vivants au fond de notre caverne que si
nous nous étions retrouvés sur la Lune. Mes compagnons étaient incapables de prononcer ne serait-ce
qu'une syllabe, à tel point qu'un observateur extérieur
n'aurait su déterminer qui parmi nous était muet &
qui avait le don de la parole.

Les enfants furent les premiers à poser les questions
qui s'imposaient à l'esprit : d'où provenaient ces
morts-vivants ? & pourquoi nous avaient-ils attaqués ?

Faute d'obtenir des réponses, les questions ainsi
posées eurent au moins le mérite d'inciter Grignard,
Quinaire, Droillat et Casseur à émerger de leur stupeur.
Grignard expliqua qu'il avait également reconnu le
mort-vivant aux épaules carrées : il s'agissait du
magnat Asclépiade, le noble chargé de la gestion de
la mine par les grandes familles de la région qui possédaient les terres autour du lac Carpeau, tandis que
le garçon que nous n'avions qu'entrevu était sans doute
son fils. Or, chaque élément proposé pour éclaircir la
situation ne faisait que l'embrouiller, telle une eau
presque décantée qu'on agite dans une futile tentative
de l'éclaircir. Nous pouvions concevoir que le magnat
& son fils se fussent trouvés pour leur malheur sur
l'île du Croc lors de la rupture des digues ; mais par
quel invraisemblable concours de circonstances la

fille de l'intendant s'y trouvait-elle aussi ? Elle quittait rarement la maison de son père, construite sur la berge du lac & hors de vue du chantier ; de mémoire d'esclave, jamais personne n'avait vu ny la fille ny la femme de l'intendant sur l'île. Seuls les surveillants comme Grignard avaient eu l'opportunité de rencontrer ces dames, puisqu'il leur arrivait parfois d'être convoqués chez l'intendant pour recevoir des instructions.

Rien de tout cela n'aurait expliqué leur présence dans les galeries noyées, ny par quelle sorcellerie ils se seraient transformés en créatures aussi révoltantes, ny la raison pour laquelle ils s'étaient attaqués à nous. Droillat essaya de nous rassurer en postulant que La Fouine était la seule cible de la vengeance des morts-vivants, à la suite d'un pacte conclu avec des forces maléfiques dans des circonstances impossibles à imaginer. Si j'avais pu parler, j'aurais exprimé mes doutes sur cette hypothèse. J'étais tout près de La Fouine lorsque la morte-vivante l'avait attrapé, & mon impression avait été que sa main s'était simplement refermée sur le premier membre qui se trouvait à sa portée.

L'accumulation d'autant de mystères étouffa notre imagination au lieu de la stimuler. Mes compagnons se turent, & nous attendîmes, fébriles & inquiets face à la perspective d'un retour des morts-vivants. Nous nous étions juré de nous défendre si jamais cela se produisait, car l'effet de surprise ne jouerait pas une seconde fois. Comme j'étais le plus fort de tous, on m'avait laissé l'usage du marteau – tous les autres, même les enfants, s'étant trouvé un morceau de roche adapté à la grandeur de leur main.

Après avoir remplacé les deux chandelles par des neuves, Grignard décida d'instituer un tour de garde, afin que nous puissions dormir chacun sans nous faire surprendre. Droillat prit le premier tour. Je m'allongeai sur la roche dure, le marteau à la main, les deux enfants pelotonnés entre mes bras. Je pensais être trop excité pour réussir à m'endormir, mais mon état de vigilance dégénéra peu à peu en somnolence nauséeuse. Faut-il le rappeler, aucun de nous n'avait mangé depuis le matin qui avait précédé notre descente dans la mine.

Ce sont les cris de mes compagnons qui me réveillèrent. Je me dressai, le marteau soulevé, tétanisé d'angoisse en reconnaissant les bruits aquatiques qui se réverbéraient dans la caverne.

Nous reconnûmes le premier visage à émerger de la surface, celui du cadavre du magnat Asclépiade, indifférent au fait qu'il avait eu le crâne défoncé par mon coup de marteau. La seconde qui apparut fut la fille de l'intendant, suivie d'une autre femme, d'âge mûr. Grignard n'eut pas besoin de nous expliquer qu'il s'agissait de sa mère, tant les deux pitoyables créatures se ressemblaient par leur visage hâve et leurs vêtements en lambeaux ; il me sembla par ailleurs normal que la mère eût été auprès de sa fille lorsque celle-ci s'était noyée.

Mais d'autres morts-vivants émergeaient toujours des flots. Je vis le fils du magnat, parmi d'autres cadavres de personnes que je ne reconnaissais pas et ne souhaitais pas reconnaître, tout à ma terreur de constater qu'ils étaient plus du double cette fois.

Je tentai de garder les attaquants à distance de notre monticule en faisant siffler mon marteau à la hauteur de leur visage. Futilité ! La peur, comme toute autre émotion, est une manifestation du vivant. Ceux-là étaient morts, indifférents à la douleur. Ils vacillèrent sous l'impact de mes coups, et sous le choc des pierres que mes compagnons leur jetaient. Mes cauchemars sont habités désormais par des visions de mâchoires décrochées, de nez arrachés, d'arcades sourcilières fendues, blessures qui ne saignaient point et ne semblaient nullement incommoder les pitoyables créatures.

Se surprendra-t-on d'apprendre qu'à force de nous bousculer sur notre étroit monticule, nous piétinâmes les deux chandelles, mes compagnons et moi? Que les astres et les dieux soutiennent en cette heure ma main malhabile, qu'ils déposent dans l'encrier une goutte de talent, pour compenser celui que je ne possède point, en ce moment où m'échoit l'impossible tâche de décrire l'horreur qui suivit notre basculement dans l'obscurité absolue. Pour dire vrai, j'y renonce, tant les mots sont ici inadéquats. Ce ne furent qu'empoignades, cris et chaos. Je frappai mon marteau avec tant de folie que mon âme se froisse de honte à la certitude que j'ai sûrement atteint aussi mes compagnons dans le tumulte. Plusieurs d'iceux tombèrent dans l'eau, j'entendis leurs hurlements se noyer pendant que les hordes infernales les entraînaient par le fond.

Finalement, les cris diminuèrent, & les mains glacées cessèrent de chercher à s'emparer de mes membres. Je réussis avec difficulté à retenir mon propre souffle, si fort & rauque que je n'entendais plus que lui. Aux clapotis lointains se superposèrent des sanglots d'enfant, solitaires dans la noirceur. Je m'avançai à l'aveuglette dans la direction du bruit. Le hurlement que Nizio émit lorsque je posai la main sur son corps tremblant me fit monter des larmes aux yeux. Je marmonnai à la manière qui est la mienne pour le rassurer sur mon identité. Une petite main effleura mon visage, puis des bras maigres me serrèrent avec une vigueur désespérée.

J'écoutai ensuite autour de nous, mais n'entendis que le silence. Nizio et moi étions les seuls survivants de la seconde attaque des morts-vivants.

Comment décrire les assauts que le cœur me donna, les pensées qui me vinrent, les considérations que je fis, alors que l'enfant se serrait contre moi au sein de la noirceur plus qu'absolue du tunnel de mine? En une cruelle forme d'imitation, il semblait avoir perdu la faculté de parler ; blessure psychique & non pas physique, dans la mesure où il m'était possible d'en juger dans l'obscurité. Il m'apparut avec une douloureuse clarté que l'acte le plus compatissant à ce point aurait été de le soulager de la terreur de l'attente, de lui épargner l'épouvantable sort qui l'attendait aux mains des cadavres, qui certainement allaient revenir pour compléter leur ignoble dessein. Il m'aurait suffi de refermer les mains autour de son cou fragile, comme on tord le cou à un chiot né avec une difformité, pour épargner à la chienne la nécessité de le dévorer. Jamais je ne pus m'y résoudre. Non par mansuétude, mais par égoïsme. La perspective de toquer à la porte des enfers avec comme dernier acte de ma misérable vie l'assassinat d'un enfant me sembla insoutenable. Je préférais mourir en sachant que je l'avais défendu, la marque d'une vanité dont j'ai aussi honte que de tout le reste.

Nous attendîmes ainsi le retour des morts vivants, ce qui prit beaucoup moins de temps cette fois. Nizio émit un bref sanglot lorsqu'il perçut les premiers clapotis se réverbérant dans notre caverne, & je sentis un frisson parcourir son corps osseux. Je le serrai contre ma poitrine. Je n'avais plus la force de me battre. Les clapotis se multiplièrent & s'approchèrent. Je reconnus les frottements de pieds qui glissaient en une tentative malaisée mais irrépressible de se hisser sur notre promontoire. Ce n'était peut-être qu'une illusion auditive, mais j'eus l'impression que les morts-vivants étaient plus nombreux que jamais.

Je ne pus m'empêcher de hurler lorsqu'une main menue, impitoyable et glacée se referma sur mon épaule et la serra avec une vigueur inhumaine. D'innombrables mains empoignèrent mes cuisses, mes coudes ; des bras m'enserrèrent la poitrine ; je hurlais toujours lorsque les morts-vivants nous arrachèrent l'un de l'autre, Nizio & moi ; & j'aurais sans doute hurlé jusqu'à mon dernier souffle si une main rude et calleuse ne s'était plaquée sur ma bouche pour me faire taire.

Yarg & Dariole se rappellent que dans le prologue de ma narration j'évoquais l'espoir que mes lecteurs ne jugeraient pas trop sévèrement la naïveté du style & la simplicité de mon intention. Je voulais ce récit net & nu, dépourvu de toute érudition & doctrine, sans ornements poétiques ny appels à l'autorité des savants, même si je suis conscient d'avoir souvent failli à mon programme.

Je suis ramené à ces réflexions, tant il m'est étrange de me remémorer ces instants terribles avec cette plume à la main, assis dans le calme et la sérénité de la Guilloche, un verre de vin à ma portée, entouré de compagnons aimables & de charmantes compagnes. Je dois me contraindre encore une fois à abandonner aux seuls faits la tâche d'étonner & d'instruire, si cela se peut ; pour autant que vous compreniez que le passage du temps aplanit les sommets & les creux des émotions telles qu'on les ressent au moment où elles surviennent.

Adoncques, une fois les faits dépouillés de leurs oripeaux émotifs, ils se résument à ceci : comme ils l'avaient fait avec tous mes compagnons avant moi, les morts-vivants m'entraînèrent dans la partie inondée de la mine. Le linceul glacé des eaux noires m'enveloppa. Éperdu d'horreur, je me débattis un certain temps jusqu'à ce que le manque d'air m'affaiblisse. Ma dernière pensée dans la mine fut qu'il aurait été absurde à ce point que je me libère, tant il était clair que jamais je n'aurais le temps de revenir à la surface.

Je perdis conscience.

Lorsque je revins à moi, j'étais allongé dans une courte herbe humide sous une sorte de bâche terreuse que j'écartai… et je clignai des yeux sous la luminosité impossible de la coupole du ciel au-dessus de moi. Il me resta tout juste assez de force pour me redresser & regarder autour de moi, ce qui me permit de constater que je n'étais point aux enfers, même si j'aurais peut-être souhaité l'être tant j'étais affaibli, glacé & contus. J'étais de retour sur les rives sableuses du lac Carpeau, allongé au milieu de ce qui m'apparut être un champ de cadavres. Autour de moi, sous un ciel d'hiver gris et bas, s'alignaient en rangée des dizaines d'enfants, d'adultes, d'esclaves & de salariés, désormais tous réunis dans la mort. Tous ? Non, je n'étais pas la seule exception à cette règle : à quelques pas de moi, le petit Nizio aussi se redressait en gémissant. Corê aussi apparut, fort vivant lui aussi, pour embrasser son camarade en émettant moult exclamations de joie incrédule, manifestation qui trouva un écho chez son compagnon dès que celui-ci commença à recouvrer ses sens.

Entre les rangées apparurent deux morts-vivants, hâves, trempés & à la démarche chancelante, qui transportaient un cadavre de mineur pour aller l'allonger auprès des autres noyés. Je reconnus celle qui avait été la femme de l'intendant, autant par ses vêtements que par les plaies que je lui avais infligées au visage avec mon marteau. J'identifiai aussi l'autre mort-vivant, sans en ressentir la moindre surprise ny la plus infime parcelle d'effroi, car à ce point j'acceptais horreurs & merveilles avec la même équanimité : il avait été de son vivant le contremaître de la mine.

Les deux enfants yaomans s'aperçurent que j'étais vivant. Ils vinrent célébrer dans mes bras la joie d'être de retour à la surface. Grignard et Droillat apparurent aussi, sales et dépenaillés, & pourtant eux aussi souriaient en m'aidant à me remettre debout. Une fois dressé sur des jambes fragiles, je vis enfin à quel point le panorama du lac Carpeau avait été transformé : la jetée qui menait au site avançait désormais entre *des bâtiments à demi immergés aux murs battus par des vagues grises jonchées de détritus, jusqu'à un misérable récif, l'île du Croc, rapetissée à ses dimensions d'origine.*

J'aurais voulu savoir parler pour exprimer mon étonnement : étions-nous les seuls à avoir survécu? Ce n'était pas le cas : sur les pentes derrière moi attendaient de nombreux esclaves & travailleurs yaomans, ceux qui, lors de la rupture des digues, avaient réussi à émerger à temps du puits & à nager jusqu'à la jetée, & ceux plus nombreux qui étaient au repos dans les baraquements à cet instant fatidique, ainsi que leurs femmes & leurs filles, car c'était la coutume familiale dans ce peuple de ne jamais se séparer.

Je mentionne cette coutume, car c'est essentiel à la compréhension du reste. Si, jusqu'à ce point, je me suis retenu d'expliquer les causes des manifestations surprenantes & épouvantables survenues pendant mon séjour dans la mine inondée, ce n'est point par artifice, mais simplement parce que je m'étais laissé emporter par le flot de mes réminiscences. Tout ce qui suivra est un amalgame d'innombrables explications et conversations avec les survivants esclaves & contractuels, dont plusieurs ont été des témoins directs des événements qui se sont déroulés à la surface pendant que nous croupissions, mes compagnons et moi, dans la caverne souterraine.

Après la catastrophique inondation, les femmes yaomanes s'étaient retirées à l'abri des regards. Toute la nuit, les survivants de l'inondation, déjà fort éprouvés, s'étaient agités dans leur sommeil à l'écoute d'étranges chants, sauvages résurgences de la sorcellerie yaomane, déployées selon des rites d'une puissance & d'une antiquité qui dépassent notre capacité à l'imaginer.

Aux premières lueurs de l'aube, les survivants, qui s'étaient levés tôt, & ceux qui n'avaient jamais pu s'endormir, avaient été témoins de la plus stupéfiante des suites de la catastrophe. L'intendant de la mine était apparu sur le chemin qui menait à sa maison. Il marchait en direction de la jetée, sa femme et sa fille à ses côtés, tous trois blêmes d'effroi comme s'ils étaient témoins d'un spectacle innommable, criant & suppliant qu'on leur vienne en aide. Des contremaîtres les suivaient de près, ainsi que l'ingénieur en chef, accompagné lui aussi de sa femme & de ses trois enfants, & tous avançaient vers la jetée en suppliant à grands sanglots qu'on se porte à leur secours. Mais celui-ci leur fut refusé, non par esprit de vengeance ou par manque de compassion, mais parce que tous étaient tétanisés de terreur de voir progresser les no- tables et leur famille de cette manière, à croire qu'ils étaient forcés, à chaque pas, d'avancer le pied pour le pas suivant.

Les possédés parcoururent la jetée dans son entiè- reté. Arrivés au bout de celle-ci, toujours poussés par une main aussi invisible qu'inflexible, ils continuèrent à progresser, pour descendre dans l'eau grise qui couvrait le camp inondé. Ils ne se noyèrent pas de suite, car le fond du camp atteignait rarement plus de la hauteur d'un homme. Ce n'est que lorsqu'ils com- prirent que leurs pas les menaient vers le puits de la mine que les supplications des possédés devinrent vraiment déchirantes. Depuis la berge, les survivants les virent disparaître sous les détritus secoués par les vagues, pour se taire à jamais.

À ce que je compris par la suite, ce serait vision simpliste de penser que la malédiction appelée sur les responsables de la mine et leur famille par les femmes yaomanes n'était qu'une vengeance primaire. Les Yaomans acceptent la mort avec le fatalisme propre aux peuples qui vivent au rythme des cycles de la nature. C'est leur attachement à la cellule familiale qui était à l'œuvre ici. La perspective que les cadavres *de leurs fils et de leurs maris ne puissent être rapportés pour être enfouis dans la terre de leurs ancêtres les avait remplies d'un effroi mystique dont les racines plongent dans un lointain passé.*

Forcer les coupables de l'inondation à descendre dans le puits de mine n'était pas un but, c'était un moyen. L'intendant, l'ingénieur, les contremaîtres & leurs familles n'étaient que les agents de la libération des noyés ; le fait qu'ils mourussent dans l'accomplissement de ce destin n'était qu'une conséquence. Du moins est-ce l'interprétation que plusieurs de mes compagnons esclaves donnèrent du déroulement des événements, lorsqu'ils réussirent à penser droit après être revenus de la stupéfaction de voir réapparaître à la surface les morts-vivants, chaque fois avec un cadavre sauvé des galeries noyées. Une fois ce dernier allongé sur la berge, les morts-vivants tournaient les talons & retournaient vers la mine inondée pour s'y enfoncer.

Les femmes yaomanes avaient-elles prévu que les sauveteurs, malgré eux, retrouveraient aussi des survivants ? J'incline à une réponse positive à cette question, que la magie avait prévu cette possibilité, sinon comment expliquer que tous mes compagnons prisonniers de la caverne et moi avons survécu à la noyade lors de notre long séjour dans les eaux entre notre capture et notre libération à la surface ?

Quoi qu'il en fût, l'effroyable corvée se poursuivit pendant plusieurs jours, & aurait pris plus de temps encore si les premiers possédés n'avaient pas reçu du renfort, constitué du magnat Asclépiade ainsi que de tous les nobles de la région qui l'avaient mandaté & de leurs familles respectives. Les malheureux avaient probablement été possédés au même instant que les administrateurs de la mine, mais il leur avait fallu marcher sur toute la distance qui séparait leur manoir & leurs pavillons de la mine. Ils s'étaient présentés, hommes, femmes & enfants, épuisés par la marche forcée, au point que certains n'avaient plus la force de hurler lorsqu'ils s'enfonçaient sous les flots.

Mon témoignage tire à sa fin. Profitant de la confusion qui avait immédiatement suivi la tragédie, plusieurs esclaves avaient réussi à s'enfuir. Ce ne fut malheureusement pas mon cas : les gardes qui assuraient l'ordre avaient fini par reprendre leurs esprits & avaient pris les moyens pour s'assurer que nous ne fuyions pas tous.

Les esclaves furent séparés des hommes libres & rassemblés dans un camp temporaire sous la charge d'un seigneur de la région, d'apparence austère mais que je jugeai moralement un homme de bien, car il traita tous les captifs à sa charge avec humanité. Nous fûmes nourris & soignés comme il convient à des hommes plutôt que comme des bêtes. Après deux semaines de cette existence où la pire des misères que nous subîmes fut le désœuvrement, la rumeur courut que la mine d'argent ne serait pas remise en exploitation. Pour quelle raison ? Ce n'était pas aux esclaves que l'on expliquait ces choses. Les familles yaomanes plièrent leurs maigres bagages & retournèrent enterrer leurs morts & cultiver leurs terres ingrates. Ce qu'il advint de Nizio, de Corê & de mes autres compagnons de captivité, je ne le sais, & je suis bien en peine de cela quand je me remémore ces événements. Aucune période de la nôtre existence n'est parfaitement sombre, si elle est éclairée par la solidarité & l'amitié de nos semblables.

Nous qui étions esclaves fûmes revendus, partagés entre divers trafiquants. Pour moi, j'échus à un qui se spécialisait dans le commerce des galériens, & c'est ainsi que je me retrouvai à bord de la Diamantine, où l'on me mit à l'ouvrage avec une chaîne au cou. Je n'aborderai pas ici les particularités de ma vie à bord de ce navire étant donné que messire Yarg, qui *est aussi passé par ce chemin, saurait autant & mieux que moi le faire de vive voix.*

En dépit du fait que je ne désespérai jamais de recouvrer la liberté, je finis par m'accommoder de cette nouvelle existence sur les flots de la mer Tramail, d'autant plus que ma grande taille & ma force m'attirèrent les bonnes grâces du maître d'équipage, qui m'éleva de ma basse condition pour faire de moi un garde-chiourme. Ce travail ne me plaisait guère, car je n'ai jamais éprouvé de satisfaction à dominer mes semblables. Je découvris toutefois à l'usage que l'imitation de la férocité était à peu près aussi efficace que la véritable, surtout lorsque l'imitateur possède mon physique & sait, lorsque cela est nécessaire, démontrer qu'il peut passer des menaces aux actes, le tatouage sur mon crâne n'étant qu'un accessoire de plus pour étoffer mon personnage.

S'il vous étonne que je passe sous silence les deux années écoulées entre mon accession au poste de garde-chiourme sur la Diamantine & l'arrivée de Yarg & de mademoiselle à bord du bâtiment susnommé, c'est parce que la période n'est guère remarquable. J'y reviendrai si l'on m'interroge sur un point particulier mais, au jour d'hui, ce sera un bonheur suffisant de reposer ma main en sachant qu'arrivés à ce point, mes lecteurs pourront aussi se reposer les yeux.

& je signe,
Panserfio, fils de Népumène le Forgeron
à bord de la Guilloche

CHAPITRE 17

Dans lequel alternent les moments les plus agréables et les plus brutaux de la traversée de la Guilloche

Après avoir écouté et commenté d'abondance la narration de Panserfio, Trivelin, avec ses passagers, s'attela à la préparation du souper, hélas surtout constitué de poisson mariné, avec les excuses contrites du nain, qui le premier commençait à prendre ce mets en horreur.

Comme l'avait prédit Frontignan plus tôt dans la journée, la pluie cessa et le voile de nuages qui couvrait la mer Tramail se dispersa. Un panorama vespéral aux couleurs prodigieuses s'offrit au regard émerveillé de Yarg : soleil d'or, mer de diamant, nuages rubis, ciel saphir. Sa sensibilité à la beauté naturelle du monde étant toujours aussi vive, il en resta muet d'admiration. L'astre du jour s'enfonça dans les eaux rutilantes. Si la vivacité des couleurs s'atténua, le coucher de soleil resta spectaculaire un long moment.

Après avoir mangé, Yarg alla s'allonger sur le pont, où il s'abandonna à la contemplation de la voûte étoilée, tout en méditant sur son sort passé, et de manière moins sereine, sur son sort futur, le présent s'avérant plutôt agréable, il devait bien le reconnaître.

Les constellations avaient tourné dans le ciel, et le son de la conversation s'était atténué jusqu'à l'extinction. Yarg s'aperçut que le pont de la *Guilloche* était désert. Une fraîcheur nocturne avait commencé à imprégner ses vêtements.

Yarg se leva et réintégra sa cabine. Il s'attendait à y retrouver Panserfio ; c'est Qiql qu'il trouva assoupie sur son lit. Dans la faible lumière de la lanterne fixée au mur, il ne s'en serait pas tout de suite rendu compte, mais la jeune femme se redressa aussitôt, les genoux serrés, le regard glissant d'un côté à l'autre de la cabine tel celui d'un oiseau qui ne sait où trouver un perchoir.

— Dariole a invité Panserfio dans notre cabine, expliqua-t-elle. Elle lui a exprimé sa sympathie à la suite des mésaventures qu'il a connues dans la mine, puis ils se sont mis à se caresser d'une façon telle que j'en ai déduit qu'ils voulaient… Tu comprends ?

Yarg ne comprenait que trop bien.

— Leur manque de courtoisie à ton égard est choquant.

— Dariole m'a dit que je pouvais me joindre à eux… J'ai trouvé que le lit était trop étroit, et je pense que Panserfio aussi était un peu embarrassé, et… et…

Qiql s'interrompit. Son visage reflétait la lumière douce de la lanterne suspendue au-dessus de sa tête. Comme d'habitude lorsqu'elle était intimidée, de larges plaques rosées apparurent un peu partout sur sa peau laiteuse, manifestation qui eut le don d'émouvoir Yarg dans l'état d'hypersensibilité esthétique où il se trouvait.

— Installe-toi confortablement, dit-il d'une voix éraillée. Je dormirai sur le pont.

Qiql sauta sur ses pieds.

— Je ne peux pas accepter !

— J'ai connu bien pire qu'une nuit chaude à la belle étoile.

— Je me sentirai si coupable que j'en perdrai le sommeil ! glapit Qiql, qui se tordait les mains, le regard exorbité, au bord des larmes. Je ne me serais pas imposée si j'avais su que tu te sentirais obligé de partir... Je suis désolée ! Je ne savais pas où aller... Tout me déconcerte dans ton monde ! Tout m'effraie !

Yarg fut incapable de résister. Il s'élança au-devant de Qiql pour l'enlacer et l'obliger à revenir s'asseoir sur le lit, où elle demeura appuyée contre sa poitrine, tremblant de tout son corps. Elle était si mince et fragile que Yarg s'empêchait de la serrer aussi fort qu'il le désirait, de peur qu'elle ne se brise entre ses bras.

— Calme-toi, chuchota-t-il en essuyant les larmes sur les joues de la jeune femme, en écartant tendrement ses cheveux blancs plaqués sur son front fiévreux. Je comprends ce que tu ressens. Ma vie a commencé il y a moins de deux mois. Pour moi aussi ce monde est neuf, étrange et inquiétant.

— Ça ne te remplit pas de terreur ?

— Le terme me semble un peu excessif.

— Je ne m'habituerai jamais à ce monde sauvage.

— Mais si, tu t'habitueras. Nous te protégerons. Je te protégerai.

— Je le sais. Je sais que tu es noble et bon, Yarg.

Ce dernier sentit des larmes poindre au coin de ses paupières. Il pensait le contraire, mais ne voyait pas l'utilité de détruire ses illusions à son sujet.

— Comment te sens-tu maintenant ?

Elle leva son visage vers celui de Yarg, ses grands yeux pleins d'eau.

— Je ne tremble plus.

C'est en goûtant le sel des larmes sur sa bouche frémissante que Yarg comprit qu'il était en train de l'embrasser. Il s'attendait à ce qu'elle écarte son visage, étonnée, peut-être même outragée qu'il profite de son état de vulnérabilité. Or, la jeune femme ne se retirait pas, ne le repoussait pas. Et lui glissait ses lèvres sur son menton, ses joues, son nez délicat, son front chaud, une offrande qu'elle acceptait comme la fleur accepte les rayons du soleil. Non! pas comme une fleur, car la fleur est passive, tandis que Qilq l'embrassait en retour en soufflant d'une voix sourde :

— Yarg! Oh, Yarg! Que faisons-nous?

— Je ne sais pas…

— Je ne suis pas venue pour te séduire…

— La situation est un peu scabreuse… Il vaut mieux que je te laisse, ma volonté est affaiblie…

Mais aucun geste de Yarg n'était en accord avec ses paroles. Au contraire, ses baisers étaient plus fervents, ses caresses de plus en plus empressées.

— Ce n'est plus nécessaire de me caresser, dit Qiql. Je suis pleinement rassurée…

— J'arrête, dit Yarg dont les mains avaient glissé du menton au cou, pour s'infiltrer dans la tiédeur du chemisier.

— Nous nous allongerons chacun de notre côté du lit. (Les paroles de Qiql étaient de moins en moins intelligibles.) Ta présence… Ta présence ne me troublera pas. Je ne suis pas sensuelle.

— Moi non plus.

À ce point ils se turent, tous leurs sens et leur esprit absorbés par la nécessité de se dévêtir sans interrompre ne serait-ce que le temps d'un souffle leurs caresses et leurs baisers.

◆

Au réveil, Yarg comprit, en entendant le bourdonnement du moteur et en jugeant de la qualité de la lumière extérieure, qu'il se levait tard. Qiql le contemplait de ses grands yeux clairs, silencieuse, la couverture chastement remontée jusqu'aux épaules.

— Tu es réveillée depuis longtemps?

— Non, dit Qiql. C'est étrange. On dirait que le bateau oscille.

— Lorsqu'il y a du vent, des vagues couvrent la mer. C'est rare qu'elles soient hautes. Tu te souviens ce qu'a dit monsieur Douar : d'autres mers sont beaucoup plus agitées.

Qiql ne répondit rien.

— Tu sembles songeuse.

— Je réfléchis.

Yarg se gratta la nuque, là où ses cheveux atteignaient la longueur d'une phalange. Il se souvint qu'il avait déjà eu les cheveux aussi longs que Qiql. Les reliquats d'une vie disparue.

— Tu regrettes ce qui s'est passé cette nuit ?

— Non. Je suis déconcertée, c'est tout.

— Ah ?

— Tu étais si ardent au début et si attentionné ensuite…

Yarg ne savait trop s'il devait rire ou pas.

— J'ai fait ce qui me venait naturellement.

— Tu ne m'as pas giflée ni injuriée.

Le rire mourut dans la gorge de Yarg.

— Pourquoi aurais-je fait une chose pareille ?

Qiql détourna le visage.

— Dans les murs, c'est ainsi que les hommes concluent les relations charnelles avec les femmes.

— Une bien détestable coutume !

— Qui es-tu pour juger ainsi de mon peuple ? protesta doucement Qiql. L'acte du congrès est un stigmate de notre nature bassement charnelle, une nécessité en vue de la procréation. C'est un déséquilibre moral de s'y adonner pour la jouissance seule qu'il nous procure.

Yarg était sur le point d'exprimer, sans fard et sans générosité excessive, ce qu'il pensait de la morale de l'ensemble des habitants de Pinacle, qu'ils vécussent dans les palais ou dans les murs de ceux-ci, mais des appels empressés retentirent sur le pont, suivis par un bruit facile à reconnaître : Trivelin qui courait.

— Que se passe-t-il ? demanda Qiql.

Yarg l'enjamba pour s'extraire du lit. Il enfila son pantalon, puis ses bottes. Au moment de sortir de la chambre, il se rendit compte que son épée était déjà assurée dans sa main – le geste était à ce point naturel qu'il l'accomplissait sans s'en apercevoir. Il émergea torse nu sur le pont et découvrit un panorama aussi magnifique qu'inattendu. À cette latitude, la Chicane livrait au regard une multitude de pitons rocheux d'une soixantaine de pieds de hauteur, certains larges de plusieurs centaines de pieds, d'autres fins comme des aiguilles. À la base de ces côtes abruptes se brisaient les vagues lentes et grises de la « Grande Fainéante ».

Ignace le Catonien, monsieur Douar, Panserfio et Dariole étaient sur le pont. Leur regard convergeait vers l'avant, où un voilier venait d'apparaître, jusqu'alors caché par les falaises crayeuses de la plus large des îles à portée de vue.

Depuis son poste sur la passerelle, Frontignan cria :

— Il serre le vent pour nous intercepter ! Je ne vois pas de drapeau !

Panserfio se plaça devant le capitaine pour se lancer dans une série de mimiques signifiant : *Je sais ce dont il s'agit… Ils vont nous aborder… Nous tuer…* Il conclut avec un regard en direction de Dariole, la partie la plus expressive de sa pantomime : *Les demoiselles subiront pire outrage encore…*

— Des pirates, hein ? grogna le capitaine. Quasiment surprenant que ce soient les premiers qu'on voie.

— Parce qu'ici les vents sont plus vifs qu'ailleurs sur la mer, expliqua monsieur Douar en examinant les parois déchiquetées de l'île, la main en visière. Ils avaient des guetteurs là-haut. Ils ont eu tout le temps de se préparer.

— Virons de cap contre le vent, dit Ignace le Catonien. Ils ne pourront pas nous suivre.

— Sauf votre respect, capitaine, votre moteur magique a beau être extraordinaire, je dis que ces forbans peuvent contrôler leur direction et leur vitesse mieux que nous. Ce n'est pas la première fois qu'ils jouent à ce petit jeu.

— Je vous charge de la manœuvre, monsieur Douar. Ce titre de capitaine n'est qu'honorifique, vous le savez bien !

— À bâbord toute ! beugla monsieur Douar à l'attention de Frontignan, toujours sur la passerelle.

Le moustachu sauta sur le pont et courut à la barre, alors que monsieur Douar poussait le contrôle du moteur à son maximum. La *Guilloche* tourna souplement vers une grappe d'îlots qui s'éparpillait à l'est.

Au cas où quiconque aurait encore eu des doutes sur les intentions du navire inconnu, celui-ci changea aussitôt de cap pour couper au plus court.

S'engagea une course-poursuite entre la *Guilloche*, propulsée vigoureusement contre le vent par ses roues à aubes, son étrave fendant les vagues avec moult craquements de la vieille coque de bois, et l'autre navire, qui serrait au plus près en soulevant lui aussi de grands jets d'écume.

Pour Yarg, l'expérience était totalement nouvelle. C'était la première fois qu'il se faisait secouer autant sur la mer Tramail. Le poursuivant s'était assez rapproché pour qu'il puisse distinguer la couleur grise de la coque de bois, le mât noirci et les voiles brunes et rapiécées.

Qiql sortit de la cabine et alla rejoindre Yarg, la démarche incertaine dans le vent du large combiné au tangage généré par la progression du navire. Elle voulut demander ce qui se passait, mais le vent lui enleva les paroles de la bouche.

— Les demoiselles devraient se réfugier dans leur cabine ! intervint Trivelin.

Dariole, ses longs cheveux noirs fouettés par le vent, interpella Ignace le Catonien.

— Vous ne pouvez pas l'arrêter par magie ?

— Trop tard pour les berner avec une illusion. Je connais quelques repoussoirs pour me défendre contre un trio de malandrins, mais pas contre un équipage complet de guerriers féroces. La magie n'est pas omnipotente.

— Et votre sort d'étourdissement ?

— Une solution de dernier recours, qui me laissera épuisé. Je vous rappelle que sa durée est limitée.

— On ne va pas se laisser trousser sans riposter ! s'insurgea Yarg.

— Ce serait humiliant, reconnut Ignace le Catonien. Trivelin, apporte nos armes !

— J'y cours !

Le petit homme s'élança vers le poste de navigation, puis réapparut en tirant un coffre aussi long que lui. Il tenait dans l'autre main une sorte d'étui en velours de six pieds de long. Il fit signe aux passagers d'approcher, ouvrit le couvercle du coffre pour en sortir toutes sortes d'accessoires, parmi lesquels il trouva un arc court, qu'il tendit à Dariole, avec un carquois contenant une dizaine de flèches, elles aussi si courtes que Yarg protesta :

— C'est un arc d'entraînement pour enfant !

— Et je ne sais pas tirer ! dit Dariole d'un air effaré.

— C'est un arc magique, dit Trivelin avec une patience qui démontrait qu'il avait prévu ces objections. Choisissez une cible et tirez. Vous ferez mouche à tout coup. Attention ! Il n'y a que dix flèches.

Dariole accepta l'arc et le carquois, médusée. Trivelin défit le lacet à l'extrémité du fourreau pourpre pour en sortir... rien du tout ! Yarg cligna des yeux :

on aurait dit que le fourreau glissait le long d'une tige invisible.

Trivelin leva ses mains l'une devant l'autre, puis fit un petit geste sec en direction de Panserfio à quelques pas de lui. Le colosse sursauta :

— *Mpf !*

Trivelin répéta son geste vers Yarg, qui sentit un choc un peu douloureux sous la clavicule. Il battit l'air devant lui pour refermer la main sur un objet invisible, rigide et cylindrique, comme un bâton constitué d'un matériau dont la texture ne lui rappelait rien. Il tira. Trivelin trébucha d'un pas vers l'avant.

— Un bâton invisible ?

— Et indestructible, dit le nain avec un sourire entendu. Il mesure environ six pieds de long.

— Je préfère ça, dit Yarg, en brandissant son épée qui, malgré sa pointe cassée, restait de nature à imposer le respect. Je ne refuserais cependant pas un bouclier.

— Hélas, nous ne sommes pas équipés pour la guerre, dit Trivelin. Si personne ne veut de mon bâton, je me le garde.

— Ils approchent ! cria Frontignan.

Pendant une longue minute d'angoisse, Yarg regarda le navire pirate continuer de gagner du terrain. On distinguait maintenant le visage rougeaud des pirates, leurs costumes dépenaillés, certains arborant un casque ou une armure. Ils devaient être une trentaine. Plusieurs brandissaient des arcs.

Yarg ordonna à Dariole et à Qiql de se cacher hors de portée des flèches. Tout ce temps, monsieur Douar était resté à son poste, et Frontignan à la barre. Ignace le Catonien était allé les rejoindre, un œil sur les poursuivants, et l'autre sur la paroi déchiquetée d'un îlot qui se dressait droit devant.

Soudain, monsieur Douar rabattit à deux mains la manette de contrôle. Le rotor magique ralentit en émettant d'inquiétants gémissements, s'immobilisa, puis les pales rotatives s'élancèrent en sens inverse en secouant de vibrations la cage et le pont du navire.

Les roues à aubes tournaient maintenant dans le sens contraire de la marche, en soulevant d'immenses bouillons d'écume qui inondèrent Frontignan. Avec une sensation de soulèvement dans l'estomac, Yarg sentit la *Guilloche* ralentir, s'immobiliser, puis repartir à reculons. Malgré le fracas du moteur et des roues à aubes, on entendit distinctement des jurons et les ordres précipités qui provenaient du navire pirate.

La voile du navire poursuivant occulta le soleil. Yarg sentit sa gorge se serrer en voyant la coque ennemie glisser à quelques pieds à peine devant la proue de la *Guilloche*. Des flèches fendirent l'air. Heureusement, elles n'atteignirent personne. Trois pirates audacieux se balancèrent à l'aide de cordages pour franchir la distance qui les séparait du pont de la *Guilloche*. Ignace le Catonien courut vers la proue, la main levée, sa toge trempée claquant au vent. Un sifflement strident fit mal aux oreilles. Les trois pirates frappèrent un mur invisible. Deux chutèrent dans la mer, un seul atteignit de justesse le pont. Il se releva aussitôt, étonné de se retrouver seul, mais il fit néanmoins preuve de courage en se lançant à l'attaque, sabre au clair, et en émettant un cri féroce destiné à instiller la peur chez ses adversaires.

Il en fallait plus pour impressionner Yarg. D'une volée, il s'élança à la rencontre du pirate. Le combat dura moins longtemps que ne résonne le tintement de deux lames frappées l'une contre l'autre. Le pirate s'affaissa, le foie transpercé. Yarg n'en ressentit que peu de gloire, son adversaire étant sans doute encore étourdi par le sort de défense invoqué par Ignace le Catonien.

Le forban vivait encore, secoué de spasmes, mais l'heure n'était pas à la sensiblerie. Panserfio et Yarg le jetèrent par-dessus bord. Les deux guerriers revinrent vers le reste de l'équipage en essuyant leurs mains ensanglantées sur leurs pantalons. Monsieur Douar avait repoussé le contrôle du moteur en marche avant, à plein régime, tandis que Frontignan manœuvrait la barre pour mettre cap plein nord.

En voyant leurs assaillants continuer de s'éloigner, Yarg crut que l'exercice de magie d'Ignace le Catonien, combiné à la démonstration des qualités de manœuvre de la *Guilloche*, les avait découragés. Monsieur Douar broya ses espoirs :

— Ils vont chercher le vent pour mieux manœuvrer. Pas question de les surprendre deux fois avec cette entourloupe !

La prédiction du marin s'avéra, hélas, exacte. Le vaisseau pirate alla reprendre le vent d'un large mouvement tournant, puis la poursuite reprit. Monsieur Douar réfléchissait furieusement, un pli sur son front ridé par le soleil et les intempéries. Il envoya Frontignan à la passerelle pour surveiller les hauts-fonds et céda le contrôle du moteur au capitaine pour s'installer, lui, à la barre.

— Que faire pour aider ? demanda Yarg.

— Rien, j'espère ! dit Ignace le Catonien, dont le regard exorbité ne quittait pas le navire pirate.

Sous la gouverne de monsieur Douar, la *Guilloche* filait droit vers un entrelacs de fjords et d'étroits pitons rocheux aux parois crayeuses fissurées et percées d'ouvertures dans lesquelles entraient et sortaient des nuées d'oiseaux de mer. Yarg sentit un frisson en voyant l'étroitesse du passage vers lequel semblait les diriger le pilote. Il était impensable que le voilier puisse les talonner si la *Guilloche* réussissait à s'engager dans un passage de cette étroitesse, et ce serait encore plus vrai dans le labyrinthe de canaux que Yarg arrivait à distinguer au-delà.

Encore une fois, leurs espoirs furent balayés. Venu du poste de Frontignan, un cri fortement teinté de panique couvrit le bruit du vent, du moteur et des vagues.

— Ça ne passe *paaas*! À bâbord! À bâbord toute!

Monsieur Douar barra à bâbord, décision incontournable mais pourtant catastrophique puisque la *Guilloche* était maintenant coincée entre la falaise à tribord et leur poursuivant à bâbord, ce dernier pouvant désormais manœuvrer, contrairement à eux.

Le moteur fut poussé à fond. Trop tard! Le bateau pirate naviguait de conserve, sa proue devançant la leur de quelques pieds. La *Guilloche* était coincée comme un poisson dans une nasse!

Ignace le Catonien aurait voulu encore cette fois faire marche arrière toute, mais ce petit jeu ne pouvait fonctionner deux fois. Des grappins furent lancés pour retenir la *Guilloche*, les archers ennemis étant instruits de viser particulièrement le pilote et le barreur. Ignace le Catonien et monsieur Douar furent obligés d'abandonner leur poste pour se réfugier derrière la structure du moteur.

Qiql et Dariole s'étaient pour leur part enfermées dans la cabine de navigation, tandis que Yarg et Trivelin cherchaient refuge derrière les cabines. Frontignan sauta de son perchoir, où il était vulnérable. Il se releva face à Yarg et à Trivelin, une épée dans sa main tremblante.

— Je suis un marin, pas un soldat!

— Heureusement, moi, c'est le contraire, dit Yarg.

Le croassement qu'émit Frontignan était peut-être un rire.

— J'ai vu ça.

— Où est Panserfio? cria Trivelin.

Yarg fit un geste.

— Là.

Faisant preuve d'une souplesse étonnante pour sa corpulence, Panserfio rampait sous le bastingage pour couper les câbles des grappins tout en se maintenant hors de portée du tir des archers. Malheureusement, pour chaque câble qu'il coupait, deux autres apparaissaient, lancés par autant de grappins.

Une partie des pirates tirait sur les câbles pour arrimer les deux coques, pendant que d'autres soulevaient de longues passerelles destinées à permettre l'abordage dès que les deux navires seraient suffisamment près. Le reste du grotesque équipage agitait de longues épées à grand renfort de cris aigus.

Il y eut néanmoins un flottement dans les rangs des assaillants. Une passerelle bascula par en arrière lorsque les pirates qui la tenaient dressée s'effondrèrent l'un après l'autre. Un autre pirate, particulièrement grand et d'allure féroce, laissa tomber son épée pour tenter de retirer une courte flèche qui s'était fichée en plein centre de son front. Ses genoux vacillèrent et il tomba par en avant, disparaissant de la vue.

Yarg profita de l'inattention pour se glisser par la porte de la cabine de navigation. Dariole s'était postée devant l'étroite fenêtre, l'arc tendu. Elle laissa filer sa flèche. Malheureusement, celle-ci fut bloquée par un bouclier soudain dressé par un des assaillants. Yarg comprit que si l'arc magique ne ratait jamais sa cible, rien n'interdisait à la personne visée de placer un objet sur le parcours de la flèche.

— Vise les archers ! ordonna Yarg.

Dariole se tourna vers lui, bouleversée.

— Je *déteste* tuer les gens !

— Faudrait qu'ils aient les mêmes scrupules ! Vise les archers ! Les autres, je m'en occupe !

— Oui… Oui, tu as raison…

Elle prit une autre flèche dans le carquois. Yarg n'eut pas le temps de lui dire que sa plume d'empenne était à l'envers : l'arc s'était détendu. La flèche, tirée n'importe comment, accrocha le cadre de la fenêtre et partit de travers, mais rétablit aussitôt sa trajectoire qui la mena à travers la gorge d'un archer ennemi. Ce dernier tomba du poste surélevé où il s'était installé.

— C'est affreux ! gémit Dariole.

Yarg chercha Qiql, pour la découvrir assise en tailleur sous la table de navigation. Elle leva un regard piteux vers le sien.

— Bon endroit, dit Yarg. Reste là !

Il vit ensuite qu'il ne restait que quatre flèches dans le carquois de Dariole.

— Garde-toi une flèche.

— Pourquoi ?

— Pour vous défendre si un forban entre dans la cabine.

Le moteur magique fit vibrer le plancher sous les pieds de Yarg, bruit noyé aussitôt par une immense et furieuse clameur : l'abordage avait commencé. Il sortit de la cabine et courut porter assistance à Panserfio, qui bloquait à lui seul la progression des pirates sur une des passerelles, ceux-ci refusant d'en découdre avec un pareil déchaîné. Hélas, une autre passerelle ménageait une voie libre, ceci sans compter les pirates au pied assez sûr pour courir sur les câbles tendus par les grappins.

Yarg et Panserfio se placèrent dos à dos. Entièrement absorbé par la tâche immédiate de survivre et d'infliger le plus de blessures à leurs adversaires, Yarg ne réalisa pas tout ce qui se passait à la poupe. Ce n'est que plus tard, lorsqu'ils eurent le temps de dresser le bilan des dégâts, que Trivelin et Ignace le Catonien lui racontèrent ce qu'ils avaient improvisé dans la confusion du moment.

Une fois assuré que les archers pirates avaient été mis hors d'état de nuire par Dariole, Ignace le Catonien bondit sur le contrôle du moteur, pour passer en marche arrière, avec l'espoir que les câbles des grappins se rompent, et vite ! avant que les pirates passent à l'abordage.

Le moteur gémit et ses vibrations secouèrent encore la cage protectrice et la structure du navire. Le pont fut inondé à nouveau par les baquets d'eau qui remontaient, les concepteurs de la *Guilloche* n'ayant pas jugé nécessaire de couvrir la partie avant des roues à aubes.

Les câbles ne se rompirent point. La puissance transmise aux roues à aubes ne réussit qu'à faire tourner autour d'un axe décentré les coques des deux navires, et cela malgré les efforts du barreur pirate pour contrecarrer ce mouvement. Dans la furie de l'abordage, rares furent les belligérants qui se rendirent compte que les deux navires sur lesquels ils se trouvaient tournaient bout pour bout. Le capitaine pirate n'apprécia guère la chose : il ordonna à trois de ses comparses d'aller mettre un terme à ces sottises.

Les trois pirates sautèrent d'un câble à l'autre jusqu'à la *Guilloche*. Ils ignorèrent la mêlée autour de Panserfio et de Yarg : leurs ordres étaient de régler le compte d'Ignace le Catonien et de monsieur Douar.

Le premier des pirates tomba de tout son long sur le plancher de bois, où il se reçut avec la brutalité de celui qui ne comprend pas ce qui lui arrive. Le pirate qui suivait trébucha aussi en échappant son épée. Le troisième regarda avec un air étonné Trivelin émerger d'entre les pattes de support du moteur, à l'endroit où, pour une raison inexplicable, ses deux comparses étaient tombés. Trivelin se dressa face à l'ennemi, les deux poings refermés l'un devant l'autre. Le pirate émit un gloussement incrédule. Il croyait que le nain le défiait à poings nus, lui qui faisait au moins quatre fois son poids. Mettant tout son élan dans le geste, Trivelin fouetta l'air avec son bâton invisible. Un mélange de dents cariées et de salive ensanglantée jaillit de la bouche du pirate.

Les deux autres se relevaient. Frontignan accourut pour en occire un d'un coup traître mais efficace au milieu du dos, en hurlant de dégoût autant que de furie. Trivelin abattit le bâton invisible de toutes ses forces sur le crâne dégarni du dernier.

La proue des deux navires pointait dorénavant vers le sud, avec pour conséquence que c'était maintenant le navire pirate qui se trouvait entre la paroi de roche et la *Guilloche*. Ignace le Catonien redressa sans ménagement la manette du moteur, ce qui força l'appareil à un autre brutal renversement de régime, puis il indiqua fébrilement la falaise à monsieur Douar.

Le pilote comprit et barra en conséquence.

Le capitaine adverse ne tarda pas à comprendre aussi en voyant la paroi du piton rocheux se rapprocher. Des cris de rage furent lancés de la proue à la poupe du bateau pirate. Les adversaires de Yarg et de Panserfio les abandonnèrent, les uns pour aider à la manœuvre sur leur navire, les autres pour tenter de reprendre le contrôle de la barre de la *Guilloche*.

Trop tard.

Le vaisseau pirate, poussé sans rémission par les roues à aubes de sa proie, frappa la paroi de plein fouet. Le choc fut terrible. Une nuée piaillante d'oiseaux de mer émergea des trous dans la roche et couvrit les cieux. Le craquement qui suivit fut plus terrible encore. En surplomb du navire pirate, une section de falaise d'au moins cinquante pieds de haut se détacha. L'aiguille de roche déchira la voile, cassa le mât, traversa le pont et la carène du navire aussi facilement qu'une épingle transperce un insecte, broyant plus d'un infortuné pirate au passage.

La *Guilloche* tressauta violemment. Certains câbles des grappins cassèrent comme de vulgaires ficelles, d'autres résistèrent et ce fut le bastingage qui fut arraché.

L'aiguille rocheuse s'immobilisa avec un choc puissant et sourd – le fond marin n'était jamais très profond dans la Chicane – pour basculer avec une lenteur trompeuse vers la *Guilloche*. Yarg pria tous les dieux dont il ne se souvenait plus afin que la masse crayeuse épargne leur navire...

Il ne fut que partiellement exaucé.

La partie supérieure de l'aiguille épargna la coque, mais accrocha la roue à aubes de bâbord, qui tournait encore à plein régime. Dans un fracas de fin du monde, la *Guilloche* roula presque à se renverser, jetant à terre amis et ennemis sous une pluie d'éclisses de bois et d'eau soulevée par la chute de l'aiguille.

Yarg se releva, trempé et étourdi. Dès qu'il eut repris un peu contenance, il chercha Panserfio. Le colosse était allongé sur le pont. Il bougeait, c'est donc qu'il était encore vivant, mais semblait trop sonné pour se relever. Il devait avoir frappé le bastingage avec sa tête lors du basculement.

Yarg n'avait pas le temps de s'occuper de son compagnon : trois pirates étaient demeurés à bord de la *Guilloche*. Un de ceux-ci, estimant que tout était perdu, sauta par-dessus bord. Les deux autres laissèrent approcher Yarg : un croquant dépenaillé, le front ceint d'un bandeau crasseux, une hachette dans la main gauche ; et un grand escogriffe encore moins accommodant d'allure, en armure piquée de rouille, qui brandissait à deux mains une épée deux fois plus longue que le braquemart de Yarg.

En dépit du fait qu'il était coupé de partout et épuisé au point d'en être nauséeux, Yarg s'approcha des deux pirates. Il aperçut derrière ceux-ci Frontignan, Trivelin et monsieur Douar, qui s'approchaient aussi.

— Vous êtes vaincus, souffla Yarg. Rendez-vous.

Les deux pirates ne comprenaient peut-être pas l'estran. Ou peut-être n'étaient-ils sourds qu'à la raison.

Ils s'élancèrent vers Yarg en émettant un double hurlement sauvage, résolus à entraîner avec eux un dernier adversaire dans l'enfer qui les attendait.

L'escogriffe en armure leva son épée pour frapper Yarg du long. Ce dernier se tira en triangle et marcha raidement sur son adversaire pour tenter de lui percer le flanc sous le plastron. L'armure accomplit sa fonction : la lame fut déviée. Tout ce temps, Yarg avait imaginé en esprit quel serait le geste le plus probable de son autre adversaire. La hachette lui coupa la joue à la jonction du menton, mais celui qui la maniait scella néanmoins son sort en se conformant à la prédiction de Yarg. Sans jamais arrêter de tourner, ce dernier releva son braquemart en un furieux mouvement vers le haut. La pointe cassée entra sous l'aisselle, traversa les chairs, entra sous le menton, et la vigueur du bras de Yarg était encore suffisante pour lui faire traverser la langue et le palais.

Sans cesser de pivoter sur son pied gauche, Yarg retira son épée. Le croquant à la hache s'affaissa comme du linge mouillé. Yarg sut hélas que, dans sa position, jamais il n'arriverait à bloquer le coup qu'avait préparé l'escogriffe. La longue épée était dressée, prête à s'abattre. Ni Trivelin, ni Frontignan, ni monsieur Douar ne pouvaient être suffisamment proches pour lui venir en aide ; sa seule chance résidait dans une incantation magique d'Ignace le Catonien, à la condition que ce dernier fût en état de le faire – toutes ces possibilités déferlant dans son esprit en une parfaite simultanéité.

Le salut vint d'ailleurs. Le compas de navigation d'Ignace le Catonien, ses deux tiges écartées à la bonne distance l'une de l'autre, s'enfonça dans les yeux du pirate. Le forban recula d'un pas, et un hoquet lui secoua tout le corps, ce qui ne l'empêcha nullement de terminer le geste qu'il avait entamé : il abattit son épée sur Yarg avec un immense cri de rage. Son hésitation avait néanmoins donné le temps à son adversaire d'amorcer un mouvement d'esquive. La lourde épée frôla l'avant-bras et le mollet de Yarg avant de s'enfoncer de plus d'un pouce dans le pont de la *Guilloche*.

Maintenant qu'il avait repris son équilibre, Yarg déploya la force de son dos et de ses bras et balaya l'air de toutes ses forces avec son braquemart. La lame atteignit son adversaire juste sous l'oreille, lui décollant la tête à moitié. Yarg eut presque l'impression d'accomplir un geste charitable tant il lui répugnait de voir un homme, n'importe quel homme, aveuglé d'aussi cruelle façon. Faisant preuve d'une invraisemblable pugnacité, le pirate resta un long moment debout, un sang vermeil giclant de sa plaie au rythme de son cœur battant. Il finit par tomber à son tour sur son compagnon recroquevillé dans la position où l'avait abandonné son agonie.

Le silence se fit sur le pont.

Soufflant comme un cheval de labour, son torse nu suant et saignant, Yarg contempla les deux cadavres à ses pieds. Le pont était rouge de sang dilué d'eau de mer.

Dans le cadre de la porte de la cabine, Dariole et Qiql se tenaient l'une dans les bras de l'autre.

— C'était l'idée de Qiql !

Yarg hocha la tête : il ne comprenait pas de quoi Dariole parlait. Celle-ci se détacha de Qiql et courut vers Yarg en agitant son arc vers le cadavre du pirate aux yeux crevés.

— Le compas ! C'était l'idée de Qiql ! Je n'avais plus de flèche ! Pauvre Yarg ! Tu es blessé de partout !

Qiql suivait Dariole en contemplant le carnage.

Pendant que Dariole, Trivelin et les autres s'occupaient de Yarg et de Panserfio – ce dernier étant sauf, mais encore un peu sonné –, Ignace le Catonien retourna aux contrôles du moteur, qui avait calé lorsque l'aiguille rocheuse avait frappé la roue à aubes.

L'appareil émit un bourdonnement inquiétant, puis se mit en rotation à basse vitesse. La *Guilloche* avança, la roue à aubes faussée imprimant à tout le navire un mouvement de lacet qui donnait la nausée. Pas question de progresser longtemps de cette manière : le capitaine voulait simplement s'éloigner de la carcasse du bateau pirate, cassée en deux, constamment rabattue contre la paroi rocheuse par le ressac. À la base du piton rocheux, sous la nuée furibonde d'oiseaux de mer, les quelques pirates survivants s'agrippaient à la pierre dans une position plus que précaire. Ils regardèrent leur proie s'éloigner, le visage fermé.

La *Guilloche* progressa tel un animal blessé jusqu'au centre du chenal, où Ignace le Catonien arrêta le moteur. Il demanda à l'équipage de nettoyer le pont et de faire l'inventaire des dégâts. Après avoir récupéré le compas, Frontignan et Trivelin jetèrent sans cérémonie les cadavres des pirates par-dessus bord. Ils empoignèrent ensuite des vadrouilles pour nettoyer le pont.

Ignace le Catonien s'approcha de Panserfio et de Yarg, assis l'un à côté de l'autre sur un banc pendant que les deux femmes nettoyaient leurs blessures. Malgré son regard vitreux, Panserfio semblait avoir retrouvé ses esprits. Yarg, par contre, avait hérité de plusieurs blessures plus sérieuses qui saignaient toujours profusément.

— Encore des travaux de couture pour Qiql et moi ! dit Dariole avec une bonne humeur un peu forcée.

— J'ai des notions de chirurgie, dit Ignace le Catonien, qui entreprit aussitôt d'examiner ses deux passagers. Je n'ai pas l'impression qu'un viscère majeur a été atteint.

— Moi non plus, dit Yarg.

Panserfio fit un geste significatif : *Ça va pour moi aussi.*

Le capitaine resta un moment debout devant ses quatre passagers, sa main fouillant sa barbe dans une attitude hésitante. Il reprit la parole sur un ton malaisé :

— J'espère que vous pardonnerez, messire Yarg, et vous aussi, Panserfio, la faiblesse d'un vieil homme. Distrait par la bataille et la manœuvre, j'ai été incapable de me concentrer suffisamment pour prononcer l'incantation d'étourdissement qui nous a été si utile pour échapper aux gardes de Pinacle. J'aurais pu m'envoler par Translation, mais j'aurais trouvé ignoble de vous abandonner à votre sort.

— Nous avons triomphé sans perdre un homme, dit Yarg. Vos excuses sont exagérément scrupuleuses.

Ignace le Catonien opina en silence, puis alla rejoindre monsieur Douar qui faisait le compte des dégâts au navire, son visage dur empreint d'une expression à l'opposé de la franche hilarité. Les deux hommes examinèrent l'ensemble formé par le moteur magique, les engrenages, les arbres de transmission, ainsi que les roues à aubes elles-mêmes. Après bien des discussions et quelques essais de remise en marche, ils tombèrent d'accord sur le fait que la roue de bâbord était irréparable et qu'ils allaient être obligés de s'en départir.

Dariole s'attela à la tâche de recoudre les plaies de Yarg, avec Qiql comme assistante attentionnée. La jeune femme ne semblait pas exagérément émue par les blessures de son amant de la nuit précédente, pas plus qu'elle ne semblait particulièrement désarçonnée par le spectacle de désolation autour d'elle. Yarg sentit une pensée sardonique fleurir dans son esprit : peut-être que l'attaque des pirates ne faisait que confirmer la sauvagerie du monde extérieur qu'elle tenait pour acquise, et qu'en ce sens cela ne l'étonnait pas plus que le reste. Mais il s'en voulut pour cette pensée peu charitable : la jeune femme était peut-être simplement sous le choc.

Tout ce temps, la *Guilloche* vibrait sous les coups de massue assénés à la poupe par monsieur Douar dans le but de désengager la roue à aubes de l'arbre de transmission qui la reliait au moteur magique. Le reste de l'équipage arrachait ce qui restait du couvercle qui avait protégé le pont des éclaboussures de la roue. Panserfio voulut aller prêter main-forte, mais se fit aussitôt éconduire par Ignace le Catonien qui lui ordonna, en une rare manifestation de l'autorité que lui conférait à bord le titre de capitaine, de s'asseoir et de se soumettre aux soins qu'on lui prodiguait.

Bientôt, après de nombreux coups de massue supplémentaires, et deux fois ce nombre de poussées avec des leviers, Trivelin, Frontignan, monsieur Douar et Ignace le Catonien émirent un cri d'effort collectif. Un lourd raclement d'essieu fit frémir tout le navire.

La roue à aubes brisée bascula dans la mer avec un grand bruit d'éclaboussures.

L'équipage de la *Guilloche* contempla d'un air morose le vide laissé à bâbord dans la structure du navire, puis le capitaine alla remonter le levier du contrôle de vitesse au premier cran. Les pales du moteur s'élancèrent à bas régime, entraînant la roue à aubes de tribord. Tout semblait fonctionner, à l'exception d'un grincement discordant émis à chaque période de rotation de la roue. Ignace le Catonien augmenta peu à peu la vitesse du moteur, au cinquième, puis aux deux cinquièmes.

Le navire abandonna derrière lui les cadavres des pirates et la roue démolie. Frontignan manœuvra la barre d'un bord et de l'autre pour juger de la manœuvrabilité du navire maintenant que la poussée était décentrée. Monsieur Douar ne sembla pas inquiet outre mesure : il leur faudrait compenser en permanence, mais c'était un moindre mal.

Monsieur Douar alla remplacer le capitaine au contrôle du moteur. Il augmenta la vitesse aux trois cinquièmes. Une vibration de mauvais augure s'empara de tout le corps du moteur. Il rabaissa aussitôt le levier d'un cran. La vibration cessa. Ignace le Catonien fit un geste que Yarg ne sut interpréter. Exaspération ? Fatalisme ? Qui sait ? Il s'agissait peut-être de soulagement…

Au rythme grinçant de la roue à aubes, la *Guilloche* reprit sa course aux deux cinquièmes de sa vitesse, encore et toujours plein nord, tant que les méandres de la Chicane, ou encore l'intervention de ceux qui la peuplaient, n'en décideraient autrement.

CHAPITRE 18

Où Yarg est rappelé,
grâce aux bons et doux offices de Qiql,
au fait que l'existence n'est pas
que furie et douleur

Après l'attaque des pirates, Yarg ne quitta guère son lit de la journée. Qiql lui apporta à boire et à manger, changea ses pansements, essuya son front en sueur, et en toutes choses se révéla tendre et dévouée.

— Tu n'es plus ma domestique, protesta tout de même le blessé.

— J'aligne ma conduite sur Dariole. Elle soigne Panserfio dans l'autre cabine. Préfères-tu être soigné par un des membres d'équipage ?

Yarg réussit à sourire.

— Pas vraiment.

Les deux femmes restèrent au chevet de leurs compagnons toute la nuit qui suivit. Yarg dormit par à-coups, et s'éveilla au milieu de la nuit, nu et le corps humide de transpiration. Il s'était débarrassé de sa couverture, tellement il avait chaud. Une soif dévorante lui brûlait la gorge.

Qiql dormait tout habillée à côté de lui. Il tenta de descendre du lit sans l'alerter, mais ne put s'empêcher d'émettre un grognement de douleur. Il n'avait pas été aussi courbaturé depuis son retour à la conscience dans la cage de la steppe.

Qiql se réveilla et s'empressa d'aller lui chercher un verre d'eau, que Yarg accepta avec gratitude. Elle le regarda boire, son regard luisant au milieu de son visage pâle et rond, irréel dans la lumière sourde du lumignon. Elle lui essuya le front, puis la poitrine, qu'elle se mit à embrasser délicatement. Sa robe glissa le long de son corps délié, et elle embrassa Yarg sur la bouche, la tendresse se muant en passion. Il aurait fallu au guerrier blessé dix fois ce nombre de plaies et de contusions pour ne pas sentir son sang s'enflammer et son membre viril se dresser.

— Ça ne peut pas attendre un peu ? murmura-t-il tout de même.

— Je tremble de désir, dit Qiql, la voix rauque.

— Que dira Dariole si elle doit refaire ses sutures ?

— Ne bouge pas, alors.

Avec des gestes lents, la jeune femme posa un genou sur le lit, fit passer l'autre au-dessus de Yarg, et le caressa voluptueusement de toute la longueur de son corps en prenant garde de ne pas toucher aux endroits les plus meurtris. Leurs bouches s'unirent, et leurs hanches firent de même. En un chuchotement entrecoupé de soupirs, Qiql communiqua à son amant l'admiration qu'elle lui portait pour sa bravoure, et la pitié qu'elle ressentait pour ses blessures, et combien lesdits sentiments avaient enflammé le désir qui ne s'était jamais éteint en son sein depuis leur première étreinte, pareil à une braise qui rougeoie sous la cendre. Yarg caressa le corps élancé allongé sur lui, puis, sans égard pour ses membres endoloris, l'étreignit avec de plus en plus d'ardeur à mesure qu'il s'approchait de l'extase amoureuse.

Après avoir retrouvé son souffle, Qiql se détacha de Yarg. Elle essuya son corps en sueur, puis celui de son amant, satisfaite de constater que les sutures de ses plaies avaient tenu. Yarg l'admirait tout ce temps, sous des paupières alourdies de fatigue. La jeune femme vint s'allonger auprès de lui en remontant la couverture sur leurs corps alanguis.

— Je ne sais pas ce qui me prend, chuchota-t-elle sur un ton à la fois perplexe et contrit. Je n'ai jamais été aussi démonstrative avec un homme.

— Qui s'en plaindrait ?

— Tout ce qui s'est passé depuis que je t'ai offert de te guider vers ton appartement, à Pinacle, tourne dans mon esprit. J'ai l'impression de n'avoir commis que des péchés depuis ce temps, de n'avoir connu que la crainte et l'humiliation. Je titube d'une terreur à la suivante. Et pourtant, je n'ai jamais connu d'extase pareille à celle que je viens de connaître. Que m'arrive-t-il ?

— Tu t'adaptes à la vie sauvage.

Elle ne releva pas la boutade... s'il s'agissait bien d'une boutade, Yarg n'en étant pas sûr lui-même.

— Parfois, j'ai l'impression que je rêve, et que je vais bientôt m'éveiller dans le dortoir que je partageais avec mes sœurs, dans les murs. D'autres fois, j'ai l'impression que c'est mon existence à Pinacle qui a été un rêve, un long rêve lent et gris.

— Tu as un avantage sur moi : celui de pouvoir comparer.

Qiql s'approcha de Yarg à le toucher, posa sa main sur sa poitrine et enfouit son visage dans le creux de son cou.

— Je peux me placer comme ça ? Je ne te fais mal nulle part ?

— Même si c'était le cas, je dirais non.

Il sentit qu'elle souriait.

— Crois-tu que Dariole et Panserfio en font autant que nous cette nuit ?

— Le contraire me surprendrait.

Peu à peu, Yarg sentit Qiql se détendre et sa respiration ralentir, devenir plus profonde. Il s'était imaginé qu'il s'endormirait lui aussi dès qu'il fermerait les yeux, l'âme comblée par une double satisfaction, celle de connaître le bonheur lui-même, et celle de savoir ce bonheur partagé par les êtres lui étant les plus chers. L'ambiguïté de cette notion secondaire se révéla suffisamment importune pour lui ravir le droit au sommeil. Appréciait-il Dariole, Panserfio et Qiql pour leurs qualités intrinsèques ? Ou simplement parce qu'il s'agissait des seules personnes au monde avec lesquelles il partageait des souvenirs communs ? Établir ce genre de distinction était-il pertinent ? Un amour abstrait était-il possible ? Pour aimer une personne, ne fallait-il pas d'abord et avant tout la connaître ? La conséquence voulant que ce fût parmi nos connaissances qu'on sélectionnât celles susceptibles d'éveiller notre passion avait alors un caractère d'évidence tautologique.

Yarg soupira, tout en se retenant de gratter une de ses blessures qui piquait. Il commençait à soupçonner que si son esprit s'encombrait de considérations aussi abstraites, c'était pour en masquer d'autres, plus concrètes, plus dérangeantes aussi. Il avait peut-être déjà une femme et des enfants sur le continent. Dariole lui avait rappelé cette possibilité le jour où ils s'étaient disputés à Pinacle. Ce n'était certes pas la première fois qu'il y pensait. Or, ç'avait été une chose de soupeser les conséquences d'une telle éventualité alors qu'il n'entretenait aucun espoir sérieux d'y répondre – pendant qu'il était esclave sur la *Diamantine*, par exemple –, c'en était une autre de l'évoquer avec la caresse du corps nu de Qiql contre son flanc, son souffle tiède dans le creux de l'oreille, son parfum de femme qu'il humait à chaque respir.

À la nuit languide succéda une journée affairée. La Chicane méritait ici son nom. De l'aube au crépuscule, Ignace le Catonien et Frontignan ne quittèrent pas leur poste sur la passerelle, observant, mesurant et se reportant constamment à la carte, qui s'avéra souvent un peu moins précise qu'il n'aurait été souhaitable. Trivelin était affecté au contrôle du moteur et monsieur Douar à la barre. Le fait que la *Guilloche* ne pouvait plus se déplacer qu'à une fraction de sa vitesse maximale n'était pas un trop grand handicap dans les circonstances. Au pire, la propulsion décentrée obligeait monsieur Douar à plus de prévoyance lorsqu'un changement de cap abrupt était nécessaire.

Malgré leurs blessures, et un éveil quelque peu tardif, Yarg et Panserfio ne chômèrent pas complètement. Avec les planches et les outils à bord, ils entreprirent la réparation du bastingage abîmé par les câbles des pirates. Yarg découvrit par l'expérience qu'il n'était pas un menuisier de grand talent. Panserfio était un peu plus habile – pas surprenant chez un forgeron. Le travail n'avancerait pas vite, même lorsque les deux hommes seraient remis de leurs courbatures... mais ce n'était pas grave car ils n'étaient pas pressés.

En effet, le soir venu, après que Trivelin eut servi à ses compagnons encore secoués un peu de pain noir, de la bière et du poisson en saumure, le capitaine sollicita l'attention de tous :

— Vous ne serez pas surpris d'apprendre que j'ai révisé à la hausse la durée de notre traversée. J'espérais arriver à Port Soleil en huit jours. À notre vitesse actuelle, ça nous prendra sans doute le double. Ce ralentissement aura deux conséquences. La première n'est pas entièrement négative, surtout pour ceux qui parmi vous commencent à trouver le menu monotone : il nous faudra faire escale pour nous réapprovisionner en eau douce et en vivres. À l'aller, j'ai noté dans mon cahier de bord lesquels parmi les peuples d'insulaires m'avaient semblé les plus amicaux.

En d'autres temps, Dariole aurait sans doute demandé d'un ton persifleur s'il fallait considérer les pirates de la veille comme des insulaires amicaux... Pas ce soir-là. Elle écoutait en silence, le bras protecteur de Panserfio autour des épaules, son visage presque méconnaissable tant il était rare qu'elle adoptait un air aussi sérieux.

Après avoir allumé sa pipe avec une étincelle magique, son rituel d'après souper, Ignace le Catonien poursuivit:

— Avec quoi paierons-nous? Voilà la question. Nous avons un peu d'argent. Malheureusement, le potentiel économique d'une pièce de numéraire ne peut se concrétiser que si les deux parties s'accordent pour le reconnaître. Trouverons-nous des insulaires accommodants?

— Les pièces qu'on vous a données à Pinacle les amadoueront peut-être, dit monsieur Douar. L'or est apprécié partout.

— Une solution de dernier recours, maugréa le capitaine. Ces pièces exotiques ont considérablement plus de valeur à mes yeux, et aux yeux de n'importe lequel de mes collègues magiciens, que leur poids en or.

— Pourquoi ne pas s'arrêter à Spire? s'étonna Yarg. La ville semblait plutôt ouverte au commerce.

— Spire? Je ne connais pas cette ville, dit Ignace le Catonien.

— *Mmm...*

Pour l'édification de Yarg, Panserfio se mit à tracer avec le bout du doigt des chemins sur la surface de la table, tournant et contournant des obstacles, faisant la part de ce qui était possible ou non.

— Votre compagnon est en train d'expliquer que nous n'empruntons pas les mêmes voies navigables que le navire sur lequel vous avez été esclaves, dit le capitaine. Il y a plusieurs façons de traverser la Chicane, selon le tirant d'eau de notre navire. Hélas, les façons de se perdre sont beaucoup plus nombreuses. Ce serait fort hasardeux de tenter de rejoindre Spire d'ici. Voilà aussi la raison pour laquelle

Panserfio nous déconseille de chercher une voie directe vers Port Soleil à travers l'archipel.

— Pour en revenir à la question du paiement, dit Trivelin, on a des outils, des instruments magiques, du tissu. À nous de déterminer ce qui est essentiel et ce dont on peut se départir.

— Comme toujours, c'est la voix du bon sens qui parle par votre bouche, mon jeune ami... Ayons confiance ! Le voyageur qui s'éloigne de chez lui et des siens dépend de la générosité des étrangers. Même le cavalier qui s'encombre de matériel et de provisions ne saurait parer à toutes les éventualités. Tôt ou tard, il fera appel à la bonté des étrangers, sans être capable de payer en retour. Le voyage se transforme en aventure quand cette règle est infirmée, quand le voyageur ne rencontre pas la générosité espérée, mais l'inflexibilité du soldat qui garde une frontière, la vénalité du brigand qui prend la bourse ou la cruauté du pirate – comme nous en avons fait hier la brutale expérience. Les gens qui ont le bon sens d'être casaniers s'étonnent des récits de voyage qui racontent le contraire – ce qui est pourtant loin d'être inhabituel. Quiconque a voyagé souvent sait que les gens d'un lieu seront souvent généreux si le voyageur n'est pas menaçant et s'ils ne sont pas eux-mêmes dépourvus. Évidemment, la générosité en question est souvent des plus simples : une paillasse où coucher, un peu d'eau claire, un repas constitué de l'ordinaire du peuple, pris sur le coin d'une table, avec des enfants qui se chamaillent... mais ce sont des choses qui comptent beaucoup pour le voyageur. Néanmoins, il ne faut pas pousser ces considérations à leur fin extrême. Un voyageur qui partirait sans une piécette ni un bout de fromage en poche n'obtiendrait ni mon approbation ni mon estime.

Pour la première fois du repas, la voix douce de Dariole se fit entendre :

— Vous disiez que notre ralentissement aurait deux conséquences.

Ignace le Catonien se renfrogna, ses épais sourcils froncés, puis après quelques marmonnements reprit :

— Oui… Eh bien… Je me suis mal exprimé. C'est la seule conséquence qui me vient à l'esprit pour l'instant. Nous verrons… Nous verrons pour la suite…

◆

Les jours qui suivirent s'inscrivirent dans la mémoire de Yarg comme la période la plus heureuse de sa vie. Aux journées affairées succédaient des nuits torrides où, dans l'alcôve de leur cabine, il démontrait à Qiql, de la manière la plus concrète qui fût possible entre amants, avec quelle rapidité il se remettait des blessures et des contusions récoltées pendant le farouche combat contre les pirates.

À en juger par l'expression rêveuse qui éclairait le visage de Panserfio chaque matin lorsqu'il contemplait Dariole, il était aisé de deviner que ceux-ci occupaient leurs nuits de semblable façon, une hypothèse que la jeune femme confirma joyeusement lorsque Yarg eut l'occasion de se retrouver seul à seul avec elle.

— Je l'adore ! C'est un grand ourson ! Quand je pense qu'il faisait régner la terreur sur la *Diamantine* !

— Je me doutais déjà que c'était de la comédie.

— Moi aussi, mais je n'imaginais pas qu'il serait aussi… aussi…

Il était rare que les mots manquaient à Dariole. Elle glissa plutôt ses deux bras droits sous le bras de Yarg, pour l'enlacer avec un sourire d'autosatisfaction.

— Toi et Qiql, ça a l'air de marcher aussi. Mon astuce pour l'envoyer dans ta cabine n'était pourtant pas très subtile.

— En effet.

— Ce qui m'inquiétait, c'est que tu l'expulses ou, encore pire, que tu lui adresses un des sermons vertueux dont tu as le secret.

Yarg grinça des dents.

— Tu as retrouvé ton humeur primesautière, en tout cas.

— Comment pourrait-il en être autrement ? Chaque jour nous rapproche de Port Soleil. J'ai un amant fougueux et tendre. Mes manigances pour te trouver une compagne ont porté fruit – quoique, dans ce dernier cas, vous ayez montré tellement de bonne volonté à sauter au lit ensemble que j'ai de la difficulté à m'enorgueillir de mon habileté.

— Tu as tort. Sous ce joli minois se dissimule l'esprit le plus retors du monde.

Dariole rit comme s'il l'avait complimentée. Elle se détacha de Yarg avec vivacité et voulut lui donner une chiquenaude sous le nez, mais celui-ci avait prévu le geste et lui bloqua le poignet. Elle leva une autre main, qu'il attrapa de la même façon.

— J'en ai encore, dit Dariole en exhibant ses deux mains supplémentaires devant le visage de Yarg.

Celui-ci la libéra.

— Tu as gagné.

Les grands yeux noirs de Dariole s'embuèrent. Elle resta silencieuse le temps d'un souffle, puis demanda, un ton plus bas :

— Aurais-tu préféré que ce soit moi qui vienne te rejoindre ? que je laisse Panserfio et Qiql se découvrir des intérêts communs ?

— Ce serait la même chose pour toi ?

— Tu ne réponds pas à la question.

— Toi non plus.

Dariole tourna le dos à Yarg, s'éloigna, puis sautilla pour lui faire face, son menton étroit soulevé en une expression de morgue.

— Je t'ai déjà dit que tu étais une des rares personnes qui réussissait à m'exaspérer ?

— Le sentiment est réciproque. Je pense que la vie avec Qiql sera plus simple qu'avec toi.

— Tu réponds donc à ma question, finalement ?

— On le dirait.

— Voici ma réponse à la tienne, alors. Je ne suis pas convaincue que tu es fait pour mener une vie simple.

— Tu en saurais plus sur moi que j'en sais moi-même ?

— C'est courant entre un homme et une femme, même chez les gens qui n'ont pas perdu la mémoire.

Yarg se contenta de sourire : il savait qu'il ne remporterait jamais une joute oratoire avec Dariole, qui lui sourit une dernière fois avant de retourner dans sa cabine.

◆

Le sixième jour de la progression de la *Guilloche* dans la Chicane, l'équipage avisa une baie qui s'enfonçait dans une des plus grandes îles de l'archipel. Ignace le Catonien expliqua qu'à l'aller ils avaient demandé leur chemin à des pêcheurs qui avaient montré une parfaite complaisance à guider le navire sur leurs frêles esquifs, et cela pendant presque une journée, sans exiger la moindre compensation.

Panserfio rédigea un court message sur un bout de papier qu'il tendit au capitaine :

Mon savoir est un amalgame des ouï-dire et des commérages entendus à bord de la Diamantine. *Nous sommes à Avampe, qui est soit le nom du village autour du quai, soit le nom de l'île tout entière – ceci trace la frontière de mon ignorance. Les autochtones y ont acquis une si parfaite réputation d'indolence et d'amabilité que les pirates esclavagistes ne capturent jamais*

de ces insulaires pour leur ignoble commerce ; les
hommes sont de piètres forçats et même les femmes
sont peu prisées, car elles se laissent mourir de chagrin.

Qiql, qui comme tout le monde avait lu le message
de Panserfio, eut une rare réaction de colère.

— Encore des pirates et des esclavagistes ? Personne
ne fait donc rien pour s'en débarrasser ?

— La capture d'esclaves est une des conséquences
naturelles et logiques de l'existence de l'esclavage,
dit doucement Ignace le Catonien.

— Vous cautionnez cette pratique ?

— Au contraire, elle me répugne jusqu'aux fibres
les plus intimes de mon être. Ceci étant dit, certains
philosophes, estimés par ailleurs pour leur esprit pénétrant, considèrent l'esclavage comme un principe
d'organisation de la société humaine parfaitement
convenable.

Trivelin émit un bref rire moqueur.

— Parions qu'aucun de ces savants n'a jamais été
esclave lui-même.

Ignace le Catonien fronça les sourcils.

— Allons, mon ami… Un authentique philosophe
ne laisserait pas les particularismes de son existence
personnelle gauchir le développement rigoureux de la
raison et colorer les principes généraux qui en découlent.

Le rire du nain se teinta de sardonisme :

— Sans vouloir vous manquer de respect, mon cher
maître, je me permets de vous dire que l'accumulation
de tout votre savoir n'a pas réussi à chasser chez vous
un fond de naïveté lorsque vient le temps de comprendre l'âme humaine.

— L'esclavage devrait être interdit partout, coupa
Qiql.

— À Pinacle aussi ? ne put s'empêcher de demander
Yarg.

Qiql ne sembla pas apprécier l'insinuation. Elle
répliqua, sur un ton sec :

— Les Rouages ne sont pas des esclaves.

— La différence est subtile.

Le visage rouge jusqu'à la racine des cheveux, Qiql semblait sur le point de répondre lorsqu'un cri de Dariole l'interrompit.

— Regardez là-bas ! Est-ce que c'est un quai ?

Frontignan mit la main en visière, pour confirmer que la structure qu'ils apercevaient ressemblait effectivement à un quai.

— J'espère qu'ils ont autre chose que du poisson en saumure, dit Trivelin, rappelé à des considérations moins philosophiques. Qu'est-ce que je donnerais pour de la viande grillée. Ou du pain de gruau. N'importe quoi à part du poisson !

Le temps que Frontignan manœuvre pour accoster, le quai s'était rempli d'une petite foule d'insulaires qui ne semblaient nullement inquiets de la nature quelque peu brinquebalante de la construction qui les soutenait.

Hommes et femmes arboraient une grande diversité de couleur de peau. Les femmes étaient généralement plus pâles, d'un blanc crémeux ou d'un jaune doré avec de larges cernes foncés autour des yeux – Yarg n'avait pas l'impression que c'était du maquillage. Elles portaient des robes aux couleurs vives, et des chemises décorées de plumes multicolores, pour celles qui ne se promenaient pas la poitrine découverte. Les hommes avaient l'épiderme brun et même noir, avec, à l'inverse des femmes, des cernes de couleur crème autour des yeux, ce qui leur donnait un air perpétuellement ébahi. Yarg supposa qu'un plasme qui s'exprimait de façon aussi pittoresque devait être soigneusement classé dans les laboratoires Auxque de Pinacle.

Sur tous les autres aspects de leur physique et de leur personnalité, hommes et femmes étaient semblables : replets, enjoués et jacasseurs, avec une ribambelle d'enfants nus, la peau tachetée comme des marcassins, qui couraient partout pour accentuer l'impression générale de chaos.

Parmi les passagers qui débarquèrent de la *Guilloche*, Dariole, Trivelin et Panserfio furent les plus populaires auprès des insulaires d'Avampe, qui semblaient trouver particulièrement comique la morphologie singulière de ces trois visiteurs. La barbe fournie d'Ignace le Catonien fascina aussi les enfants, mais même les plus effrontés n'osaient s'approcher d'un patriarche à l'air si sévère.

En une joyeuse procession, les insulaires et leurs invités montèrent le long d'un sentier jusqu'à un village de maisons à l'architecture plus élaborée que ce à quoi Yarg s'attendait. Sur le porche d'une bâtisse plus grande que les autres, surmontée d'un imposant mât totémique, une matriarche laissa approcher les visiteurs. La vieille dut s'y prendre à plusieurs fois pour faire diminuer le bruit ambiant, mais finalement il lui fut possible de se faire entendre.

Yarg avait beau tendre l'oreille, il ne comprenait pas un mot de tout ce babillage. Il s'avéra que le seul parmi eux à comprendre la langue des insulaires était Panserfio. Comme ce dernier était incapable de répondre, les visiteurs se retrouvèrent dans une situation quelque peu imprévue.

La matriarche crut d'abord qu'on se moquait d'elle et exprima sa colère par une succession de consonnes fricatives qui fit baisser encore un peu plus l'intensité des chuchotis autour des parlementaires.

Les insulaires finirent par comprendre la situation – ce qui les amusa beaucoup. Les négociations qui suivirent pour approvisionner la *Guilloche* s'avérèrent néanmoins alambiquées. De temps en temps, Panserfio clarifiait un point obscur en griffonnant quelques mots sur papier à l'intention des gens de la *Guilloche*, les insulaires ne sachant pas lire. Il tentait de reproduire avec l'alphabet prabale la prononciation de quelques concepts importants de la langue avampe. Eau se prononçait *fluss*, viande *cra-ïk*, et « paiement approprié » *izzi adodi*; le cheminement vers la compréhension était surcompliqué par la connaissance imparfaite de la langue avampe par Panserfio, et l'hilarité générale qui suivait chacune des tentatives de prononciation d'un mot par Ignace le Catonien.

Les deux parties finissaient par se comprendre, ce qui ne signifiait pas qu'elles parvenaient à un accord, car comme le précisa l'un des billets de Panserfio :

Nos besoins ne font guère mystère : tous les équipages qui mettent à quai en expriment de semblables. C'est sur la question du « izzi adodi » que nos discussions achoppent.

— Ils ont bien compris qu'on ne veut pas de poisson en saumure ? se méfia Trivelin.

— Un détail, grogna Ignace le Catonien. J'aimerais savoir ce qu'ils veulent de nous en échange.

À mon entendement, eux-mêmes ne se sont pas encore décidés.

Pendant les discussions, un jeune homme viril au port altier s'était posté près de la matriarche pour suivre la conversation d'un air plus condescendant que la moyenne. À en juger par la familiarité de son attitude avec la matriarche, Yarg supposa qu'il s'agissait de son fils, voire de son petit-fils. Ce dernier finit par interrompre d'un air impatient la conversation en cours pour s'adresser à Panserfio, avec des gestes en direction de Dariole.

Le colosse parut offusqué. Il croisa les mains avec un geste de refus parfaitement explicite.

— Qu'est-ce qu'il me veut ? demanda Dariole.

Panserfio semblait exaspéré : *Rien de pertinent. Des sottises.*

Le jeune homme avampe ignora son vis-à-vis. Avec un sourire enjôleur, il fit signe à Dariole de s'approcher.

Cette dernière accepta sans se faire prier. Le petit-fils de la matriarche baragouina dans son langage en repoussant d'un geste dédaigneux ses compagnons de la *Guilloche*, et en lançant une invite à le suivre plus loin dans le village, dans un endroit où il y aurait moins de monde.

— Il veut m'épouser ou juste coucher avec moi ? demanda Dariole sur un ton qui n'était pas scandalisé le moins du monde.

— *Mmf !*

— Demandons-lui si ça peut faire partie du paiement pour les vivres.

— Mademoiselle Dariole, je vous en prie, intervint Ignace le Catonien d'un air infiniment embarrassé. Nous ne pourrions pas accepter pareil… euh… sacrifice de votre part…

— Oh là là ! On ne parle pas ici d'un grand sacrifice ! L'important est de savoir négocier un arrangement profitable.

— *Mmmfff !* gronda Panserfio, qui s'interposa entre le jeune homme et Dariole pour mettre au clair que tout développement concernant la proposition en cours devrait passer par son aval.

L'émoi du colosse et la perspective d'une bagarre, ou de toute autre forme de scandale, amusèrent beaucoup les Avampes. Pendant ce temps, une jeune beauté enceinte jusqu'aux yeux s'était approchée. Elle interpella le séducteur avec un flot rapide d'interjections aiguës, entrecoupées de gestes dépréciateurs en direction des deux femmes débarquées de la *Guilloche*. Les cernes autour des yeux assombris de colère, elle exigea une réponse sans ambiguïté sur les intentions du jeune homme par rapport à Dariole et à Qiql.

— Finalement, on comprend très bien ce qui se passe, chuchota Trivelin vers Yarg.

— En effet.

Le petit-fils de la matriarche contesta les termes de l'accusation : il n'avait fait aucune représentation auprès de la grande maigre aux cheveux blancs. Cette tentative de noyer le poisson fut fort mal accueillie par la jeune femme, qui inséra son petit doigt dans une narine de son interlocuteur, et sans la moindre concession à sa dignité, l'entraîna à sa suite vers l'intérieur du village.

L'explosion de rires qui secoua la communauté insulaire après le départ des amoureux interrompit les négociations un certain temps. La matriarche ordonna ensuite à tout le monde de s'asseoir à terre en demi-cercle devant l'entrée de sa maison, afin qu'on serve à boire et à manger, période pendant laquelle elle fit comprendre à ses interlocuteurs qu'il serait inconvenant de continuer à parlementer.

Ceci faisait parfaitement l'affaire de Yarg, qui se délecta des plats qui leur furent offerts : de la viande fumée, une pâte de légumes épicée, des fruits à la chair onctueuse, le tout accompagné d'une sorte de bière épaissie de grains et servie dans des réceptacles taillés à même la tige d'un arbuste.

— Tu n'aimes pas ça ? demanda Yarg en voyant que Qiql n'avait presque rien mangé de ce qu'on lui offrait.

— C'est bon. Mais je n'ai pas faim.

— Tu ne manges presque rien. Tu peux bien être maigre.

Yarg avait voulu faire une boutade, mais le visage de la jeune femme s'affaissa de tristesse.

— C'est la seconde fois que tu me rabroues aujourd'hui. Je suis consciente de ma laideur, inutile de me le rappeler.

— Je plaisantais, reprit Yarg, navré. Allons, Qiql... Tu es très belle, tu le sais fort bien...

— L'insulaire ne s'y est pas trompé, lui.

— Dariole est brune et menue. Elle correspond mieux à leurs critères de beauté, c'est tout.

Qiql étudia Yarg de biais, son regard couleur d'eau luisant de scepticisme, mais elle ne dit rien. Le plus réservé de tous était Panserfio, boudeur depuis l'offre de commerce amoureux du petit-fils de la matriarche. Il glissait des regards ulcérés en direction de Dariole, qui comme toujours démontrait un entregent naturel et ne semblait guère handicapée par la nécessité de converser par signes.

Pendant le repas, trois Avampes firent apparaître une flûte de fabrication locale, un second instrument à vent qui ressemblait à un cromorne, ainsi qu'une petite viole au timbre aigrelet, avec lesquels ils entamèrent une mélodie simplette quoique enjouée. Dariole exprima bruyamment sa satisfaction aux musiciens. Après les avoir écoutés quelque temps, en observant de près la position de leurs doigts sur leurs instruments, elle les persuada avec vingt mimiques enjôleuses de lui prêter leurs instruments. Qui donc était capable de résister à Dariole ? La flûte dans une paire de mains, et la viole dans l'autre, la jeune femme prit d'abord connaissance de la tessiture des deux instruments, puis elle se leva pour se tenir sur une seule jambe, dans la posture d'un oiseau lacustre.

Elle posa les lèvres sur le bec de la flûte, et entama une mélodie lente, douce et néanmoins accrocheuse, accompagnée avec quelques mesures de retard du même thème à la viole. Le thème fut répété, puis suivi par des variations, toujours accompagnées en canon par la viole. Comme tout le monde, Yarg écoutait, surpris, comme cela avait toujours été le cas en entendant Dariole chanter ou jouer d'un instrument, de la densité du sentiment mélancolique qui se dégageait de sa musique. Cette jeune femme qui se dressait au centre du cercle, les yeux fermés, la tête légèrement penchée en une attitude de profond recueillement, pouvait-elle vraiment être la même Dariole remuante et sensuelle, extravertie parfois jusqu'à la vulgarité, qu'il connaissait depuis qu'il était revenu au monde ?

De variation en variation, l'air que jouait la jeune femme s'était passablement égayé, avec un tempo plus rapide, et qui s'accéléra encore plus lorsque Dariole posa par terre le pied qu'elle avait gardé soulevé tout ce temps, en un mouvement d'affirmation, comme si elle exigeait à ce point l'attention inconditionnelle de son auditoire. Sans arrêter de jouer, elle se mit à tourner sur elle-même, lentement, avec des déhanchements à contretemps, chacun ponctué à la flûte d'une appoggiature ou d'une syncope, l'effet étant à la fois comique et indubitablement érotique, tant il était difficile de regarder autre chose que l'aguichant postérieur de la jeune danseuse.

Yarg était en train de se dire que cette seconde danse était beaucoup plus représentative de la véritable personnalité de Dariole, lorsque cette dernière frappa encore une fois le sol d'un coup de talon décisif, le signal d'abandonner toute retenue que ce soit sur le plan de la musique ou de la chorégraphie. À la flûte, une métamorphose du thème d'origine, tout en triolets, accompagnée à la viole par des glissandos stridents, accompagnait une saltarelle sauvage avec moult pirouettes, jetés et autres figures pour lesquelles Yarg n'était pas trop sûr s'il existait des noms. Pendant quelques mesures, comme pour reprendre son souffle, Dariole reprit à la flûte le thème initial, tout en lenteur mélancolique, avant de se lancer dans un tourbillon final échevelé qu'elle ponctua à la fin d'un bond digne d'un chevreau.

Un silence quelque peu mystifié suivit la performance. Les Avampes se regardaient les uns les autres, comme si chacun voulait que sa réaction fût conforme à la réaction générale. C'est le rire caquetant de la matriarche qui brisa le silence, avec un geste exprimant la tolérance que les vieux et les sages ont pour les jeunes et les fous. Maintenant qu'elle était autorisée, l'hilarité se propagea chez les insulaires, et même chez Yarg et ses compagnons entraînés par la bonne humeur générale. À travers les rires émanaient des « Toï ! » enthousiastes. Bientôt ce fut la tribu entière qui cria « Toï ! Toï ! Toï ! » en frappant du poing le sable devant eux.

La matriarche fit un geste pour commander le silence, ce qui prenait toujours un certain temps chez les Avampes. Elle s'adressa ensuite à Panserfio, montra le ciel et la forêt avec d'empathiques mouvements du bras, pour donner enfin des instructions à son peuple. Une douzaine d'insulaires se levèrent et, après avoir salué la matriarche, disparurent vers le village, suivis par autant de bambins à la peau tachetée.

La chéfesse des Avampes nous déclare tous « qwaïle », écrivit Panserfio. *Le terme est un peu complexe à traduire. Être qwaïle, c'est être « capable de danser au bout de la Grande Perche en équilibre au centre du cosmos afin qu'elle s'incline vers la joie ». Ceci nous donne droit à la générosité de la terre d'Avampe et au fruit du labeur de son peuple.*

Les villageois réapparurent avec des jambons noircis à la cendre, des ballots de légumes séchés, des paniers tressés remplis de baies, de noix et de bien d'autres denrées. Ils curent même l'obligeance d'aligner quatre jarres constituées de grosses calebasses cachetées avec de la cire. À travers la pelure semi-translucide, on distinguait une généreuse quantité de poisson en saumure. Trivelin leva les yeux au ciel, mais n'osa rien dire qui eût pu être perçu comme de l'ingratitude envers des hôtes aussi généreux.

— À quoi s'attendent-ils comme paiement ? demanda Ignace le Catonien.

À rien, inscrivit Panserfio. *Nous sommes qwaïle.*

— Ce serait gênant de ne rien donner en retour. Nous ne sommes ni des profiteurs ni des gueux.

— J'ai une idée.

Trivelin fila vers le navire et en rapporta le long étui duquel il sortit le bâton invisible. Son instinct était bon. L'instrument magique obtint un succès phénoménal et les Avampes ne tardèrent pas à lui trouver toutes sortes d'usages en accord avec leur caractère facétieux : suspendre les enfants, soulever à distance les jupes des femmes et se taper sur le crâne l'un l'autre. Il s'avéra à l'usage que ceux qui recevaient les coups étaient moins sensibles à cette forme d'humour que ceux qui les assénaient. Sous le regard quelque peu désarçonné des visiteurs descendus de la *Guilloche*, une bagarre générale embrasa le village insulaire, au sein de laquelle les femmes ne donnaient pas leur place. Yarg vit le séducteur éconduit plus tôt accourir et sauter dans la mêlée, sans même connaître les sources du conflit.

Heureusement, l'échauffourée ne dura pas longtemps. Un développement imprévu détourna l'attention de tous : le bâton invisible avait été perdu dans la confusion. Les adversaires de l'instant d'avant, maintenant tous penauds, quadrillèrent le terrain sous les admonestations de la matriarche, qui leva les mains à plusieurs reprises en appel aux dieux, ou à ses ancêtres, ou peut-être encore à l'âme défunte de son mari, de lui donner le courage de continuer à veiller sur un peuple aussi turbulent.

Pendant ce temps, les insulaires qui avaient apporté les denrées furent instruits par la matriarche d'aller porter ces vivres à bord du navire des visiteurs. Ignace le Catonien demanda à Panserfio de lui écrire comment on prononçait merci – *nonaac* –, puis il s'inclina devant la matriarche pour répéter le mot, en englobant d'un geste ses compagnons de voyage. Yarg, Dariole et tous les autres répétèrent *nonaac*, ce qui bien entendu amusa beaucoup les insulaires, dont la plupart s'étaient déjà lassés de chercher le bâton invisible.

C'est Yarg qui finit par le trouver. En redescendant vers le quai, il marcha sur le bâton, qui avait dévalé le long de la déclivité sans que quiconque s'en aperçoive. L'objet roula sous son pied et il tomba proprement sur le cul. Un éclat de rire généralisé l'accompagna tout le reste de la descente, auquel Dariole participait de tout cœur.

Après avoir chargé les provisions et vérifié qu'aucun enfant avampe ne s'était caché à bord, l'équipage de la *Guilloche* défit les amarres. Grâce à l'action du moteur magique, qui chaque jour grinçait un peu plus, la roue à aubes se mit à tourner et le navire s'éloigna du quai, sous les salutations enjouées des Avampes.

◆

Après cette escale, Ignace le Catonien et Frontignan remontèrent sur la passerelle pour se consacrer à la tâche à la fois routinière et toujours renouvelée de la navigation. Monsieur Douar s'installa à la barre, tandis que Trivelin, rappelé à son rôle d'intendant, accepta l'aide de ses passagers pour ranger les provisions et préparer un repas du soir qui, assurément, fut fort apprécié par tous. Trivelin poussa la bonne volonté jusqu'à goûter le poisson mariné des Avampes et reconnut que le goût était suffisamment différent de celui qu'ils avaient mangé jusque-là pour contourner l'effet de lassitude.

Si les membres de l'équipage s'aperçurent au cours du repas de la relative froideur de Qiql envers Yarg, et de celle de Panserfio envers Dariole, ils n'en firent point commentaire. Sans doute était-il moins évident de percevoir ce genre d'attitude chez deux personnes qui parlent peu, ou ne parlent pas du tout, que chez une personne naturellement volubile.

Une fois la nuit tombée, Yarg eut la surprise de trouver dans sa cabine non pas Qiql mais Panserfio, qui avait plié son grand corps sous la lumière de la lanterne, absorbé dans la lecture d'un des livres de la bibliothèque du capitaine. Le colosse faisait semblant d'être trop absorbé par sa lecture pour se rendre compte de la présence de son compagnon.

— Qiql est avec Dariole ?

Un geste agacé : *Je suppose*.

— Elle est encore fâchée contre moi ? Ou c'est toi qui es fâché contre Dariole ?

Personne n'est fâché contre personne, fit le colosse, avec un mouvement des épaules qui semblait dire : *Tu ne vois pas que je suis en train de lire ?*

Yarg n'insista pas. Il s'allongea sur la couchette, dépité de réaliser avec quelle rapidité il s'était accoutumé à la présence de Qiql dans son lit. Il se sentit d'abord triste et esseulé, sentiments aussitôt balayés par un puissant courant d'exaspération. N'était-ce pas un signe de faiblesse morale que d'être dépendant à ce point des plaisirs sensuels que procure le corps des femmes ? au point d'être incapable d'envisager d'en être privé une seule nuit ?

Il s'aperçut que de longues minutes avaient passé sans qu'il entende Panserfio tourner une page de son livre. Son compagnon ne lisait plus, mais avait le regard fixé sur la flamme de la lanterne, subjugué tel un insecte de nuit par sa brillance.

— Y crois-tu, à ce projet d'habiter ensemble à Port Soleil, tous les quatre ?

Panserfio haussa lentement le haut du corps, sans cesser de fixer la lanterne.

— Si tu boudes chaque fois que Dariole va chez un client, ça promet.

Le colosse toisa Yarg de son regard noir, les sourcils froncés de surprise choquée.

— Tu as quand même compris en quoi consistera son travail ? Que tu l'appelles une escorte, une courtisane ou une prostituée, ça ne changera pas grand-chose. Faudra que tu te blindes si tu veux rester avec elle.

Panserfio baissa la tête et parut soudain si désemparé que Yarg s'en voulut de lui asséner une telle vérité avec si peu de préparation. Son compagnon posa la main à la hauteur de son cœur et serra le poing. L'expression ne souffrait aucune ambiguïté : *Je l'aime...*

Le geste remua en Yarg un intense sentiment de mélancolie qui le prit au dépourvu. Il se surprit à reproduire le mouvement de Panserfio, comme si sa main en avait pris d'elle-même l'initiative. Son poing fermé s'était appuyé contre sa poitrine, à l'endroit où étaient tatouées quatre lettres, réminiscence de son ancienne vie qui avait traversé la frontière de son amnésie. Il avait déjà songé à la possibilité que « Yarg » fût le nom d'une femme, mais chaque fois il avait écarté cette supposition, tant le nom lui semblait peu féminin. Cette réflexion lui ramena à l'esprit sa relation avec Qiql, et leurs projets de vie commune à Port Soleil tels que les avait exposés Dariole. Yarg sentit un sourire aigre-doux lui soulever les lèvres : la perspective n'était pas désagréable, à condition que les humeurs de Qiql ne se révèlent pas trop changeantes.

À ce moment on frappa à la porte de leur cabine.

— C'est moi.

Avec un sourire à l'attention de Panserfio, Yarg dit :

— Entre.

Dariole pénétra dans la cabine. Elle était seule et semblait préoccupée.

— Qiql ne se sent pas bien. Je préférais vous prévenir. Je ne voulais pas que vous pensiez que nous boudions...

Yarg s'assit sur le rebord de la couchette.

— Elle est malade ?

— Ce n'est peut-être que de la fatigue. (Dariole hésita.) Penses-tu que c'est normal qu'elle mange aussi peu ?

— Tu as remarqué, toi aussi ?

Dariole se mit à parcourir la cabine d'un mur à l'autre.

— Je sais bien qu'elle est mince, et je croyais que c'était une question de métabolisme typique de son… de son plasme, pour reprendre la terminologie des savants de Pinacle. Je ne sais plus quoi penser. Le capitaine est également chirurgien. Devrions-nous le prévenir ?

— Si Qiql ne va pas mieux demain, nous aviserons.

— Tu as raison. Ce n'est peut-être qu'un désagrément passager. Nous, les femmes, hein, tu sais bien…

Elle avisa Panserfio, qui avait le regard plongé dans son livre.

— Oh là là ! tu arrêtes de faire semblant de lire ? (Elle tendit ses quatre bras.) Donne-moi plutôt un câlin. Tu ne vas pas me refuser un câlin ?

Panserfio daigna lever les yeux de son livre pour toiser Dariole en professant l'indifférence. Les yeux mi-clos, la jeune femme marcha en se déhanchant vers le colosse, une caricature de moue capricieuse sur les lèvres.

— Dariole veut un câlin avant d'aller se coucher… Elle veut veut veut…

Avec une souplesse féline, elle se glissa entre les bras de Panserfio et s'assit sur ses genoux pour lui susurrer à l'oreille des admonestations parmi lesquelles revenait souvent le terme « grande bête jalouse ». Les reproches se muèrent en chatteries qui auraient fait fondre une statue de bronze. Le colosse étant de chair et non de métal, il résista d'autant moins aux baisers renouvelés de la tentatrice.

— Je peux vous laisser seuls, dit Yarg.

— Non !

Dariole descendit prestement des genoux de son amant et fixa les deux hommes, les quatre mains sur les hanches, le nez soulevé de sévérité.

— Premièrement, je préfère rester au chevet de Qiql, au cas où elle aurait besoin d'aide. Deuxièmement… eh bien, Panserfio m'a fait de la peine par son attitude jalouse, alors je crois qu'il mérite une nuit de réflexion. Qu'en penses-tu, Yarg ?

— Que je n'ai aucune prédisposition à arbitrer les querelles d'amoureux.

La jeune femme éclata de rire, en hochant la tête d'un air incrédule :

— Tu es tellement drôle quand tu parles comme ça.

Sur ces paroles, Dariole sortit de la cabine, abandonnant les deux hommes encore et toujours mystifiés par les retournements imprévisibles de l'humeur féminine.

CHAPITRE 19

La terre, enfin

Yarg se leva tôt le lendemain matin. Il aperçut à la proue la mince silhouette de Qiql. Elle fixait l'horizon brumeux percé par le dos vert d'un îlot. N'était-elle pas semblable à la brume, songea-t-il, pâle, distante, insaisissable parfois ? Le temps qu'il se demande s'il devait la déranger, Qiql l'aperçut et lui sourit. Yarg s'approcha. La jeune femme se sentait mieux, à la fois sur le plan physique et quant à son humeur. Elle se laissa enlacer sans la moindre protestation. Mieux encore, elle demanda à Yarg de lui pardonner sa bouderie de la veille. Celui-ci la pria en retour d'excuser sa propension au sardonisme. Maintenant que chacun sentait le corps de l'autre contre le sien, un urgent désir s'empara d'eux. Panserfio fut réveillé et renvoyé sans trop de ménagement dans la cabine de Dariole – en vérité, le colosse ne se fit pas trop prier – et les amants rattrapèrent les caresses dont ils s'étaient privés la nuit précédente en conséquence de leur sottise mutuelle.

Ainsi s'écoulèrent les jours à bord de la *Guilloche*, ponctués chacun par cent petits incidents et événements pittoresques, mais qui par leur accumulation se fondirent dans la mémoire de Yarg en un amalgame indistinct, pareil à ces particules de pierre précieuse qui scintillent dans le granit lorsqu'on les contemple de près, mais qui fusionnent en une couleur uniforme quand on prend du recul.

Lorsque le navire émergea enfin de la Chicane, la routine à bord changea. La navigation était plus facile maintenant que la mer Tramail se déployait sans s'encombrer d'îles. Il suffisait maintenant d'un seul membre d'équipage pour garder le cap sur le nord-est, la vigilance nécessaire étant réduite au minimum.

Et un matin, enfin, la voix perçante de Dariole s'éleva sous la coupole du ciel :

— Capitaine ! Capitaine le Catonien ! On voit la terre ! Nous avons atteint le continent !

L'équipage et les passagers se bousculèrent sur la passerelle où chacun put juger par lui-même que la jeune femme n'avait pas été la victime d'un mirage, comme cela se produisait parfois sur la mer.

— C'est bien la côte du continent, dit Ignace le Catonien avec un air pensif.

— Ça n'a pas l'air de vous réjouir, dit Dariole.

Un sourire dépité souleva la barbe fournie du capitaine.

— C'est parce que cette vision m'oblige à vous faire une annonce que je retardais le plus possible, sachant qu'elle ne vous plairait pas.

— De quelle annonce parlez-vous ? demanda Frontignan.

— De celle-ci : nous allons débarquer nos passagers au premier endroit sur la côte qui nous semblera propice à un amarrage. Il leur faudra poursuivre leur voyage vers Port Soleil à pied.

Le visage de Trivelin s'allongea.

— Quoi ? Et nous ?

— Nous aurons rempli notre engagement envers nos passagers, dit sombrement le capitaine de la *Guilloche*. Nous serons libres désormais de remonter la côte vers le nord en direction de Contremont.

— Il avait été entendu que vous veniez à Port Soleil ! s'écria Dariole, choquée et attristée.

— Ben oui ! cria Trivelin sur le même ton. Pourquoi ce changement de dernière minute ?

Ignace le Catonien montra le moteur magique, dont le moyeu émettait un grincement discordant auquel tout le monde à bord s'était habitué.

— Vous ne vous en êtes pas rendu compte, parce que l'usure a été progressive, mais chaque jour qui passe l'axe du moteur est de plus en plus faux. C'est à peine si on peut faire tourner le moteur aux deux cinquièmes.

D'un signe sévère de la tête, monsieur Douar confirma les dires de son capitaine. Ce dernier reprit :

— À cette vitesse, contourner le cap Morue par le sud jusqu'à Port Soleil prendrait trois jours. Ajoutons trois jours pour le retour. Six jours de navigation supplémentaire ? C'est un risque que je ne peux prendre.

Trivelin se mit à bredouiller, la voix éraillée :

— Mais… Mais capitaine… Toutes ces promesses que nous a fait miroiter Dariole… Le jardin des Oliviers… Le coucher de soleil sur la place du port… Les demoiselles de la Sororité…

Dariole eut beau joindre ses supplications à celles de Trivelin, ils durent s'incliner face à la résolution du capitaine, avec d'autant plus d'amertume qu'ils savaient que ce dernier avait raison et que leurs protestations étaient puériles.

C'est donc avec un mélange aigre-doux de joie, d'expectative et de tristesse que les quatre passagers de la *Guilloche* virent l'horizon prendre un peu de relief et se colorer d'un camaïeu de teintes terreuses. Yarg sentit une présence à son côté.

— C'est donc ça, le continent ? dit Qiql.

— Eh oui.

— C'est étrange de penser qu'ici c'est la terre qui entoure l'eau, et non l'inverse.

Le point de vue inattendu amusa Yarg. Il enlaça la jeune femme, et l'embrassa dans le creux du cou, inspirant le parfum de ses cheveux mêlé à celui de la mer.

— Pourquoi ce sourire ?

— Tu m'amuses.

— Tu veux qu'on se retire dans la cabine ?

— Un homme peut vouloir embrasser une femme, et lui exprimer son amusement, sans arrière-pensée libidineuse.

Qiql lui lança un regard de biais.

— Pas dans les murs de Pinacle.

Cette fois, Yarg rit franchement.

— C'est probablement rare dans le monde sauvage aussi ! Mais, dans le cas présent, nous n'aurions pas le temps. Il faut se préparer à débarquer.

Une fois le navire un peu plus près de la côte, Frontignan repéra une jetée de pierre. La construction ne semblait pas de première jeunesse à voir comme elle était abîmée. Néanmoins, cela signifiait que la profondeur de l'eau devait être suffisante pour qu'ils puissent s'approcher, considérant le faible tirant d'eau de la *Guilloche*.

Pendant ce temps, Yarg, Qiql, Panserfio et Dariole s'affairaient à rassembler leurs maigres bagages et leurs vêtements. Autour d'eux bourdonnait Trivelin, qui leur prépara des provisions de route et prêta aux femmes des chapeaux et des capes pour les protéger du soleil – il insista sur la notion de « prêt ».

Ignace le Catonien s'approcha à son tour. Il remit à Yarg la bouteille de verre dans laquelle les bandelettes prisonnières continuaient de chercher une voie de sortie.

— Ceci vous appartient.

— Façon de parler.

— Je comprends votre sentiment. Mais si Port Soleil est aussi cosmopolite qu'on le dit, il se trouvera peut-être un magicien qui saura vous aider à retrouver celui, ou celle, qui a créé ce charme. Avec un peu de chance, cela constituera une étape de plus sur la voie qui mène à la redécouverte de votre identité.

— J'en déduis que vous n'avez pas su lire ce qui est inscrit sur les bandelettes.

— Votre déduction est juste. Je suis loin d'être omniscient.

Après s'être assuré que le bouchon était solidement fixé, Yarg enveloppa la bouteille dans un linge pour bien la protéger dans son sac.

— Ce n'est pas tout.

Sa main triturant sa barbe en un geste maintenant embarrassé, le capitaine sortit une bourse des replis de sa toge et la tendit à Yarg. Ce dernier défit les cordons pour découvrir à l'intérieur les pièces d'or frappées à Pinacle.

— Qu'est-ce que ça signifie ?

— Vous avez lessivé les draps, sauvé la *Guilloche* de l'attaque des pirates et réparé le bastingage. Je ne peux plus vous considérer comme des passagers mais comme des membres d'équipage à part entière.

Dariole approcha. Elle compta les pièces d'or, au nombre de neuf. Elle en redonna cinq au capitaine.

— Si nous sommes tous membres d'équipage, il nous faut partager à part égale.

— Il reste une pièce.

— Faut que l'argent coule, dit Dariole avec un sourire. Pour soulager vos scrupules, je ne vous interdis pas de nous donner – pardon ! *prêter* – quelques pièces de plus faible valeur. Ce sera plus commode pour le voyage que de changer de l'or.

Ignace le Catonien ne se fit pas prier pour leur donner quelques pièces d'argent frappées à Contremont.

La *Guilloche* s'aligna sur la jetée. Frontignan sauta souplement sur la construction pour attacher une amarre à une bitte de bronze à tête de gargouille, verdie par les années d'exposition à l'air salin.

Une fois la passerelle mise en place, ceux qui débarquaient et ceux qui restaient à bord se contemplèrent un moment, aucun ne marquant d'empressement à prononcer les premières paroles d'adieu. Ce fut Ignace le Catonien qui brisa la glace avec un air faussement exaspéré.

— Souhaitons-nous mutuellement d'arriver sains et saufs à notre destination, et prêtons serment de nous revoir un jour. Ceci me semble faire le tour des politesses d'usage en pareilles circonstances.

— Tout va trop vite ! cria Dariole, les yeux pleins d'eau. Ce n'est pas comme ça que je voulais vous faire mes adieux !

Finalement, la jeune femme pleurait trop pour continuer de parler. Elle sauta au cou du digne Ignace le Catonien. Elle embrassa aussi Trivelin, puis Frontignan, et même monsieur Douar ne put se soustraire à l'étreinte démonstrative.

— Tant qu'à être contaminé par ton odeur de femelle, grogna le marin, autant accepter les faveurs de l'autre.

Qiql, plus rouge que jamais, accepta d'embrasser monsieur Douar, ainsi que les deux autres marins, mais n'osa pas en faire autant avec le capitaine Ignace le Catonien.

— Vous m'intimidez trop, dit-elle candidement, ce qui les fit rire tous.

Yarg, Qiql, Panserfio et Dariole furent suivis sur la jetée par Trivelin et Frontignan, qui les aidèrent à débarquer leurs bagages et leurs provisions. Les promesses de retrouvailles furent répétées de part et d'autre, serments encore suivis de pleurs et d'embrassades de Dariole, jusqu'à ce que les deux marins se rendent aux appels de leur capitaine et remontent à bord de la *Guilloche*.

La passerelle fut relevée. Avec des grincements plus inquiétants que jamais, le moteur magique et la

roue à aubes se remirent à tourner. Au cinquième de
la vitesse de croisière, ce qui constituait désormais sa
vitesse maximale, l'étroit navire s'éloigna de la jetée.
Sur le pont, Trivelin et Frontignan saluèrent Dariole
et ses trois compagnons jusqu'à ce que la distance
rende la politesse inutile.

Les passagers fraîchement débarqués longèrent la
jetée jusqu'à la terre ferme et montèrent les restes
d'un antique escalier de pierre qui gravissait la pente
rocailleuse piquetée d'herbes et de buissons épineux.
Au sommet de l'escalier, une route surgissait du nord
pour aller se perdre vers le sud, bordée d'un côté par
la mer et de l'autre par un horizon de basses collines
aux couleurs estompées.

La jeune femme essuya ses joues mouillées. Elle
poussa un long soupir, souriante malgré tout.

— Ouf ! Il y a longtemps que je n'ai pas autant
pleuré !

Yarg prit une profonde inspiration.

— Dariole, tu es notre guide. Si tu t'appelles toujours ainsi.

— Mon âme est encore habitée par les émotions
vécues sur la *Guilloche*. J'attendrai d'être à Port Soleil
pour reprendre mon nom local.

— Comme tu veux.

Le quatuor se mit en marche. La main en visière,
Yarg scruta le panorama vers le sud. Aussi loin que
portait la vue, on n'apercevait pas la moindre habitation.

— As-tu une idée de l'endroit où nous nous trouvons ?

— C'est bien désert, je l'admets. Je ne suis passée
ici qu'une fois dans ma vie, mais j'étais dans une voiture à bavarder avec des compagnes et je ne prêtais
pas tellement attention à la route. J'espère que nous
ne sommes pas trop loin de Pesque, qui devrait être, si
je ne me trompe, la première ville sur notre chemin.

— C'est une grande ville ?

— Pfah ! C'est une sinistre bourgade portuaire qui pue le poisson ! Lors de mon premier séjour, j'avais imploré les dieux de ne plus jamais y remettre les pieds ! Maintenant, je pense qu'il faudra me retenir d'embrasser tous les citoyens quand j'y entrerai à nouveau, car ça signifiera que nous ne serons plus qu'à trois jours de marche de Port Soleil, en passant par le col du Berger, une route relativement sûre.

— Pensez-vous qu'on va atteindre la bourgade avant la nuit ? demanda Qiql sur un ton inquiet.

— Je devine que tu n'as pas souvent couché à la belle étoile, dit Yarg avec un sourire dans la voix.

— Jamais. Ce doit être effrayant.

— Inconfortable, surtout.

— Ne risquons-nous pas de nous faire dévorer par des loups ou des bêtes sauvages ?

— Pas avec Panserfio et moi pour te protéger.

Qiql accepta la marque d'assurance avec un regard sceptique, mais n'insista pas. Le voyage se poursuivit en silence. Après cet interminable séjour à bord d'un étroit navire, c'était une véritable jouissance pour Yarg de pouvoir se dégourdir les jambes de cette façon.

Le sentier emprunta une pente rocheuse qui s'éleva progressivement jusqu'à un plateau herbeux d'où la vue portait loin. Le paysage autour d'eux ne manquait pas d'une certaine beauté austère. Yarg se demanda s'il ressentait encore les effets de l'hypersensibilité esthétique consécutive au retrait des bandelettes magiques. Sans y paraître, il étudia du coin de l'œil le visage de Qiql à son côté, tout sérieux sous l'ombre de son chapeau à large rebord. S'il la trouvait toujours aussi étrange et jolie, il pouvait désormais détailler les linéaments de son visage sans sentir ses mains trembler, son cœur tressauter dans sa gorge, ni ses genoux s'affaiblir. C'était aussi le cas lorsqu'il regardait Dariole, il le comprenait maintenant. S'il regrettait la période d'exaltation esthétique qu'il avait connue quelques jours plus tôt, d'un autre côté il appréciait le retour à une certaine neutralité émotionnelle.

Lorsque le soleil atteignit le zénith, les voyageurs firent une pause pour boire et manger, assis dans la mousse rêche qui couvrait le sol.

— On n'a rencontré personne en chemin, dit Dariole entre deux bouchées. Pas un marchand, pas un courrier.

— Et alors ?

— C'est surprenant. J'espère que l'épidémie de suinte ne s'est pas propagée jusqu'ici.

Yarg, qui avait pris l'habitude de surveiller Qiql à l'heure des repas, eut l'impression qu'elle mangeait de moins en moins. Il ne put s'empêcher de lui en faire le reproche : elle aurait besoin de se sustenter si elle voulait conserver assez de force pour le voyage.

— Mais je n'ai pas faim, protesta doucement la jeune femme.

— Yarg a raison, dit Dariole. Moi aussi, je suis un peu inquiète, Qiql. Mangeais-tu si peu à Pinacle ?

— Je mangeais plus que maintenant, c'est vrai.

— Nous avons peut-être trop marché ? dit Yarg. Tu n'es pas accoutumée à faire autant d'exercice ?

— Au service des Héritiers, je courais et travaillais fort toute la journée, répondit vertueusement Qiql. Jamais je ne me suis sentie si faible. Dès le réveil, je suis nauséeuse et fatiguée.

Yarg se renfrogna.

— Ce n'est vraiment pas normal.

Dariole, qui avait la bouche pleine, se mit soudain à s'agiter et à émettre de petits bruits surexcités. Ses trois compagnons de voyage la toisèrent pendant qu'elle se forçait à avaler ce qu'elle avait dans la bouche. Une fois cet acte accompli, elle cria :

— Par toutes les déesses du panthéon ! Qiql ! La faiblesse ! La nausée du matin ! Tu es enceinte !

Si la conclusion de Dariole laissa Yarg et Panserfio pantois, Qiql accueillit la révélation avec un regard parfaitement sceptique.

— Comment aurais-je pu être fertilisée depuis mon départ de Pinacle ?

Dariole resta un moment la bouche ouverte. Elle chercha tour à tour auprès de Yarg et de Panserfio la confirmation de ce qu'elle avait entendu. Elle reporta son attention vers sa compagne, moitié effarée, moitié gouailleuse :

— N'as-tu pas forniqué à fesses-que-veux-tu avec Yarg pendant toute la traversée ?

Le visage rond de la jeune femme se colora.

— C'est bien le cas.

— Ignores-tu que ce genre d'activité a une tendance marquée à produire des bébés ? J'avais compris que vous, les Rouages, vous vous reproduisiez comme nous, par coït et toutes ces sortes de choses.

Quoique toujours rougissante, c'est avec une assurance tout empreinte de dignité que Qiql répondit :

— Je sais comment on fait les bébés. Mais je n'ai pas pris d'adjuvant. Comment pourrais-je être gravide ?

— Qu'est-ce que cet adjuvant dont tu parles ?

— Dans les murs, lorsqu'une femme est sollicitée pour contribuer au maintien de la population, on lui remet une fiole d'un fluide appelé adjuvant. Elle doit injecter cette substance dans son involution avant le congrès, ce qui permet à la semence mâle de fructifier.

Dariole reprit, sur un ton d'humour attendri :

— La semence d'un vigoureux mâle sauvage comme Yarg n'a peut-être pas besoin d'adjuvant pour fructifier.

— Ah…

Qiql échangea un regard avec Yarg, empourprée et quelque peu décontenancée. Leur attitude scandalisa Dariole :

— Vous en faites une tête tous les deux ! Ce serait merveilleux, non ? Un bébé ! (Dariole serra Qiql sur son cœur.) Oh, Qiql, ma sœur aimée !

— Ce n'est qu'une supposition, dit Yarg, tout de même troublé.

— J'espère avoir raison ! J'adore les bébés ! Je t'aiderai à le soigner et à le langer et à le bichonner. Je serai la tante la plus insupportablement dévouée du monde !

— Quand Dariole aura repris ses sens, nous nous remettrons en route au rythme que tu es capable de soutenir, Qiql. Que ta faiblesse soit causée par une maladie ou… tout autre objet, nous ferons autant de pauses qu'il le faut.

— Je suis désolée de vous retarder, s'excusa piteusement Qiql.

— Comment pourrais-tu nous retarder ? s'insurgea Dariole. Nous ne sommes attendus par personne !

Panserfio, qui avait suivi de près la discussion, attira l'attention de la jeune Rouage. Il croisa les bras en faisant semblant de bercer un poupon, qu'il contempla avec un regard humide d'attendrissement.

— Quand vous aurez repris le sens commun, dit Yarg, il serait peut-être temps de repartir ?

— Tu es le prince des rabat-joie.

◆

Après un long et fatigant voyage en plein soleil, entrecoupé de deux pauses – chaque fois Qiql protestant que celles-ci n'étaient pas nécessaires –, les marcheurs aperçurent au loin la ville de Pesque, qui correspondait en tout point à la description imagée de Dariole : une sinistre bourgade portuaire. Le seul élément qui manquait était la puanteur de poisson, mais cela dépendait probablement de la direction du vent.

Yarg nota un guetteur installé sur une tour d'observation. La porte de la ville n'était pas gardée, toutefois.

Ignorant les regards hostiles des rares citoyens du lieu, leurs pas les menèrent automatiquement vers ce qui ressemblait à une auberge. Ils se retrouvèrent dans une assez grande pièce fraîche, uniquement éclairée par la lumière filtrant par la porte. Ça sentait le vin et les mouches y étaient innombrables.

Quelques hommes courts au visage fermé buvaient en silence. Yarg et ses compagnons avaient pu constater le manque d'amabilité de la population locale, mais ils n'avaient jamais rencontré une telle animosité que celle qui se reflétait dans les regards sombres braqués sur eux.

Qiql se serra le plus près possible de Yarg. Il la rassura :

— Tu n'as rien à craindre.

Dariole demanda aimablement si l'aubergiste était présent. Les seules réactions à sa question furent des grognements incompréhensibles. Manifestement, l'aspect insolite du quatuor éveillait la méfiance ; encore heureux que Dariole eût gardé ses deux bras supplémentaires cachés dans les replis de sa cape.

Ils s'assirent à une table près de la porte.

— Qu'est-ce que je vous ai dit ? chuchota Dariole à l'attention de ses compagnons. Ils sont encore pires que dans mon souvenir.

L'aubergiste apparut et s'approcha lentement, une main sur sa hanche et l'autre frottant son tablier. Il contempla Qiql de la tête aux pieds, puis des pieds à la tête. Sans mot dire, et avec une mine peu engageante, il accéda à leur demande de leur servir à boire et à manger. Il revint avec une carafe de vin, quatre verres d'une propreté discutable et un petit bol de tubercules marinés. Sans se départir de son expression maussade, il annonça que la cuisine était fermée, mais qu'il pouvait bien faire griller quelques poissons s'il était assuré d'avance que ses clients avaient de quoi payer.

Dariole puisa quelques pièces de sa bourse, en faisant exprès de l'entrebâiller suffisamment pour permettre à l'aubergiste d'entrapercevoir l'or. Ce ne fut pas la seule chose que repéra le tenancier. Il lui demanda, son regard luisant de vigilance :

— Z'avez combien de bras sous votre cape ?

Le nez levé en une expression de défi, Dariole repoussa sa cape en arrière, révélant ses quatre bras bruns dénudés jusqu'à l'épaule. L'aubergiste se passa une main sur ses joues graisseuses, avec ce qui ressemblait à une grimace de reconnaissance.

— J'vous ai déjà vue.

— Normal. Nous sommes passés ici il y a… Oh là là ! J'en ai perdu le compte ! Quasiment trois mois, c'est sûr.

— Me semblait. Z'êtes une garce de Port Soleil.

Yarg se dressa pour toiser l'aubergiste de toute sa hauteur, Panserfio faisant de même de son côté.

— J'ai toléré votre manque de courtoisie, aubergiste, mais pas votre grossièreté. Adressez vos excuses à notre compagne ou il vous en cuira.

— *Mfff !*

Les joues replètes de l'aubergiste s'affaissèrent.

— Mes… Messires… Je ne comprends pas…

À la surprise de Yarg, Dariole prit le parti de l'aubergiste.

— Qu'est-ce qui vous prend ?

— Je trouve intolérable qu'un aubergiste traite une cliente de garce, dit Yarg en s'efforçant de s'exprimer d'une voix posée. Voilà ce qui me prend.

Dariole ouvrit de grands yeux, deux mains sur sa bouche et les deux autres s'agitant en un geste catastrophé.

— Un malentendu ! Sur la côte, « garce » n'est que le féminin de garçon. C'est même plutôt gentil !

Yarg sentit son visage se colorer de confusion. Il salua l'aubergiste d'un bref hochement de la tête, puis sous le regard croisé de chacun des convives, il reprit sa place à la table.

— Pardonnez-moi.

L'aubergiste s'éloigna, non sans avoir adressé plusieurs regards en coin au quatuor. Dariole pouffa du rire qu'elle avait retenu tout ce temps.

— C'est drôle d'être entourée d'hommes d'honneur qui se porteront à la défense de ma réputation. Ça nous apprend aussi que tu n'es pas originaire de Pesque. Tu n'aurais pas remarqué le particularisme, si c'était le cas.

— Tu me rassures, fit Yarg.

Lorsque le tenancier revint avec les poissons grillés, on lui demanda s'il avait des chambres libres. L'homme répondit sur un ton boudeur :

— Voyez ben qu'y a personne.

— Curieux, dit Dariole. Je distingue nettement quatre gentilshommes à l'autre bout de la salle.

— Y sont locaux. J'voulais dire qu'y avait aucun voyageur à part vous. 'Fait que oui, y a autant de chambres libres que vous voulez.

Dariole réserva les deux chambres les plus spacieuses de l'auberge, expliquant à ses compagnons qu'après des semaines dans la cabine de la *Guilloche*, elle allait profiter de sa relative richesse.

La journée ayant été fatigante et riche en émotions, les deux couples se retirèrent aussitôt le repas terminé. La chambre de Yarg et de Qiql était une grande pièce au plancher dallé et aux murs de plâtre. Par les volets ouverts, la lumière du soleil couchant teintait d'ambre les images peintes sur les murs, des représentations naïves de bateaux et de pêcheurs. Yarg avisa une bassine et un broc à eau. Il proposa à Qiql de se laver la première, mais la jeune femme ne répondit pas.

Elle s'était allongée sur le lit, tournant le dos à Yarg.

Un silence inconfortable régnait dans la chambre.

Ne sachant trop si sa sollicitude serait appréciée, Yarg s'approcha du lit.

Qiql pleurait. Il s'assit auprès d'elle et lui caressa le front.

— Je suis fatiguée, expliqua-t-elle d'une toute petite voix.

— Pauvre Qiql. Au moins tu as mangé. Dors. Ça ira mieux demain.

Son regard croisa celui de Yarg. Une lueur difficile à interpréter apparut dans ses grands yeux clairs gorgés de larmes.

— Tu l'as presque.

— Presque quoi ?

— Mon nom. Tu l'as presque prononcé correctement.

Yarg embrassa les lèvres frémissantes :

— Qiql.

— Non… *Qiql*…

C'est à peine si le dernier mot réussit à franchir les lèvres de la jeune femme, qui s'était évanouie d'épuisement.

◆

Yarg ouvrit les yeux. La claire lumière du matin inondait la chambre par les fenêtres aux volets restés ouverts. Dehors, des oiseaux se courtisaient avec des trilles mélodieux. À côté de lui, Qiql dormait tout habillée, allongée en travers du lit. Yarg se secoua. Il n'en revenait pas de s'être effondré ainsi, tout habillé lui aussi, alors qu'il avait eu l'intention la veille de se laver pour se débarrasser de la poussière de la route.

Il se déshabilla en faisant le moins de bruit possible et profita du broc à eau mis à leur disposition. Sa peau mouillée se couvrit de chair de poule dans le courant d'air frais du matin, sensation qu'il ne trouva pas désagréable par ailleurs. Comme Qiql ne se réveillait toujours pas, il lui retira ses souliers avec une infinie délicatesse, puis lui lava les pieds.

Elle ouvrit les yeux avec un spasme de surprise.

— Que fais-tu ?

— Tu t'es occupée de moi quand j'étais blessé, je te rends la pareille.

Qiql s'assit dans le lit. Elle écarta les cheveux blancs de son visage pour contempler Yarg, qui était demeuré nu après s'être débarbouillé. Son visage était impassible, ses grands yeux bleus tout empreints de sérénité.

— Tu avais raison. Ça va mieux ce matin.

— Je n'ai pas une longue expérience de la vie, mais je connais les vertus d'une bonne nuit de repos.

Qiql se leva et s'approcha de l'eau et de la bassine. Yarg la regarda retirer ses vêtements et faire ses ablutions. La vision de son mince corps nu dans la lumière fraîche lui emplit la poitrine de cent émotions, certaines tendres et mélancoliques, d'autres primitives et vitales. Il devina le sens du regard rêveur de Qiql lorsqu'elle se caressa le ventre, aussi plat qu'il avait toujours été.

— Ne prends pas au sérieux tout ce que dit Dariole.

— Mais si elle a raison ?

— Je m'attendais à avoir cette conversation hier.

— J'étais trop fatiguée... Alors ? Que vas-tu faire de moi si je suis gravide ?

— Que ferai-je de toi même si tu ne l'es pas ?

À voir le visage de Qiql s'affaisser, Yarg se rappela à quel point elle avait tendance à prendre ses traits d'ironie au premier degré. Il se leva pour aller l'enlacer, ce qu'elle accepta avec une mauvaise grâce un peu boudeuse.

— Ne t'inquiète pas, lui chuchota-t-il au creux de l'oreille.

La jeune femme se détendit un peu, même si son expression infiniment sérieuse n'avait jamais quitté son visage.

— C'est vrai qu'un homme sauvage mourrait plutôt que de laisser quelqu'un menacer sa progéniture ?

— Décidément ! Nous avons toute une réputation à Pinacle.

— Elle ne s'est sûrement pas améliorée depuis qu'un duo furibond de guerriers sauvages est venu m'enlever en pleine cour de justice. Si je connais les Rouages, ils en parleront encore dans cent ans.

Yarg embrassa la jeune femme sur son front, sur sa bouche, dans le creux du cou. Il glissa ses lèvres jusqu'à ses tétins durcis.

— Alors ? insista Qiql. C'est vrai ?

— Quoi ? marmonna Yarg sans cesser d'embrasser la poitrine offerte.

— Que tu mourrais pour ton enfant ?

Yarg se releva pour plonger son regard dans celui de Qiql.

— C'est pour toi que je mourrais. N'as-tu donc encore rien compris aux hommes sauvages ?

Des larmes perlèrent au coin des yeux de Qiql, qui embrassa son amant à pleine bouche. Cette fois, au moins, Yarg savait qu'il avait donné la bonne réponse.

◆

Dariole et Panserfio étaient déjà attablés, seuls dans la salle commune, quand apparurent Yarg et Qiql.

— Tu as l'air d'aller mieux, dit Dariole en accueillant sa compagne.

— C'est le cas.

Le visage de leurs deux compagnons d'aventures s'illumina à cette annonce.

D'un air aussi maussade que la veille, l'aubergiste apporta du thé, de la gelée de fruits et des tranches de pain trempées dans de la crème. Après avoir déposé les mets, il resta sur place, comme s'il hésitait à parler devant une personne aussi prompte à la colère que Yarg.

— Pouvons-nous vous être utiles ? demanda aimablement Dariole.

— Sans vouloir paraître indiscret, vous allez loin comme ça ?

— Ce n'est pas indiscret : nous retournons à Port Soleil.

— Vous avez pas peur des chenilles ?

— Des chenilles ?

Yarg, qui connaissait bien Dariole, voyait que la conversation l'amusait, mais qu'elle s'efforçait de conserver son sérieux en disant :

— Non.

Le tenancier glissa sa main sur sa joue.

— Ouain… 'Savez que c'est un bon trois jours de marche ?

— J'imagine que c'est bien le cas. Sire, vos questions ne nous importunent pas le moins du monde, mais je vous invite à exposer ce que vous avez en tête, car il est clair que vous en avez envie.

— Z'avez raison. Je parle, pis je dis rien. Voilà : j'ai des ch'vaux. J'ai vu que vous aviez de l'or. Ça fait que je me suis dit qu'on peut p't'être s'arranger ?

— Mmm… Mmm ! *Mmm !* dit Panserfio.

— Mon ami semble intéressé, dit Yarg.

Après le déjeuner, les quatre voyageurs descendirent à la suite de l'aubergiste un escalier sombre menant aux écuries. Comme l'auberge était déserte, Yarg ne fut pas surpris de découvrir les lieux presque inoccupés, à l'exception d'un mulet et de trois chevaux dont la vue fit geindre Panserfio d'une convoitise presque enfantine.

Yarg s'approcha des montures pour jauger leur qualité. Deux jeunes étalons se ressemblaient comme des frères : robe alezan, jarrets blancs, le corps bien traversé, l'œil rond. Le troisième était plus élancé, avait le museau rose et la robe gris pommelé. Trois bêtes saines, rustiques, sans prétention, comme les appréciait Yarg – qui s'amusa en lui-même du fait que cette pensée lui était venue d'un coup à l'esprit. Sa satisfaction se teinta d'agacement lorsque l'aubergiste leur montra les selles, toutes trois bleues, avec une frise de losanges or. Les sangles, les courroies des étriers, les fourreaux des épées, toutes les pièces de cuir étaient peintes de la même couleur et décorées de la même façon.

Panserfio adressa un regard entendu en direction de Yarg.

— De l'équipement militaire. Où sont les soldats qui montaient dessus ?

— Les chevaux erraient dans la nature, dit l'aubergiste. Même qu'une des bêtes est morte de colique d'avoir mangé trop d'herbe. M'étonnerait que les maîtres reviennent en ce monde pour les réclamer.

Yarg resta un moment songeur, puis il puisa dans la poche de son pantalon la pièce d'or de Pinacle, qu'il fit miroiter à l'aubergiste.

— Pour le gîte, les repas et les chevaux.

— Rien qu'une pièce ?

— De l'or pour des chevaux qui ne vous appartiennent pas ? C'est bien payé.

— J'les ai nourris et soignés ! gémit le gros homme. La bonté d'âme compte pour rien dans c'te monde pourri ?

Dariole posa la main sur l'avant-bras de Yarg. Elle murmura, assez fort pour être entendue :

— Nous avons marché jusqu'ici, nous pouvons poursuivre notre route à pied.

— Tu as raison.

— Attendez !

L'aubergiste s'empara de la pièce tendue par Yarg afin de la soupeser et de l'examiner de près. Il glissa la pièce dans une poche contre sa poitrine en précisant, bougon :

— Je fournis pas le grain pour le voyage. Y a des limites à se faire plumer.

Dariole produisit la plus petite des pièces d'argent frappée à Contremont, qui fut acceptée par l'aubergiste avec le même manque d'enthousiasme.

◆

Arrivés à pied la veille, c'est donc à cheval que Yarg et ses compagnons quittèrent la bourgade de Pesque. Dariole montait fièrement le gris pommelé. Yarg, avec Qiql en croupe, avait choisi le plus docile des deux alezans, alors que Panserfio s'était réservé le plus rétif des trois. Aussitôt passé la porte de la ville, l'animal se mit à danser de travers, les oreilles dans le crin, mécontent d'être monté par un inconnu. Petit à petit, alternant les caresses et les démonstrations de fermeté, Panserfio mit la bête à sa main.

Une fois calmé, le cheval accepta d'aller rejoindre les deux autres. Panserfio salua ses compagnons, un immense sourire à travers la repousse de sa barbe noire.

— On a fière allure ou pas ? dit Dariole. Avec de l'or en poche à part ça ! Moi qui m'inquiétais d'arriver comme une gueuse à Port Soleil ! *Yah !*

La jeune femme lança sa monture au galop. Panserfio fit de même, ordre qui faisait parfaitement l'affaire du bouillant alezan. Yarg sentit des frissons parcourir la masse musculeuse de sa monture sous lui. Tout en sachant instinctivement à quel point il était déconseillé de mettre au galop des chevaux qui n'ont pas fait d'exercice depuis plusieurs jours, il céda à l'impulsion du moment et lâcha les rênes.

— Tiens-toi bien ! dit-il à Qiql.

La jeune femme se serra contre lui alors que le cheval s'élançait pour rattraper ses deux congénères.

Dans un fracas de sabots sur la terre battue, les trois nobles bêtes filèrent sous la coupole bleue du ciel. Yarg avait connu des moments agréables depuis son retour à la conscience, et même des moments de parfaite extase dans les bras de ses deux compagnes, mais jamais son cœur ne lui avait donné l'impression qu'il allait exploser dans sa poitrine. Quelle exaltation de chevaucher à bride abattue, le visage fouetté par le vent, une jeune femme aux bras graciles serrés autour de son torse !

Les chevaux suivirent le chemin, qui montait en pente douce pour arriver au sommet d'une colline. La vue embrouillée par les larmes – à cause du vent, quoi d'autre ? –, Yarg distingua droit devant un panorama de basses collines, modelées d'ombre dans la lumière matinale. Plus loin, un horizon de montagnes brumeuses se découpait contre le ciel. Il laissa sa monture galoper encore l'équivalent d'une lieue, puis reprit les rênes pour lui ordonner de ralentir. Des chevaux habitués à la vie militaire ne devaient pas être sensibles aux foulures, mais la route qui les attendait était longue et Yarg ne voulait pas les faire suer inutilement. Panserfio et Dariole se rendirent compte que leur compagnon ne les suivait plus. Ils mirent leurs bêtes au pas. Au trot amblé, Yarg rattrapa ses deux compagnons et d'instinct, sa monture s'ajusta au pas de marche des deux autres.

— Tu as aimé ça ? demanda-t-il à Qiql.

— J'ai eu peur de tomber, dit sa passagère sur un ton de doux reproche.

— Tu n'as pas trouvé ça amusant ?

— Non… Enfin, oui, un peu…

— Nous allons faire de toi une authentique femme sauvage !

— Comment savais-tu que je montais ? demanda Dariole, un sourire dans le regard alors qu'elle remettait en ordre avec ses mains libres ses longs cheveux ébouriffés.

— De quoi parles-tu ?

— À l'écurie, tu m'as laissée atteler comme si ça allait de soi. Je ne me souviens pas de t'avoir dit que je savais monter.

— Je t'ai vue soigner les montures des trafiquants, quand nous étions esclaves. Tu savais ce que tu faisais.

— J'aurais pu n'être qu'une palefrenière.

— Ce n'était pas la déduction la plus plausible.

— « Ce n'était pas la déduction la plus plausible », répéta Dariole d'une voix grave. Qiql, franchement, est-ce qu'il est aussi solennel jusque dans l'intimité ?

— Qu'entends-tu par intimité ? Lorsque nous nous câlinons de près ?

Le rire clair de Dariole s'éleva dans l'air frais du matin.

— Se câliner de près ! C'est chou comme expression ! Oui, lorsque vous vous câliniez.

— En ces occasions, Yarg est fougueux et attentionné.

— Oh là là ! On en apprend des choses !

— Tu l'ignorais ? Pourtant, à Pinacle, tu as communié avec lui, toi aussi.

Dariole s'étrangla d'abord de surprise, pour pouffer de rire à nouveau.

— Maraude ! Tu nous espionnais ?

— Ce n'était pas mon intention, se dépêcha d'expliquer la jeune femme.

Yarg, qui du coin de l'œil avait croisé le regard de Panserfio, fit un geste agacé.

— Si vous êtes pour jacasser comme ça tout le voyage, montez ensemble.

— Pourquoi pas ? répondit Dariole.

Ils chevauchèrent ainsi une partie de la matinée, Dariole répétant son étonnement de ne rencontrer aucun voyageur en chemin. Dans les collines, la route se mit à monter et à descendre. Sous un pont coulait une étroite rivière aux berges rocailleuses. Les voyageurs firent une pause pour laisser boire les chevaux et étirer leurs membres. Ils en profitèrent aussi pour manger. Qiql mâchonna un peu de pain acheté à l'auberge, ainsi qu'un reste de la pâte de légumes épicée donnée par les Avampes. Ce n'était pas beaucoup, du moins aux yeux de Yarg, mais la jeune Rouage avait toujours eu un appétit d'oisillon.

Ils remontèrent en selle, traversèrent le pont, puis poursuivirent leur progression, rythmée par le claquement sonore des sabots sur la terre durcie. Dariole, volubile le matin, s'était tue. De temps à autre, Yarg jetait un coup d'œil à Panserfio. Le colosse semblait trop content de se trouver à cheval pour montrer de la rancune envers Yarg et Dariole à la suite de l'indiscrétion de Qiql. C'était à se demander à quel point la révélation l'avait vraiment surpris.

Le paysage devenait de plus en plus vallonné et les pentes montantes et descendantes de la route se faisaient plus accentuées. Yarg et Panserfio étudiaient d'un œil circonspect les pics bleuâtres des véritables montagnes qui se dressaient devant eux. Dariole devina les pensées de ses compagnons et les rassura :

— On traverse les montagnes Folles au col du Berger. Mais je ne sais pas si on va arriver avant la nuit.

— Qu'est-ce qu'elles ont de fou, ces montagnes ? demanda Qiql.

— Tiens ! Je ne me suis jamais posé la question… Oh, oh… Voilà du monde.

Une petite troupe de cinq cavaliers était apparue au sommet de la colline devant eux. Yarg ne tarda pas à distinguer qu'il s'agissait de soldats. Il sentit son cœur battre un peu plus vite.

Les soldats aussi avisèrent Yarg et ses trois compagnons. Leur officier ordonna à ses hommes de se déployer pour leur couper la route. Les deux groupes s'approchèrent ainsi, sans afficher ni hâte ni crainte excessive d'un côté pas plus que de l'autre.

Ils se rejoignirent au bas de la pente.

— Halte ! ordonna l'officier qui menait la troupe.

Yarg, Panserfio et Dariole obéirent à l'injonction.

Les cinq hommes devant eux avaient le cheveu noir et la peau du même brun clair que celle de Yarg et de Panserfio. S'ils avaient l'air un peu harassés, ils étaient toutefois bien équipés, en bon ordre, avec le fourreau de leur épée fixé à l'arçon de leur selle, l'arme prête à être tirée. La poussière qui les couvrait n'était pas assez épaisse pour masquer le fait que, sous le métal de l'armure légère, l'uniforme était bleu, avec un écusson en forme de losange or sur le casque.

— Qui êtes-vous ? Et où vous êtes-vous procuré ces montures ?

L'officier parlait un estran très pur, sans la moindre trace d'accent. Yarg répondit :

— Nous sommes des citoyens de Port Soleil. Ces chevaux erraient dans la nature. Nous avons su à leur équipement qu'ils appartiennent à la cavalerie. Nous avons décidé de les ramener au régiment d'où ils proviennent.

Le contenu de la réponse, et l'assurance avec laquelle elle avait été délivrée, sembla souffler quelque peu l'arrogance de l'officier – c'est un fait que Yarg s'étonna de la facilité avec laquelle cette succession de demi-vérités lui était venue à la bouche.

— Ce n'est pas votre place de prendre ce genre de décision, dit l'officier, mais l'admonestation manquait de mordant. Ces montures appartiennent à nos troupes. Il faudra vous en départir.

— Votre campement est-il proche ?

— Nous sommes stationnés à Port Soleil, répondit froidement l'officier.

— C'est notre destination, voyez-vous un inconvénient à ce que nous les montions jusque-là ?

L'officier conserva un faciès d'une parfaite neutralité, mais Yarg devinait sans mal le cheminement de ses pensées. Permettre aux premiers venus de chevaucher les montures de ses troupes était parfaitement irrégulier. Par contre, les contraindre à descendre sans véritable nécessité pouvait le faire passer pour un paltoquet incapable de s'ajuster aux contingences du réel.

— Descendez, ordonna l'officier.

Après une hésitation, Yarg fit signe aux autres d'obéir. L'officier et deux de ses hommes mirent pied à terre également. Il n'avait échappé à aucun des soldats que Yarg et Panserfio étaient armés.

Un soldat alla examiner les chevaux et l'état de leur équipement. Il défit la sangle retenant les quatre épées dans leur fourreau, attachées toutes ensemble parmi les bagages du cheval gris pommelé. Il dégaina une des épées, l'examina, la réinséra à l'intérieur. Il s'adressa à son chef.

— Ce sont les chevaux du lieutenant Garbizon.

Le soldat glissa un regard évaluateur en direction de Yarg et de ses trois compagnons, puis reprit :

— Ils savent seller et monter.

— Nous sommes soulagés de voir ces nobles bêtes entre bonnes mains, dit Yarg. Bonne chance pour retrouver vos hommes sains et saufs. Sur ce, nous allons poursuivre notre route…

— Pas si vite ! dit l'officier. Je ne suis pas satisfait de vos explications.

Dariole, qui s'était retenue de parler jusque-là, s'avança vers l'officier. Les deux hommes restés en selle posèrent la main sur la poignée de leurs épées. Dariole souleva sa cape.

— Je ne suis qu'une faible femme, même pas armée.

L'officier écarquilla les yeux en voyant les quatre bras, mais il ne dit rien.

— J'ai déjà vu vos uniformes, poursuivit Dariole. Vous êtes d'une ville sur le versant nord.

— Exact. Nous sommes de Casson.

— N'est-ce pas un peu loin pour imposer votre autorité sur ce chemin ?

L'officier serra les dents, son visage assombri par une expression d'agacement mêlée d'incompréhension. Yarg avait l'impression que le sentiment n'était pas dirigé sur Dariole à proprement parler mais sur la situation, qu'il n'arrivait pas à jauger à sa juste mesure. Les militaires n'appréciaient pas ce sentiment, ni les situations qui en étaient la cause.

— Or ça, madame ! Ignorez-vous donc que nous sommes en guerre ?

— Pas contre Port Soleil, j'espère !

— Évidemment pas, dit l'officier avec le regard de biais que l'on réserve aux personnes qui disent des insanités. Nous sommes alliés avec toutes les cités de la région, au contraire, pour notre lutte contre les cacosmes.

— Les cacosmes ? Je ne connais pas ce peuple. D'où vient-il ?

— Ce *peuple* ? Les cacosmes sont des chenilles ! pas un peuple !

Le cri scandalisé de l'officier laissa Dariole toute déboussolée.

— Je ne comprends rien à votre histoire. Vous parlez bien du Fléau ? l'infestation des chenilles qui revient tous les treize ans ?

C'était au tour des cinq soldats de paraître parfaitement interloqués. L'officier s'écria, incrédule :

— Vous ignorez que les chenilles sont devenues dangereuses ? D'où sortez-vous donc ?

Yarg décida de rapporter les faits en s'approchant

le plus possible de la vérité, sans toutefois l'encombrer de détails et de digressions : ils avaient débarqué la veille après une expédition en mer qui avait duré plusieurs semaines, les bêtes qu'ils montaient n'avaient pas été découvertes par eux, mais par un aubergiste de Pesque, et ainsi de suite. L'officier écouta d'un air sombre, avec de temps en temps un regard scrutateur en direction de Dariole, de Qiql et de Panserfio, dont tout dans l'attitude confirmait les dires de leur compagnon. Une fois la narration de Yarg achevée, le chef de la troupe s'adressa plus directement à Dariole, le nez soulevé avec un intérêt tempéré de scepticisme.

— Mes hommes m'ont déjà parlé d'une danseuse à quatre bras qui officiait dans un des bordels de Port Soleil. C'était toi ?

— Hé ! Je suis une célébrité…

— Je ne les avais pas crus, précisa l'officier. J'ai pensé qu'ils s'étaient entendus pour me faire avaler une coquecigrue.

L'officier resta un moment silencieux, puis s'adressa à nouveau à Yarg en lui montrant les trois chevaux.

— C'est bon. Vous pouvez remonter.

Dariole et Panserfio acceptèrent l'invitation sans se le faire dire deux fois. Yarg aida Qiql à s'asseoir en croupe, puis monta à son tour. Les trois soldats firent pareil avec leurs propres bêtes.

— Vous n'allez donc pas vous battre ? murmura Qiql dans l'oreille de Yarg.

— On dirait que non.

L'officier conduisit sa monture pour s'aligner avec celle de Yarg et Qiql.

— Je suis le lieutenant Ducroist, dit-il sur un ton un peu plus cordial.

Yarg se présenta et fit de même pour ses trois compagnons. Le lieutenant Ducroist reprit :

— Notre mission est de retrouver les patrouilles de surveillance disparues ces derniers temps entre

Pesque et les montagnes Folles, dont celle du lieutenant Garbizon. J'ai l'impression que les cacosmes ont trouvé cette dernière avant nous, et probablement en est-il de même des autres. Nous retournons à Port Soleil. Et puisque c'est aussi votre destination...

— Merci de nous permettre de garder vos chevaux.

— À pied, vous nous retarderiez. Et je ne veux pas avoir votre mort sur la conscience.

Le lieutenant effleura avec ses éperons le flanc de sa monture et produisit un claquement de la langue. Le cheval, un superbe étalon noir aux flancs un peu mouillés de sueur, se mit docilement au pas. Les hommes imitèrent leur supérieur. Yarg et ses compagnons aussi.

CHAPITRE 20

Où Yarg et ses valeureux compagnons d'aventures rencontrent pour la première fois les cacosmes, et ce qu'ils apprennent au sujet d'iceux

La troupe des cavaliers formée par Yarg, Qiql, Panserfio, Dariole et les cinq soldats de Casson monta les flancs des montagnes Folles tout l'après-midi, le paysage devenant de plus en plus sauvage et escarpé à mesure qu'ils se rapprochaient du col du Berger. Dariole voulut engager la conversation avec les soldats pour obtenir des détails au sujet de ces mystérieux cacosmes, ou bien pour avoir des nouvelles fraîches de Port Soleil, mais le lieutenant Ducroist la rabroua sans trop de manières. Ils avaient besoin de toute leur attention, lui et ses hommes, pour surveiller la route devant eux et les territoires environnants. En attendant l'arrêt pour la nuit, il lui demanda d'adresser son bavardage uniquement à ses compagnons.

Dariole, froissée, se laissa rattraper par Yarg. Ce dernier nota, en prenant soin de conserver un ton factuel :

— Il semble imperméable à ton charme minaudier.

— Bof ! Il doit préférer les garçons.

— Je ne vois pas d'autre explication.

Après avoir descendu dans une vallée plongée dans l'ombre, les neuf cavaliers entamèrent la plus longue des pentes rencontrées jusqu'alors. Les montures soufflaient, l'écume à la bouche. Celle de Panserfio, placide depuis qu'elle avait été mise à sa main, commençait à se rebeller.

— Nos chevaux sont fatigués, chuchota Dariole en se penchant vers Yarg.

— Ils le savent.

— Et j'ai mal au cul.

— J'aurais pensé que, de toutes les parties de ton corps, c'était la mieux entraînée à l'exercice soutenu.

— Quand c'est pour ironiser, tu es volontiers bavard, mon très cher Yarg.

— C'est vrai.

L'officier se tourna vers le reste de la colonne derrière lui. Il ne pouvait pas avoir compris les mots de l'échange à travers le bruit des trente-deux fers martelant la terre battue, mais il en avait certainement saisi l'essence.

— Nous coucherons au poste de garde, passé le col. Nous y sommes presque.

Les chevaux peinèrent encore un peu. Tout autour de la troupe, le roc s'élançait à l'assaut du ciel en une multitude de pics plus escarpés les uns que les autres. Heureusement, la déclivité de la route diminua pour revenir à peu près au niveau, conséquence du labeur humain plutôt que de la nature, à en juger par la manière dont certaines larges fissures dans le roc avaient été remplies de roche concassée.

Un passage qui ne devait pas connaître souvent la lumière directe du soleil sinuait entre des parois à la pierre tachetée de mousse. Yarg sentit Qiql se serrer contre son dos. L'encaissement était lugubre, c'était un fait. Mais peut-être avait-elle froid, tout simplement, car une brise frisquette glissait le long des parois sombres, charriant une odeur d'humus et de cendres refroidies.

D'un coup, au détour du chemin, la troupe sortit de l'encaissement et un panorama majestueux s'étendit devant Yarg et ses compagnons : les contreforts sud des montagnes Folles, des collines de moins en moins accentuées qui s'aplatissaient en une plaine verte, pourpre et jaune sous le soleil de l'après-midi finissant. Dans la lumière ambrée, les rares touffes d'herbe prenaient des teintes métalliques et les fissures de la roche se creusaient d'ombre.

Plus bas, la route empruntait une corniche surplombant une pente abrupte, presque une falaise. Au point le plus étroit de la corniche, un mur de fortification, surmonté d'un parapet et de deux guérites d'observation, barrait entièrement la voie. La seule voie de passage était une ouverture en arche percée dans le mur, assez large pour laisser passer un chariot mais guère plus.

Il s'agissait du poste de garde dont avait parlé le lieutenant Ducroist, décida Yarg en détaillant cette construction sans grâce à la solidité toute militaire. D'un peu plus près, il comprit aussi que la construction n'était pas de la première jeunesse, et qu'elle ne servait plus à la fonction qui avait justifié sa construction.

À quelques pieds du mur, toute la troupe s'arrêta.

L'officier ordonna à Yarg et à ses compagnons de rester en selle. Deux de ses hommes descendirent pour une reconnaissance des lieux. Ils s'approchèrent de la fortification à pas de loup, l'épée en main. Ils traversèrent le passage jusqu'à l'autre côté du mur. Puis ils revinrent sur leurs pas et, après avoir confirmé à leurs compagnons d'armes que la voie semblait libre, ils entrèrent dans le poste par une ouverture à l'intérieur de l'arche que Yarg n'avait pas aperçue de l'angle où il se trouvait.

— On pourrait panser les chevaux en attendant, dit Dariole.

— Non. Attendez.

Les deux soldats de Casson apparurent sur le chemin de ronde, à contre-jour du soleil de plus en plus bas dans le ciel. Ils firent un signe à ceux qui attendaient au pied du mur. Sur le visage sévère du lieutenant Ducroist, Yarg reconnut l'expression du soulagement.

— Installons le camp pour la nuit.

Soldats et voyageurs mirent pied à terre, activités accompagnées par les soupirs sonores de Dariole qui caressait son postérieur endolori avec une volupté qui attira plus d'un regard chez les soldats. Yarg aida Qiql à descendre. La jeune femme vacilla sur ses jambes, le teint encore plus blême que d'habitude.

— Ça va aller ? s'inquiéta Yarg.

— La nausée est revenue.

— C'est normal, tu es épuisée. Va t'asseoir au soleil, là-bas.

Docile, Qiql alla s'asseoir à l'endroit indiqué, où elle resta prostrée, le front posé sur ses genoux ramenés l'un contre l'autre.

Yarg, Panserfio, Dariole et les soldats s'affairèrent à desseller les chevaux, à les panser, à les emmener boire à une sorte de bassin naturel creusé dans la roche sous une source qui jaillissait d'un tube de bronze fiché dans une anfractuosité. Yarg aurait aimé savoir à quoi servait le poste à l'origine et les raisons qui avaient causé son abandon, mais il ne voulait pas révéler son ignorance complète de l'histoire de la région. Après tout, il était censé être un citoyen de Port Soleil.

Pendant ce temps, le lieutenant Ducroist avait fait avancer son cheval à côté de celui de Yarg. Sur un ton qui n'était pas sans compassion, il demanda :

— Ta femme est malade ?

— Le voyage l'a fatiguée.

— À l'entendre – à la voir surtout –, on se dit qu'elle n'est pas de la région.

— Elle vient d'une île au sud de la mer Tramail.

— Je vois. Vous êtes le quatuor de voyageurs le plus insolite que j'ai croisé en une vie de patrouille. Je vous ai observés, toi et ton ami muet. Vous avez eu une formation militaire, ou je ne m'y connais pas.

— Tu es perspicace.

Yarg avait noté que l'officier s'adressait à lui en employant la forme familière de l'estran ; il ne voyait donc pas pourquoi lui-même aurait continué d'employer le mode déférent. C'est un fait que l'officier ne parut nullement s'en offusquer. Il ajouta, sur un ton invitant à la confidence :

— Un de mes hommes croit même t'avoir déjà aperçu.

Yarg sentit chaque battement de son cœur, lourd, dans ses tempes, sa gorge et sa poitrine. Le temps était-il venu de révéler la vérité au sujet de son amnésie ? Pour des raisons qu'il aurait été bien en peine d'énoncer de façon rationnelle, il préférait ne pas s'appesantir sur ce détail, surtout maintenant que la multiplication des indices confirmait avec de plus en plus de clarté qu'il approchait du pays dont il était originaire.

Sur un ton équilibrant la cordialité et l'indifférence, il dit :

— Je ne reconnais aucun de tes hommes. A-t-il précisé dans quelles circonstances ? Cela me rafraîchirait la mémoire.

— Il a juste dit que tu lui rappelais quelqu'un.

Yarg fit un geste aérien :

— C'est sans importance.

Une fois les montures pansées, attachées et nourries, Yarg et ses compagnons suivirent l'officier sous l'arche pour aller voir à l'intérieur du poste. À en juger par la solidité des ferrures rouillées qui pendaient dans le cadre, une porte épaisse et solide avait déjà fermé la poterne. L'intérieur de la fortification était constitué d'une seule grande pièce, chichement éclairée par les rares rayons ambrés du soleil du soir qui se glissaient par les étroites meurtrières. La vue n'était guère invitante. Le remugle qui se dégageait des déchets jonchant le sol l'était encore moins.

— Ça sent la chenille, grogna un des soldats.

— Ça veut rien dire, dit Ducroist. Leur pisse empeste pendant des semaines après qu'elles sont passées.

Dariole fronça le nez.

— Beuh ! Je préfère dormir dehors.

— Vous faites ce que vous voulez, dit l'officier sur un ton condescendant. À cette altitude, il y aura du vent, plus le risque des cacosmes. Mes hommes et moi coucherons en dedans, odeur ou pas.

Dans le coin gauche de la salle de garde, un escalier de pierre montait en colimaçon sur le chemin de ronde. Le quatuor décida d'aller jeter un coup d'œil et découvrit sous un ciel limpide un panorama plus vertigineux que jamais. Dariole tendit la main par-dessus le parapet vers un point de l'horizon.

— Lorsque le temps est clair, on aperçoit la baie de Port Soleil d'ici.

La jeune femme avait prononcé ces paroles sur un ton factuel qui contrastait avec les abondantes larmes qui lui coulaient sur les joues. Panserfio engloutit Dariole dans ses bras musculeux, geste de réconfort qu'elle accepta avec un soupir heureux, sans que les larmes se tarissent pour autant.

— Pourquoi pleures-tu ? s'étonna Qiql. Nous sommes presque arrivés.

— N'as-tu jamais pleuré de joie ?

— Je vois. Vous êtes tous exagérément sentimentaux.

— Ah, Qiql ! Tu ne ressentirais vraiment rien à revoir Pinacle, où tu as vécu toute ta vie ?

— Je ne crois pas que je pleurerais. Pas de joie, en tout cas.

Yarg prit exemple sur Panserfio et enlaça sa compagne. Cette dernière accepta la démonstration d'affection.

— Ne formons-nous pas les deux couples les plus attendrissants à jamais avoir contemplé ce panorama ? demanda Dariole, souriante à travers ses larmes.

— *Mmm,* approuva doucement Panserfio.

— J'ai faim, dit Yarg.

Une fois leurs lits de camp installés dans la salle de garde, les soldats de Casson montèrent à leur tour sur le chemin de ronde pour s'asseoir en tailleurs et entamer un frugal souper. Yarg et ses compagnons décidèrent de faire pareil, tout le monde profitant des reliefs du jour qui s'éternisait. La froideur du lieutenant Ducroist et de ses hommes avait fait place à une cordialité un peu rugueuse. La présence de deux jeunes femmes aussi exotiques que jolies ne semblait pas déplaire non plus à la compagnie. Les soldats firent passer de main en main une bouteille de vin âpre et puissamment bouqueté. Tout le monde y but, ce qui contribua encore plus à détendre l'atmosphère.

Dariole, qui ne permettait jamais à autrui d'oublier ses requêtes, relança l'officier et ses hommes afin d'avoir des nouvelles de Port Soleil et de ses habitants.

— Ne comptez pas sur nous pour vous mettre à jour en matière de potins et de scandales, dit le lieutenant Ducroist. Nous ne sommes pas installés dans Port Soleil à proprement parler. Ce serait trop difficile de maintenir l'ordre et la discipline dans la garnison.

— Dans une ville où on trouve plus de bordels que d'églises, forcément… expliqua l'un des soldats avec un sourire graveleux.

— Surtout qu'à Port Soleil, c'est pas toujours facile de différencier les deux.

Les soldats s'esclaffèrent à la saillie de Dariole, à l'exception de l'officier qui, manifestement, tenait à conserver une attitude réservée autant avec ses hommes qu'avec les quatre voyageurs.

— Pour ces raisons, reprit Ducroist, la Coalition s'est installée dans un camp fortifié sur le plateau. La proximité de la ville et du port facilite l'approvisionnement. Nos armées s'y trouvent, ainsi que les troupes d'Achel et de Mont-Aigle. Plus les renforts de la milice populaire de Port Soleil : on n'est pas de trop pour affronter les cacosmes.

— C'est vrai, ça, dit Dariole. Vous ne nous avez toujours pas expliqué ce que c'était que ces cacosmes.

L'officier se dressa, le regard sévère. Autour de lui, ses hommes se bousculèrent, renversant la bouteille de vin qu'ils s'étaient passée jusqu'à ce moment. Le lieutenant tira son épée de son fourreau.

— Vous allez pouvoir en juger...

Alerté par la réaction des soldats, Yarg sauta sur ses pieds, dégaina son épée et se tourna dans la direction où convergeaient les regards des soldats de Casson.

Il vit... En réalité, il ne comprit pas tout de suite ce qu'il voyait.

À la jonction du chemin de garde et de la paroi rocheuse au-dessus d'eux, une substance visqueuse et noirâtre s'écoulait par les fissures entre les moellons. Avec un pincement de dégoût au creux de l'estomac, Yarg eut l'impression qu'il s'agissait d'un flot d'excréments. Presque aussitôt s'opéra un changement de sens lorsqu'il perçut que la substance n'était pas liquide, mais composée de milliers de bestioles grouillantes qui avaient à peu près la grosseur et la forme d'un doigt, l'illusion d'écoulement venant du fait que toutes couraient en direction des humains.

— Mesdames, réfugiez-vous dans la guérite, dit Ducroist avec un signe à l'un de ses hommes : Trinaire, tu les protèges.

— Ce ne sont que des chenilles, protesta Dariole. Elles sont répugnantes mais inoffensives !

— Madame ! gronda l'officier. Ce n'est pas le moment de contester mes ordres.

— C'est de naissance chez elle, dit Yarg, tout de même médusé par le spectacle étrange et grotesque du flot d'insectes qui continuait de s'étendre.

Les événements se chargèrent de déterminer, de la jeune femme et des militaires, qui avait raison et qui avait tort. Devant Yarg et Panserfio, qui avaient reculé jusqu'à s'aligner avec le lieutenant et ses hommes, les chenilles qui formaient le front de la marée se laissèrent rattraper par celles qui les suivaient, pour s'agglutiner en une série de monticules. Les étranges excroissances s'élevèrent à une hauteur d'un pied, puis de deux… En grandissant, les monticules se divisaient en un tronc principal vaguement cylindrique et deux branches – ou deux « bras », songea Yarg en constatant que les deux appendices se mouvaient de façon indépendante.

— Oh ! fit Dariole.

L'interjection, par sa brièveté même, en disait long. Coupant court à toute autre velléité de protestation ou de tergiversation, Dariole prit la main de Qiql, puis les deux femmes abandonnèrent couvertures et provisions pour aller se réfugier dans la guérite, devant laquelle se posta le soldat de Casson chargé de leur protection.

Tout ce temps, Yarg et Panserfio continuaient de regarder l'étrange métamorphose qui suivait son cours. Une fois hauts de quatre pieds, les monticules de chenilles se transformèrent dans l'esprit de Yarg en *créatures* constituées d'un torse, d'une sorte de tête informe, de deux bras terminés chacun par une caricature de main, chaque « doigt » étant formé d'une chenille retenue par une extrémité à un nœud grouillant d'insectes.

— Les cacosmes, dit Ducroist.

— Qu'est-ce qu'on fait ? demanda Yarg.

— On les empêche de s'agglutiner.

Au moment où la partie inférieure des monticules de chenilles semblait vouloir se scinder en deux jambes, l'officier avança à la rencontre de la créature la plus proche, l'épée tenue à deux mains.

— Faites comme moi.

Le militaire balaya l'air avec son arme, avec tant de vigueur que la lame trancha entièrement le tronc et les deux « bras » de la chose, le tout accompagné d'un giclement d'entrailles d'insectes. La partie supérieure de la créature et les deux morceaux de bras retombèrent dans le tapis de chenilles qui couvrait le sol du chemin de ronde, où elles se délitèrent et se fondirent dans la masse indifférenciée des insectes.

Les autres soldats firent subir le même sort aux autres créatures, piétinant avec toute la force de leurs talons de métal les chenilles au sol par la même occasion.

Yarg et Panserfio se consultèrent du regard. Au-delà de la répugnance qu'elles inspiraient, les créatures formées de chenilles ne semblaient pas être des adversaires formidables. Ils notèrent toutefois que le premier cacosme équarri était en train de se reconstituer à partir des chenilles grouillant à sa base.

Le lieutenant Ducroist revint vers Yarg, les bottes et l'épée gluantes d'entrailles d'insectes. Il tendit son épée vers la créature qui avait presque fini de reconstituer ses bras.

— Lorsque le cacosme aura quatre pieds de haut, tranchez-lui encore le tronc à la mi-hauteur. Exactement comme j'ai fait.

Yarg s'approcha et abattit sa lame dans le flanc noir et grouillant de la chose. Le craquement liquide des chenilles tranchées était un son qui donnait la nausée. La résistance à la pénétration des insectes était cependant plus grande que prévu. La lame ne trancha que les deux tiers du tronc de la créature. En essayant de retirer son épée pour frapper à nouveau, Yarg aperçut du coin de l'œil l'officier faisant un geste de prévention.

— Attention !

Le cacosme projeta vivement son bras à la hauteur du cou de Yarg. La main formée de chenilles se referma et serra avec une vigueur à laquelle il ne s'attendait pas.

Le lieutenant Ducroist s'élança pour trancher vivement le bras de la créature avec son épée. Libéré brusquement, Yarg trébucha vers l'arrière. Il porta la main à son cou, incapable de respirer. Non seulement l'emprise autour de son cou ne faiblissait pas, mais les chenilles qui constituaient le morceau de bras avaient migré pour épaissir l'anneau vivant qui l'étranglait. Il lâcha son épée et tenta d'arracher les chenilles avec ses mains, ce qui s'avéra impossible tant ces dernières s'agglutinaient avec force.

— *Mmm !* fit Panserfio.

— Retenez-le ! cria Ducroist.

Yarg, la vue embrouillée, les oreilles sifflantes, se sentit rattrapé et immobilisé par Panserfio. À demi-conscient, il vit Ducroist approcher une dague de son visage. Il sentit le fil d'une lame le brûler sous l'oreille. La constriction autour de son cou se relâcha. Des mains secourables lui arrachaient une à une les chenilles qui s'obstinaient à vouloir reformer l'anneau étrangleur.

Après quelques secondes, Yarg avait suffisamment repris ses esprits pour jeter lui-même les dernières chenilles par-dessus le parapet. Avec une grimace de dégoût, il sentit se tortiller un insecte tombé à l'intérieur de sa chemise. Il déchira presque son habit dans son empressement à l'enlever. Pendant que Panserfio et les soldats de Casson continuaient d'empêcher la formation des cacosmes à grands coups d'épée, il se caressa le cou avec la main, qu'il retira tout ensanglantée.

Le soldat qui gardait la guérite – Trinaire – apparut près de lui pour l'inviter à se réfugier avec les femmes. Yarg, qui trouvait cette retraite assez honteuse, tendit plutôt l'épée vers ceux qui poursuivaient la répugnante besogne.

— Ne devrions-nous pas les aider ?

— Ça va aller. C'est rien qu'une flaque de stupides.

— De quoi ?

— Tant que les chenilles sont séparées, elles restent stupides. Heureusement pour nous ! Si elles avaient un brin de jugeote, elles auraient attendu la nuit pour se former et nous attaquer. C'est juste une fois montées en cacosmes qu'elles sont dangereuses. C'est pour ça qu'on leur donne le temps de se former un peu : elles restent trop étourdies pour bien se défendre, mais sont déjà assez intelligentes pour décider de battre en retraite.

— Intelligentes ! s'écria Dariole, qui s'était approchée elle aussi. Vous dites que les chenilles sont devenues intelligentes ?

— Je sais pas si « intelligentes » est vraiment le mot, dit Trinaire avec un sourire acide. Mais j'ai vu des cacosmes drôlement astucieux. Si vous tombez sur un qui est bien formé, courez aussi vite que vous le pouvez…

Comme l'avait prédit le soldat, une sorte de frisson parcourut le tapis des chenilles, comme l'onde causée par un caillou jeté à la surface d'un étang. Les cacosmes à moitié formés s'affaissèrent sur eux-mêmes. Les chenilles qui les constituaient se fondirent dans la masse des insectes, qui tous s'empressèrent de retourner se cacher dans les fissures entre les pierres à la jonction de la paroi rocheuse. Implacables, les soldats continuèrent d'écrabouiller le plus possible de chenilles à coup de talons de fer. Panserfio, dont les bottes légères étaient inappropriées à cet usage, contribua à l'éradication des insectes en écrasant tous ceux qu'il pouvait avec le plat de son épée.

Finalement, les dernières chenilles disparurent. Les soldats de Casson et Panserfio restèrent un instant à reprendre leur souffle, immobiles dans la lumière dorée du soleil couchant.

Dariole contempla le chemin de ronde couvert d'une immonde sanie constituée de morceaux de chenilles et d'entrailles gluantes. L'odeur qui s'en dégageait rappelait effectivement le fumet qui remplissait la salle de garde, mais d'une intensité multipliée par cent.

— C'est répugnant !

Le lieutenant Ducroist s'approcha en tirant de sa poche un chiffon. Il semblait quelque peu amusé par l'expression peinte sur le visage de la jeune femme.

— Aussi bien vous habituer.

Il essuya son épée maculée, puis s'approcha de Yarg, pour examiner l'entaille qu'il lui avait faite au cou en le débarrassant de l'anneau de chenilles.

— Désolé. Fallait agir vite.

Yarg regarda encore sa main ensanglantée, puis maugréa que ce n'était qu'une égratignure. L'officier ponctua l'examen d'une tape virile sur l'épaule.

— C'est ma faute. Je ne vous ai pas vraiment crus lorsque vous avez dit que vous ignoriez tout des cacosmes.

— J'ai appris une chose : ils ont de la poigne.

— Ils tuent presque toujours par étouffement. Soit par strangulation, soit en vous comprimant la poitrine de leurs membres supérieurs. On a vu aussi des chenilles qui entraient dans la bouche et les narines.

— Mais… Mais…

Dariole regardait tour à tour chacun des soldats autour d'elle, désemparée.

— Les chenilles infestent la région depuis toujours. Elles n'ont jamais été dangereuses. Quelle est la cause de cette affreuse transformation ?

— Si j'avais la réponse, dit Ducroist avec un rictus sombre, je serais aux commandes de la Coalition, et non pas chef de patrouille.

— Et vous dites que cette abomination menace Port Soleil ?

— Quand une ville n'est pas fortifiée, elle s'expose de façon irraisonnée aux attaques extérieures, dit l'officier avec une condescendance quelque peu hautaine, comme si cet état de fait était une conséquence de l'étourderie de son interlocutrice.

Pendant ce temps, Qiql s'était approchée du groupe, sans quitter des yeux l'extrémité du chemin de ronde. Elle demanda timidement :

— Elles sont parties pour de bon ? Elles ne vont pas revenir pendant la nuit ?

— Non, la rassura Ducroist. Elles sont stupides, mais pas si stupides que ça. N'empêche, nous allons poster un homme de garde toute la nuit.

— Nous pouvons vous relayer, Panserfio et moi.

— Sans vouloir vous froisser, toi et ton ami, je préfère savoir que ce sont mes hommes qui veillent sur mon sommeil.

Yarg haussa une épaule.

— Ça ne me froisse pas. Nous dormirons plus longtemps.

— Parce que tu crois que je vais être capable de m'endormir après ça ? glapit Dariole.

◆

Il ne fut pas facile pour Yarg de mettre en œuvre le programme annoncé pour la nuit. L'attaque des chenilles l'avait plus énervé qu'il ne voulait bien le reconnaître, en effet, et le moindre chuchotis, toussotement ou ronflement des soldats de Casson autour de lui le réveillait. Le plancher de la salle de garde était dur pour son dos meurtri par une journée de chevauchée et l'air confiné décidément glacial. La tiédeur du corps de Qiql contre son flanc était donc particulièrement appréciée. Malheureusement, juste au moment où Yarg se sentait enfin glisser pour de bon dans le sommeil, la jeune femme se mit à gémir, aux prises avec un cauchemar. Il lui caressa doucement le front, inquiet de le sentir brûlant sous sa paume. Qiql se calma, en émettant un lent soupir de soulagement dans lequel Yarg crut reconnaître son nom. Quelle étrange sensation de savoir qu'un être dépendait de lui à ce point.

La nuit sembla vouloir s'éterniser, mais elle finit par passer comme toutes celles qui l'avaient précédée. Les soldats de Casson s'activèrent aux premières lueurs de l'aube. À travers leurs maugréements, Yarg reconnut la voix de Dariole qui chuchotait à l'oreille de Panserfio qu'elle avait rêvé toute la nuit que des chenilles voulaient lui pénétrer dans la bouche.

Yarg dut s'y prendre à plusieurs fois pour réveiller Qiql. La jeune femme ouvrit des paupières encroûtées de larmes séchées et le fixa d'un air distant, comme si elle ne le reconnaissait pas.

— Ça va ? murmura Yarg. Tu es réveillée ?

Dariole s'approcha. Elle toucha le front pâle couvert de minuscules gouttelettes de transpiration.

— Elle est brûlante.

— Elle a eu la fièvre toute la nuit.

— Ça ne ressemble pas à la suinte, dit Dariole en s'efforçant de paraître rassurante. Ni au flakès. Ce n'est probablement que la grippe. De la fatigue, plus la grippe. Hein ? tu ne penses pas ?

— Je ne sais pas, souffla Qiql, qui semblait tout de même reprendre un peu ses esprits. Je n'ai jamais été malade.

— Elle n'a presque rien mangé hier, nota le lieutenant Ducroist, aucun des soldats de Casson ne pouvant ignorer le petit drame qui se jouait près d'eux.

— Ne me parlez pas de manger ! J'ai le goût de vomir rien que d'y penser.

De fait, la jeune femme refusa de partager leur frugal déjeuner. Panserfio tenta bien de la convaincre par gestes de manger un peu. La jeune femme détourna le regard et préféra aller faire un tour dehors. Le colosse regarda Yarg, les yeux remplis de tristesse.

— Les femmes enceintes ont parfois la nausée le matin, dit Ducroist, du ton de celui qui marche sur des œufs.

— C'est ce que j'ai d'abord pensé, lança Dariole. Là, je ne sais plus.

— On peut pas dire qu'elle a l'air d'avoir une forte constitution, remarqua un soldat.

— À Port Soleil, nous irons la faire examiner par la sage-femme de la Sororité, annonça Dariole, pour le bénéfice autant des soldats que de ses amis.

Yarg approuva en silence, l'air pensif.

◆

Le lieutenant Ducroist n'eut pas besoin de réprimer le bavardage de quiconque pendant la seconde journée de chevauchée. La troupe descendit les contreforts sud des montages Folles dans un silence tendu. Les flancs escarpés des montagnes se muèrent en pentes douces, celles-ci s'aplanissant tout à fait. La plaine était en réalité un plateau, comme Yarg finirait par s'en rendre compte, un territoire beaucoup plus fertile et luxuriant que les steppes au nord des montagnes qu'il avait connues dans son ancienne vie d'esclave.

Le chemin traversait maintenant une forêt de petits arbres à la canopée mouchetée de taches aux tons pastel, vert citron et lavande. Sous les arbres poussaient quantité de buissons épineux. Des marécages moirés de noir et de mauve rompaient la monotonie du panorama. La brise attiédie transportait le bouquet de plantes aromatiques, avec en contrepoint un parfum un peu âcre que Yarg avait appris à reconnaître, et même à apprécier, celui de la mer Tramail. Pourtant, Yarg n'avait guère l'âme contemplative. À cause des chenilles, bien sûr – il voyait bien à quel point les soldats ne relâchaient jamais leur vigilance –, mais surtout à cause de la maladie de Qiql.

Il sentait le torse et la tête de la jeune femme appuyés sur son dos. Elle s'était forcée à avaler un morceau lorsque la troupe avait fait une pause sous le soleil de la mi-journée, mais elle l'avait vomi aussitôt. Elle était restée somnolente depuis. Dariole non plus n'avait presque pas prononcé un mot depuis le matin, ce qui inquiétait Yarg encore plus que le reste.

L'après-midi était sérieusement entamée lorsqu'un grondement de sabots s'éleva derrière eux. Yarg aperçut une troupe d'une quinzaine de cavaliers qui les rattrapaient au trot amblé, une allure *a priori* inconfortable pour les cavaliers. Ils étaient donc pressés. Encore des soldats. Leurs uniformes étaient différents de ceux de Casson : plastron sinople, pantalon noir, genouillères de métal. Ils portaient d'étranges casques que Yarg jugea d'abord bien encombrants : cerclés de fer autour du cou, avec un masque grillagé. Aussitôt après avoir formulé cette réflexion, l'illumination se fit : les casques avaient été spécialement conçus pour empêcher les chenilles de pénétrer dans le nez ou la gorge.

L'officier qui menait la troupe arrêta sa monture pour s'entretenir avec le lieutenant Ducroist, tout en faisant signe à ses hommes de poursuivre leur chemin sans ralentir. C'est ce qu'ils firent, sans se priver cependant de jeter des regards intrigués en direction des deux femmes et de leurs compagnons.

Yarg nota qu'un des jeunes cavaliers le dévisageait de manière particulière. Leurs regards se croisèrent. L'autre fronça les sourcils en une expression difficile à interpréter : le grillage n'aidait pas. Impossible d'en savoir plus, il s'éloignait déjà.

L'officier qui les menait ne s'éternisa pas lui non plus. Il échangea quelques informations avec le lieutenant Ducroist puis, sans laisser le loisir à sa monture de souffler, repartit au galop pour rattraper ses hommes.

◆

Depuis un certain temps, la forêt du plateau s'était éclaircie et morcelée, remplacée par des champs cultivés. Yarg ne voyait personne y travailler. Cela lui sembla anormal. La troupe traversa un hameau tout aussi désert ; seuls deux soldats surveillaient les environs à partir du balcon supérieur d'une modeste auberge.

Dariole, quasiment amorphe depuis le matin, fut prise de frénésie lorsque apparut, au-delà des terres devant eux, la bande scintillante de la mer Tramail.

— Nous arrivons à Port Soleil ! Courage, Qiql !

Yarg se tourna à demi pour voir comment se portait sa passagère. À contempler son visage exsangue et ses yeux chassieux, il se fit violence pour garder une expression impassible.

— Tiendras-tu jusque-là ?

Une grimace – mais c'était peut-être un sourire épuisé – étira ses lèvres.

— Tant que tu me soutiendras.

Le soleil venait de disparaître sous l'horizon lorsque la troupe atteignit la bordure du plateau. À la gauche de Yarg, à moins d'un quart de lieue, s'élevait la palissade d'un important camp militaire. À sa droite, le plateau s'abaissait en pente douce pour former une grande baie ouverte plein sud sur la mer Tramail. Une ville occupait presque tout l'encaissement, une cascade impressionnante de palais, de boutiques, de parcs et de jardins, aussi grande, opulente et bigarrée que l'avait imaginée Yarg à force d'entendre Dariole en chanter les louanges. Malgré tout cela, il ne put s'empêcher de trouver la vision quelque peu lugubre dans la pénombre vespérale.

— Port Soleil ! exulta Dariole, même si elle sembla, comme Yarg, un peu désappointée par le panorama citadin qui s'étendait sous elle. Elle se tourna vers le lieutenant Ducroist, avec dans ses grands yeux noirs une lueur de joie feuilletée d'incompréhension.

— Que se passe-t-il ? Où sont les lumières ? Où sont les gens ?

— La nuit tombe. C'est le couvre-feu.

— Mais c'est l'heure où tout le monde sort ! protesta la jeune femme d'une voix éplorée.

L'officier ne se donna pas la peine de répondre. Il montra le camp militaire, direction où, par contre, il y avait encore beaucoup de va-et-vient.

— C'est ici que nos voies divergent. Je dois me rapporter. Nous allons reprendre nos montures et vous souhaiter bonne chance.

Dariole, Panserfio et Yarg descendirent et donnèrent le licou de leurs chevaux aux autres cavaliers… opération accomplie avec une évidente tristesse dans le cas du colosse, qui caressa et embrassa une dernière fois le museau du valeureux animal. Les deux hommes aidèrent ensuite Qiql à mettre pied à terre. C'est à peine si la jeune femme tenait debout. Yarg la prit dans ses bras. Elle se laissa faire avec l'abandon d'une enfant endormie.

Dariole se tourna vers les soldats de Casson et les abreuva de remerciements et de compliments au sujet de leur vaillance et de leur bravoure.

— Merci, dit simplement Yarg lorsque vint son tour.

— Je prie que ta femme guérisse vite, dit Ducroist.

— J'apprécie ta bienveillance.

— Si les cacosmes attaquent, nous aurons besoin de tous les hommes vaillants disponibles. Lorsque vous aurez trouvé à qui confier votre compagne, présentez-vous au camp, toi et ton ami. Nous vous incorporerons à la milice. (L'officier échangea un regard entendu avec Panserfio.) Qui sait ? Ton cheval aura peut-être besoin d'un cavalier.

Le colosse fit un geste de gratitude, tout en montrant ses compagnons : *Eux d'abord*.

Le lieutenant Ducroist salua, puis les cavaliers de Casson s'éloignèrent en direction du camp où, sous un ciel violet, s'illuminaient un nombre croissant de lanternes, comme un appel à la venue des étoiles.

◆

Une arche élégante surmontée de deux poissons en fer forgé accueillait les voyageurs venus à Port Soleil par le chemin des Palmiers. Une patrouille de miliciens y était postée. Ils interpellèrent Yarg et ses compagnons, sans trop de courtoisie d'ailleurs. Heureusement, un des hommes reconnut Dariole. On les laissa entrer dans la ville sans discussions inutiles, ce qui n'empêcha pas les miliciens d'étudier ses trois compagnons d'un air suspicieux.

Yarg, Dariole et Panserfio suivirent d'abord des routes pavées bordées de portiques grillagés, certains menant à des cours intérieures habitées et éclairées. Les pierres qui les entouraient étaient encore toutes chaudes de la lumière du jour, telles des briques sorties du four.

— Tout le monde est enfermé chez lui. Comme c'est bizarre, murmura Dariole.

Personne ne lui répondit. Yarg n'était pas d'humeur, Panserfio en était incapable… Quant à Qiql… Yarg sentait toujours son souffle tiède contre sa joue, mais il n'aurait su dire si elle dormait ou si elle avait perdu conscience.

Ils se firent arrêter par une seconde patrouille. Yarg sentit son sang s'échauffer.

— Ressemblons-nous à ce point à des cacosmes que vous ne soyez pas capables de faire la différence ?

— Et tu sors d'où, couillon, pour me parler comme ça ? rétorqua le chef de la patrouille d'un air querelleur.

Dariole dut encore faire appel à son charme et à son entregent pour raccourcir au minimum l'affrontement et les explications. La patrouille les laissa partir après les avoir abondamment sermonnés sur le fait que le couvre-feu avait été ordonné pour la sécurité de tous les citoyens de Port Soleil, et leur avoir fait jurer de se rendre à la Sororité des Affriandes par le chemin le plus direct et sans s'attarder pendant leur périple.

Toujours sous la conduite de Dariole, Yarg et Panserfio empruntèrent un escalier monumental aux marches constituées d'une pierre qui semblait d'une blancheur translucide sous la lumière jaune des rares lanternes à naphte allumées. L'escalier les mena à un gros carrefour dominé par un arc de triomphe surmonté d'un attelage de faufileurs figés dans la pierre qui tiraient un char marin entièrement doré. Sur les piliers, des affiches appelaient à soutenir un candidat pour un poste au conseil de la cité. Tous les commerces – les tavernes, les boulangeries, une blanchisserie, un théâtre – semblaient fermés.

Au centre du carrefour, Dariole se mit à tourner sur elle-même, les yeux écarquillés.

— Cette place devrait être illuminée, grouiller de gens qui mangent, boivent et s'amusent ! Yarg ! J'ai tellement imaginé mon retour à Port Soleil, et maintenant que j'y suis, rien ne se passe comme prévu ! Suis-je la proie d'un cauchemar ? Est-ce que je vais me réveiller dans ma cage, pour découvrir que tout ce que j'ai vécu n'était qu'un songe ?

— Occupons-nous de Qiql. Tu feras ta crise d'hystérie après.

Dariole baissa le visage, honteuse.

— Tu as raison. (Elle fit un signe de la main.) La Sororité des Affriandes est tout près.

Elle marcha vivement jusqu'à un autre carrefour. Yarg tendit le cou pour tenter d'apercevoir jusqu'où menaient ces rues bordées de vénérables immeubles à logements. Pas le temps : Dariole s'engageait dans une allée qui menait à un parc. Elle longea un sentier environné de fleurs, d'une pâleur luminescente sous le ciel violet. Ils effrayèrent un groupe de canards endormis sur le bord d'un bassin. Les volatiles s'égayèrent en caquetant. À travers une trouée dans les bosquets, un sentier de tuiles apparut, qui menait à l'une des plus élégantes demeures à entourer le parc.

— C'est ici, chuchota Dariole, émerveillée et incrédule. Je suis de retour.

Le cœur de Yarg sautait dans sa poitrine avec la frénésie d'un animal pris au piège. Parce qu'il avait couru en transportant une femme dans ses bras, certes, mais aussi parce qu'en son âme l'espoir et l'appréhension jouaient à la souque à la corde.

L'opulente façade du pavillon de la Sororité était plongée dans l'ombre. Dariole emprunta un chemin menant à une entrée secondaire. Sous un portique éclairé, deux éphèbes musculeux montaient une garde plutôt nonchalante, assis le dos contre le mur tapissé de mosaïque, fumant la pipe en bavardant avec un trio de jeunes filles toutes charmantes et court-vêtues. Le plus grand des deux gardes avisa tout de même Yarg et ses compagnons.

— Qui va là ?

Il s'exprimait avec une voix de gorge nasillarde qui s'accordait mal avec le reste du personnage.

Dariole s'approcha de la lumière.

— Tu ne me reconnais pas, Johan ? C'est moi.

— Opilione ?

La jeune femme sauta au cou de Johan, qui la serra en retour en répétant « Opilione ? Où étais-tu ? Où étais-tu ? » sous les exclamations de l'autre garde et les piaillements de joie et d'incrédulité émis par les jeunes filles. Dariole – ou plutôt Opilione, maintenant –

les embrassa tous les quatre aussi, incapable, même si elle l'avait voulu, de faire le tri de toutes ces questions entremêlées. D'autres jeunes filles accouraient déjà pour découvrir la raison de ce tumulte. Les exclamations et les embrassades auraient pu s'éterniser si la personne qui était la cause de cette commotion n'avait pas fait de grands signes de ses quatre bras pour que tout le monde se taise.

— Assez ! Assez ! J'en aurais pour des heures. Regardez ici : ma camarade Qiql – presque ma sœur, en vérité – est très malade. Maîtresse Torcolia est-elle là ?

— Où veux-tu qu'elle soit ? dit une des filles. Personne n'a plus le droit de sortir la nuit.

— Venez, dit Opilione en direction de Yarg et de Panserfio.

Le garde appelé Johan sembla toutefois considérer que les événements se bousculaient un peu trop vite à son goût. Il se dressa devant Yarg et Panserfio.

— Un instant ! J'aime pas trop leur tête, à ces deux-là.

Le grondement de Panserfio fit reculer Johan d'un pas. Il n'avait pas l'air habitué de lever la tête pour croiser le regard d'un autre homme.

— Pas le temps pour les combats de coqs ! s'écria Opilione. Si tu as peur d'être blâmé, Johan, accompagne-moi jusque devant maîtresse Torcolia, et je plaiderai ta cause.

— T'es drôle, toi ! Si j'abandonne mon poste, tu penses qu'elle sera contente ?

Opilione se détourna du garde avec un geste insistant vers ses compagnons de voyage.

— Vous occupez pas de lui ! Venez !

Elle les conduisit dans un passage du vestibule vers un atrium ouvert sur le ciel étoilé. Yarg commença à évaluer l'immensité du pavillon de la Sororité des Affriandes. La façade faisait illusion : le bâtiment était beaucoup plus profond que large, avec un tourbillon de couloirs, de pièces décorées tour à tour avec une rigueur austère ou avec un débordement de rubans, de miroirs, de grands panneaux de soie multicolore.

Sur leur passage déferla une grêle de mots, de phrases, d'exclamations émises par des femmes de tout âge qu'ils rencontraient : « Opilione est revenue !… Impossible !… Puisque je te le dis !… Où était-elle ?… Qui c'est, l'autre ?… Comme elle est pâle !… Et maigre !… D'où sort-elle ?… Tu as vu les hommes ?… Ils me font peur !… Cervelle de pie, si tu te mets à avoir peur des hommes !… »

Opilione monta un escalier de quatre marches qui faisait la pleine largeur d'une pièce. À l'immense soulagement de Yarg, la quasi-totalité du cortège bruyant qui s'était greffé à eux – certaines de ces fillettes n'avaient pas six ans – n'osa pas les suivre au palier supérieur.

Ici, le plafond était plus bas et la décoration réduite au minimum. Au fond de la pièce, sous des lumignons, Yarg aperçut dans la pénombre dorée les contours d'une porte. Opilione souleva le heurtoir et le laissa retomber trois fois, lentement, comme avec crainte. Elle chuchota ses dernières instructions à Yarg et à Panserfio :

— Maîtresse Torcolia est âgée et acariâtre. Elle va s'offusquer de votre présence et vous interpeller de façon discourtoise. Tolérez ses sautes d'humeur, car c'est la meilleure soigneuse de Port Soleil. Rappelez-vous aussi que vous êtes dans la Sororité, lieu où aucun homme n'a autorité sur une femme.

— Si je dois embrasser le sol à ses pieds pour qu'elle soigne Qiql, je le ferai.

Moi de même, mima Panserfio.

Les gonds de la porte devant eux devaient être bien huilés car elle s'ouvrit en un silence parfait, révélant de l'autre côté une femme, âgée, vêtue d'une tunique brodée de soie pourpre à col droit. Malgré son visage ridé et son dos quelque peu voûté, sa posture était parfaitement assurée et au fond de ses yeux globuleux luisait une sagacité sévère.

— Opilione, dit-elle, à peu près sur le même ton qu'on réserve à un subalterne qui se présente en retard à une convocation.

— C'est bien moi, maîtresse Torcolia.

La vieille femme s'écarta pour les laisser entrer.

Yarg se retrouva dans un dortoir éclairé par une vingtaine de lampes suspendues au plafond. Sous chaque luminaire se trouvait un lit, la plupart occupés par des malades. Toutes des femmes, les plus jeunes n'étant encore que des enfants. Il flottait dans l'air une odeur d'alcool et de soufre qui masquait, sans toutefois l'occulter complètement, un relent plus fétide d'urine, d'infection, de maladie.

Un hôpital.

La vieille femme étudiait Opilione, un pli d'agacement au coin de la bouche.

— Je commençais à me demander la raison de tous ces cris. Si tu voulais me prendre par surprise, tu as réussi ton coup.

— Ce n'est pas le but premier de ma présence. Ma compagne est malade.

La sage-femme s'intéressa à la jeune femme inconsciente dans les bras de Yarg.

— Vous avez été attaqués par les cacosmes ?

— Non, dit Opilione, qui corrigea aussitôt : en fait, oui, mais ça n'a aucun rapport avec la maladie de Qiql. Nous ne savons pas ce qu'elle a.

La sage-femme leur fit signe d'aller étendre Qiql sur un des lits. Yarg obéit avec un mélange de soulagement et d'inquiétude : depuis qu'elle était descendue de cheval, la jeune femme n'avait pas repris conscience.

Opilione s'écarta du lit de quelques pieds et fit signe à Yarg et à Panserfio de faire de même. Les deux hommes obéirent, quelque peu mal à l'aise sous le regard croisé de plusieurs malades.

Maîtresse Torcolia examina Qiql consciencieusement, en posant de temps en temps une question à Opilione sur l'identité et la provenance de la jeune malade. Cette dernière s'était réveillée, mais elle semblait trop faible pour prononcer une parole. À la qualité du regard qu'elle porta autour d'elle, Yarg comprit qu'elle reconnaissait ses compagnons, ce qui le rassura tout de même un tantinet.

La sage-femme fit boire à la malade un peu d'eau avec du miel. Celle-ci se rendormit, rassérénée – ou du moins c'est ce dont Yarg voulut se convaincre.

Maîtresse Torcolia se redressa. Opilione et les deux hommes la suivirent dans une officine aux murs couverts d'étagères et de caisers de rangement.

— Puis-je connaître votre lien avec cette jeune femme? demanda-t-elle à Yarg sur un ton parfaitement courtois, et même respectueux, ce qui étonna ce dernier après toutes les préventions d'Opilione au sujet de son caractère acariâtre.

— C'est ma compagne.

— Et ce grand garçon fort discret? dit-elle en toisant Panserfio. Est-ce un de vos hommes?

— Il est discret parce qu'il est muet. La formulation de votre seconde question me décontenance plutôt.

— Je voulais dire: est-il lui aussi soldat à Mont-Aigle?

Yarg resta un temps incapable de répondre. Opilione vint à son secours. La main sur l'épaule de Yarg, elle demanda à maîtresse Torcolia:

— Vous le connaissez?

La sage-femme regarda tour à tour ses trois interlocuteurs, ses yeux globuleux quasi invisibles sous les paupières plissées.

— J'ai la désagréable impression d'avoir commis une indiscrétion. Pardonnez ma sottise.

— Mes compagnons ne connaissent pas ma véritable identité, dit Yarg.

Opilione, en bonne jongleuse, saisit la balle au vol. Avec une stupéfaction juste à la limite du théâtral, elle demanda :

— Que racontes-tu là ? Tu n'es pas un voleur des steppes ?

Yarg força ses lèvres en un rictus déconfit. Il s'inclina vers maîtresse Torcolia.

— Vous m'avez percé à jour. Je vous accorde le privilège de la révélation.

— Je sais que vous êtes le général Angrois de Mont-Aigle, dit la sage-femme sur le ton hésitant d'une actrice qui n'est pas certaine d'employer la bonne réplique. Je n'oublie jamais un visage. Enfin, pas un visage aux traits aussi caractéristiques que le vôtre.

— Il est déjà venu à la Sororité ?

La sage-femme eut un claquement de langue agacé.

— Opilione ! Un peu de respect, s'il te plaît. (Elle reporta son attention sur son interlocuteur.) J'étais présente au mariage du Grand Électeur Soliveau, et je me rappelle fort bien vous avoir vu en tête du cortège nuptial. J'ai cru à la rumeur rapportant que vous étiez mort. Comme tout le monde, je suppose.

Celui qui s'était fait appeler Yarg jusque-là médita un moment ces paroles, puis releva le visage.

— Revenons à ma compagne. Quel est votre diagnostic ?

— Je ne peux me prononcer. C'est une bien étrange jeune femme. Elle souffre d'une forme d'affaiblissement généralisé. Pas surprenant s'il est vrai, comme Opilione l'a dit, qu'elle refuse de se nourrir.

— Ce n'est pas tant qu'elle refuse : elle en semble incapable.

— J'ai un temps pensé qu'elle était enceinte, dit Opilione.

— Qu'elle soit enceinte ou pas n'expliquerait pas un pareil état de faiblesse. Je ne peux faire aucune promesse, sauf celle de la surveiller de près.

— C'est déjà beaucoup. Merci infiniment, maîtresse, vous avez toujours été si bonne pour moi.

— Prétentieuse! Je suis bonne avec toutes les filles. Va te coucher maintenant. Tu as l'air épuisée. Vous aussi, mon général. C'est un honneur de vous savoir parmi nous.

CHAPITRE 21

Qui traite encore, et abondamment,
des étranges cacosmes,
avec une conclusion aussi
douloureuse qu'inattendue

La Sororité des Affriandes ne manquait pas de chambres aux lits moelleux et au luxe tapageur, toutes abandonnées à cause du couvre-feu. Les invités qui les occupaient avaient généralement d'autres activités en vue que le sommeil, mais ce n'était certes pas le cas de Panserfio, de Yarg et d'Opilione, tous trois moulus de fatigue après les épreuves et les inquiétudes du voyage. Il fallut même qu'Opilione mette un frein à la curiosité de ses consœurs, nombreuses étant celles qui se présentèrent à leur porte, prêtes à soulager les membres de l'un de ces deux braves voyageurs par un massage ou tout autre genre d'activité en accord avec leur humeur.

— Leur humeur est au sommeil, déclara la jeune femme par la porte entrouverte. Ne nous dérangez plus !

— Dis plutôt que tu veux les garder pour toi, persifla une mignonne aux grands yeux noirs et à la bouche en cœur.

— C'est vrai, ça ! On s'ennuie, nous !

— Un peu de jugeote ! Vous ne savez donc pas que son amoureuse est malade ?

— Et l'autre ?

— Tu parles ! Elle se le garde !

— Caressez-vous entre vous, si ça vous démange tant.

— Beuh ! C'est pas pareil…

— Ça suffit ! conclut Opilione en claquant la porte.

◆

Le lendemain, avant même le déjeuner, Yarg, Opilione et Panserfio retournèrent voir comment se portait Qiql. Celle-ci dormait, son visage pâle comme un reflet de lune, quoique empreint d'une sérénité qui rassura un peu ses compagnons. Yarg n'osa pas la réveiller. Il alla plutôt prendre des nouvelles auprès de maîtresse Torcolia.

— Elle a bu du sirop de grenat et avalé un peu de lait caillé cette nuit, dit la sage-femme d'un air grave mais sans manifester d'inquiétude excessive. Dès qu'elle reprendra conscience, je verrai si son estomac supporte des aliments solides.

À la fois rassuré par le détachement prudemment optimiste de la sage-femme et désarçonné par l'absence persistante de diagnostic, Yarg accepta la proposition d'Opilione de passer aux bains. On débarrassa les deux hommes de leur costume de spadassin confectionné à Pinacle, quelque peu défraîchi depuis, Opilione n'ayant quant à elle jamais besoin d'aide pour se départir de ses vêtements.

Après avoir nagé dans un bassin d'eau fumante sous une impressionnante voûte de marbre couverte de fresques éclairées par trois cents lampes, les trois compagnons furent allongés sur des tables de bois ciré, sur lesquelles ils furent longuement massés avec des huiles fleurant bon la menthe et le serpolet. On les fit asseoir ensuite dans des fauteuils d'osier. Les cheveux des hommes n'avaient pas encore assez poussé pour mériter une coupe, mais on leur tailla la barbe selon la mode du jour, tous ces soins corporels étant accomplis par de sveltes jeunes femmes toutes plus ravissantes les unes que les autres. En d'autres temps, Yarg aurait trouvé l'expérience aussi mémorable que stimulante : hélas, il était trop préoccupé par le sort de Qiql pour accorder vraiment son attention à la splendeur qui l'entourait.

Désormais vêtus d'amples et confortables costumes de lin, les trois compagnons retournèrent à leur chambre, où ils se firent servir à déjeuner – Opilione leur avait expliqué que s'ils allaient manger dans la salle commune, ils seraient incapables de poursuivre une conversation soutenue.

— Tu as dû t'ennuyer de tes amies, dit Yarg. Ne te sens pas obligée de nous tenir compagnie.

— Je veux savoir quelle est la suite du programme.

Yarg resta un moment songeur.

— J'ai de la difficulté à penser à autre chose qu'à Qiql.

— Elle ne peut pas être entre meilleures mains que celles de maîtresse Torcolia. C'est pourquoi il faut s'occuper à autre chose pendant ce temps pour se changer les idées.

Yarg ne put s'empêcher de sourire. La détermination matinale d'Opilione lui rappela encore une fois que, sous un vernis de frivolité, sa jeune compagne d'aventures savait parfaitement garder le sens de ce qui était important et de ce qui était secondaire.

— Je suis un soldat de Mont-Aigle. Aussi bien me rapporter au camp.

— Veux-tu que je vienne avec toi ?

— J'aurai l'esprit plus tranquille si tu restes ici pour surveiller Qiql.

Le colosse, qui écoutait sans perdre une parole, eut un sourire indécis en les regardant tour à tour. Opilione comprit d'instinct la cause de son hésitation.

— Tu veux aller avec Yarg, mais tu as peur de me faire de la peine si tu me laisses seule ?

Le sourire de Panserfio s'élargit: *Quelque chose comme ça…* Le rire clair de la jeune femme meubla la chambre:

— Tu es chou!

Il sembla à Yarg qu'il y avait longtemps qu'il n'avait entendu ce rire qui auparavant sortait de ces lèvres au moindre prétexte. De fait, le visage d'Opilione se referma aussitôt, martial:

— Doit-on révéler la vérité au sujet de ton amnésie?

— Pas tout de suite. Je sonderai le fond à mesure que j'avancerai.

— Notre vie n'est-elle pas assez compliquée comme ça?

— As-tu oublié ma plaie dans le dos? le poignard empoisonné? les bandelettes magiques?

— Ah, oui! Tout ça m'était un peu sorti de l'esprit, reconnut Opilione.

— Celui qui a tenté de m'assassiner ignore que j'ignore son identité. Dès que le bruit aura couru que je suis revenu, soit il m'évitera, soit il prendra des mesures pour me faire assassiner avant que je le dénonce.

— Qui te dit que la personne qui souhaitait ta disparition était celle qui brandissait l'arme? Ce n'était peut-être qu'un tueur à gages. Tu ignorais peut-être l'identité de ton ennemi même avant de perdre la mémoire.

— Tout ce que tu dis est possible.

Panserfio posa sa grosse main sur l'épaule de Yarg, et de l'autre fit sortir de quelques pouces son épée hors du fourreau: *Quiconque te veut du mal aura affaire à moi.*

Yarg posa sa main en retour sur l'épaule musculeuse de son compagnon.

— Ce n'est pas pour ta conversation que j'apprécie tant ta compagnie.

— *Mfff!* fit Panserfio, pas trop sûr s'il s'agissait d'une boutade ou non.

◆

Avec le lever du jour et la levée du couvre-feu, Port Soleil s'était transformée au point que Yarg avait de la difficulté à croire que cette métropole affairée aux rues ruisselantes de soleil était la même ville sinistre qu'ils avaient traversée la veille. Des soldats en patrouille étaient toujours présents dans le parc en face de la Sororité, mais ils ne prêtèrent aucune attention particulière à Yarg et à Panserfio, qui n'étaient maintenant que deux passants parmi la multitude affairée circulant sous la voûte des arbres.

Yarg et Panserfio se perdirent aussitôt sortis du parc : ils n'étaient certainement pas passés devant cette large terrasse qui s'avançait sur le trottoir en bloquant presque la circulation des piétons. Ils se frayèrent un chemin parmi des oisifs qui déjeunaient. L'atmosphère était conviviale, mais la tension restait perceptible.

Heureusement pour Yarg et Panserfio, le fait que la ville fût en pente facilitait le repérage. Suffisait de monter. Ils finirent par retrouver l'arche par laquelle ils étaient entrés la veille et, tournant le dos à la courbure majestueuse de la baie de Port Soleil, ils franchirent d'un pas leste le plateau jusqu'au camp militaire, où régnait comme la veille une intense activité. Les habits qu'on leur avait prêtés à leur sortie du bain ne pouvaient pas passer inaperçus parmi des troupes en uniforme de campagne. Même que les deux soldats qui gardaient l'entrée principale du camp les repérèrent de loin.

— Halte ! Déclinez votre identité et les raisons de votre présence !

— Je suis le général Angrois de Mont-Aigle, et voici Panserfio, mon aide de camp. Nous nous rapportons pour participer à la défense contre les chenilles.

Le soldat qui les avait interpellés accueillit cette déclaration avec un froncement de sourcils, mais l'autre recula d'un pas.

— Mon… Mon général… Je ne vous avais pas reconnu !

— Maintenant que c'est le cas, allez-vous me laisser entrer ? Ou dois-je attendre que vous ayez fini de bredouiller et de cligner des yeux ?

Sous la visière métallique du casque, le visage basané s'empourpra.

— Mille pardons, mon général, mais vous m'avez pris par surprise… Qui voulez-vous voir en premier ? Le capitaine Francœur est avec ses lieutenants dans sa tente…

— Va pour le capitaine Francœur, dit Yarg avec une impatience bonhomme.

Il ne lui déplaisait pas, il s'en rendait compte, de bousculer un peu les autres pour changer.

Une fois à l'intérieur de l'enceinte, Yarg eut l'impression de se trouver, pour la première fois depuis son éveil à sa seconde vie, en terrain connu. Non seulement la forme générale du camp lui semblait aller de soi, mais les subdivisions et la façon dont les tentes étaient agencées obéissaient, selon sa compréhension, au simple bon sens – pour autant qu'on ne lui eût pas demandé d'expliquer ce sens commun. Les premières sections de tentes érigées à droite et à gauche de l'allée où il circulait étaient occupées par les fantassins ; les sections suivantes appartenaient aux cavaliers ; le dégagement central du camp servait de place de marché, entourée de la boulangerie, des cuisines, avec les écuries plus loin à droite et les étables réservées aux bêtes de somme à gauche. Il savait sans avoir à le vérifier qu'il y avait un hôpital en retrait, et ainsi de suite pour le reste du camp, tout étant réglé de manière que chacun connût la place qui lui était réservée, ses dimensions et sa situation.

C'est donc presque sans accorder d'attention au soldat qui le guidait qu'il avança le long des tentes des troupiers en notant diverses réactions chez certains des soldats occupés à nettoyer leurs armes et leur équipement. D'aucuns fronçaient les sourcils en étudiant leur costume, d'autres mesuraient avec respect le gabarit de Panserfio, tandis qu'un nombre non négligeable fixait Yarg avec un air de parfaite incrédulité. L'un de ceux-ci en échappa la botte qu'il était en train de cirer.

Avec un superbe dédain, Yarg portait son regard vers l'avant. Une tente plus haute que les autres fermait le dégagement central près du mur opposé à celui par lequel ils étaient entrés. Une estafette s'interposa pour prévenir les arrivants que le capitaine discutait avec ses lieutenants et ne désirait pas être dérangé, mais le garçon s'interrompit soudain, bouche bée en reconnaissant Yarg. Il recula vers la tente. Sa main écarta un voile avec des gestes saccadés, comme prise d'une volonté propre. Il sembla vouloir interdire l'accès à Panserfio, mais préféra s'écarter pour le laisser entrer aussi.

Autour d'une table, un officier en tenue de campagne, la quarantaine râblée, la peau claire, déjeunait en compagnie de trois subalternes. S'il parut surpris par la qualité du duo qui apparaissait ainsi, c'est surtout l'irritation qui transparut dans le regard adressé à l'estafette.

— J'ai demandé de ne pas être dérangé.

— Mon capitaine, ne reconnaissez-vous donc pas le général Angrois ?

Une onde de stupéfaction parcourut les visages des soldats attablés. Le capitaine Francœur déposa sa tranche de pain noir. Entre le collier de sa barbe poivre et sel et ses cheveux drus, la peau passa du rouge de l'irritation au blanc de l'incrédulité. Il se leva et s'approcha de Yarg, qui tout ce temps ne détourna pas le regard.

— Yvain ? C'est vraiment vous ?

— Désolé d'interrompre votre repas.

Le capitaine du camp toisa Panserfio, étudia son habillement, puis reporta son attention vers Yarg, hochant la tête comme s'il croyait rêver.

— Qu'est-ce que c'est que cette sorcellerie ? Par tous les dieux de toutes les sphères, général Angrois ! C'est vraiment vous ? Vous avez survécu ?

Cédant à une impulsion probablement réprouvée par le protocole militaire, il serra Yarg sur sa poitrine en répétant : « Vous avez survécu ! »

— Qu'est-ce que cela signifie, mon général ? glissa un des lieutenants. Où étiez-vous tout ce temps ?

Le capitaine Francœur libéra Yarg, son rire se colorant d'un filet de malaise.

— C'est vrai, ça ! Qu'est-ce que c'est que ce pyjama de banquier ? Et votre compagnon ? Qui est-ce ?

— Voilà beaucoup de questions.

L'officier des troupes de Mont-Aigle resta un moment interdit.

— Beaucoup de questions, hein ! Au cas où j'aurais eu des doutes sur votre identité… mais venez ! Venez vous asseoir tous les deux et racontez-nous d'où vous sortez comme ça !

Yarg et Panserfio acceptèrent l'invitation. Le premier n'eut pas à fournir un grand effort de jugement pour déduire qu'il entretenait avec le capitaine Francœur une relation d'amitié outrepassant le simple respect qu'un soldat doit manifester envers un supérieur. Les officiers de Mont-Aigle burent littéralement les paroles de Yarg lorsqu'il leur raconta une version fortement condensée de ses mésaventures. Le seul aspect absent de sa narration était son amnésie. Pour la première fois, Yarg soupçonna que cela n'aurait pas changé grand-chose à son sort s'il avait conservé l'entièreté de ses souvenirs à son éveil dans la cage. Peut-être aurait-il montré plus d'audace et d'ingéniosité pour se libérer des esclavagistes pendant leur traversée de la steppe jusqu'à Maurras. Mais même cela était douteux, car les trafiquants d'esclaves possédaient l'avantage de la force et de l'expérience. Il aurait fort probablement vécu les mêmes aventures, subi les mêmes souffrances et les mêmes épreuves. La seule différence aurait sans doute été un surcroît de honte et de rage, car il aurait su tout ce temps qu'il n'était ni un sauvage voleur des steppes, ni un méprisable coupe-jarret, ni même un simple soldat, mais un général. C'est à partir de cette haute opinion de lui-même qu'il aurait tous les jours mesuré la profondeur de sa déchéance. Sans doute avait-il mieux valu, en effet, qu'il eût perdu la mémoire.

La réaction de son auditoire à ses aventures couvrit plusieurs registres : l'outrage face à l'impudence des trafiquants d'esclaves qui avaient osé capturer un officier de Mont-Aigle ; l'incrédulité d'apprendre que celui-ci avait navigué jusqu'aux confins de la mer Tramail ; et finalement l'émerveillement de le voir réapparaître à Port Soleil, sain de corps et d'esprit, et pourtant parfaitement ignorant du fait que pendant son absence une étrange et noire menace s'était abattue sur tout le territoire de la côte sud et des montagnes Folles.

— Voilà pourquoi nous nous rapportons, mon compagnon et moi, dit Yarg. À moins que notre arrivée impromptue ne cause plus de complications que d'avantages.

La manière prudente avec laquelle Yarg s'était exprimé n'échappa pas au capitaine Francœur.

— Ça dépend un peu de la réaction de Graboriau.

— C'est lui qui dirige nos troupes ?

— Dois-je vous rappeler que vous étiez mort ? rétorqua Francœur, sur la défensive.

— Je m'informais, dit Yarg, amusé lui-même par son habileté à suivre le flot de la conversation sans la ponctuer d'hésitations. Où est-il ?

— En pourparlers avec les généraux de Casson et d'Achel. Ça chauffe. Eux disent que les cacosmes ne viendront pas. Ils veulent lever le camp et que chaque armée retourne protéger sa ville.

— Je sens dans votre voix que vous n'êtes pas d'accord.

Le capitaine Francœur échangea un regard de biais avec ses lieutenants, puis le dirigea vers Yarg et Panserfio.

— Venez, dit-il en leur montrant la sortie de la tente.

Yarg et Panserfio suivirent le capitaine Francœur, pour tomber sur un attroupement qui s'était formé en face de la tente. Des soldats de Mont-Aigle surtout, reconnaissables à leur équipement gris et pourpre, quoiqu'on aperçût quelques uniformes bleus marqués du losange doré de Casson.

— Que signifie ce rassemblement ? demanda Francœur.

C'est directement à Yarg que s'adressa l'un des sous-officiers, trop surpris par ce qu'il voyait pour se conformer à la hiérarchie militaire.

— C'est bien vous, général Angrois ?

— Bien sûr que c'est lui ! dit un vétéran râblé qui révélait en grimaçant autant de trous que de dents saines.

— Où étiez-vous tout ce temps, mon général ? demanda un autre, vers l'arrière.

— En quoi est-ce que cela vous concerne ? coupa sèchement Francœur. À vos postes !

De mauvaise grâce, les soldats se dispersèrent en petits groupes, plusieurs marmonnant entre eux en lançant de nombreux coups d'œil vers Yarg.

Le capitaine entraîna Yarg et Panserfio, toujours suivis par les quatre lieutenants, vers un bâtiment construit en dur et situé dans le coin du camp. L'hôpital, sut aussitôt Yarg, sa connaissance intuitive du fonctionnement du camp lui permettant de reconnaître chaque section au moment où il la voyait. Cette science infuse n'était toutefois pas sans faille, car à côté de l'hôpital se dressait un second bâtiment, lui aussi en bois, dont l'usage, cette fois, lui échappait.

C'est dans cette direction que les menait Francœur.

— Aussi bien que ce soit notre expert en cacosmes qui vous mette à jour, dit l'officier avec un sourire complice vers Yarg. Ne me disputez pas pour mon choix. Quand il peut employer son érudition à quelque chose d'utile, c'est loin d'être un idiot.

— Il m'horripile avec ses manières, grogna un des lieutenants.

— De même pour moi. Mais il est plus utile sur le terrain que dans son cachot.

Le bâtiment n'avait qu'une porte, verrouillée de l'extérieur et gardée par un soldat qui en contrôlait l'accès. Ce dernier s'empressa d'ouvrir en reconnaissant le capitaine et son aréopage.

En dépit des innombrables lampes suspendues au plafond, l'intérieur était obscur après la lumière de l'extérieur. Une odeur maintenant trop familière aux narines de Yarg imprégnait fortement l'intérieur du bâtiment : l'urine de chenilles.

Ses yeux s'accoutumèrent peu à peu. Il finit par deviner la fonction du bâtiment et de toutes ces cellules de bois et de fin grillage le long des parois : c'était une prison pour cacosmes, combinée à une sorte de laboratoire. Au centre du bâtiment, sur une longue table, s'alignaient sous la lumière jaune des douzaines de cageots grillagés contenant des chenilles. Entre les cages s'empilaient en désordre des planchettes sur lesquelles étaient épinglés des insectes à divers stades de la dissection.

Autour de la table s'affairaient quelques hommes d'intendance, ainsi qu'un jeune homme, petit et malingre, à la tignasse très noire au-dessus d'un visage opalin. Le jeune homme s'approcha des visiteurs avec une étrange démarche dansante, chaque pas étant ponctué par une amorce de courbette obséquieuse.

— Capitaine Francœur et ses officiers ? C'est une surprise et un honneur de vous voir tous ici ce matin. Enfin ! Je dis « ce matin »… Peut-être bien que nous sommes l'après-midi… Je ne vois pas passer le temps, enfermé ici comme je le suis.

Malgré la chaleur étouffante qui régnait à l'intérieur, l'étrange personnage avait enfilé par-dessus sa chemise et son pantalon une vaste cape noire serrée autour du cou, affectation d'élégance qui ne faisait qu'accentuer son aspect excentrique. Un sourire doucereux apparut sur le visage lunaire lorsqu'il amorça une salutation vers Yarg.

— Je sais à votre visage que nous nous sommes déjà rencontrés, messire, mais il vous faudra pardonner ma mémoire défaillante, car je suis incapable de me souvenir du lieu et de l'occasion.

— Tu n'es pas très physionomiste, dit Francœur avec une bonhomie ironique. Juste à cause d'une barbe et d'une coupe de cheveux ? Mais vous, général, vous avez sûrement reconnu notre ami Malitorne ?

— Comment aurais-je pu l'oublier ?

La réaction de l'étrange jeune homme dépassa en intensité tout ce dont Yarg avait été témoin en matière d'étonnement depuis son entrée dans le camp militaire. La courbette amorcée se transforma en bond vers l'arrière.

— Général Angrois ? croassa-t-il. C'est bien vous ?

— On le dirait.

Yarg avait su conserver un timbre neutre, voire désinvolte, en dépit du mascaret d'émotions qui refluait dans sa poitrine en face de cet inconnu avec qui il avait manifestement eu maille à partir. Il ajouta :

— Je constate qu'on a trouvé un travail qui correspond à vos aptitudes.

— C'est notre expert en chenilles, que ça nous plaise ou pas.

Malitorne ne prêtait pas attention à ce que disait le capitaine Francœur. Le visage secoué de tics, il continuait de fixer Yarg d'un air dépité, comme s'il découvrait avoir été la victime tout ce temps d'une mauvaise plaisanterie.

— Je ne comprends pas. Tout le monde disait que vous étiez mort.

— Tout le monde avait tort.

— Où étiez-vous tout ce temps ? Que vous est-il…

— Le général n'est pas ici pour répondre à tes questions, le coupa Francœur. C'est même exactement le contraire : nous sommes ici pour le mettre à jour sur la situation. Explique-lui tout ce que tu sais sur les cacosmes.

— Vous voulez que je vous résume deux mois de recherche et de réflexion debout ? ici ? maintenant ? s'insurgea Malitorne. Comme vous y allez ! L'état de la connaissance actuelle sur les chenilles et les cacosmes est vaste, en majeure partie grâce à l'impulsion que j'ai su donner à la recherche, et aux balises que j'ai su poser sur le sentier de cette connaissance afin de guider mes collègues qui suivront ma quête pour préciser ou clarifier les détails, le cas échéant. Cette quête est excellente, rare, et pleine d'accidents qui étonneront et tiendront en suspens quiconque est vraiment prêt à partager ses enseignements, mais il faut pour cela une attitude d'ouverture et de recueillement. Je suis las d'être constamment bousculé. Retirons-nous dans un lieu plus confortable – pourquoi n'irions-nous pas dans une taverne de Port Soleil, où nous serions plus à l'aise pour discuter ?

— Limitons-nous aux faits, dit Yarg. Ce sera plus court.

— J'appuie cette directive, dit Francœur. Et je te répète que tu es encore un prisonnier. Le camp est une extension de ta cellule de Mont-Aigle.

— Il suffit d'intégrer Port Soleil dans cette redéfinition des limites de ma cellule, suggéra le petit homme sur un ton patelin. Les deux propositions sont géométriquement comparables.

— Cet ergotage me donne l'impression que mes désirs n'ont pas été pris au sérieux, fit observer Yarg, qui n'eut pas à fournir un grand effort de comédie pour paraître exaspéré.

Malitorne s'affaissa sur lui-même. Il fit signe à ses visiteurs d'approcher d'une rangée de cages. En dépit du fait qu'il s'était accoutumé à la faible lumière du laboratoire, Yarg eut de la difficulté à distinguer les contours des créatures à travers le grillage resserré qui couvrait un opercule taillé dans la porte. Le fait que les cacosmes étaient noirs n'aidait pas non plus.

Yarg eut une meilleure vue lorsqu'un des cacosmes se jeta sauvagement contre la porte de sa cellule à leur approche. Les ferrures de la porte semblaient solides, mais les hommes ne purent retenir le réflexe de reculer d'un pas. Yarg put constater que la forme générale de la créature était conforme à ses souvenirs de l'affrontement dans les montagnes Folles : un torse cylindrique, massif ; quatre membres flexibles comme des serpents terminés par des « doigts » constitués chacun d'une chenille ; une excroissance difforme qui évoquait vaguement une tête rabougrie, plantée au milieu des « épaules ». Le cacosme secoua violemment la cage un certain temps, puis finit par se calmer.

Les cacosmes prisonniers des autres cages semblaient plus placides. Aucun ne réagit à l'approche des humains venus les observer. Un fait qui avait échappé à Yarg jusqu'à ce moment lui apparut: les créatures étaient parfaitement silencieuses. Il ne les avait jamais entendues émettre un son; pas un cri, pas un grognement, pas un soupir.

Malitorne, avec une volubilité hoquetante, comme s'il avait toujours de la difficulté à s'ajuster à l'apparition du général Angrois dans son antre, expliqua que le cacosme agressif avait été « reconstitué » le matin même, à partir de chenilles non agglutinées. C'était un « jeune ». Les vieux cacosmes étaient plus calmes et pondérés. Mais tout aussi dangereux, se dépêcha de préciser le spécialiste, car leur astuce compensait amplement la sauvagerie aveugle des cacosmes jeunes. Grâce à son sens de l'observation affûté et à la faculté nonpareille de pénétration de son esprit, Malitorne avait même établi une relation de cause à effet entre l'âge d'un cacosme et son intelligence. Certains des cacosmes prisonniers ayant été capturés déjà formés, la détermination de leur âge restait fermement cantonnée dans le domaine de la spéculation; il était patent toutefois que ceux-ci étaient considérablement plus sagaces que les autres.

— Arrivez-vous à communiquer?

Le visage de Malitorne s'éclaira d'un sourire plein de ferveur.

— Vous n'avez pas perdu votre flair pour découvrir le nœud central d'une situation problématique, mon général! La communication est un aspect crucial, auquel je voudrais certainement accorder plus de temps et de réflexion, mais je dois composer avec le simplisme guerrier et la courte vue qui prévaut chez les militaires sollicitant mes services. On me demande de restreindre le champ de mes investigations aux faiblesses des cacosmes et à la mise au point d'armes et de stratégies de défense efficaces.

— Je comprends les défenseurs de la cité d'en faire la priorité, dit Yarg, qui ne pouvait s'empêcher d'être un peu étourdi par les circonlocutions et le maniérisme élocutoires de l'étrange personnage.

— Mais ce n'est pas ainsi que progresse la science ! glapit Malitorne, le regard frémissant. Elle procède de l'examen minutieux et désintéressé de causes premières, qui ne se révèlent que lorsque l'esprit formé à cette discipline parvient à retirer l'un après l'autre les oripeaux que les préjugés et la pensée vulgaire ont drapés autour. Ce n'est qu'une fois dévoilée qu'apparaît la vérité dans sa magnificente nudité, parfaite tel le corps de la jeune fille avant que la nécessité de la procréation le déforme !

Francœur gronda, le visage rouge comme de la brique :

— Une crapule avec ta réputation devrait éviter de parler du corps des jeunes filles.

— C'était une métaphore ! geignit Malitorne. Devrai-je maintenant solliciter l'approbation des censeurs avant de recourir à une formule de rhétorique ?

— Nous reviendrons au problème de la communication plus tard, l'interrompit Yarg. La défense contre les cacosmes m'intéresse aussi.

Après avoir étudié le capitaine Francœur d'un regard boudeur, Malitorne poursuivit son discours en abordant la question des armes d'attaque et de défense contre les cacosmes. Ainsi, Yarg apprit que les armes de jet pénétrant étaient les moins efficaces. Comme les cacosmes ne possédaient ni cœur, ni cerveau, ni articulation essentielle à la marche, les flèches, javelots et carreaux d'arbalètes ne tuaient que les cellules constituantes qui se trouvaient dans la trajectoire de la pointe de l'arme – Malitorne préférait le terme « cellules constituantes » lorsqu'il faisait allusion à un insecte intégré dans un cacosme, tandis qu'il réservait le mot « chenilles » aux insectes non agglutinés.

Un cacosme pouvait donc recevoir plusieurs flèches sans être blessé gravement ni même ralenti. Les armes de taille – l'épée, la hache de guerre, la pertuisane – causaient considérablement plus de dommages, à condition que le coup porté soit d'une vigueur suffisante pour séparer le cacosme en morceaux distincts.

— Une séparation incomplète, prévint le savant sur un ton sentencieux, est fort peu efficace. Si les deux morceaux du cacosme restaient rattachés, ne fût-ce que par une douzaine de cellules constituantes, la créature ne subirait aucune diminution de son intelligence bestiale et pourrait continuer à attaquer ou à se défendre avec vigueur.

— Je sais, dit Yarg en caressant l'entaille à son cou.

— Tandis que les deux sections d'un cacosme entièrement séparées l'une de l'autre passent par une période de confusion. Et cela est vrai même si l'on permet aux deux segments de refusionner.

Malitorne montra à son visiteur un appareil de sa conception dont il semblait très fier : une cage étroite munie de tranchoirs avec lesquels, dans le cours de ses expériences, il avait découpé un grand nombre de cacosmes.

— Mes observations m'ont permis de démontrer à l'auditoire incrédule de la soldatesque qu'un cacosme reformé à partir de ses cellules constituantes originelles récupère beaucoup plus rapidement son intelligence bestiale qu'un cacosme reconstitué à partir de cellules constituantes de deux créatures différentes.

Ce que les chenilles détestaient le plus au monde, continuait Malitorne, était le feu, arme contre laquelle elles ne possédaient aucune défense naturelle. Inspirés par ses découvertes et ses conseils avisés, les ingénieurs de la Coalition avaient développé et perfectionné plusieurs armes incendiaires qui s'étaient avérées indispensables pendant le siège de Dénar, lieu de la première victoire des hommes contre le fléau. Lorsque les conditions du terrain l'avaient permis, les troupes avaient érigé des bûchers, en calculant avec soin la direction du vent. Obéissant aux édits de Malitorne, ils y avaient ajouté de la poix ou du soufre pour activer la combustion.

Pour contrer l'un des plus grands avantages stratégiques des cacosmes – le fait qu'ils pouvaient régresser à leur état de chenilles et ainsi disparaître par n'importe quelle fissure dans la roche ou par le premier trou venu dans les fondations des édifices –, Malitorne et ses ingénieurs avaient mis au point le « lance-feu », un appareil constitué d'un long tube de métal connecté à une pompe qui soufflait un mélange de soufre, de salpêtre, de naphte et de résine de pin, qui s'enflammait au préalable en circulant dans une chaudière remplie de braise. Cette arme avant-gardiste avait été employée avec un succès éclatant pendant les combats dans Dénar.

— Le succès aurait été plus éclatant si tes engins n'avaient pas mis le feu à la moitié de la ville, grogna Francœur.

La correction ne sembla pas émouvoir Malitorne. Il reconnut que le lance-feu était malaisé d'emploi entre des mains inexpertes, tout comme il était exact que les premiers prototypes avaient démontré une fâcheuse tendance à exploser entre les mains des troupiers qui les manipulaient ; tout cela étant de peu d'importance quand on constatait l'efficacité de l'appareillage à instiller la terreur chez les cacosmes, ces derniers montrant depuis ce temps beaucoup plus de prudence dans leurs mouvements et leurs agissements.

— Il a raison sur ce point, reconnut Francœur en s'adressant à Yarg. On pense que c'est pour ça que l'attaque de Port Soleil a tant tardé. Les saloperies apprennent de leurs erreurs.

— Comment avez-vous déterminé que Port Soleil serait la prochaine cible des cacosmes ?

Francœur fronça les sourcils : Yarg comprit qu'il avait posé une question inappropriée.

— À part le fait que cette fois-ci elles s'agglutinent en cacosmes – pour quelle raison, même Malitorne n'en a pas la première idée –, les chenilles ont progressé en suivant les mêmes voies qu'elles le font tous les treize ans. Vu que Port Soleil a toujours été le territoire infesté après Dénar… La seule chose qui a changé, c'est qu'après s'être fait décimer, elles sont plus prudentes. La masse principale a arrêté son avancée et s'est cachée dans les montagnes. Tout ce qu'on trouve de temps en temps, c'est une flaque sur le plateau, qui fait de la reconnaissance. Enfin, c'est ce qu'on suppose. Allez donc essayer de comprendre ces monstres !

— Une flaque ? Comme les « stupides » que nous avons décimés au col du Berger ?

— Exact. Sauf qu'elles ne sont pas toutes si stupides que ça. Vous êtes tombés sur une toute petite, assez désorganisée. Il y a des flaques plus importantes, supervisées par des cacosmes formés.

— Je suppose que la priorité est de retrouver la masse principale des chenilles ?

— Nous avons une cinquantaine de patrouilles qui ratissent le territoire pour la repérer. Je n'ai pas besoin de vous expliquer que ça nous en prendrait dix fois, vingt fois plus ! (Francœur, qui s'était énervé, s'arrêta, le temps de souffler, pour reprendre sur un ton songeur :) Bien peu de soldats l'ont vue, la masse principale, parce que les chenilles attendent la nuit pour migrer en masse. Il paraît que c'est impressionnant.

— Je l'ai vue, moi, dit Yarg, qui se remémora avec un petit choc de surprise le tapis vivant qui avait glissé sous leurs cages, à lui et à Sarouelle, la nuit qui avait précédé leur libération par les trafiquants d'esclaves.

Cette révélation intéressa Malitorne et les officiers de Mont-Aigle, le premier pressant Yarg de questions :

où avait-il assisté à ce phénomène ? À quand remontait son observation ? À combien avait-il évalué le nombre de chenilles ?

— Je n'avais pas l'esprit aux observations rigoureuses, dit Yarg avec une grimace.

— Un tel degré d'imprécision invalide passablement l'utilité de cette information, geignit Malitorne.

À ce point de la conversation, Yarg regretta d'avoir suggéré à Opilione de demeurer à Port Soleil. Cent questions lui venaient à l'esprit qu'il n'osait poser de crainte de dévoiler qu'il avait perdu la mémoire. Opilione n'aurait eu qu'à endosser son personnage de coquette volubile pour solliciter toutes sortes de précisions sur les hiérarchies entre les trois armées en présence, sur le comportement normal des chenilles, sur Malitorne. Une question brûlait particulièrement les lèvres de Yarg depuis qu'il avait vu la cape noire de l'expert, laquelle lui rappelait irrésistiblement celle qu'affectionnait Ignace le Catonien : Malitorne était-il aussi un magicien ? De toute évidence, il collaborait avec la Coalition contre son gré. Un magicien n'aurait-il pas pu s'enfuir en invoquant un sortilège quelconque ?

Les pensées de Yarg furent interrompues par l'entrée bruyante d'un trio d'officiers à l'intérieur du laboratoire de recherche sur les cacosmes. Ils s'avancèrent en direction du capitaine Francœur. L'un portait l'uniforme pourpre et gris de Mont-Aigle, le second un plastron bleu marqué du losange doré de Casson, le troisième une tunique sinople à épaulières et un pantalon noir. Il fallut un effort de réflexion pour que Yarg se souvienne du nom de la troisième ville qui formait la coalition : Achel… Impossible d'en douter : ces trois personnages étaient les généraux qui commandaient les troupes de la Coalition.

Alors que les officiers de Casson et d'Achel regardaient Yarg et Panserfio avec perplexité, le général Graboriau, de Mont-Aigle, parut immédiatement hostile.

C'était un homme dans la force de l'âge, au cou épais, son visage cerclé d'une barbe en collier. Ses yeux rougis et légèrement vitreux lui conféraient l'allure d'une personne qui n'a pas connu une bonne nuit de sommeil depuis longtemps.

— Ça alors ! C'est vraiment vous, général Angrois ! Qu'est-ce que c'est que cette histoire ?

Les questions posées précédemment par Francœur furent répétées sur un mode agressif, et elles reçurent les mêmes réponses, réitération d'autant plus pénible à Yarg qui, cette fois, transpirait de nervosité à l'idée de commettre un impair, personne n'ayant prononcé les noms des généraux de Casson et d'Achel devant lui. À ses côtés, Panserfio essayait de se donner une contenance.

C'est Graboriau qui, involontairement, sauva Yarg de la situation inconfortable dans laquelle il se trouvait. Soudain exaspéré par toute cette assemblée autour de lui qui écoutait leur conversation, Graboriau demanda à son confrère retrouvé de le suivre dans sa tente.

Les officiers abandonnèrent Malitorne à ses recherches et sortirent du bâtiment à la suite du général Graboriau. Dehors, de nombreux soldats de la Coalition regardèrent défiler les officiers, aucun n'osant cette fois interpeller le général Yvain Angrois, le statut de ce dernier étant certainement devenu sujet de rumeurs et d'hypothèses. Yarg aperçut les hommes de la patrouille de Casson ; le regard noir du lieutenant Ducroist le suivit, plus sévère que jamais.

Arrivé à sa tente, Graboriau congédia tout le monde sauf Yarg. Panserfio resta un instant tétanisé, mais obéit au signe de son compagnon et n'entra pas à sa suite.

À l'intérieur, debout, les deux hommes se toisèrent en silence.

— Veux-tu à boire ? demanda assez rudement Graboriau.

— Non, je te remercie, dit Yarg, qui avait noté que l'autre s'adressait à lui avec la forme familière.

Le général Graboriau frotta ses yeux rougis, puis il resta là, immobile, la main levée à la hauteur de son oreille. La pose aurait paru comique à Yarg s'il n'avait perçu qu'elle révélait en réalité une profonde ambivalence.

— Tu as évité le sujet tout à l'heure, reprit Graboriau, la voix basse et sibilante. Es-tu passé par Mont-Aigle avant de venir ici ?

— Je l'aurais dit.

— J'aimerais une réponse sans ambiguïté.

— Je ne suis pas passé par Mont-Aigle. Je suis venu directement à Port Soleil une fois à terre. J'étais responsable de deux jeunes femmes, je te le rappelle.

— Soliveau ne sait donc pas que tu es de retour ?

Le temps d'un battement de cœur, Yarg se sentit au bord du gouffre, puis se rappela où il avait entendu ce nom de Soliveau. Dans la bouche de maîtresse Torcolia. Le Grand Électeur Soliveau. Le dirigeant de Mont-Aigle.

— Non.

Graboriau sembla soudain moins hargneux. Il reprit, avec un regard par-dessous, presque honteux :

— Je pensais que tu venais me relever de mon poste.

Yarg retint le rire de commisération qui lui vint aux lèvres : voilà donc ce qui tracassait son interlocuteur à ce point !

— Tu combats les cacosmes depuis des semaines. Il serait insane de te démettre de tes fonctions en plein déploiement des troupes, pour te remplacer par une personne qui, pas plus tard qu'avant-hier, n'avait jamais ni vu ni entendu parler d'un cacosme.

— Ton bon sens me rassure. Mais la situation n'est pas si claire. Aucun avis officiel ne t'a démis de tes fonctions. Même si je le voulais, je ne pourrais pas te rétrograder de ton titre de chef des armées.

— Allons au plus simple. Tu restes chargé des troupes, je ne suis ici qu'à titre de conseiller.

Graboriau sembla frappé.

— Tu es sérieux ?

— Si tu as une meilleure idée…

— Que penseront les autres ?

— N'avons-nous pas des problèmes plus urgents ? Protégeons Port Soleil des cacosmes. Nous ferons les comptes après.

Graboriau resta un moment à réfléchir, à évaluer les tenants et les aboutissants de ce que Yarg venait de lui proposer. Il émit un rire bref, une sorte d'aboiement.

— Tu n'as pas perdu ton génie pour prendre les gens à contre-pied. Eh bien… essayons donc de fonctionner comme ça. En attendant que l'intendance te monte une tente, je suppose que tu peux partager la mienne : ça aura l'avantage d'éviter les rumeurs sur un éventuel conflit d'allégeance entre nous.

— Je te remercie pour ton offre, mais sans vouloir causer quelque malentendu que ce soit, je dois retourner à Port Soleil. Je suis inquiet pour une de mes compagnes, qui y est hospitalisée.

Graboriau avait l'air de désapprouver, sans paraître vouloir verbaliser son mécontentement.

— C'est bon, se contenta-t-il de dire. À quelle auberge loges-tu ?

— À la Sororité des Affriandes.

— Pardon ?

— La Sororité des Affriandes. C'est un grand pavillon en face…

Graboriau le coupa avec un rire gêné.

— Je sais ce qu'est la Sororité des Affriandes, Yvain. Je suis simplement surpris par ton… choix d'établissement.

— On m'a recommandé leur soigneuse, dit Yarg, qui eut soudain l'impression qu'il allait exploser s'il ne fuyait pas cette conversation et ces questions en rafales. Et je dois d'ailleurs y aller, car j'ai hâte de savoir si elle va mieux. À plus tard, général.

— À plus tard, répondit Graboriau, ses épais sourcils poivre et sel froncés de perplexité.

◆

C'est tout juste si Yarg fut capable de s'empêcher de courir tant il avait hâte de quitter le camp : une décision qui aurait certainement été regrettable, vu tous les regards et les salutations qui les accompagnèrent, lui et Panserfio, jusqu'à la sortie de l'enceinte.

À leur retour à la Sororité, les deux hommes furent cette fois accueillis par une salutation parfaitement courtoise du cerbère qui surveillait l'entrée secondaire. Ils n'avaient pas fait cinq pas à l'intérieur du bâtiment qu'ils se firent repérer et assaillir par une nuée de jeunes femmes surexcitées, au point qu'il leur fut bientôt impossible d'avancer. Comme elles parlaient toutes en même temps, les seuls mots qui surnageaient à travers tout ce babillage étaient « Général » et « Angrois ».

— Mesdemoiselles ! Je vous en prie !

L'intensité du bruit ambiant baissa quelque peu.

— Je suis touché par la chaleur de votre accueil, dit Yarg. Mais j'aimerais tout de suite aller voir ma compagne que j'ai confiée aux soins de maîtresse Torcolia.

Avec un bruissement de soupirs et de chuchotis déçus, les jeunes femmes les laissèrent passer. Yarg et son compagnon se dépêchèrent de s'enfuir, et se perdirent presque aussitôt dans le dédale des couloirs, piscines, antichambres et alcôves qui constituaient le pavillon principal de la Sororité.

Ils demandèrent leur chemin à une jeune fille rencontrée au détour d'un couloir. À lui voir les yeux tout agrandis, Yarg crut que celle-ci était effrayée par leur présence. Heureusement, la jeune fille reprit contenance rapidement et se rapprocha des deux hommes, la timidité et la sollicitude se combinant de façon charmante sur son visage en forme de cœur.

— Ce sera un honneur de vous guider, mon général.

— Vous savez donc toutes qui je suis ?

La jeune fille rougit, un sourire sur ses lèvres charnues, comme si elle pensait que son interlocuteur s'amusait à ses dépens.

— Qui ignore encore que le général Angrois est vivant et séjourne parmi nous ?

Que répondre à cela ? Les deux hommes suivirent leur guide jusqu'à ce qu'ils reconnaissent la porte de l'infirmerie. Une fois remerciée, la jeune femme fila en gloussant. Panserfio échangea un regard en biais avec Yarg : *Les femmes…*

Yarg toqua à la porte. C'est Opilione en personne qui vint leur ouvrir. Après avoir exprimé son soulagement de les voir enfin réapparaître, elle les embrassa tous les deux, puis fit signe de la suivre, l'œil pétillant.

— Qiql est réveillée.

Mieux que ça : la jeune Rouage avait retrouvé assez de force pour se redresser dans son lit et serrer Yarg dans ses bras quand celui-ci s'assit à son chevet.

— J'ai mangé un peu, annonça Qiql avec l'empressement de celle qui avait hâte d'annoncer une bonne nouvelle. Elle précisa aussitôt : Sans le vomir après…

Yarg sentit ses yeux s'humecter.

— C'est bien.

Qiql lui caressa le front, ses grands yeux clairs embués par l'expression d'un sentiment auquel Yarg ne s'attendait pas. Pour un peu, il aurait pensé que la jeune femme était en pâmoison. Elle reprit, avec un

bredouillement précipité qui ne lui était décidément
pas coutumier :

— Dariole… pardon, je veux dire, Opilione…
Opilione m'a tout raconté à ton sujet.

— C'est… C'est fort bien, fit Yarg avec un regard
en coin vers Opilione.

Cette dernière fit un discret mouvement du menton
en direction des autres malades alitées, aucune ne se
donnant le mal de cacher à quel point les tendres
retrouvailles de Qiql et de Yarg la fascinaient.

Tant qu'à parfaire le tableau, Yarg se pencha vers
Qiql pour lui chuchoter dans l'oreille :

— Nous ne pouvons pas discuter ici. Je t'expli-
querai plus tard.

— Je comprends.

— Guéris vite.

— Oui. J'ai hâte d'aller mieux pour que tu cesses
de t'inquiéter.

— Ce n'est pas une bonne raison, la disputa tendrement Yarg.

— C'est la meilleure des raisons, dit Qiql, sa voix
moelleuse comme du velours.

◆

Dès qu'ils furent de retour dans leur chambre,
Opilione se dépêcha de fermer la porte pour sauter
dans le lit, où elle s'assit les jambes croisées parmi les
coussins en soie pourpre.

Elle fit signe à Yarg et à Panserfio de s'approcher
et leur ordonna de tout lui raconter de leur visite au
camp militaire, tâche à laquelle Yarg s'appliqua du
mieux qu'il put avec, de temps en temps, un « Mmf ! »
de Panserfio quand ce dernier jugeait qu'il avait glissé
trop vite sur un détail important.

— Ben, moi aussi, j'ai plein de choses à vous raconter, chuchota Opilione, qui avait trépigné tout le

long du discours de Yarg à la perspective de révéler ses propres découvertes. Dès que vous êtes partis, je me suis fait assaillir de questions sur le bruit qui courait selon lequel le général Angrois logeait à la Sororité. Toutes mes sœurs voulaient savoir si c'était vrai, où je t'avais rencontré, si j'avais couché avec toi et ainsi de suite. Tu es toute une célébrité, Yarg – pardon, je veux dire Yvain. Ça ne te dérange pas que je te tutoie ? Je ne vais quand même pas t'appeler général Angrois ?

— J'ai encore de la difficulté à accepter que je ne m'appelle pas Yarg.

— On s'entend pour « Yvain », alors ? Oui, bon, sur le coup, j'ai été étonnée et vexée de découvrir que tout le monde te connaissait sauf moi, la pipelette la plus fouineuse de Port Soleil. C'est que ta notoriété est récente. Tu sais que tu es un général de Mont-Aigle. Mais sais-tu aussi que tu étais chargé, en plus de tes autres activités, de la garde personnelle du Grand Électeur de Mont-Aigle, dont tu étais l'ami et le confident ?… (Opilione fronça les sourcils.) Je suppose que je devrais parler au présent… Enfin ! Il y a une chose que je savais, par contre, c'est que la femme du Grand Électeur était beaucoup plus jeune que lui – j'oublie son vrai nom, tout le monde l'appelait la Jeunette, vu que le jour de son mariage elle n'avait que quinze ou seize ans, quelque chose comme ça. La rumeur la décrivait comme aussi jolie qu'aimable. Aimable au sens premier : elle était *aimée* de la population de Mont-Aigle parce qu'elle avait toujours un sourire et une parole gentille de prête, autant pour les humbles que pour les princes. Ce qui n'est pas nécessairement le cas du Grand Électeur Soliveau, qu'on dit froid et austère. Peut-être une influence de son environnement, car, comme tu vas le redécouvrir, Mont-Aigle ne ressemble pas du tout à Port Soleil. La cité même est grise, froide et austère, coincée sur le versant nord des montagnes Folles, construite au-dessus du barrage qui endigue la rivière Tosse.

« Je sais tout ça de première main, parce que j'y suis allée une fois avec une délégation de la Sororité, où on m'a exhibée devant plein de vieux messieurs à cause de mes bras et de mes seins, même si à huit ans je n'avais que quatre boutons à montrer sur la face avant. Mon souvenir le plus vif du voyage, c'est la terreur et l'émerveillement que j'ai ressentis à contempler la cascade grondante de la Tosse. Je me souviens de m'être penchée sur la rambarde du pont de la Gloire, pour la jouissance de m'étourdir d'effroi bien sûr, mais aussi pour la drôlerie de faire peur aux sœurs chargées de me surveiller.

Opilione fit une pause, exultant de savoir qu'elle s'approchait d'une révélation cruciale pour son auditoire.

— Tu penses que je me perds en digressions et que je m'écoute parler, hein ? Ce n'est pas le cas ! Tout ce que je te dis est important, alors écoute… Écoutez tous les deux…

— Nous t'écoutons.

— Je ne suis pas la première jeune femme du monde à avoir trouvé drôle de faire peur aux gens sérieux de cette façon. La Jeunette n'était pas que joliesse et sourire ; elle était également espiègle. Pour taquiner son mari, ses dames de compagnie et les soldats chargés de sa garde personnelle – garde dont tu étais responsable, Yvain, tu m'as suivie j'espère –, il lui arrivait de courir sur la rampe du pont de la Gloire. J'imagine sans mal la réaction qu'elle suscitait : j'en ai le frisson rien qu'à me la représenter en train de sautiller, les bras en croix, à quelques pouces à peine du gouffre.

« Ce qui n'était qu'une manifestation de frivolité sans malice a tourné au drame. Un soir qu'elle marchait sur la rambarde – personne ne sait si c'est à cause d'un coup de vent, ou si elle avait bu, ou si la pierre était glissante de rosée –, la Jeunette a perdu pied. On dit que son cri a été entendu dans tout Mont-Aigle. Qui était le soldat en poste ce soir-là pour surveiller le couple ? Pourquoi blêmis-tu, Yvain ? Eh oui ! C'était toi ! Soliveau lui-même a témoigné de l'invraisemblable courage dont tu as fait preuve. Paraît que tu n'as même pas hésité. Tu t'es jeté dans la chute pour sauver sa jeune épouse ! Mais Yvain ! Ce n'était pas du courage, c'était de la folie ! Tu le constateras toi-même le jour où tu retourneras à Mont-Aigle et que tu te pencheras au-dessus du parapet. Une décision folle et, malheureusement, inutile.

« Pauvre Jeunette. On a repêché son cadavre tout brisé sur la rive de la Tosse, à des lieues en aval. Personne n'a retrouvé celui du héros qui avait bravé la mort pour elle. Eh oui, Yvain ! C'est ce que tu es maintenant : un héros chevaleresque, qui fait soupirer toutes les femmes et instille un pincement de jalousie dans le cœur de tous les hommes, qui savent au fond d'eux qu'ils sont trop lâches pour faire ce que tu as fait. Un héros que l'on ne connaît que de réputation à Port Soleil, bien entendu, étant donné que bien peu de gens ici ont jamais vu le visage du général Angrois. Si maîtresse Torcolia n'avait pas une aussi bonne mémoire, tu aurais bien pu demeurer encore un mois à Port Soleil sans qu'on te reconnaisse. Enfin, non… Tu aurais fatalement rencontré un des soldats de Mont-Aigle qui patrouillent dans nos rues.

Les jambes soudain sans force, Yarg s'assit sur le lit. La tête lui tournait. Panserfio s'avança pour lui poser une main sur l'épaule.

— Je me souviens du cri… souffla Yarg, presque dans un murmure. Je me souviens d'avoir basculé dans la chute…

— Tu retrouves la mémoire !

Opilione l'enlaça. Ses yeux noirs scintillaient de la même expression d'excitation et d'adoration que celle qu'il avait vue dans les yeux de Qiql. Tout bien considéré, Yarg trouva ce débordement émotif déplaisant. Inconvenant. Il n'était pas un héros. Il était un idiot. Doucement, il écarta les mains consolatrices de ses deux compagnons.

— Je dois encore une fois te décevoir. Je n'ai pas le moindre souvenir, ni du Grand Électeur Soliveau, ni de sa… sa femme. Je ne me rappelle que les rêves qui m'ont assailli depuis.

— Les rêves ? Tu ne m'avais jamais parlé de ça.

— Il n'y avait rien à dire. Des images décousues, vides de sens. Peu importe, je ne doute pas de la véracité de ton histoire, qui explique bien des choses. (Il réfléchit.) Mais ça n'explique ni le coup de poignard, ni les bandelettes magiques.

Opilione serra avec ses quatre bras un coussin contre sa poitrine, le regard perdu dans la fresque bucolique peinte au plafond.

— D'après le portrait que tu en traces, et sa réaction lors de vos retrouvailles, ce Malitorne est un bon suspect pour l'affaire des bandelettes.

Panserfio souleva d'une main un objet imaginaire. Avec deux doigts de l'autre main, il reproduisit le geste sinueux des bandelettes magiques. Il fit le geste d'observer attentivement.

— Panserfio a raison, acquiesça Opilione. Il faudra montrer la bouteille à Malitorne, pour voir sa réaction. (Elle émit un sourire plein de pitié et d'attendrissement.) Pauvre ami. Nous parlons et parlons sans te laisser le temps de placer un geste.

Ce n'est pas grave. Je suis habitué.

— En ce qui concerne la blessure à ton dos, reprit aussitôt Opilione, il me semble maintenant clair que c'est un malheur qui est survenu après ta chute. Tu as réussi à t'accrocher à une branche, une barrique ou je ne sais trop quel objet flottant. Le courant de la Tosse est rapide. Tu t'es laissé flotter vers le nord jusqu'à la frontière méridionale de la steppe. Je ne connais pas trop ces régions, mais, à ce qu'on dit, ce n'est pas guilleret : marécages, méandres boueux, moustiques, bandits. Tu es tombé sur des voleurs des steppes – des vrais, ceux-là – qui t'ont cherché des poux. Tu t'es défendu. On t'a frappé en traître ; bien le style d'une personne qui trempe son poignard dans du poison. On t'a dépouillé de tes vêtements et laissé pour mort. Mais toi, avec ta tête de pioche habituelle, tu as refusé de mourir. Hélas, lorsque tu as repris conscience, tu avais perdu la mémoire. Au lieu de remonter le cours de la Tosse jusqu'à Mont-Aigle, tu as erré dans la steppe vers l'ouest jusqu'à ta capture par les gardes de Rebècq, qui t'ont enfermé dans la cage à côté de la mienne. Le reste est connu.

Opilione sauta sur ses pieds pour toiser Yarg, les quatre poings sur les hanches, défiante.

— Cette reconstitution des événements est-elle supérieure à celle que je t'ai faite lors de ton réveil ?

— Considérablement.

— J'avais plus d'indices, fit Opilione avec une moue de fausse modestie qui la rendait mignonne à croquer – ce dont elle était évidemment consciente.

Ce fut l'occasion pour Yarg de percevoir chez la jeune femme un changement qu'il n'avait pas encore noté, tant son esprit avait été saturé de préoccupations et de nouveautés. Il l'avait rarement vue parée de façon aussi sage : elle portait une robe bleue boutonnée sans artifice qui la couvrait du cou jusqu'aux chevilles, des escarpins noirs, ses superbes cheveux noirs noués en un chignon que Yarg aurait qualifié de sévère, s'il avait été possible d'appliquer cette notion à Opilione. La transformation était d'autant plus étonnante qu'il avait pu constater que ses « sœurs » continuaient de favoriser la tunique révélatrice et les dessous affriolants ;

choix vestimentaire qui avait été aussi celui de sa compagne jusque-là.

Il allait lui en faire la remarque, lorsque Panserfio lui fit signe d'écouter, l'air intrigué. Des exclamations féminines un peu plus stridentes que d'habitude traversèrent la porte de la chambre, pourtant matelassée pour assourdir les cris d'extase qui, normalement, voyageaient en sens inverse.

Opilione ouvrit la porte pour aller aux nouvelles. L'intensité des cris féminins décupla: des exclamations d'inquiétude et des avertissements criés d'un couloir à l'autre du bâtiment. Une jeune fille entra dans la chambre avec tant de précipitation qu'elle faillit tomber. Yarg reconnut la fille au visage en cœur, toute rouge et bredouillante, non pas de timidité cette fois mais de terreur.

— Les chenilles! Les chenilles!

— Ça y est donc? demanda Opilione. Les cacosmes attaquent Port Soleil?

— Pas Port Soleil! Ici! La Sororité!

— Quoi?

— Ils sortent de la salle de bain de l'aile aux Colibris!

— Que veux-tu dire, « ils sortent »? Comment sont-ils entrés?

Opilione écarquilla soudain les yeux de compréhension.

— Les chenilles! Elles passent par les égouts!

La jeune femme hochait la tête, désespérée.

— Qu'est-ce qu'on fait?

— Cours dehors prévenir une patrouille!

La jeune fille ne se le fit pas dire deux fois. Yarg et Panserfio, épées en main, s'élancèrent aussi dans le couloir à la suite d'Opilione en direction de l'aile aux Colibris. Ils furent arrêtés dans leur progression par un embouteillage de jeunes femmes, de serviteurs et autres employés de maison, tous criant et sanglotant, qui tentaient de fuir en sens contraire. Opilione eut de la difficulté à se faire entendre à travers le tumulte, mais finit par comprendre qu'il y avait des chenilles qui sortaient de plusieurs latrines et salles de bain, d'où la confusion régnant sur l'origine exacte de l'invasion.

Opilione fit signe aux deux hommes de la suivre à l'écart pour éviter qu'ils se fassent emprisonner dans la bousculade.

Le trio fit un détour par un gymnase déserté. Leurs pas résonnaient entre les murs couverts de fresques représentant des paysages verdoyants dans un style naïf. Ils traversèrent des cabines et des salles d'exercice. Soudain, Opilione s'arrêta si brusquement que les deux hommes faillirent la bousculer.

— Par la Déesse !

Un passage menait à l'une des nombreuses piscines de la Sororité. Sous la riche lumière du jour qui traversait un dôme de verre translucide, des milliers de chenilles couvraient le sol de marbre, les tuyaux d'alimentation, les grilles d'aération, les robinets de laiton, les accoudoirs sculptés en forme de faufileurs et autres animaux marins. Vision encore plus inquiétante : une demi-douzaine de cacosmes avaient commencé à se former.

— C'est pas l'aile aux Colibris, expliqua Opilione. Ils sortent de partout !

— Combien y a-t-il de raccordements aux égouts dans la Sororité ? demanda Yarg.

— Je ne sais pas ! Au moins cent ! Dans chaque pavillon ! (Opilione hoqueta, soudain blême.) L'infirmerie possède ses propres bains pour le soin des malades !

Le cœur de Yarg marqua un coup : *Qiql !*

— Guide-nous ! Je ne sais plus où nous sommes !

En rebroussant chemin, le trio passa tout près de l'entrée du personnel, où ils avisèrent Johan et les autres portiers qui tentaient de rassurer une cour de jeunes femmes terrorisées. Opilione fila aux nouvelles :

— Quelqu'un a prévenu une patrouille ?

— Elles sont introuvables !

— Comment ça ? Il y en avait partout ce matin.

— Les chenilles sortent de tous les immeubles branchés aux égouts, dit une des consœurs d'Opilione.

— C'est impossible ! protesta une autre.

— Les canalisations sont connectées ensemble au cloaque central sous le port. Réfléchis un peu, idiote !

— C'est moi que tu traites d'idiote ?

Opilione en avait assez entendu. Elle fit signe aux deux hommes de poursuivre leur course. Dès qu'il reconnut son chemin, Yarg la dépassa, sauta les quatre marches, puis arracha presque de ses gonds la porte de l'infirmerie.

De l'ouverture béante surgit un épouvantable vacarme de pleurs et de cris.

Yarg s'était préparé au pire, or le pandémonium qui l'attendait surpassait ses craintes les plus pessimistes. Un refoulement immonde de chenilles avait couvert le plancher de la salle, à partir desquelles deux cacosmes avaient eu le temps de se constituer. À peine éveillées à la conscience, les grotesques créatures avaient chacune arraché une malade de son lit, pour la secouer par le cou comme une poupée désarticulée.

Yarg n'aurait pas imaginé que le corps d'un homme pût contenir un accès aussi brûlant de rage sans éclater dans un embrasement de viscères et de flammes. Dans sa main qui tenait l'épée, il sentit les convulsions de la terre primordiale, il perçut la substance informée des abysses se transmuer en fer ; il huma la sueur des légions misérables qui, des tréfonds aveugles des puits de mine, avaient ramené le métal à la surface ; il assista au travail de forge, aux rouges noces du feu et de la force humaine, il entendit les tintements du marteau et la plainte sifflante du métal trempé dans l'eau glacée. Le sifflement de sa lame dans les airs fut un cri de défi, un édit de mise à mort martelé au plus profond du métal par l'artisan qui lui avait donné forme.

Yarg frappa avec tant de vigueur que son épée trancha le tronc du premier cacosme et poursuivit sa trajectoire pour sectionner un membre inférieur du second. Les deux créatures s'effondrèrent dans un chambard de lits bousculés, l'une inconsciente – ce qui n'empêchait pas la section supérieure de continuer à étrangler la malheureuse –, l'autre handicapée par la perte de son membre inférieur mais ayant conservé suffisamment de lucidité pour lâcher sa victime, se relever à la force de ses membres supérieurs et faire face à Yarg en sautillant en équilibre sur le membre inférieur qui lui restait.

Un réflexe forgé par des années de pratique s'empara du bras de Yarg avant qu'il puisse le retenir par la raison. Il enfonça l'épée jusqu'à la garde au milieu du torse du cacosme… ce qui aurait occis ce dernier s'il avait eu un cœur. Au lieu de reculer, la créature tendit ses bras sinueux pour l'emprisonner dans une embrassade mortelle.

Le visage collé contre la répugnante masse noire, Yarg fut soulevé dans les airs. Ses coudes s'enfoncèrent dans son torse. Il sentit des côtes se briser. Il râla, avec l'impression que les yeux voulaient lui sortir des orbites. À travers les cris féminins, il perçut le beuglement de défi de Panserfio.

Une lame d'épée siffla à moins d'un pouce de l'occiput de Yarg, décapitant le cacosme dans un giclement d'entrailles puantes. C'est à peine si l'emprise du monstre faiblit. Panserfio avait succombé lui aussi à un réflexe de combattant, Malitorne leur ayant fait part de son observation selon laquelle l'excroissance anguleuse située entre les deux membres supérieurs des cacosmes n'avait probablement pour seule fonction que celle d'équilibrer leur masse.

Yarg sentit la monture d'un lit sous son pied. En un geste désespéré, il poussa. L'homme et la créature enlacés frappèrent une étagère dans un fracas de bouteilles et de pots renversés. Ils tombèrent lourdement pour rouler dans le répugnant tapis de chenilles.

En dépit du fait qu'il voyait rouge, Yarg aperçut l'épée de Panserfio s'insérer à la jonction du membre supérieur et du torse du cacosme. Presque aussi fort qu'un des monstres, le colosse souleva son épée, dont le fil finit par trancher le membre. La créature équarrie à répétition perdit tout tonus. Yarg se dégagea avec des frissons de dégoût de l'emprise du cacosme, dont les cellules constituantes avaient déjà commencé à se dissocier en chenilles.

— Yarg! Ça va? criait Opilione.

— Où est Qiql?

Opilione montra l'extrémité opposée de la salle, où de jeunes malades s'étaient réfugiées derrière un lit renversé.

— Là!

— Abats-moi ça! ordonna Yarg à Panserfio en pointant son épée vers les proto-cacosmes qui continuaient d'essayer de se former.

Avec des coups de pied furibonds dans les chenilles, Panserfio obéit à l'injonction. Yarg suivit Opilione. Il vit enfin Qiql enlacée avec une autre des jeunes malades. Plus blême que jamais, Qiql était toutefois consciente. Yarg les souleva toutes deux pour les serrer contre sa poitrine, indifférent à la douleur de ses côtes cassées.

Il les confia à Opilione avec l'ordre de faire sortir toutes les malades en état de marcher.

Opilione hocha affirmativement la tête, mais Qiql tendait une main suppliante vers un endroit précis.

— Fais quelque chose, s'il te plaît !

Yarg regarda dans la direction indiquée. La partie supérieure du premier cacosme n'avait jamais desserré son emprise autour du cou de la malade. Un juron dans la gorge, le guerrier s'élança et trancha les deux membres avec un coup d'épée à la verticale qui fendit le matelas jusqu'aux planches du lit. Des plumes volèrent. Hélas, comme Yarg en avait fait lui-même l'expérience dans les montagnes Folles, les chenilles constituant les mains du cacosme avaient fusionné autour du cou de sa victime en un collier étrangleur d'une redoutable solidité.

Une main sur la lame de son épée, l'autre sur la garde, Yarg se servit du tranchant de l'arme pour découper l'épaisse section de chenilles, en prenant soin de contrôler sa force pour ne pas trancher la gorge fragile qui était dessous.

Yarg vint à bout de l'ignoble collier vivant, qu'il arracha aussitôt, quasiment sûr en voyant le visage bleu de la jeune fille que celle-ci était morte. Non ! Elle reprit son souffle en toussant et crachant. Yarg la souleva dans ses bras et alla la porter avec les autres rescapées assises dans la pièce attenante à l'infirmerie. Pendant que Panserfio, tel un moissonneur pris de rage, continuait d'abattre son épée dans les cacosmes en formation, Yarg transporta dans le couloir les malades inconscientes ou trop faibles pour se déplacer. Il garda pour la fin l'autre victime arrachée à son lit – une fillette, en vérité. Il ne s'était pas empressé auprès d'elle tant il était évident qu'elle avait eu le cou brisé.

De son côté, Panserfio avait trouvé un second cadavre, celui de maîtresse Torcolia, hideuse et pitoyable avec sa langue gonflée et ses yeux exorbités. Elle s'était probablement interposée entre les créatures

et les filles confiées à ses soins, et avait été la première
à succomber à leur attaque.

— Vois-tu d'autres victimes ?

Panserfio, le souffle rauque, le visage gluant de sueur
et d'une immonde sanie d'entrailles de chenilles, fit
un geste négatif.

— Sortons d'ici !

Dans la pièce attenante, Opilione ordonna aux
malades en état de marcher de soutenir les autres.
Elle-même vacillant sous le poids de deux fillettes,
elle mena tout le monde vers la sortie, en rappelant à
toutes de rester groupées. Yarg, après un instant d'hésitation, déposa l'enfant au cou rompu, puis alla
prendre Qiql pour soulager celle qui la soutenait avec
difficulté. Il lui répugnait d'abandonner le cadavre de
l'enfant aux chenilles, mais il fallait donner la priorité
aux vivantes. Panserfio laissa à son tour le cadavre de
maîtresse Torcolia sur les lieux afin de soulager
Opilione du poids d'une des enfants.

En chemin, ils rencontrèrent un autre groupe de
fuyardes terrorisées, menées par le jeune garde
Johan, qui tenait une courte épée dans sa main tremblante.

— Où allez-vous ? s'interposa Opilione. La sortie
est par là !

— Les monstres bloquent le chemin !

— Ils émergent des bains ! Ils doivent être encore
plus nombreux dans le reste du bâtiment !

Les nouveaux arrivants regardaient dans tous les
sens, en total désarroi.

— Barricadons-nous dans une chambre ! cria Johan.
Les soldats vont venir nous libérer.

— Si les chenilles émergent dans toute la ville,
lança Opilione, les soldats sont sûrement débordés !
On ne peut pas les attendre ! Il faut combattre !

— Tu es folle ! protesta une de ses consœurs. Nous
ne sommes pas des guerrières !

— Je vous en prie, général Angrois! supplia Johan. Dites-nous quoi faire!

— Oui, général! cria une fille. Sauvez-nous!

«Pour qui me prenez-vous?» faillit répondre Yarg, mais maintenant qu'il connaissait sa véritable identité, il ne devait plus se surprendre de ce genre de supplications.

— Opilione a raison, dit Yarg. Il faut sortir par le chemin le plus court. Si des cacosmes s'interposent… Panserfio et moi en ferons notre affaire.

Les deux guerriers confièrent Qiql et l'enfant malade aux autres – la jeune Rouage étant si maigre qu'elle ne pesait guère plus que l'enfant –, puis, avec Opilione pour leur montrer le chemin, ils conduisirent la troupe, avec Johan qui assurait nerveusement l'arrière-garde.

Sur leur passage, plusieurs filles et employés de la Sororité se greffèrent à eux – tous semblaient reconnaître le général Angrois à leur tête et s'empressaient de se placer sous sa tutelle.

En approchant de la sortie, Yarg découvrit la raison pour laquelle Johan avait abandonné son poste. Trois hautes silhouettes noires et anguleuses bloquaient le passage. À leurs pieds gisaient l'un des gardes ainsi que deux jeunes femmes, tous trois inconscients, peut-être même morts.

Yarg s'attendait à ce que les cacosmes foncent sur eux en les apercevant. Ce ne fut pas le cas. Ne sachant comment les créatures voyaient, encore moins si cela avait du sens de distinguer la «face» d'un cacosme de son «dos», il ne pouvait néanmoins croire que ceux-ci ne les avaient pas entendus approcher. Les monstres savaient donc juguler leur instinct meurtrier pour accomplir une fonction stratégique?

Yarg et Panserfio se détachèrent du groupe et s'avancèrent, l'épée en garde.

Comme s'il obéissait à un ordre inaudible, un des cacosmes s'anima soudain pour foncer dans leur direction. Des cris d'effroi jaillirent de la troupe de la Sororité. Inquiétude excessive, car les deux guerriers n'eurent pas trop de mal à réduire la créature à des morceaux inanimés. Cela fut le signal pour le second cacosme de quitter son poste pour s'élancer à l'attaque. Il fut lui aussi mis hors d'état de nuire à grands giclements d'entrailles de chenilles.

Yarg et Panserfio enjambèrent les morceaux éparpillés et gluants des deux cacosmes et s'approchèrent du troisième, qui n'avait toujours pas bougé. Ce dernier manifesta une stupéfiante inaptitude à décider ce qu'il devait faire : fuir ? Demeurer à son poste ? Foncer vers les attaquants ? Au lieu de tout cela, il se mit à tourner sur lui-même en faisant des bonds absurdes, jusqu'à ce que les coups d'épée de ses adversaires y mettent un terme.

— Ils sont complètement stupides ! s'exclama Opilione, qui s'était approchée en voyant la tournure des événements. Pourquoi ne vous ont-ils pas attaqués tous les trois en même temps ?

Yarg l'ignorait, mais il était trop essoufflé et ses côtes le faisaient trop souffrir pour qu'il émette un commentaire. Il poussa la porte et s'avança prudemment à l'extérieur.

Dans un premier temps, il fut rassuré de découvrir qu'aucun monstre n'était posté à proximité. Mais le spectacle qui s'offrait à lui au-delà de la cour intérieure de la Sororité étouffa tout véritable soulagement. Dans le parc devant lui, en aval vers le port, en amont vers le plateau, aussi loin que portait le regard, Port Soleil n'offrait qu'un spectacle de panique, d'éclatement, de chaos. Partout fuyaient des citoyens, hommes, femmes et enfants, entre lesquels couraient des patrouilles de soldats et, moins nombreux mais suprêmement inquiétants, des cacosmes, solitaires ou par groupes. À une trentaine de pieds de la façade de la Sororité, Yarg aperçut l'une des créatures maniant une épée de sa main difforme. Le guerrier en resta parfaitement interdit. Ni l'expert Malitorne ni aucun soldat de la Coalition n'avaient mentionné que les cacosmes employaient des armes. Yarg ne voyait pas comment on aurait pu oublier de lui préciser un aspect si important du comportement des créatures.

Le cacosme continuait de battre l'air avec l'épée, son bras noir ondulant comme le corps d'un serpent. Yarg avait l'impression de contempler un enfant qui s'exerce à pourfendre des ennemis imaginaires. Son intuition était-elle si éloignée de la réalité ? Malitorne avait expliqué que les cacosmes récemment formés passaient par une période d'apprentissage. La créature avait trouvé une arme abandonnée et, de toute évidence, elle tentait d'imiter les soldats qu'elle avait vus. Sa technique était assurément trop prévisible et maladroite pour mettre en danger un soldat formé ; mais pour des citoyens ordinaires, des femmes, des enfants ?…

Yarg s'aperçut qu'on lui secouait le coude. C'était Opilione, blême d'effarement.

— Yarg ! M'entends-tu ?

— Quoi ? Que se passe-t-il encore ?

— Qiql veut te parler.

— Ce n'est pas trop le moment, grogna Yarg, qui s'empressa néanmoins vers sa jeune compagne, toujours soutenue par les bras musculeux de Johan.

Qiql leva une main tremblante à son approche, un sourire infiniment triste étira ses lèvres et l'impatience s'envola de l'esprit de Yarg. Il lui demanda, la voix adoucie :

— Tu veux me parler ?

— Je suis navrée de te déranger, dit Qiql avec une voix plus faible encore, mais je dois te prévenir. Je vais mourir, Yarg…

Ce dernier secoua la tête. Il avait compris les mots, mais pas leur sens.

— Que dis-tu ? Un cacosme t'a blessée ?

Qiql hocha faiblement la tête.

— Ça n'a rien à voir avec les cacosmes…

Yarg avisa tout près un banc de bois sous une pergola couverte de roses.

— Allons l'allonger. (Il confia son épée à Opilione.) Crie si un monstre approche.

Yarg aida Johan à déposer doucement Qiql sur le banc. La jeune femme était si faible que Yarg glissa sa main sous sa tête pour que celle-ci ne frappe pas trop durement. Avec son autre main, il écarta de son front ses cheveux blancs plaqués par la sueur. Elle était brûlante.

— Repose-toi, lui murmura-t-il à l'oreille. Repose-toi…

Il se détourna pour darder un regard désespéré vers Opilione et Johan.

— Maîtresse Torcolia n'est certainement pas la seule soigneuse de Port Soleil !

— Le Grand Sanatorium est près du port ! Mais ça doit grouiller de cacosmes !

— L'hôpital du camp militaire est plus sûr !

— Nous ne sommes pas des soldats, dit Opilione, ses yeux noirs écarquillés d'effarement. Vont-ils nous laisser entrer ?

— Je voudrais bien qu'on m'en empêche ! tonna Yarg.

La main tremblante de Qiql s'éleva pour caresser le visage de son amant.

— Ne te mets pas en colère, souffla-t-elle d'une voix anémiée. Personne ne peut me guérir… Pardonne-moi, j'aurais dû te le révéler plus tôt… Je ne suis pas faite pour vivre en dehors des murs de la Cité…

— Tu délires.

— Non, Yarg, je suis lucide. Tais-toi et écoute. Si tu m'interromps, je mourrai en te laissant dans l'incertitude et l'incompréhension… (Elle prit une longue et difficile inspiration.) Et cette perspective est trop douloureuse… Tu te rappelles ce qu'a dit l'officiant à mon procès, lorsque tu m'as libérée de l'échafaud de justice ?

Yarg secoua la tête : il n'avait pas le temps d'écouter les confidences de la jeune femme, il lui fallait combattre.

— Il a beaucoup parlé.

— Tu te souviens de cette phrase ? « Elle est morte le jour où elle t'a adressé la parole. » Tu te souviens ?

Yarg sentit la chaleur de son courroux s'atténuer et son souffle ralentir un peu.

— Oui, Qiql. Oui, je m'en souviens.

— Depuis que j'ai quitté les murs, je ressens un manque… que je ne peux décrire. Ce n'est pas une maladie de ton monde qui me gruge, Yarg, c'est la faim.

— Mais pourquoi ne manges-tu pas ? cria Yarg, hors de lui-même de douleur et d'incompréhension.

— Parce que j'ai faim d'une substance introuvable dans ton monde, Yarg. Je ne sais s'il s'agit d'un élément contenu dans notre nourriture à Pinacle ou d'une matière plus subtile, plus magique, un fluide régénérateur qui émanerait des murs mêmes de Pinacle.

— La magie détectée par l'appareil d'Ignace le Catonien ?

— Je le pense, oui…

— Pourquoi ne nous as-tu pas expliqué ça à ce moment-là ?

— J'ai essayé de me convaincre que ce n'était qu'une légende de mon peuple. Un mythe pour nous conforter dans la certitude que le monde sauvage n'était pas fait pour nous. Ensuite… Lorsque j'ai

compris que c'était vrai… Je ne voulais pas te faire
de peine.

Yarg sentit des larmes gonfler sous ses paupières,
chaudes comme le corps enfiévré de Qiql.

— À quoi as-tu pensé ? Nous aurions rebroussé
chemin.

— Pour que je remonte sur l'échafaud ?

— Bien sûr que non ! Pour obliger les Héritiers à
nous révéler de quelle substance tu as besoin ! Ou de
quelle forme de magie… Ignace le Catonien aurait su
te procurer ce qu'il te manque, j'en suis sûr !

Sur le visage d'une pâleur de porcelaine, la tristesse
se mua en attendrissement. Qiql émit un petit souffle
saccadé qui était peut-être un rire.

— C'est ce que tu aurais fait ? Tu te serais encore
lancé à l'attaque de Pinacle ? Seul contre mille ?

Qiql regarda ensuite Panserfio.

— Toi aussi ? Tu serais venu à mon secours ?

— *Mmm !*

— Moi aussi ! s'écria Opilione, le flot de larmes
qui coulait sur ses joues si abondant qu'elle en avait
le col de sa robe tout mouillé.

— C'est votre destinée, à vous, les hommes sauvages ? chuchota Qiql. De vous lancer dans les entreprises les plus folles ?

— Pour ceux que nous aimons ? Oui, Qiql.

La jeune femme souleva la tête et fixa Yarg de ses
grands yeux clairs, la bouche ouverte, les lèvres frémissantes de stupeur émerveillée.

— Oui ! Tu l'as !

— J'ai quoi ?

— Mon nom ! Tu l'as prononcé comme il faut !

— Qiql ? Comme ça ?

— Oui ! hoqueta la jeune femme, au comble du
ravissement. Oui !

— Qiql, répéta Yarg en caressant avec une infinie
tendresse le visage brûlant de fièvre. Qiql… Qiql…

La jeune femme n'entendait plus le nom qui avait été le sien. Ses grands yeux ciel de brume fixaient sans le voir un point imaginaire au-dessus de l'épaule de Yarg. Allongée sur ce banc de parc où, sous l'arche en fleurs, cent et mille amants s'étaient étreints pendant cent et mille nuits embaumées, elle avait consumé le reste de magie qui la maintenait en vie.

CHAPITRE 22

Cendres sur la ville

Yarg était un dieu vengeur, rageur comme l'orage, implacable telle la grêle. Incommensurable était son courroux, impitoyable était Sanglante, l'épée à la pointe cassée enfin nommée qui ne quittait jamais sa main. La lame s'abattit du firmament, traversa les nuages boursouflés précurseurs de foudre. L'acier éventra Pinacle sans férir. La chair de montagne tranchée à vif dégorgea un flot d'asticots répugnants ; une charogne, ainsi était révélée à la lumière du jour la véritable nature du royaume. Yarg les débusquait tous, Héritiers et Rouages, ceux-ci fuyant, couards comme des blattes dans leurs tunnels labyrinthiques, leurs palais surchargés de richesses. Sa botte à talon d'acier les broyait, les abandonnait gémissants, englués de sang et de viscères répandus. Sa rage ne souffrait aucune discrimination lorsqu'il acculait Fasce, Yohimbine et Scquère dans les palais, et les Rouages coincés dans les murs d'iceux. Tous allaient mourir, tous mouraient, tous étaient morts, qui sous le fil de l'acier, qui soufflé par l'haleine brûlante des lance-feu, qui sous...

— Réveille-toi, dit la voix féminine qui habitait ses rêves.

Yarg se détourna de son entreprise noble et terrible. À pas lents, il marcha vers la Jeunette, le corps entier vibrant, comme la lame d'un braquemart qui a frappé la pierre ou le métal en lieu et place de la chair tendre, et fragile, et soumise.

Sur la rampe du pont de la Gloire, la Jeunette progressait en équilibre, ses deux bras nus soulevés avec grâce. Avec une minutie exagérée, elle posait un pied fourré de satin sur la rampe de pierre, orteils d'abord, talon ensuite, puis recommençait avec l'autre, ballet prosaïque et pourtant ravissant. Tout ce temps, elle regardait Yarg approcher, un sourire mutin sur ses lèvres – il savait qu'elle souriait en dépit du fait qu'il n'arrivait jamais à apercevoir son visage, celui-ci étant constamment dissimulé par une branche feuillue, le pilier d'un lampadaire, une ombre portée… Quelle que fût la façon dont il se déplaçait, le visage de la Jeunette se dérobait au regard de Yarg. D'ailleurs – il s'en rendait compte maintenant –, il faisait nuit.

Peu importe. Il savait qu'elle souriait, indifférente à la cataracte grondante en contrebas, aux eaux furieuses qui s'abîmaient juste de l'autre côté de la rampe de pierre.

— C'est toi qui as crié? demanda Yarg.

— Je n'ai pas crié, protesta la voix mutine. Je t'ai dit de te réveiller.

— Dans mes rêves de chute, précisa Yarg, il y a des jours, de cela, des semaines même, je t'ai entendue crier.

— Ça dépend de ce que tu entends par cri.

— Pourquoi ergotes-tu toujours ainsi?

— Parce que ça m'amuse de t'asticoter.

— Ce n'est pas prudent de se rencontrer ici. Descends de là, ça va mal finir.

— Tu me crois vraiment si maladroite?

Yarg avait l'impression que son cœur allait être arraché de sa poitrine.

— Un jour, tu feras un faux pas…

— Réveille-toi, Yarg, répéta la jeune femme, et Yarg comprit enfin que la voix était celle d'Opilione.

Il reconnut le visage penché sur lui, encadré par un épais chignon de cheveux roussis. Au milieu de ce visage, deux grands yeux en amande, à la pupille noire, luisante d'inquiétude.

Le fait qu'il arrivait à distinguer les traits d'Opilione contre la toile de la tente contribua à faire émerger Yarg de l'emprise du sommeil. Il se redressa, ignorant la douleur de ses côtes cassées.

— Il fait jour.

— Bien observé.

— Tu m'as laissé dormir, ajouta Yarg, grognon.

— De plus en plus perspicace.

Assis sur sa couchette, Yarg se frotta les paupières, endolories par la cendre et la fumée des lance-feu. Il tâta ensuite la longue estafilade récoltée au-dessus de l'oreille droite pendant une échauffourée. Les cacosmes avaient beau être des escrimeurs lents et sans imagination, leur force et leur résistance aux coups d'estoc en faisaient néanmoins des adversaires coriaces. La plaie était douloureuse, mais l'onguent cautérisant qu'y avait appliqué Malitorne s'avérait efficace.

Yarg regarda de nouveau Opilione, assise sur le lit près de lui. Il commençait à ne plus trouver étrange son uniforme de « conseillère spéciale du général Angrois ». L'armurier des troupes de Mont-Aigle avait réussi à lui confectionner un uniforme presque à sa mesure autour d'un plastron et des épaulières destinés à l'entraînement des garçons. L'uniforme était encrassé de suie et puait le soufre et le naphte, ce qui aidait certainement la jeune femme à passer inaperçue, la saleté et la puanteur étant le lot de tous les combattants au siège de Port Soleil.

Après la mort de Qiql, une fois les trois compagnons en relative sécurité dans le camp de la Coalition après y avoir conduit au péril de leur vie les malades à leur charge, Yarg avait été témoin de l'inflexibilité de la jeune femme quand celle-ci avait affirmé qu'elle combattrait les cacosmes aux côtés de Yarg et de Panserfio.

— Ils ont tué maîtresse Torcolia. Et ils sont en train de détruire Port Soleil. J'en fais une affaire personnelle.

— Tu n'es pas une guerrière, avait dit Yarg.

— Je suis une jongleuse. Donne-moi deux épées au lieu de deux bâtons, et tu verras ce que j'en ferai.

— Tu risques d'être tuée.

— Quel drôle d'argument ! Vous combattrez, vous ! Ma vie serait-elle plus précieuse que la vôtre ?

Bien sûr ! avait mimé Panserfio, qui assistait à la discussion. *Nous avons perdu Qiql. Nous ne voulons pas te perdre aussi !*

— Panserfio a raison, avait tenté de raisonner Yarg. Chacun de vous deux possède l'autre comme raison de vivre. Fuyez ensemble à l'abri !

— Mais je t'aime, Yarg ! Je ne veux pas te perdre non plus !

— Pourrais-tu baisser le ton ? avait grimacé Yarg, certain que la moitié du camp militaire entendait la voix claire à travers la toile de la tente.

— Je t'aime, avait répété Opilione, sa voix presque inaudible, un murmure mouillé.

— Sauras-tu un jour censurer tes pensées ? Tu blesses Panserfio avec tes épanchements sentimentaux incontrôlés.

Opilione avait serré le colosse de ses quatre bras.

— Est-il possible que vous ayez la tête si dure, et si peu de cervelle, que vous ne vous soyez pas rendu compte que je vous aime autant l'un que l'autre ? J'ai connu à vos côtés trop d'aventures, les mailles de mon cœur se sont entre-tissées avec les vôtres. Comprends-tu, Panserfio, que cela n'a jamais diminué l'amour que j'ai pour toi ? Comprends-tu, Yvain, combien je vous ai autant jalousés qu'aimés, toi et Qiql ? Combien j'aurais voulu, comme elle, découvrir la beauté du monde avec ton bras soutenant le mien ?

— Elle en a surtout connu l'âpreté.

— Bien fin est le filtre capable de séparer les deux.

Yarg, le général Yvain Angrois, le héros admiré de tous pour un acte dont il ne se souvenait même pas, s'était soudain senti désemparé, malhabile et gauche, le cœur encore saignant des meurtrissures de la journée. Il s'était approché pour caresser la joue mouillée de larmes de celle qui s'était révélée comme la plus fidèle et la plus généreuse des amies. Il avait posé l'autre main sur l'épaule musculeuse de Panserfio, ce dernier ne sachant trop quelle contenance adopter.

— Nous sommes fatigués. Et nous avons tous été affectés par la mort de Qiql. Mais ce n'est ni le temps ni le lieu pour discuter de ces choses. Il faut combattre le fléau. Après, nous ferons les comptes et discuterons d'avenir.

— Parfait, avait dit Opilione. Combattons le fléau, nous verrons après.

Yarg avait fini par obtempérer, plus par renoncement qu'autre chose, et s'était accoutumé à la présence de la jeune femme à ses côtés pendant les combats.

Opilione se rendit compte que Yarg la regardait. Elle lui retourna son regard, faisant mine d'être agacée.

— J'ai quelque chose sur le nez ?

— Tu es capable de plaisanter. C'est la première fois depuis…

Sa gorge se serra, et il ne put poursuivre. Opilione comprit ce que signifiait ce « depuis ». Elle resta néanmoins sereine à cette évocation de leur compagne disparue.

— Un jour, nous réussirons à rire à nouveau.

— Je n'étais pas rieur d'avance.

Opilione s'inclina doucement pour enfouir son visage dans le creux du cou de Yarg. Ce dernier la serra.

Elle ne pleurait pas ; il eut plutôt l'impression qu'elle cherchait du réconfort. Au bout d'un certain temps, Yarg la repoussa doucement.

— Pas très militaire, tout ça.

La jeune femme essuya ses joues sales avec une main aux ongles ébréchés et noircis. Elle avait tout de même versé une larme.

— Où est Panserfio ? demanda Yarg.

— Une de ses genouillères est brisée, il est allé la faire réparer.

À travers la rumeur du camp qui traversait la toile de la tente, ils entendirent des pas s'approcher. Ils crurent que Panserfio était de retour, mais la voix qui demanda la permission d'entrer était celle du capitaine Francœur.

Une fois la permission accordée, l'officier de Mont-Aigle entra et salua, l'uniforme aussi crasseux, les cheveux aussi roussis, le visage aussi hâve que tous les soldats de la Coalition qui combattaient sous ses ordres.

— Capitaine Francœur au rapport, mon général.

Yarg avait renoncé à protester qu'il n'était pas le chef des troupes de Mont-Aigle. Il s'était rendu à l'évidence : la majorité des officiers de Mont-Aigle le préféraient à Graboriau. Soit par authentique estime, soit parce qu'ils étaient conscients que dès que le Grand Électeur de Mont-Aigle apprendrait que le général Angrois, le héros dont la bravoure et l'abnégation étaient admirées des princes comme du peuple, était vivant, ce dernier serait réinstitué chef de l'armée. Voyant que ses tentatives pour remettre les soldats à l'ordre sur ce plan causaient de la confusion, Yarg avait convenu avec les plus entreprenants d'entre eux qu'il accepterait leurs déclarations d'allégeance pour autant qu'ils ne les expriment pas de façon ouverte, et surtout pas en présence de Graboriau. La priorité du moment, leur rappelait-il pour couper court à ce genre de manifestation, était de débarrasser Port Soleil de l'infestation des cacosmes.

Il écouta donc attentivement le capitaine Francœur répéter le rapport qu'il avait probablement fait à Graboriau l'instant d'avant. À l'aube de cette troisième journée de combats acharnés, le réseau d'égouts de Port Soleil avait été compartimenté par des cloisons étanches. Les cacosmes ne pouvaient donc plus régresser à l'état de chenilles pour y circuler. Les monstres avaient alors retraité dans le quartier du port autour des anciens bains publics, un labyrinthe inextricable de ruelles, de cours et de balcons superposés qui offrait toutes les cachettes imaginables pour l'ennemi. Il allait falloir les débusquer un par un, avec tout ce que cela entraînerait de pertes d'hommes. Autre source d'inquiétude : les réserves de naphte, de goudron et de soufre diminuaient. Il faudrait bientôt réserver l'usage du lance-feu aux situations où cette arme s'avérerait indispensable.

Yarg demanda si les recherches visant à employer d'autres substances inflammables dans les lance-feu, comme l'huile d'olive ou l'esprit-de-vin, progressaient.

— L'esprit-de-vin remplacerait très bien le naphte, mais nous n'en avons presque plus non plus. L'huile d'olive…

La grimace de Francœur valait mieux qu'une longue explication technique. La réponse n'étonna pas du tout Yarg : s'il y avait eu des progrès sur ce front, il aurait été le premier à l'apprendre.

Panserfio entra dans la tente, le visage aussi sale et les cheveux aussi encrassés de suie graisseuse que les trois autres. Il montra la réparation à sa genouillère, mimant le geste d'un marteau frappant une enclume – *c'est moi qui l'ai réparée* –, suivi d'une mimique d'autosatisfaction – *je n'ai pas trop perdu la main*.

En compagnie de Francœur, Yarg, Panserfio et Opilione déjeunèrent en vitesse de thé fort et de pain dont ils trempèrent les morceaux dans de l'huile d'anchois. Ils sortirent ensuite rejoindre les troupes sur le champ d'opération.

Il leur fallut pour cela traverser le camp ; ce dernier grouillait de réfugiés qui, grâce à leur bourse ou à leurs relations, avaient trouvé place dans l'enceinte. La majorité de la population qui avait fui la zone des combats s'était installée plus loin sur le plateau, sans compter tous ceux qui avaient préféré affronter les périls de la route pour trouver asile dans une autre ville.

Un sentiment d'appréhension flottait sur le camp. Malgré tout, l'ordre et le calme y régnaient. Cela n'avait pas toujours été le cas les journées précédentes, mais autant la population que les soldats avaient fini par envisager la situation avec un mélange de fatalisme et d'optimisme. Les soldats de la Coalition avaient vaincu les cacosmes à Dénar ; ils allaient forcément les vaincre à Port Soleil… avec les mêmes funestes conséquences, hélas ! Les quatre combattants sortirent du camp et marchèrent vers Port Soleil. Arrivés en bordure du plateau, ils marquèrent le pas en contemplant la pente menant à la mer Tramail. La superbe ville portuaire n'était plus que le spectre noirci de ce qu'elle avait été.

Au sein du malheur, songea Yarg, il fallait apprécier les aspects positifs : depuis le début des combats, la température avait été clémente et le temps clair. Le seul nuage qui masquait le soleil provenait du parc attenant à la Sororité des Affriandes : il était noir et charriait une répugnante odeur de chenille grillée. Les combattants descendirent dans la ville. Lorsqu'ils passèrent devant les décombres de ce qui avait été la Sororité, Opilione refusa de tourner la tête dans cette direction, incapable de supporter le spectacle des murs d'enceinte noircis, des fenêtres aveugles, des jardins réduits en champs de cendre où se dressaient les troncs noircis des oliviers, des citronniers et des eucalyptus.

Ils poursuivirent leur descente, saluant les senti-nelles sur leur chemin, jusque sur la ligne de front, un arc de cercle imaginaire englobant le port, la rue des Musiciens, le vieux Port Soleil et le noble et vénérable bâtiment qui abritait les bains publics. Trois équipes de lance-feu se préparaient à investir ce dernier im-meuble. Ils venaient d'Achel, reconnaissables, parmi tous ces uniformes d'un même noir de suie, aux casques grillagés qui leur couvraient intégralement la tête. Ce moyen de protection individuel contre les chenilles, bien qu'imaginatif, ne s'était pas propagé chez les hommes de Casson et de Mont-Aigle. Par manque de temps et d'artisans pour les fabriquer, mais aussi parce que l'usage avait démontré que les accessoires n'étaient pas sans inconvénients, le plus évident étant la réduction importante de la vision de celui qui le portait, un sens pourtant crucial dans le genre de combat mené contre un adversaire aussi insaisissable.

Tout autour, une centaine de soldats armés atten-daient, le regard luisant dans leur visage crasseux. En deuxième ligne, des hommes et des femmes de la milice citoyenne patientaient aussi. Leurs instruments de guerre étaient on ne peut plus prosaïques : des gourdins pour écrabouiller les chenilles, des bâches et des couvertures qui servaient à envelopper les morceaux de cacosmes avant leur régression, mor-ceaux qu'on s'empressait d'aller jeter sur le bûcher du parc, qui brûlait en permanence depuis ce temps.

Graboriau et les deux autres généraux se présen-tèrent sur les lieux. Yarg avait fini par apprendre que le chef des troupes d'Achel s'appelait Leferrier ; celui de Casson, Beaufils ; et que ni l'un ni l'autre n'étaient des intimes du général Angrois, au grand soulagement de ce dernier. Malitorne suivait les trois officiers, un peu en retrait, morose, sa cape noire serrée autour de son corps fluet. C'était la première fois qu'on voyait le spécialiste des cacosmes sur le terrain – le fait qu'il était la seule personne présente propre de visage et d'habit l'illustrait fort bien.

Par-dessus le toit de l'établissement des bains s'élevaient plusieurs panaches de fumée : des bûchers avaient été érigés devant les autres sorties afin de les condamner. Les équipes de lance-feu soulevèrent leur encombrant appareillage. Ceux qui manœuvraient les soufflets firent un ultime test. Un vigoureux jet de flamme jaillit de l'embouchure d'un long tube de cuivre. Rassurées sur le bon fonctionnement de leurs dispositifs, les équipes se mirent en branle. Elles disparurent sous l'arche principale de l'établissement ancien, protégées sur leurs flancs par d'audacieux compagnons d'armes.

Yarg attendit, clignant des yeux sous le soleil du matin. Pour occuper ses mains nerveuses, il avait dégainé son épée : son fidèle braquemart confisqué au jeune garde de Pinacle. Un détail de son cauchemar de la nuit précédente surnagea dans son esprit. Il sentit le coin de sa bouche se soulever d'amusement caustique.

— Tu as souri, dit Opilione à voix basse. Je t'ai vu.

Yarg répondit sur le même ton :

— Une sottise. J'ai rêvé que mon épée s'appelait *Sanglante*.

— Pourquoi pas ? Il paraît que les soldats donnent un nom féminin à leurs épées.

— Ridicule. Ce n'est qu'un morceau d'acier.

— Si tu le dis.

De hauts cris se firent entendre, qui provenaient de l'intérieur du bâtiment. Les équipes de lance-feu et les soldats de la coalition se ruèrent à l'extérieur avec précipitation. Une horde furibonde de cacosmes les suivait de près, certains transformés en torches géantes, mais les autres hélas intouchés. Les créatures s'immobilisèrent, tels des géants noirs, difformes et sans visage. Les troupes de la Coalition avaient appris une chose à force de combattre cet étrange ennemi : son comportement n'était jamais parfaitement prévisible. Les cacosmes pouvaient succomber aux pièges les plus grossiers et, le même jour, surprendre les soldats de la Coalition avec une astuce de renard.

Une chose était certaine, ils apprenaient.

Ceux-là – ceux qui ne se tordaient pas au sol, leurs cellules constituantes éclatant avec des crépitements sous la chaleur des flammes – optèrent pour l'affrontement. Ils agitèrent leurs sinueux membres supérieurs, fouettant l'air avec des madriers, des tiges de métal, ou encore avec les épées de leurs victimes. S'ils avaient eu des bouches, ils auraient certainement émis un cri de haine et de défi. En l'occurrence, c'est en silence qu'ils foncèrent sur l'ennemi avec leur étrange démarche saccadée.

Les piquiers des troupes de la Coalition les attendaient de pied ferme. L'usage réel du terrain avait réhabilité les javelots et les piques, un peu trop rapidement jugés inutiles par Malitorne. Embrocher un cacosme ne le tuait pas, mais l'arme coincée dans la masse agglomérée des chenilles nuisait à ses mouvements, surtout si ses adversaires avaient eu l'encombrante idée de nouer un câble au javelot. À se faire tirer à hue et à dia, les cacosmes s'empêtraient, facilitant le travail de dépeçage des porteurs d'épée et de hache. L'art du combat pour le piquier consistait à ne pas s'emmêler lui-même dans les câbles, tout en esquivant les coups d'épée ou de madrier de leur ennemi – souvent mortels, car les monstres étaient forts –, et surtout sans se laisser attraper par les terribles « mains » étrangleuses. Yarg avait vu des soldats se faire littéralement arracher la tête, spectacle sanglant de nature à secouer même le vétéran le plus aguerri.

Un des cacosmes projeta avec son membre supérieur un moellon d'au moins cent livres dans les airs. La roche atteignit un groupe de miliciens, tuant un des hommes sur le coup. Encore une stratégie nouvelle, aucun observateur n'ayant jamais mentionné qu'un cacosme pouvait lancer des pierres ! Un autre monstre projeta une pièce de maçonnerie vers les officiers. Yarg se jeta de côté pour faire un rempart de son corps à Opilione. Leferrier, le général d'Achel, regardait ailleurs. Il se fit écharper et tourna sur lui-même, l'épaule démise et le bras cassé. Malitorne, quelques pas à l'arrière, aurait reçu le moellon dans les jambes s'il n'avait pas montré une aptitude exceptionnelle au saut en hauteur.

Devant cette nouvelle menace, on ordonna aux miliciens de reculer hors de portée, ce qu'ils firent sans tergiverser.

— Sauve-toi ! ordonna Yarg à Opilione.

La jeune femme tendit devant elle les deux courtes épées qu'elle tenait en main, le visage résolu.

— Pas si tu restes.

Yarg soupira : il avait renoncé depuis longtemps à faire entendre raison à la jeune femme.

Pendant un moment d'angoisse, l'affrontement tourna à l'avantage des cacosmes. Un des lanceurs de pierre atteignit de plein fouet une équipe de lance-feu. L'appareil explosa. Une boule de feu enveloppa les malheureux chargés de la manœuvre, le naphte et le goudron en flammes giclant sur bien d'autres soldats.

Les hurlements des brûlés causèrent un flottement chez les soldats et les miliciens, mais les troupes de la Coalition serrèrent les rangs. Tous ceux qui tenaient une épée concentrèrent leurs efforts sur les membres supérieurs des lanceurs de pierre. Yarg abattait son arme à répétition, attentif à chacun de ses gestes, et pourtant curieusement détaché de lui-même. À sa gauche, Panserfio faisait de même : s'il y avait un combattant à la mesure de l'ennemi, c'était bien lui. À sa droite sautait et bondissait Opilione. La rapidité et la souplesse de son corps de jongleuse, et le fait qu'elle manipulait deux épées, compensaient ses lacunes sur le plan de la force musculaire. Elle s'était fait une spécialité de trancher la « main » des cacosmes, excroissance qu'elle expédiait ensuite d'un vigoureux coup de botte vers les miliciens, qui s'empressaient de jeter une bâche ou un filet pour transporter jusqu'au bûcher cette partie particulièrement dangereuse des monstres.

Le vent tourna à nouveau en faveur de la Coalition, soutenue par sa fureur, ses cris, ses dieux, sans oublier dans le décompte les terribles lance-feu. Soldats et miliciens toussaient à se cracher les poumons dans l'air empuanti par le soufre et le goudron, mais le sort des monstres était bien pire, eux recevant de plein fouet les jets brûlants. Lorsque les cacosmes comprirent qu'ils étaient déclassés, ils rompirent les rangs d'un coup, spectacle qui surprenait Yarg chaque fois qu'il en était témoin. Malitorne avait émis la théorie que la façon dont les cacosmes semblaient parfois agir tous en même temps était le signe d'une forme de liaison télépathique, ce qui ne l'avait pas empêché d'ajouter du même souffle qu'il était le premier à reconnaître la difficulté de prouver le phénomène. Dans les faits, face à l'immeuble des bains publics, les cacosmes survivants filèrent dans toutes les directions pour se perdre dans le labyrinthe des vieux quartiers de Port Soleil.

Les officiers ordonnèrent une pause. Pendant que miliciens et miliciennes écrabouillaient à coups de gourdin et de talon ferré toutes les chenilles qui avaient eu le malheur d'être abandonnées sur la place, les soldats s'occupaient des brûlés, ceux qui avaient succombé à leur blessure étant sans doute plus chanceux que ceux qui avaient survécu.

Assis sur un banc public, Yarg, Panserfio et Opilione reprenaient leur souffle. Malitorne vint bientôt les rejoindre, prenant le trio à témoin du misérable sort qui était le sien, d'être obligé de respirer cette affreuse puanteur. N'avait-il pas failli être tué, même ? Il n'en revenait pas de l'inconscience des généraux qui l'avaient obligé à mettre sa vie en danger sur le terrain de cette façon. S'il mourait, qui le remplacerait ? La Coalition pourrait-elle se relever d'une pareille catastrophe ?

— Il est utile qu'un spécialiste puisse juger de l'efficacité des techniques qu'il préconise, dit Yarg.

— Je me serais amplement contenté de rapports précis et circonstanciés. Je réfléchis mieux dans le calme, loin du bruit et du tumulte.

En son for intérieur, Yarg n'avait que faire des égoïstes jérémiades du petit homme, même s'il était effectivement le plus grand savant du monde, ce dont Yarg doutait grandement. Il appréciait néanmoins le fait que c'était la première fois qu'il pouvait lui parler sans oreilles indiscrètes autour de lui.

— C'est vrai que vous pratiquez la magie ?

Malitorne sembla à la fois étonné et méfiant.

— Vous dites ça comme si vous l'ignoriez.

— J'aimerais séparer la vérité de la rumeur.

Malitorne eut un geste de dénégation dégoulinant de fausse modestie.

— L'homme de science qui a le moindrement approfondi l'étude du réel ne peut éviter de se frotter également à la magie, qui est à la lumière ce qu'est l'ombre. Ce n'est pas tant que je la pratique, c'est plutôt le fait que j'en ai absorbé plus que ma part lors de mes études et de mes réflexions. Ou, si vous préférez l'entendre ainsi, le peu que j'en connais suffit à rendre mes ennemis prudents. Ce qui est une autre façon de dire que…

Yarg sortit de sa besace une des rares possessions dont il ne se séparait jamais : la bouteille contenant les languettes magiques.

— Reconnaissez-vous ceci ?

À la vue des bandelettes animées d'un mouvement de reptation, infatigables dans leur tentative de trouver un moyen de fuir leur prison de verre, Malitorne sursauta si violemment qu'il faillit tomber en bas du banc. Les mains levées devant son visage, il chuchota sur un ton sifflant :

— Par les trois miroirs de Delphes l'Aporétique ! N'ouvrez pas cette bouteille !

— Vous savez donc ce que c'est ?

— Bien sûr ! Des Affadisseurs iéronymiens. Ils m'ont appartenu jusqu'à ce que...

Malitorne s'interrompit, étudiant tour à tour Yarg, Opilione et Panserfio, qui chacun lui retourna un regard dont la qualité ne sembla pas trop lui plaire.

— Qui vous a procuré ces accessoires ? contre-attaqua Malitorne.

Pour la première fois depuis la mort de Qiql, Yarg émit un rire. Ce n'était pas un son agréable à entendre.

— C'est ce que je voudrais savoir.

Malitorne se détourna d'un petit mouvement sec de tout le corps.

— L'éthique d'un magicien n'est pas différente de celle de n'importe quel commerçant. Ces accessoires magiques m'ont appartenu. Je me les étais procurés dans une perspective parfaitement désintéressée. Je voulais les étudier et comprendre les principes qui gouvernent leur action. À la suite de circonstances qui ne vous regardent pas plus que le reste, un prince a exprimé le désir de les posséder pour sa collection personnelle.

— Un prince ? De quel royaume ?

— Général, général... À tout prendre au pied de la lettre, vous trahissez votre éducation militaire. J'emploie le terme de prince dans son acception la plus large, c'est-à-dire celle d'un homme de rang élevé dans la hiérarchie. Et puis, crotte, vous me faites déjà trop parler! Je n'en dirai pas plus sur la question, il est inutile de me menacer.

Après s'être assuré de l'étanchéité du bouchon, Yarg glissa la bouteille dans sa besace.

— On en reparlera.

— Revenir sur le sujet ne représentera qu'une inutile dépense de paroles et de salive, déclama Malitorne avec une emphase vertueuse. Ma bouche est close, ma résolution inébranlable.

— Nous verrons.

Les éclaireurs qui inspectaient l'intérieur de l'établissement de bains rapportèrent aux officiers une bonne nouvelle: les cacosmes semblaient avoir déserté les lieux. Pendant que des équipes de pompiers éteignaient les bûchers qui avaient condamné les entrées secondaires du bâtiment, les soldats et miliciens se constituèrent en patrouilles chargées de quadriller les ruelles étroites des vieux quartiers de Port Soleil.

Yarg, Panserfio et Opilione formaient l'une de ces patrouilles. Yarg aurait été obligé de faire preuve de mauvaise foi pour émettre la moindre réserve sur la présence de la jeune femme parmi eux pour ce genre d'opération. Elle affirmait connaître chaque détour de chaque ruelle, chaque raccourci, chaque devanture, chaque pierre. Yarg ne doutait pas que ce fût la vérité.

Une impalpable poussière de silence tombait sur la ville. Au bout d'un certain temps, les trois combattants échangèrent un regard interloqué. Les cacosmes auraient pourtant dû contre-attaquer. Normalement, le quartier portuaire aurait dû résonner d'appels, l'air humide et tiède aurait dû vibrer du tintement des armes.

Le silence fut brisé par un bruit de course. Un tout jeune milicien apparut au détour de la ruelle. Après s'être incliné avec un empressement respectueux, il annonça au général Angrois que celui-ci était convoqué sur la place du port.

Arrivés sur les lieux, Yarg et ses deux compagnons avisèrent un groupe constitué du général de Casson – Beaufils –, de Graboriau, de Francœur et de Malitorne. Tous les témoignages des patrouilleurs confirmaient une étonnante nouvelle : les cacosmes avaient subitement tous régressé à l'état de chenilles et les bestioles évacuaient la ville. Impossible de les détruire : les insectes s'étaient dispersés en centaines de colonnes, dissimulées sous les pierres et les buissons desséchés.

Yarg demanda à Malitorne.

— Les chenilles tenteraient-elles de rejoindre la masse principale ?

— Votre opinion vaut la mienne, général, répondit Malitorne sur un ton à la limite du persiflage.

— C'est pas toi, l'expert en chenilles ? grogna le général Beaufils, généralement d'assez mauvaise humeur.

Malitorne fit un geste d'impuissance.

— Elles ne font rien comme les autres fois.

— Moi, ce qui ne me rentre pas dans la tête, poursuivit Beaufils sur le même ton impatienté, c'est pourquoi tu as réussi à nous en débarrasser il y a treize ans, et pas cette fois-ci.

— Mais c'est ce que je dis ! geignit Malitorne en lançant des regards suppliants aux autres officiers. Cette fois-ci, elles se transforment en cacosmes ! Est-ce que je suis le seul à avoir compris à quel point ça change la donne ? Je fais de mon mieux pour vous aider ! Je ne suis quand même pas responsable de chaque revirement qui ne fait pas votre affaire !

Beaufils se détourna, méprisant. Yarg proposa aux autres d'envoyer une troupe d'éclaireurs chargés de se disperser dans la montagne pour suivre le flot des chenilles. Ce qui fut fait. Une partie des soldats et des miliciens restèrent sur place pour patrouiller les vieux quartiers – prudence élémentaire – tandis que le reste des troupes put remonter au camp fortifié pour se reposer.

L'annonce du retrait des cacosmes fut accueillie par une explosion de joie chez les notables et les citoyens de Port Soleil réfugiés dans le camp militaire. Tout cela grâce au héros de Mont-Aigle, le noble et célèbre général Angrois, revenu de l'exil qu'il s'était imposé après la mort de la Jeunette, juste à temps pour tracer la voie vers la victoire !

Du moins est-ce ainsi que se développa la rumeur, qui déplut fortement au principal intéressé. Parce qu'elle était totalement imméritée, d'abord, et surtout parce qu'elle était prématurée. Les troupes de la Coalition avaient remporté une victoire, pas la guerre. Les chenilles n'avaient pas été exterminées : elles pouvaient se regrouper, se reconstituer en nouveaux cacosmes et reprendre l'assaut de Port Soleil. Ou la masse principale pouvait migrer et attaquer une autre ville.

Pendant que Yarg cherchait à se soustraire aux marques de reconnaissance trop enthousiastes, les éclaireurs rapportèrent une nouvelle d'importance : la masse principale avait été repérée sur les flancs des montagnes Folles.

— Donnons l'assaut avec toutes les équipes de lance-feu ! suggéra aussitôt Yarg. Avec notre puissance de feu combinée, nous pourrons causer des dommages importants, sinon définitifs, à ces saloperies !

Graboriau et Beaufils partageaient cet avis : ils convinrent toutefois d'attendre au lendemain. La nuit allait tomber, et les troupes avaient besoin de dormir un peu.

◆

À l'heure où les premières lueurs d'une aube gri-sâtre révélaient l'intense activité qui régnait dans le camp, Yarg fut convoqué à la tente de Graboriau, avec Franacœur, Malitorne, Beaufils et les autres officiers supérieurs. Ils trouvèrent Graboriau au lit, souffrant le martyre. L'officier s'était blessé au dos pendant les combats de la journée précédente. Personne ne l'avait remarqué car il ne s'était pas plaint et l'énergie nerveuse l'avait soutenu tout ce temps. Mais la douleur l'avait rattrapé : suant et jurant, il expliqua qu'il était cloué au lit. Impossible pour lui de monter à l'assaut des flancs des montagnes Folles.

Il délégua officiellement son autorité au général Angrois pour la durée de son invalidité. Personne ne protesta ; en fait, Yarg eut l'impression que la plupart des officiers autour de lui étaient soulagés que son autorité ne souffre plus d'ambiguïté.

Malitorne se frotta les yeux en bâillant :

— Bon. Si cette question est réglée, je vais me recoucher. Vous me raconterez en détail ce que vous aurez vu. Prenez des notes ; la mémoire est une faculté qui oublie.

— Vous prendrez vos notes vous-même, dit sèchement Yarg. Vous nous accompagnez. C'est sur place que votre expertise sera utile.

— Comment ? Impossible ! Je ne sais pas monter à cheval !

— Vous vous assoirez dans un chariot. Mieux encore, vous marcherez, comme les troupiers.

Malitorne émit un cri éploré.

— J'aurais donc dû me blesser au dos moi aussi !

Yarg ignora les jérémiades et sortit pour continuer de superviser les préparatifs. En retournant vers sa tente, il aperçut Panserfio et Opilione en train de caresser trois chevaux, amenés là par un soldat de Casson. C'est à sa voix que Yarg reconnut le lieutenant Ducroist tellement le visage maculé de suie de ce dernier était méconnaissable. À sa voix, et à la conformation du vigoureux étalon qu'il tenait par le licou. Même si la clarté prématinale était encore trop faible pour bien voir, Yarg devina que le cheval avait une robe alezan, avec des bas blancs.

Le lieutenant salua Yarg d'un bref hochement de la tête.

— Mon général, ce sera un honneur pour mes hommes si vous et vos compagnons acceptiez ce modeste présent.

— Je suppose que Panserfio a déjà dit oui ?

— *Mfff!* fit le colosse en caressant le museau de l'autre alezan d'un air immensément soulagé, comme s'il avait pu croire que Yarg refuserait l'offre.

— Et toi, Opilione ?

— Mon général… répondit la jeune femme en posant la joue sur le museau rose du svelte étalon pommelé. Pourquoi poser des questions auxquelles vous connaissez la réponse ?

Yarg accepta le licou de la troisième monture.

— J'accepte donc moi aussi. Merci, lieutenant.

Ducroist reprit la parole, plus sombrement.

— Nous avons aussi appris que votre compagne faisait partie des victimes de la guerre. Permettez-moi, au nom de tous mes hommes, de vous exprimer toute notre solidarité, mon général.

Un sentiment mêlé de tristesse et d'attendrissement souleva la poitrine de Yarg. Il ne vit pas la nécessité de dire au lieutenant que la mort de Qiql n'avait rien à voir avec la guerre.

— Dites à tous vos hommes que j'apprécie votre sentiment. Montez-vous avec nous ?

— Bien entendu, mon général ! Ce sera un honneur de combattre à vos côtés !

Yarg ne répondit rien. C'était l'avantage d'avoir la réputation d'être laconique.

◆

Les troupes de la Coalition se mirent en branle au moment où le croissant lumineux du soleil surgissait à l'horizon. Au pied des montagnes Folles, à un peu plus d'une lieue de l'anse de Port Soleil, l'armée s'engagea dans une forêt en empruntant une route peu fréquentée qui serpentait selon les contours des marais. Ceux-ci disparurent lorsque la pente du sol s'accentua. Par les trouées dans la végétation, Yarg apercevait d'austères panoramas montagneux. De temps à autre, un oiseau de proie glissait dans le ciel délavé du matin.

La piste rejoignit une ancienne route pavée, si mal entretenue que des arbres avaient pris racine entre les pierres. Il fallut couper certains de ces arbres pour permettre le passage des chariots lourdement chargés de naphte, de soufre et de goudron.

La forêt devint clairsemée avec l'altitude. Les pisteurs entraînèrent Yarg, Panserfio, Opilione, les officiers des trois armées, soldats, miliciens, hommes d'intendance, montures et bêtes de somme, entre deux énormes pitons rocheux coiffés chacun d'un chapeau de mousse. Passé ce repère, un pont avait jadis enjambé le torrent qui dévalait le flanc rocheux. Seuls les piliers étaient encore reconnaissables. La troupe descendit dans l'encaissement pour franchir le cours d'eau à gué. Heureusement, il était peu profond. Après, elle dut remonter. L'encaissement rocheux formait une sorte d'escalier naturel qui facilita l'escalade. Il fallut néanmoins décharger les chariots, soulager les chevaux de trait de leur fardeau, et tout remonter à bras. Tout le monde, depuis les officiers jusqu'au plus humble des palefreniers, participa à l'effort général. Le seul qui se jugea au-dessus de ces considérations fut Malitorne ; il préféra gémir du fait que ce contretemps les retardait.

Une fois le convoi remonté sur l'ancien chemin, on accorda une pause pour permettre aux hommes et aux bêtes de souffler. Le capitaine Francœur partagea une pipe avec Ducroist, Yarg, Opilione et Panserfio. En silence, ils admirèrent la vue sur le plateau et la magnifique anse de Port Soleil, au-dessus de laquelle l'air était encore embrouillé de fumée.

Un éclaireur surgit entre les feuilles des oliviers sauvages, le claquement des sabots de sa monture assourdi par des chaussons de cuir. Il rapporta d'un air surexcité que l'essaim principal des chenilles avait pénétré dans une caverne, à moins d'une demi-lieue. Les insectes semblaient s'être fourvoyés dans un cul-de-sac : ils débordaient de la caverne, incapables de disparaître dans les entrailles de la montagne. Il fallait faire vite avant que les créatures comprennent la précarité de leur situation.

Branle-bas de combat ! Les cavaliers sautèrent en selle et l'expédition s'élança sur un rythme de marche forcée, hommes jurant, bêtes s'ébrouant et roues de chariot cognant sur la piste défoncée.

L'éclaireur retrouva son compagnon, accroupi derrière un affleurement rocheux à un endroit où la piste disparaissait en tournant derrière la pente abrupte. Il fit un signe aux troupes : l'entrée de la caverne se trouvait juste de l'autre côté.

Aussi rapidement et silencieusement que possible, les équipes de lance-feu préparèrent leur équipement. Pendant ce temps, les officiers glissaient chacun leur tour un regard pour tenter d'apercevoir l'entrée de la caverne où les chenilles s'étaient réfugiées.

— Qu'y a-t-il à craindre, si ce ne sont que des chenilles ? demanda Yarg.

— Des cacosmes gardent l'entrée, mon général, souligna l'éclaireur.

— Ils sont nombreux ?

— Non.

— Malitorne, chuchota Yarg par-dessus son épaule, qu'en pensez-vous ?

C'est Opilione qui lui répondit.

— Il est resté en arrière, non?

Tous regardèrent autour d'eux. Personne ne vit le petit homme à la cape noire.

— Je n'en crois pas mes yeux, fulmina Francœur.

L'officier rebroussa chemin pour interroger ses hommes. Il disparut derrière une paroi rocheuse, pour réapparaître à nouveau, toujours seul, le visage rouge de fureur.

— Il nous a filé sous le nez! Les hommes chargés de le surveiller se sont endormis. Ils vont goûter au cachot, cette bande de crétins!

— Nos hommes ne se seraient pas endormis au moment même où nous arrivions, dit Yarg. C'est Malitorne qui leur réservait un tour de magie. Tant pis! Nous nous débrouillerons sans lui.

Quand les équipes de lance-feu furent prêtes, ainsi que les soldats et les miliciens, Yarg ordonna à tout le monde de se déployer en arc de cercle devant la caverne, formation qui s'était avérée la plus efficace les jours précédents. Il avait pris le commandement des opérations, constatant que personne parmi les autres officiers, et encore moins chez les simples soldats et miliciens, ne semblait soucieux d'émettre une objection.

L'armée contourna l'affleurement rocheux.

À l'entrée de la caverne, sept cacosmes se dressaient, formant la plus insolite des gardes d'honneur devant la plus insolite et déconcertante des visions imaginables, celle d'une gigantesque masse de chenilles qui, apparemment, remplissait la cavité de la caverne jusqu'à sa voûte. C'était de loin la masse de chenilles la plus énorme qu'aucun soldat ait jamais vue.

Les sept cacosmes étaient parfaitement immobiles en dépit du fait qu'ils n'avaient pas pu ne pas entendre le bruit de l'armée en marche, qu'ils n'avaient pas pu ne pas sentir l'odeur piquante du soufre et du naphte, qui était certainement associée à la destruction et à la mort parmi eux.

Le seul mouvement que les créatures firent à l'approche des troupes de la Coalition fut un geste sans précédent. Elles levèrent le membre supérieur gauche en une parfaite simultanéité et restèrent ainsi, dans cette position.

Yarg s'attendait à tout sauf à pareille salutation. Ou s'agissait-il plutôt d'un geste de reddition ? d'une marque de défi ? Tous les combattants avaient accepté le fait que les créatures étaient capables d'apprentissage et d'adaptation, mais c'était la première fois que les cacosmes manifestaient un comportement qui ressemblait à une forme de communication.

Les deux factions s'observèrent un long moment. Yarg se rendit soudain compte que les officiers d'Achel et de Casson, ainsi que ses propres officiers, n'attendaient que son ordre pour commander aux équipes de lance-feu d'arroser sans rémission l'entrée de la caverne.

Il inspira profondément. Ils s'étaient tous lancés à l'assaut de la montagne avec l'intention d'en finir avec la menace cacosme. Maintenant qu'il était sur place, il saisissait à quel point l'obligation d'aller débusquer les chenilles dans le réseau des cavernes des montagnes Folles pouvait s'avérer coûteuse en matériel et en vies humaines, pour des résultats qui n'étaient pas assurés d'avance.

Le temps de prendre une décision était arrivé, il fallait que Yarg donne un ordre. Il allait ouvrir la bouche lorsqu'il vit derrière la « garde d'honneur » des sept cacosmes la masse des chenilles s'avancer de quelques pieds. Un murmure de tension monta des troupes derrière lui.

— Contrôlons nos hommes, dit-il avec une sévérité tranquille.

Francœur et ses lieutenants de Mont-Aigle ordonnèrent aux troupes de rester attentives ; ordres répétés par les officiers des armées de Casson et d'Achel.

Yarg échangea un regard avec Panserfio et Opilione : tous deux semblaient aussi dépassés par les événements que lui. Il était difficile de ne pas ressentir une impression de stupeur en voyant que la masse des chenilles n'avançait pas, mais qu'elle se gonflait, tel un nuage d'orage se déployant, se boursouflant, nourri de l'intérieur par la gestation des éclairs. Sauf qu'ici tout s'accomplissait dans un silence surréel.

Les sept cacosmes s'écartèrent un peu, comme pour céder le passage. Le mouvement parut à ce point solennel qu'il atténua l'aura menaçante qui se dégageait de la vision monstrueuse.

Au centre de la protubérance centrale de l'essaim se produisit alors une sorte de fourmillement localisé.

Un cacosme entièrement formé émergea d'entre les chenilles. Encore un comportement inouï. L'aspect de ce cacosme ne l'était pas moins. Pour la première fois, Yarg en contemplait un qui n'était ni corpulent ni noir lustré. Il était plutôt malingre, ses cellules constituantes d'une teinte grisâtre, mate comme de l'ardoise. La créature paraissait fragile alors qu'elle s'avançait sur des membres inférieurs raides et maladroits. Elle s'immobilisa exactement à la moitié de la distance séparant la masse des chenilles de la haie de cacosmes. Yarg songea à la théorie de Malitorne selon laquelle plus longtemps un cacosme restait formé, plus il devenait intelligent. Ce cacosme d'allure chétive était-il un vieillard ? un patriarche ? un sage ?

Tel un coup de massue, une évidence frappa Yarg, le genre d'évidence qui se trouve sous nos yeux mais que l'on refuse de voir tant elle nous apparaît invraisemblable.

Le cacosme… Sa taille, son ossature, la manière tout à fait inhabituelle dont les chenilles grisâtres qui le constituaient s'étaient agglutinées, surtout au niveau de la tête…

Il ressemblait à Malitorne !

Yarg savait que c'était proprement absurde et ridicule de penser cela, mais maintenant qu'il avait perçu la ressemblance, il était incapable de forcer ses yeux et son entendement à la faire disparaître. Il n'avait jamais vu Malitorne sans ses vêtements, mais il était certain que ce dernier possédait les mêmes membres malingres et nerveux, ce torse étroit, ces épaules un peu voûtées par le temps qu'il passait penché au-dessus d'un livre ou d'une table de laboratoire. Sans doute aurait-il conclu à sa propre folie s'il n'avait pas entendu gonfler derrière lui un bruissement de surprise et de consternation, venu des troupes de la Coalition, et surtout s'il n'avait pas entendu la voix d'Opilione s'élever, toute frémissante.

— Yarg… Qu'est-ce qui se passe ?

Le cacosme grisâtre leva le « bras » dans les airs, dans une pose identique à celle des sept autres.

Yarg resta un long moment muet, statufié. Il était sûr que même s'il avait conservé toute sa mémoire, aucune expérience de la vie n'aurait pu l'aider à savoir ce qu'il fallait répondre à la salutation d'un Malitorne nu formé de chenilles ! Devait-il saluer à son tour ? Ou ordonner d'arroser la monstruosité avec tout ce que son armée possédait comme lance-feu ?

Il s'aperçut que Panserfio essayait depuis un moment d'attirer son attention. Le colosse lui mima une série d'instructions. Yarg hocha doucement la tête : il n'avait pas la moindre idée de ce que son compagnon voulait lui dire. Avec un grand soupir d'exaspération, Panserfio commença à se déshabiller.

— Qu'est-ce que tu fais ?

Avec le roulement d'épaules que le colosse affectionnait quand il renonçait à essayer de se faire comprendre, il retira son casque, son plastron, sa chemise… Il sembla à Yarg que, de tous les événements extraordinaires survenus depuis son éveil au monde, celui-ci était le plus absurde et inusité de tous. Une fois entièrement nu, Panserfio jeta un dernier regard vers Yarg, comme s'il attendait une permission de sa part.

— Il veut parlementer, expliqua Opilione d'une voix blanche.

Il fallut à Yarg un effort de volonté surhumain pour contenir le rire hystérique qui lui gonflait la poitrine. La logique était imparable dans sa folie ! Qui était mieux placé qu'un muet pour parlementer avec des créatures sans voix ?

Panserfio se plaça dans l'axe de vision du cacosme-Malitorne – ou enfin, dans ce qui aurait été son axe de vision si les renfoncements des orbites avaient été remplis par autre chose que des chenilles grisâtres. Il était difficile de comprendre à quoi pouvait bien correspondre la vision d'un cacosme, s'il était vrai, comme l'avait prétendu Malitorne, que ces créatures voyaient en combinant les images retransmises par les yeux de l'ensemble des chenilles qui le constituaient.

Quoi qu'il en soit, le colosse leva la main, dans une pose semblable à celle adoptée par la créature.

Instantanément, les sept gardes et le cacosme-Malitorne baissèrent leur membre. Les troupes derrière Yarg s'agitèrent. Les ordres chuchotés par les officiers ramenèrent le calme. Tout le monde comprenait qu'un événement sans doute unique dans l'histoire du monde était en train de se produire.

Panserfio baissa doucement la main à son tour. Homme et cacosme se fixèrent un certain temps.

Le cacosme-Malitorne bougea enfin. Il pointa son membre supérieur vers Panserfio, puis traça dans les airs un grand geste englobant le reste de la troupe de la Coalition.

Tu représentes ton peuple/espèce/territoire.

Panserfio se frappa la poitrine, puis répéta la même série de gestes vers le cacosme.

La créature frappa son torse étroit.

Je représente mon peuple/espèce/territoire.

Une longue pause suivit. Le cacosme-Malitorne entreprit un nouveau geste vers la troupe des humains, une série de petits gestes secs, comme s'il faisait mine de les repousser.

Partez maintenant.

Non, fit Panserfio.

Partez!

Non! C'est à vous de partir.

Impossible. Nous prenons possession de ce territoire.

Nous refusons, fit Panserfio.

Nous vous tuerons! tempêta le cacosme-Malitorne, reproduisant de manière surréelle les maniérismes de la personne qui avait servi de modèle à la créature. Panserfio se livra à une longue pantomime, en montrant les troupes déployées derrière lui – *Nous sommes nombreux –,* en désignant les équipes de lance-feu – *Nous possédons le feu –* puis en reproduisant le geste d'écraser une chenille sous son talon – *Nous sommes féroces et impitoyables.*

Le cacosme-Malitorne répéta : *Nous vous tuerons! Nous vous tuerons!*

— Deux équipes de lance-feu, un jet bref, sans toucher personne, ordonna Yarg.

Les deux équipes de lance-feu les plus rapprochées dirigèrent le bout du tuyau de leurs armes vers les parois de l'encaissement, puis manœuvrèrent leurs soufflets. Deux traits de feu tracèrent une parabole dans les airs, pour terminer leur trajectoire sur la roche dans une explosion de flammes et de fumée âcre à faire tousser.

Le cacosme-Malitorne répéta sa menace. Panserfio ne se donna même pas la peine de répondre. Dressé de toute sa hauteur face à l'armée des chenilles, les deux pieds bien calés sur la roche nue, le colosse posa les poignets sur ses hanches comme s'il les défiait à lui seul d'oser faire un pas dans sa direction.

On eut dit que devant pareille démonstration d'arrogance, le cacosme-Malitorne était incapable de contenir sa rage. Il se jeta sur son interlocuteur, ses bras malingres battant l'air devant lui.

— Panserfio ! cria Opilione.

Cette fois-ci, Yarg ne chercha pas à contenir ses troupes, d'autant plus que lui-même fut le premier à s'élancer, épée prête à frapper pour arracher leur porte-parole aux griffes de l'ennemi.

Ce ne fut pas un combat. Pas dans le sens qu'un soldat accorde à ce terme.

Panserfio, par réflexe, repoussa le cacosme qui lui sautait dessus avec un solide coup de paume au milieu de la poitrine. La main défonça le torse de la créature, aussi fragile qu'un nid de guêpes. Le cacosme-Malitorne abattit son poing au visage de son adversaire : c'est le poing qui éclata, telle une pomme blette lancée sur un mur.

Panserfio ne se défendait même plus contre les assauts aussi insanes que futiles du cacosme. Yarg, qui connaissait bien son ami, avait même compris que le colosse aurait voulu simplement contenir la créature, la raisonner, la calmer... Mais le cacosme-Malitorne se déchira littéralement de rage contre Panserfio, jusqu'à ce qu'il n'en reste plus rien. Rien que des chenilles vieillies et fragiles, qui agonisaient au sol à l'endroit où elles étaient tombées.

Ce fut ensuite au tour des sept cacosmes de se liquéfier en milliers de chenilles, même si ces dernières ne moururent pas mais réintégrèrent l'essaim principal.

Panserfio récupéra ses vêtements et commença à s'habiller. Opilione courut le rejoindre. Elle se serra contre lui, muette. Panserfio se rapprocha enfin de

Yarg – du général Angrois. Il fit un geste qui semblait signifier : *Je pense que la guerre est terminée*.

L'essaim des chenilles commença à émerger de la caverne. Les troupes de la Coalition s'écartèrent pour le laisser passer. Longtemps les hommes contemplèrent le flot apparemment intarissable d'insectes disparaître derrière un repli rocheux. Puis ils finirent par se lasser, tant il est vrai qu'on s'habitue à l'étrange et à l'extra-ordinaire. Le général Yvain Angrois ordonna à l'armée de la Coalition de rebrousser chemin ; seule une poignée de sentinelles restèrent sur place afin de garder un œil sur le phénomène.

CHAPITRE 23

*Où l'on assiste au retour triomphal
du héros dans sa ville natale,
avec bien des explications qui apporteront
un éclairage insoupçonné*

Après le départ des chenilles – qui ne reviendraient pas avant treize ans, douze au plus tôt –, les troupes de la Coalition ne quittèrent pas Port Soleil sur-le-champ. Il fallait assurer l'ordre public, distribuer des vivres et de l'eau, organiser les premières étapes du nettoyage et de la reconstruction. Conformément aux instructions des Électeurs de Casson, d'Achel et de Mont-Aigle, les généraux de la force militaire destituèrent certains des administrateurs de Port Soleil pour les remplacer par des personnes aux intérêts politiques mieux alignés sur ceux des trois villes, ou du moins est-ce ainsi qu'Opilione interpréta ces ingérences dans la politique locale.

La jeune femme ne se priva pas d'exprimer son déplaisir à Panserfio et à Yvain Angrois face à cette prise de contrôle des rênes de Port Soleil. C'est vrai que depuis longtemps on reprochait à la ville portuaire et à ses habitants leur mode de vie insouciant et libertaire. Mais il aurait fallu être ingénu pour ne pas suspecter que le principal intérêt des villes étrangères n'était pas tant la rectitude morale des citoyens de Port Soleil que le contrôle de leurs banques enrichies par le commerce libre et l'afflux des visiteurs étrangers venus goûter aux charmes multiples de la capitale.

S'il en restait encore quelques-uns, de charmes, après pareille destruction…

Les gens de la place étaient bien trop occupés à nettoyer pour s'opposer à ces manœuvres bassement opportunistes, expliquait toujours Opilione, lorsqu'ils n'attendaient pas la distribution de nourriture en face de leurs maisons délabrées. Si le tas de pierres calciné devant lequel ils attendaient méritait encore l'appellation de maison !

Le général Yvain Angrois, qui écoutait ces doléances dans sa tente du camp de la Coalition, aurait bien voulu abonder dans le sens d'Opilione – à condition que celle-ci parle moins fort –, mais il dut lui rappeler l'évidence : en récupérant son identité de général de Mont-Aigle, il avait perdu sa liberté d'actes et de paroles.

Après cet aveu d'impuissance, Opilione avait paru immensément lasse et triste.

— Je ne sais pas pourquoi je m'emporte. La Sororité n'est plus que cendres. Mes sœurs sont dispersées. Les oliviers du parc ne sont plus que des chicots noircis. Le Port Soleil de mon enfance n'existe plus.

Panserfio, les bras ouverts, fit signe à sa compagne d'approcher. La jeune femme accepta de venir se blottir contre lui, mais la tristesse ne quitta pas son fin visage.

— Les villes se reconstruisent, dit Yvain.

— J'imagine que tu as raison, soupira Opilione. Mais sans toi ni Qiql, ce sera ennuyeux.

Une bouffée soudaine de mélancolie serra le cœur d'Yvain Angrois. La fureur et le tumulte des combats avaient eu leur bon côté. Cela lui avait permis de ne pas songer à Qiql. Il savait que ses grands yeux clairs et son pâle sourire le hanteraient dès qu'il aurait le malheur d'avoir le temps de s'asseoir et de penser.

— Ne me demande pas de demeurer ici. N'importe où dans le monde, sauf ici.

◆

La stupéfiante révélation selon laquelle l'agressivité des chenilles était causée par la présence d'un cacosme aux traits de Malitorne noyé dans leur essaim alimenta nombre de discussions et de spéculations, souvent entretenues par l'incrédulité des personnes qui n'avaient pas assisté au phénomène.

Le laboratoire de l'expert en chenilles fut examiné et fouillé. On y trouva de nombreux ouvrages philosophiques et magiques, certains rédigés de la main même de Malitorne, avec d'abondants commentaires sur les chenilles et les cacosmes, et un grand nombre d'illustrations à la sanguine et à la pointe sèche. Yvain Angrois jugea que le magicien était un artiste talentueux. Ses écorchés de chenilles et ses esquisses de cacosmes en mouvement étaient en tout point remarquables. Sa prose, par contre, lui parut surcompliquée, rédigée dans un prabale encore plus archaïque et soutenu que celui de Panserfio, alourdi de surcroît par l'emploi d'un vocabulaire spécialisé et d'innombrables sigles renvoyant à des concepts inconnus : principes mercuriels, sublimations, corps hermétiques… Il se montra d'autant moins persévérant qu'il connaissait désormais sa véritable nature et place dans le monde : il était un soldat, pas un thaumaturge.

Il demanda à Opilione si elle ne connaissait pas à Port Soleil des savants susceptibles de déchiffrer pareil embrouillamini.

— J'en connaissais une : maîtresse Torcolia.

Devant les larmes de la jeune femme, Yvain Angrois n'insista pas.

◆

Un courrier venu de Mont-Aigle se présenta au camp de la Coalition. L'annonce de la victoire contre les cacosmes, combinée à celle du retour du général Yvain Angrois, avait mis la ville en effervescence. Le général Angrois, le capitaine Francœur ainsi qu'une partie des officiers des troupes de Mont-Aigle étaient relevés de leurs obligations et convoqués devant le Grand Électeur Soliveau pour recevoir les remerciements personnels du représentant des magnats et du conseil des élus. Un codicille au message spécifiait que le général Graboriau allait rester sur place pour superviser le travail des troupes restantes.

L'officier, qui avait à peu près récupéré la faculté de se lever et de marcher, accepta la rétrogradation implicite beaucoup plus sereinement que celui qui le remplacerait désormais à la tête des troupes de Mont-Aigle.

— L'injustice est intolérable, dit Yvain à Graboriau. Tu mérites de retourner en triomphe à Mont-Aigle autant que moi, sinon plus. J'intercéderai en ta faveur auprès de Soliveau, pour que la vérité soit dite.

— Tu as toujours été proche de Soliveau. Même avant d'être le héros qui a défié la mort pour sauver sa femme. Il est normal qu'il en soit ainsi. Je ne t'en veux pas.

— J'admire ta magnanimité.

Un sourire acide.

— Du fatalisme, plutôt. Avec ton retour et le départ des cacosmes, c'est l'ordre normal du monde qui reprend ses droits. Allez ! Va te faire couvrir de gloire ! Tu le mérites.

◆

Les officiers convoqués à Mont-Aigle partirent le lendemain. Une fois en selle, Yvain Angrois vit un trio de cavaliers s'approcher : le capitaine Francœur, avec

Opilione et Panserfio sur ses flancs. Ses deux compagnons d'aventures étaient presque méconnaissables, débarrassés de leurs uniformes crasseux et habillés de vêtements civils. Ils arboraient également un air de satisfaction quelque peu moqueur, comme si leur présence avait un caractère de défi. Ce qui était peut-être le cas : ni l'un ni l'autre n'avaient été formellement invités par le Grand Électeur, ce dernier ignorant leur existence. Apparemment, c'était Francœur qui les avait autorisés à les accompagner.

Yvain ne dit rien : il envisageait avec déplaisir le moment où il lui faudrait faire ses adieux à ses amis. Autant repousser cette obligation le plus tard possible.

La troupe chevaucha deux jours sans se presser, admirant des panoramas sylvestres qui remuaient en Yvain des impressions de souvenirs qu'il n'aurait su distinguer de souvenirs véritables. Il pensait parfois qu'il s'illusionnait lui-même au sujet de sa faculté de reconnaître ces lieux qu'il avait connus. Il avait été tenté à plusieurs reprises de révéler la vérité au sujet de son amnésie, au moins à Francœur. Mais n'avait-il pas trop tardé désormais ?

Après une nuit passée dans une auberge de montagne où le tenancier fut tout intimidé par la qualité de ses clients, ils reprirent la route. L'après-midi, la compagnie passa un col entre deux parois escarpées et un panorama empreint de noblesse apparut. Une route en lacet descendait jusqu'à des remparts construits de la même pierre gris-bleu qui formait les montagnes Folles. De l'angle surélevé où Yvain se trouvait, Mont-Aigle était un fouillis de toits pointus, serrés tels des oiselets frileux dans un nid ceinturé de remparts rien moins que vertigineux. Il comprenait la raison pour laquelle Mont-Aigle avait si peu souffert des cacosmes !

Au milieu de la cité s'élevait une haute bâtisse grise, anguleuse et austère tel un patriarche qui a toutefois conservé la vigueur de ses jeunes années. Une rivière aux eaux vives – la Tosse – traversait la vallée pour disparaître sous les remparts, hors de la vue d'Yvain.

Une troupe de soldats vint à leur rencontre, montée sur de grands chevaux bais. Un officier s'inclina bien bas devant les vainqueurs de la guerre des cacosmes, puis tous chevauchèrent vers la ville. Sur leur chemin, des paysans et d'autres personnes du peuple poussèrent des vivats. Sur les remparts se pressaient les habitants de la ville. À la verticale de la passerelle du pont-levis, une phalange de dignitaires s'était installée sous un dais battant doucement dans la brise qui descendait des sommets environnants.

Opilione demanda au capitaine Francœur lequel de ces grandioses personnages était le Grand Électeur Soliveau.

— Celui au centre, habillé de noir.

— Son faciès est empreint de noblesse. Et celui à sa droite ?

Le capitaine Francœur déclina l'un après l'autre le nom et la fonction des dignitaires alignés sous le dais. Yvain, l'air de rien, écoutait attentivement. « Prenez des notes », aurait sans doute conseillé Malitorne. Opilione jeta un regard dans sa direction. *Tu vois ? J'ai bien fait de venir…* sembla-t-elle dire avec ce fameux sourire matois qui fleurissait si souvent sur ses lèvres, à une époque qui avait paur paradoxalement plus simple et plus heureuse à Yvain que ce moment de triomphe, qu'il vivait comme si cela ne le concernait pas vraiment. Les choses lui auraient certes semblé différentes s'il avait senti à ce moment les bras de Qiql autour de son torse, et la tiédeur de sa joue blanche contre son cou…

Des larmes de joie – du moins est-ce ainsi qu'elles furent interprétées par la foule en liesse – brillèrent dans les yeux du valeureux général Angrois lorsqu'il franchit avec ses compagnons les murs d'enceinte de

Mont-Aigle au son des cors et des tambours, sous la pluie de pétales de fleurs lancés par une rangée de fillettes postées sur toute la longueur du chemin de ronde.

Un corpulent dignitaire engoncé dans un fabuleux costume tissé d'or accueillit les officiers à leur descente de cheval : le sénéchal Patrice, le gardien des clés de la ville, comme l'avait appris à peine quelques instants plus tôt Yvain en écoutant Francœur. Avec emphase, le sénéchal leur souhaita tous la bienvenue au nom du Grand Électeur Soliveau. S'il fut étonné par la présence non annoncée d'un colosse et d'une jeune femme à quatre bras en compagnie du héros revenu, il sut le dissimuler.

Suivirent des discours, des déclarations officielles, des remises de médailles ; tout ceci sous le regard bienveillant, quoique distant, du Grand Électeur Soliveau, qui tout ce temps demeura en retrait à l'ombre du dais. À un moment donné pendant les cérémonies, Yvain trouva certes un peu surprenant que le hautain personnage ne condescendît pas à venir le saluer en personne. Sans doute n'était-ce qu'une question de protocole.

Les glorieux invités, entourés par la foule, furent ensuite conduits au pied du château de Mont-Aigle pour une cérémonie aux tonalités plus sombres. À l'angle formé par le mur du château et un petit parc, un pont majestueux franchissait la Tosse à son point le plus étroit, tout juste avant que les flots vifs s'abîment dans une cataracte grondante, quasiment deux cents pieds en contrebas sous les contreforts du château. Des gerbes de fleurs avaient été répandues au centre exact du pont de la Gloire.

Pour la première fois, le Grand Électeur Soliveau s'approcha du héros. Les deux hommes se fixèrent – c'était à qui garderait le visage le plus impassible et le plus froid. Yvain ressentit la même étrange impression face au Grand Électeur que lorsqu'il avait rencontré pour la première fois le capitaine Francœur. Il n'aurait pas été capable de dessiner dans sa mémoire ces joues creuses, ce regard bleu nuit, ce haut front ceint d'une couronne de velours pourpre, ces cheveux gris comme de l'acier brossé; et pourtant la première pensée qui trouva instantanément sa niche dans son esprit fut qu'il avait souvent contemplé de près ce visage austère.

Soliveau se détourna de son valeureux général, pour s'adresser à deux personnages qui l'avaient suivi, chacun vêtu d'une soutane du même pourpre que la couronne de leur prince :

— Archivistes du royaume, dit le Grand Électeur en prononçant chaque mot avec une grande solennité, en vos qualités vous serez témoins, pour les généra-tions futures qui prolongeront dans le temps la gloire et l'honneur de Mont-Aigle, de ma décision afin que le noble ouvrage de pierre qui vibre sous nos pieds, joyau des cimes, fruit du génie humain et de son labeur, ne porte plus le nom de pont de la Gloire. Il sera désormais nommé pont Rhéole-Guychesne, afin d'honorer pour l'éternité celle qui fut la plus tendre, la plus aimée et la plus regrettée des épouses.

Yvain Angrois, le regard perdu dans le panorama embrouillé de brume qui se déployait sous ses yeux, apprit enfin comment s'appelait celle qui avait fait de lui un héros. Rhéole Guychesne. Même en rêve, il avait pensé à elle comme à « la Jeunette ».

Un banquet fut servi. Tout au long, Yvain eut l'im-pression qu'il percevait l'univers entier à travers un voile translucide qui assourdissait les sons et atténuait les couleurs. À son immense soulagement – et fort probablement aussi à celui d'Opilione et de Panserfio –, toutes ces cérémonies arrivèrent à leur fin. Opilione et Panserfio furent conduits aux appartements qui leur avaient été attribués dans le château. Yvain les suivit, essayant de conserver un air nonchalant tout ce temps, mais en réalité parfaitement embarrassé à la perspective d'être obligé de demander son chemin. Une fois arrivé aux appartements de ses amis, son esprit engourdi trouva le moyen de se tirer d'affaire. Il demanda au serviteur qui les avait conduits :

— J'imagine que mes quartiers sont maintenant occupés par le général Graboriau ?

— Noble général ! s'exclama le serviteur, qui semblait inquiet à la perspective qu'on cherche à le prendre en défaut. Nous vous avons relogé dans la tour Pourpre, il va sans dire ! En attendant d'avoir relogé le général Graboriau, il va sans dire !

— Inutile de précipiter ces choses. Je peux demeurer avec mes camarades, en attendant leur retour à Port Soleil.

— Excellente idée, s'empressa de dire Opilione. Nous avons encore tant de choses à nous dire.

— Il en sera fait selon votre désir, mon général. Mais pour tout de suite, j'ai l'honneur de vous signaler que son Excellence Soliveau désire s'entretenir avec vous.

Yvain hocha la tête pour exprimer son approbation, certain que les élans de son cœur devaient être audibles par tous. Il se tourna pour saluer ses amis, avec une sécheresse qui, il s'en rendit compte lui-même, trahissait sa nervosité.

— C'est la fin du voyage, dit Opilione.

— Exact. Et il ajouta, platement : J'y vais.

— Ça vaut mieux.

— Ne repartez pas à Port Soleil sans venir me saluer.

Une lueur attendrie scintilla dans les yeux noirs de la jeune femme.

— Nous essaierons de ne pas oublier.

— *Mmm*, fit Panserfio, qui ne semblait pas trop savoir lui non plus quelle attitude adopter.

Yvain se tourna vers le serviteur.

— Vous m'accompagnez ?

Si le domestique trouva la requête étrange, il ne le montra pas. Yvain Angrois le suivit le long d'un couloir au sol illuminé par les rayons obliques du soleil couchant. Tous les serviteurs qu'ils rencontraient le saluaient avec les marques de la courtoisie et du respect. Une certitude naturelle vint à l'esprit d'Yvain : il devait se contenter d'accepter ces salutations, sans répondre en retour.

Yvain Angrois avait déjà parcouru en rêve, quand il était prisonnier de sa cage, ces couloirs au plancher de pierre. Il était passé devant ces riches draperies ; il avait vu tourner ces murs, insubstantiels alors, tangibles maintenant ; il avait entrevu en songe les pics vertigineux des montagnes à travers ces fenêtres à carreaux sertis de plomb ; il avait surpris par l'entre-bâillement le décor riche et sombre de l'antichambre où l'attendait le Grand Électeur Soliveau, solitaire au fond de la pièce.

Le serviteur qui avait accompagné Yvain Angrois s'éclipsa et ferma la porte derrière lui.

Yvain s'avança vers Soliveau, le bruit de ses pas absorbés par l'épais tapis. Sur des tables le long du mur s'alignaient des livres rares, des statuettes en or, des bibelots précieux. Au-dessus du Grand Électeur, un tableau le représentait, assis sur un trône, l'air tout de même un peu emprunté dans un costume d'apparat, avec sa femme debout à son côté, svelte et gracieuse. La riche lumière du soleil de la fin d'après-midi qui pénétrait dans l'antichambre par un vitrail n'éclairait pas le visage de Rhéole Guychesne. De la Jeunette.

Soliveau était assis droit dans son trône, les deux mains posées l'une contre l'autre sur la table devant lui, une longue table à la surface couverte d'un fin velours pourpre. Sa posture rigide frappa Yvain tant elle lui paraissait formelle et hiératique. Le Grand Électeur n'avait pas levé le regard. Il semblait fasciné par le coffret de bois posé sur la table devant ses mains ; une sorte d'écrin à bijoux, avec des ferrures en or et une délicate marqueterie qui décorait le couvercle. Le prince parla enfin, la voix réduite à un chuintement :

— J'ai l'impression d'être empêtré dans les filets d'un rêve. Es-tu un spectre revenu me hanter ?

— Je suis réel, dit Yarg.

Le Grand Électeur Soliveau leva enfin les yeux. Les deux hommes se jaugèrent longtemps l'un l'autre, comme si chacun espérait que son vis-à-vis prendrait l'initiative de poursuivre la conversation. En vérité, Yarg… Assez ! Il ne s'appelait plus Yarg… Allait-il un jour réussir à extirper ce nom ridicule de sa mémoire ? En vérité…

En vérité, le général Yvain Angrois était incapable de trouver quelque chose à dire qui lui semblât approprié. La froideur de l'accueil tranchait complètement avec celui des soldats et du peuple de Mont-Aigle. Soliveau était-il encore sous le choc de la mort de sa femme ? Quels pénibles souvenirs avaient dû resurgir dans son âme en voyant réapparaître celui qui avait failli à sa charge d'assurer sa protection ? Comment ce dernier osait-il se présenter à nouveau devant son prince alors que, par sa négligence, le trésor le plus précieux de la ville avait péri ?

— Alors ? dit Soliveau. Qu'as-tu pensé de toute cette cérémonie ? Ça t'a plu ? Tu n'imaginais pas que ton retour à Mont-Aigle serait aussi triomphal, n'est-ce pas ?

— Non, en effet.

La tonalité sarcastique des questions ne pouvait pas échapper à Yvain, ce qui le laissait plus décontenancé que jamais.

— Quelles sont tes intentions à mon sujet ? reprit Soliveau, le regard d'une fixité reptilienne. Maintenant que tu es rendu intouchable par ta renommée, tel un héros antique ?

Yvain prit une respiration, cherchant une réponse qui lui laisserait le temps de penser.

— Je n'ai pas encore pris de décision.

Soliveau se pencha pour repousser l'écrin. Ses mouvements étaient lents comme ceux d'un vieillard.

— Cela pourrait donc t'inspirer peut-être…

Yvain Angrois hésita, le temps d'un battement de cœur. Il tira le coffret vers lui. Le couvercle refusa de s'ouvrir.

— Veux-tu que je t'aide ?

Il finit par comprendre comment fonctionnait la fermeture. Il souleva le couvercle.

À l'intérieur du coffret, dans un écrin de velours pourpre, reposaient un court poignard dans son fourreau ainsi qu'une bouteille de cristal, carrée, au bouchon de liège taché par le suintement d'un liquide brunâtre.

D'une main tremblante, Yvain s'empara de l'arme, un objet de fort belle facture, le manche sculpté aux contours de la main, constitué d'une alternance de lamelles d'os et de bois rouge. Il dut tirer un peu plus fort qu'il ne s'y attendait pour dégainer la lame du fourreau. L'ouverture était ajustée serré pour que le liquide contenu dans le fourreau ne s'écoule pas. Yvain distingua de fines rainures à la surface noircie de la lame.

La pointe manquait.

Il était une des rares personnes au monde qui savait que la partie manquante de la lame gisait sur un haut-fond de la mer Tramail, parmi les décombres de la *Diamantine*, au milieu d'un champ de cadavres lestés de fer.

Tout ce temps, Soliveau étudiait son vis-à-vis.

— Ce n'est qu'une suggestion, bien sûr. J'ai pensé que tu apprécierais la symétrie. Frappe fort et juste, s'il te plaît. Ne te fie pas au poison sur la lame : à te voir devant moi, je conclus qu'il doit être éventé. Mais allons, je te fais confiance. On m'a dit que tu n'avais rien perdu de ta maîtrise des armes.

Son interlocuteur ne pipa mot.

— Que se passe-t-il, Yvain ? demanda Soliveau, les sourcils froncés, le ton plus caustique que jamais. Tu sembles désemparé ? Ta main tremble ? Tu as sûrement ruminé ta vengeance et comploté ma chute pendant ton exil, mais maintenant qu'il faut passer du rêve à la réalité, tu faiblis ? Prendre une décision n'est jamais facile, n'est-ce pas ? C'est une coupe amère à laquelle les princes doivent boire chaque jour, qu'ils aient soif ou pas. Te voici face à moi, tu mesures enfin les conséquences de tes actes, des révélations que tu pourrais faire, n'est-ce pas ?

Yvain Angrois ne répondait toujours rien.

Le Grand Électeur Soliveau se leva et se détourna de son général, le regard levé vers le portrait qui le représentait avec sa femme. Le soleil ne s'était pas encore suffisamment déplacé pour permettre à Yvain de distinguer les traits de Rhéole Guychesne. Il serra plus fort la poignée de la dague avant d'ajouter :

— C'est Malitorne qui vous a procuré cette arme ?

— Qui d'autre se passionnerait pour ce genre de curiosités ? Je ne sais pas si tous les magiciens sont comme lui ou s'il s'agit d'un trait de caractère qui lui est propre…

— Savez-vous dans quel poison elle trempe ?

— Je ne suis pas herboriste, dit Soliveau, qui semblait quelque peu décontenancé par l'obstination de son interlocuteur à revenir sur un détail aussi insignifiant.

Son regard se porta à la gauche d'Yvain, et il reprit, d'une voix suffisamment forte pour être entendue jusqu'au fond de l'antichambre :

— Le général désire connaître la nature du poison dans lequel trempe ma dague.

Yvain fit volte-face. Dans la pénombre au fond de la pièce flottait un cercle pâle, une lune aux traits malfaisants. Le personnage s'approcha dans la riche lumière vespérale, qui révéla un corps malingre vêtu de noir depuis le cou jusqu'à la pointe de ses bottillons. Il tenait dans sa main droite une baguette de verre curieusement ouvragée, munie d'une poignée de bronze hérissée de divers leviers, qu'il pointait de façon menaçante dans la direction d'Yvain.

— Il s'agit d'une substance qu'on appelle le léthé, messire.

— Malitorne!

Yvain posa la main par réflexe sur la poignée de son épée.

— Oh que nenni!

Du bout de l'index, le magicien activa un levier de son instrument. Un rayon de lumière jaune jaillit de la baguette de verre et vint entourer d'une spirale lumineuse la personne qui se trouvait dans son prolongement. Yvain sentit un fourmillement extrêmement désagréable lui parcourir le corps en entier, et il se rendit compte qu'il était incapable de bouger.

— Je ne me ferai pas capturer une seconde fois comme un vulgaire benêt! glapit Malitorne sur un ton aigu, le visage secoué par un tic de nervosité jubilatoire. Ah! Quand je songe à tous ces mois passés enfermé dans votre infâme cachot, à m'agonir d'insultes pour ma candeur et mon étourderie, en sachant que dans mes coffres à cent pieds des murs de ma prison je possédais tous les instruments nécessaires pour faire payer chèrement l'audace de quiconque oserait mettre la main sur moi!

— Arrête donc de te plaindre, coupa le Grand Électeur Soliveau, qui contourna son bureau pour s'approcher d'Yvain – en restant tout de même à une distance prudente du rayon spiralé.

— Or ça ! On voit bien que ce n'est pas vous, messire, qui couchiez sur la paille, nourri d'insultes et de pain moisi ! Après tous les services accordés à mon prince, j'aurais aimé un peu plus de mansuétude de sa part.

— Je t'avais prévenu d'arrêter de fricoter avec des fillettes impubères, dit Soliveau sur un ton morne. Je n'avais aucune envie de scandaliser la population en intervenant dans le processus judiciaire. Veux-tu connaître le fond de ma pensée ? C'était bien fait pour toi !

Laissant clairement entendre par son attitude que ce sujet particulier ne l'intéressait guère, il reporta son attention sur Yvain :

— Sa gorge est-elle paralysée ? Peut-il parler ?

— Je peux parler, dit celui-ci. Est-ce également vous qui m'avez troublé la vision avec des bandelettes magiques ?

Soliveau émit un petit rire vaguement admiratif.

— Tu t'es rendu compte de ça aussi, hein ? Je t'aurai toujours sous-estimé.

— Je n'ai pas la moindre idée de la façon dont il s'y est pris pour retirer les Affadisseurs ! dit Malitorne.

— Si tu pouvais simplement te taire, je considérerais cela comme le plus grand prodige de ta carrière ! Tes bandelettes se sont avérées à peu près aussi efficaces que ta fameuse « empreinte psychique » avec laquelle tu as débarrassé la région des chenilles.

— Mais ça a marché ! protesta Malitorne. Mon action a sauvé les récoltes il y a treize ans. Las ! qui aurait pu prévoir que cette empreinte serait conservée toutes ces années par l'essaim des chenilles ? Qui aurait pu imaginer que cela induirait semblable phénomène ? Personne ! On m'accuserait de n'avoir pas prévu l'imprévisible ? Cela n'est ni juste ni logique !

Le Grand Électeur s'appuya sur le coin de sa table de travail, le dos soudain voûté, l'air las et vieilli. Avec un regard vers le prisonnier de la spirale de lumière, il reprit, dans un immense soupir :

— Maintenant… Maintenant… Que m'obliges-tu à faire, Yvain ? Quelle idée, vraiment, de revenir ici ? Tu t'imagines qu'il te suffira de dire la vérité ? Même si l'on te croit, tu t'imagines que tu auras le beau rôle dans cette histoire ? Qui donc penses-tu a imaginé cette belle romance ? Ta chevaleresque plongée dans la chute pour sauver Rhéole ? C'est moi qui ai fait de toi un héros, Yvain ! Moi, le seul témoin de la scène. Je peux te redescendre de ton piédestal tout aussi vite !

Tout ce temps, Malitorne écoutait parler son souverain, une grimace d'incompréhension sur son visage lunaire.

— Vous voulez dire ? Ce n'est pas ce qui s'est passé ?

Soliveau éclata de rire en hochant la tête.

— Si même toi tu y as cru, mon pauvre ami !

Le magicien rougit, mécontent du commentaire implicite concernant sa crédulité.

— Messire, je vous trouve blessant. Pourquoi n'y aurais-je pas cru ? Votre épouse regrettée avait effectivement l'habitude imprudente de marcher sur la rampe du pont. Tout comme je sais à quel point notre général a le sang plus vif que la cervelle. Je n'avais aucune difficulté à me le représenter en esprit, sautant à sa perte. Ce fut d'ailleurs un des rares rayons de joie à illuminer la noirceur de mon cachot, lorsque la rumeur m'en est parvenue. Votre mensonge était fort bien ficelé, au contraire.

— Merci.

— Mais j'ignore toujours la vérité.

— Par mes ancêtres ! éclata Soliveau, les yeux grands ouverts de fureur, pour cracher en un murmure exaspéré : Vas-tu me dire que j'ai été le seul à me rendre compte que j'étais cocu ?

Sous le regard fixe d'étonnement de Malitorne, le Grand Électeur se mit soudain à trembler. Il lui fallut encore s'appuyer contre la table, et lorsqu'il releva les yeux vers Yvain, ce dernier y lut beaucoup plus de désarroi que de colère.

— Je regrette autant que toi mon emportement, Yvain. Ceci est une confession sincère, comme celles que je te faisais du temps où je pensais te compter parmi mes rares confidents. Je ne le regrette pas par rectitude morale – le rôle ne me conviendrait guère –, mais parce que j'ai mesuré depuis l'ampleur de ma perte. Quelle brève et noire jouissance que la mienne, pour d'aussi longs regrets ? Sache que j'ai été parfaitement déconfit de découvrir à quelle vitesse je pouvais perdre le sens commun pour une femme. Une femme qui ne m'aimait même pas. Je l'ai vue t'asticoter. S'amuser de toi, comme elle s'amusait des frayeurs des gens de la bonne société qui la regardaient marcher sur la rampe. Elle était si jeune. Si belle. Si vive. Comment puis-je t'en vouloir d'avoir succombé ? Tu n'aurais pas été un homme sinon. Que lui avais-tu dit, cette nuit-là, sur le pont, pour la faire rire ainsi, avec un abandon, une insouciance que je ne lui avais jamais connue ? Un bon mot ? Un compliment ? Une baliverne, comme en échangent les amoureux ?

— Je ne m'en souviens pas, dit le général Yvain Angrois d'une voix blanche.

Malitorne avait écouté le monologue de l'Électeur, d'abord embarrassé d'être le témoin malgré lui de pareille confession, puis peu à peu l'étonnement avait remplacé l'embarras.

— Messire ! Êtes-vous en train de suggérer que…

— Ça t'en a pris du temps ! s'exclama Soliveau en retrouvant sa verve sardonique. Eh oui, Malitorne !

C'est *moi*! C'est *moi* qui ai poussé Yvain dans la chute! Après l'avoir poignardé avec ta foutre de dague, trempée dans ton foutre de poison! Commences-tu à saisir l'intensité de ma déconvenue de le voir encore vivant, ici, devant nous?

Sans jamais détourner l'instrument magique qui retenait Yvain immobile, Malitorne recula de quelques pas.

— Il a survécu au léthé? Mais alors… Mais alors…

— Mais alors quoi?

— Messire! Vous ne comprenez donc pas? Il a perdu la mémoire!

— Qu'est-ce que tu racontes encore?

— Ceux qui survivent au léthé perdent la mémoire! Ça explique tout! jubilait Malitorne, son visage blafard agité par douze sentiments et quinze formes d'illumi-nations. Ça explique son étrange attitude, la façon déférente dont il me parlait. Moi qui pensais que c'était du sarcasme! Et la manière dont il avait toujours l'air de réfléchir avant de répondre à la plus banale des questions. Vous ne me croyez pas, messire? Mais regardez-le! Lisez dans son regard la confirmation que je n'exprime que la vérité!

Face au mutisme d'Yvain – à quoi auraient servi des dénégations alors que la question la plus anodine sur le plus trivial des potins de Mont-Aigle aurait confirmé le verdict de Malitorne –, l'incrédulité de Soliveau fit place à la stupeur.

— C'est vrai? Tu ne te souviens pas de moi?

— Je ne me souviens même pas de moi.

Le Grand Électeur resta un long moment silen-cieux, proprement sonné. Son corps voûté fut soudain agité de spasmes lents et réguliers. Yvain eut l'im-pression, grotesque, que Soliveau allait vomir; il finit par comprendre que l'autre riait. Il regarda Malitorne, un rictus douloureux et sauvage soulevant ses joues creuses.

— Tu n'aurais pas pu le dire plus tôt !

— Comment vouliez-vous que je devine que vous l'aviez poignardé avec votre dague ? glapit Malitorne, qui commençait juste à se rendre pleinement compte de l'ironie de la situation.

— Allons ! ce n'est pas si grave, dit Soliveau. Ça signifie, au bout du compte, qu'il va falloir continuer avec le plan d'origine. Tu m'as dit que tu pouvais le tuer avec ton appareil ? J'espère qu'il sera plus efficace que ton poison.

Au milieu du fourmillement douloureux qui lui engourdissait le corps, Yvain sentit son cœur s'agiter dans sa poitrine, et de la transpiration lui couler le long des temps. Au-delà de la peur de mourir, c'est l'ignominie de la situation qui lui sembla particulièrement intolérable. Mourir impuissant, paralysé. Pouvait-on imaginer pire déshonneur ?

Au travers de ces réflexions, il s'aperçut que Malitorne hésitait à appuyer sur l'autre levier de bronze de son arme magique.

— Qu'attends-tu ? dit Soliveau. Je pensais que tu le haïssais.

— Ce ne sont pas mes sentiments envers le général qui font problème, messire, mais la perspective de subir l'opprobre général.

— As-tu perdu tout sens commun, Malitorne ? Tu t'imaginais revenir à Mont-Aigle ? reprendre tes appartements ? On te haïssait d'avance. Maintenant, mes soldats affirment que tu es la cause de l'apparition des cacosmes.

— Encore un exemple de l'injustice du réel et de l'ingratitude crasse du peuple !

— Je compatis, dit Soliveau sur un ton qui n'était guère compatissant, mais je ne vois pas d'autre solution. Plus j'y pense, plus je trouve approprié que notre héros ici présent meure en sauvant son monarque des manigances d'une crapule notoire, celle-ci profitant de la confusion pour s'enfuir, ce qui est bien la marque des crapules après tout. (Il regarda brièvement vers le prisonnier.) Je ferai de toi un héros tragique, Yvain. Tu ne pourras pas dire que je n'ai pas été généreux envers ta mémoire. Et je ne serai pas pingre avec toi non plus, Malitorne, mais il faudra te contenter de richesses matérielles. Tu auras de l'or et une monture rapide pour fuir. Je pense que c'est le mieux que je peux faire dans les circonstances.

— Je déteste les chevaux !

— Ça suffit ! Finissons-en.

Malitorne prit une profonde inspiration, puis posa l'index sur le levier chargé d'induire une charge mortelle dans le rayon qui immobilisait Yvain Angrois.

Une statuette en or traça une parabole tourbillonnante au milieu de l'antichambre et termina sa course sur la main qui tenait la tige de verre magique. Malitorne cria de douleur, son glapissement accompagné d'un tintement suraigu de verre brisé.

La spirale de lumière jaune autour d'Yvain se volatilisa. Soliveau tenta de s'enfuir, mais le général l'avait déjà jeté à plat ventre sur la table, la dague qui n'avait jamais quitté sa main appuyée sur son cou. Du coin de l'œil, Yvain vit Opilione traverser l'antichambre, jonglant avec désinvolture avec trois autres statuettes, sans quitter Malitorne du regard.

— Un mouvement, et vous recevrez la prochaine sur le nez.

— Vous m'avez cassé la main ! sanglota Malitorne.

— Shhh ! fit Panserfio qui suivait Opilione, un doigt sur les lèvres, pendant qu'avec son autre main il bâillonnait le garde dont il avait coincé la tête sous son bras musculeux.

Soliveau tenta de se libérer, mais Yvain tint bon. Il ouvrit la bouche pour parler, mais il dut s'y reprendre à deux fois, tant il avait la gorge serrée de rage.

— La lame est encore enduite de poison. Prenez garde, messire. L'amnésie est le moindre des effets du léthé.

Le Grand Électeur cessa de s'agiter. Lorsqu'il regarda Yvain, son regard était celui d'un possédé.

— Qu'attends-tu, alors ? Venge-toi !

— Je n'ai jamais voulu me venger. Ni de vous ni de quiconque. Je voulais simplement connaître la vérité à mon sujet.

— Tu la connais, maintenant. C'est moins glorieux que tu ne le pensais, n'est-ce pas ?

— N'êtes-vous pas la dernière personne au monde à avoir le droit de parler de gloire et d'héroïsme ? Ce qui m'arrive à moi n'a aucune importance ! Qu'en est-il de votre femme ? Comment avez-vous pu la jeter elle aussi dans la chute ?

Soliveau rougit, le visage contre la table, la lame humide de léthé plaquée sur le cou.

— Comment oses-tu suggérer que j'aurais pu faire une chose pareille ?

— Elle n'est pas tombée toute seule dans la chute ! Je l'ai entendue crier. Je ne me souviens de rien, sauf de son cri. Comprenez-vous ?

Le visage du Grand Électeur devint soudain exsangue.

— C'est donc vrai… C'est donc vrai que tu ne te souviens pas… (Sa poitrine se soulevait comme s'il allait éclater en sanglots.) Comment peux-tu avoir imaginé autre chose ? Jamais je n'aurais levé la main sur Rhéole. Jamais ! Elle ne m'aimait pas, mais *moi*, je l'aimais ! C'est *elle* qui s'est jetée dans la chute pour toi, Yvain… C'est *elle* qui a bravé la mort pour te sauver…

Le général Yvain Angrois lâcha le pitoyable vieil homme. Il recula d'un pas, clignant des paupières comme si l'autre l'avait giflé. La dague empoisonnée tomba de sa main désormais sans force. La lame frappa le sol de biais et éclata en plusieurs morceaux.

Yvain tourna finalement les talons et marcha vivement vers la sortie.

— Halte ! ordonna Soliveau en une vaine démonstration d'autorité. Où vas-tu ?

— Loin d'ici !

— Tu ne sais donc pas ? criait Soliveau. Tu ne sais donc même pas si vous aviez… consommé votre amour ?

Yvain s'arrêta, puis se retourna lentement. Il tremblait de tout son corps, révulsé par l'atroce vulgarité de la question. Il fixa tour à tour Malitorne, Opilione, Panserfio, et le misérable, misérable vieil homme triste, fatigué et gris qui essuyait du revers de la manche le poison qui lui coulait le long du cou.

— Quelle importance cela a-t-il maintenant ?

Soliveau se ratatina sur lui-même.

— Aucune.

Cette fois, le général Angrois ne se retourna pas avant d'être sorti de l'enceinte du château, dont les murs lui semblaient désormais terriblement sombres et proches et oppressants. Il avait eu l'impression que la conversation avec Soliveau avait duré des heures ; or, c'est à peine si le soleil effleurait le flanc des montagnes Folles.

Sur des jambes molles comme du coton, Yvain descendit les marches de l'escalier monumental du château qui surplombait la surface miroitante de la Tosse. Il traversa le jardin, jusqu'au pont de la Gloire… le pont Rhéole-Guychesne. Il s'arrêta au milieu, là où les fleurs destinées à la cérémonie commençaient à se flétrir. À être dispersées par le vent. Appuyé contre le parapet, il contempla les eaux couleur d'ambre abandonner leur lit de pierre avant de s'abîmer dans la chute. Il resta longtemps hypnotisé par le fracas des eaux tourbillonnantes, par toutes ces images et ces sons qui avaient emprunté la voie détournée des rêves pour contourner le rempart de son amnésie.

Il posa la main sur sa poitrine, à la hauteur de son tatouage.

YARG : Yvain-Angrois-Rhéole-Guychesne.

C'était bien son nom, après tout, qu'il s'était fait inscrire à la hauteur du cœur... Son nom, et celui d'une autre...

De quand datait-il, ce tatouage ? D'avant ou d'après le mariage du Grand Électeur ?

Quelle importance cela a-t-il maintenant ?

CHAPITRE 24

En guise d'épilogue

Personne n'aurait su dire depuis combien de temps l'homme sur sa monture fixait l'horizon. Une plaine sauvage s'étendait sous lui, à l'infini, un désert de marécages piqueté de rares buissons.

Le jour se levait.

Bien en selle sur son cheval alezan, l'homme contempla le ciel violet devenir couleur de pêche, sauf à l'horizon où le contour des nuages occultait la teinte matinale du firmament.

L'air sentait la rosée et les effluves de la vase.

Derrière lui, un claquement se précisait, celui de chaque sabot un peu plus audible que le précédent.

L'homme, qui avait des yeux pour voir, et des oreilles pour entendre, et une poitrine pour sentir la vibration des pas des chevaux qui s'approchaient, daigna tourner le visage en direction des deux cavaliers qui étaient descendus eux aussi des montagnes pendant la nuit à sa poursuite.

L'un d'eux montait un cheval alezan, une bête rustique et bien découpée qui aurait pu être le frère de l'autre bête. La troisième monture, celle de la cavalière, était tout aussi noble mais plus svelte, avec un museau rose et une robe gris pommelé.

— Yvain! cria la cavalière, qui était d'une grande beauté pour qui appréciait les femmes menues à quatre bras. Te voilà enfin!

— *Mfff!* émit l'autre, un colosse musculeux qui semblait tout aussi soulagé de retrouver l'homme qu'ils avaient pisté jusqu'à l'orée des steppes s'étendant au nord des montagnes Folles.

L'homme ne répondit pas tout de suite, sans par ailleurs montrer de l'agacement ni aucune autre forme de sentiment, en voyant ses deux poursuivants ajuster le pas de leur monture à la sienne. Lorsqu'il eut jugé que le silence s'était suffisamment prolongé, l'homme dit:

— Port Soleil, c'est vers le sud.

— Vraiment, Yvain! Tu pensais réellement que tu nous glisserais entre les doigts si facilement?

— Je m'appelle Yarg. Juste Yarg.

Il ne lui échappa pas que la jeune femme échangeait un long regard entendu avec Panserfio.

— Pourquoi pas? dit la jeune femme. Bien entendu, je m'appelle de nouveau Sarouelle. C'est mon nom de voleuse de steppe, après tout.

Yarg poussa un soupir aussi vaste que la coupole du ciel au-dessus de sa tête. Les rares nuages du matin s'étaient dispersés; le ciel était entièrement clair, bleu soutenu avec une bande dorée à l'est. Le disque du soleil était sur le point d'apparaître à la ligne d'horizon.

— S'il est vrai que tu m'aimes, Opilione, ou Sarouelle, ou quel que soit ton nom, je t'en conjure, ne t'approche plus jamais de moi. Je porte malheur aux femmes qui souffrent de cette folie.

Yarg s'adressa à Panserfio.

— Ramène-là à Port Soleil et prends-en soin. Vous méritez mieux que ma triste compagnie.

Le visage expressif du colosse s'affaissa en un masque de désapprobation.

Ils chevauchèrent un certain temps en silence. Les deux poursuivants de Yarg ne semblaient aucunement prendre les mesures pour rebrousser chemin. Sarouelle reprit la parole. Elle affectait un ton neutre, mais Yarg la connaissait trop bien pour ne pas entendre le sourire matois dissimulé sous la prétention d'indifférence.

— Tu n'as pas la moindre idée de ta destination, je suppose.

— Pas la moindre.

— Arrivés à la moitié du chemin, Panserfio et moi, on t'abandonne. Ça te va ?

Yarg haussa le haut du corps sans détacher les mains des rênes de sa monture.

— Ça me va.

Il détestait les adieux, de toute façon.

REMERCIEMENTS

Ce roman doit beaucoup aux œuvres de Cervantès, Fritz Leiber et Jack Vance, dont il n'est qu'un modeste et faible écho. J'y ai aussi incorporé, en les réécrivant, quelques passages de mes romans *Le Voyage de la sylvanelle* et *Le Secret des sylvaneaux*, publiés dans la collection Jeunesse-pop des éditions Médiaspaul ; c'est moins gênant d'emprunter ce qui est à soi. Un salut à Jean-Louis Trudel, grand voyageur devant l'Éternel : j'ai piraté sur son blog les considérations d'Ignace le Catonien sur la générosité des gens envers les voyageurs en page 445.

L'écriture de ce roman a été rendue possible grâce à l'appui financier du Conseil des Arts du Canada, que l'auteur tient à remercier.

Joël Champetier...

... est né à Lacorne (Abitibi-Témiscamingue). Il écrit depuis une vingtaine d'années et a à son actif quatorze livres touchant tant à la science-fiction qu'au fantastique et à la fantasy. Son premier roman fantastique, *La Mémoire du lac*, a mérité le Grand Prix 1995 de la science-fiction et du fantastique québécois et le prix Aurora du meilleur roman, alors que son second, *La Peau blanche*, a été adapté pour le cinéma par Daniel Roby. Quant à *La Taupe et le Dragon*, il a été traduit en anglais et publié aux États-Unis sous le titre *The Dragon's Eye*. Outre son travail d'écrivain, Joël Champetier est rédacteur en chef de la revue *Solaris*.

EXTRAIT DU CATALOGUE

Collection « Romans » / Collection « Nouvelles »

VOUS VOULEZ LIRE DES EXTRAITS
DE TOUS LES LIVRES PUBLIÉS AUX ÉDITIONS ALIRE ?
VENEZ VISITER NOTRE DEMEURE VIRTUELLE !

www.alire.com

LE VOLEUR DES STEPPES
est le cent dix-huitième titre publié
par Les Éditions Alire inc.

Il a été achevé d'imprimer
en avril 2007 sur les presses de

Transcontinental
IMPRESSION
IMPRIMERIE GAGNÉ

IMPRIMÉ AU CANADA